10663697

LE PREMIER SEXE

DU MÊME AUTEUR :

Romans et récits

Elle et Lui, Prix de l'humour 1951 (Flammarion).
Trois sans toit (Flammarion).
Pécus (Robert Laffont).

Essais et chroniques

Liberté européenne (Flammarion).
On s'aimera toute la vie, *illustré par Peynet* (Le Livre contemporain).
Le cœur à l'ouvrage (Le Livre contemporain).
Pourquoi Jaccoud a-t-il tué? (Flammarion).

Histoire

L'Histoire de France racontée à Juliette, *édition revue et augmentée* (Presses de la Cité).
Les Grandes Heures de Lyon (Le Livre contemporain).
Deux siècles d'Histoire de France par la caricature (Pont Royal).
Histoire du monde (Flammarion).
Tome I. L'animal vertical.
Tome II. Le feu de Dieu.
Tome III. L'âge de raison.
Tome IV. Le grand tournant.
(Première partie, 1815-1914).
(Deuxième partie, de 1914 à nos jours).

Pour la jeunesse

L'Histoire de France racontée à François et Caroline, *édition revue et augmentée* (Flammarion).

JEAN DUCHÉ

LE PREMIER SEXE

ÉDITIONS ROBERT LAFFONT
6, place Saint-Sulpice, Paris-6e

SOMMAIRE

DEUXIÈME PARTIE

LA FEMME DANS LES GRANDES CIVILISATIONS

SOMMAIRE

TROISIÈME PARTIE

LA RÉVOLUTION FÉMININE

AVANT-PROPOS

Depuis des millénaires, l'humanité était composée pour moitié d'êtres inférieurs, que l'on appelait femmes, tellement sous-développés qu'ils ne soupçonnaient pas l'état d'abjection où les hommes les tenaient. Enfin, le pot aux roses a été découvert, et l'égalité des sexes proclamée.

Les femmes n'ont pas toujours été aussi asservies qu'on le croit, ni les hommes si assurés de leur domination, nous verrons cela plus tard, mais je tiens à dire tout de suite que je suis pour l'égalité. (D'ailleurs, je n'ai jamais rencontré un homme qui osât dire qu'il était contre.) Je suis pour une totale égalité sexuelle, intellectuelle, juridique, économique, politique, pour que les filles reçoivent la même éducation que les garçons, pour que les femmes exercent les mêmes métiers que les hommes, pour qu'elles soient mineur de fond ou Président de la République si ça leur plaît et pour qu'elles jettent leur soutien-gorge par-dessus les moulins — si ça nous plaît : car j'ai beau être contre la féminitude, je suis encore pour la féminité.

C'est ici que je crains de me faire lapider par certaines radicales du féminisme. Tant pis, je prends le risque d'affirmer qu'elles se fourvoient. Elles raisonnent, me semble-t-il, à partir de deux ou trois confusions. Parce que l'homme a utilisé la féminité pour dominer la femme, elles refusent la féminité. Parce que c'est l'homme qui a fait l'histoire, elles croient qu'il n'est de valeurs que masculines. Quand elles poussent plus loin l'analyse, elles concluent que l'esprit n'a pas de sexe, mieux : que l'esprit ne s'élève qu'en s'opposant au sexe (féminin, bien sûr). L'alpha et l'omega de ces confusions se trouvent dans la bible de Simone de Beauvoir, qui a déployé un admirable talent de masochiste pour se démontrer à elle-même que la nature féminine n'existe pas.

Et pourtant, cette nature qui n'existe pas gémit dans les chaînes. Le malheur de la femme, dit Simone de Beauvoir, est d'être « asservie aux mystères de la vie ». Mais si son bonheur était d'y être initiée ? Fariboles ! « La vie ne porte pas en soi ses raisons d'être. » Or, « ces raisons sont plus importantes que la vie même ». Seul l'homme, que le service de l'espèce n'alourdit pas, est libre d'escalader les cimes de l'esprit du haut desquelles il contemple l'être inessentiel, « l'Autre » — la femme. En somme, la femme qui donne et protège la vie est l'Etrangère, la contingence, alors que la transcendance appartient à l'homme qui tue.

Tout est là, dans le refus ou dans l'acceptation de notre condition charnelle. Il est clair que Simone de Beauvoir (comme Sartre) ne s'est jamais remise de son éducation puritaine et bourgeoise. Eve n'est toujours que l'os surnuméraire, la porte de l'enfer devant laquelle Adam se récrie d'horreur. Il fallait bien mille pages de raisonnements philosophiques pour fonder ce parti pris, le parti de l'esprit contre le sexe. Mais qu'est-ce que cette révolution qui reprend les anathèmes des premiers Pères de l'Eglise contre le gouffre du péché où s'abîme l'esprit ? Et s'y abîme pour quoi faire ? L'abominable œuvre de chair, cette « tuméfaction de l'utérus » selon saint Jérôme, cet « embryon glaireux » selon Simone de Beauvoir, qui, dit-elle, « soulève le dégoût ». La côtelette d'Adam accommodée à la sauce révolutionnaire ne me dit rien qui vaille.

Les femmes qui prétendent libérer leur sexe en se libérant de leur sexe ne font que le trahir. Elles hurlent avec les loups froqués ou défroqués qui n'ont jamais cessé de mener la chasse à « la plus nuisante des bêtes sauvages ». Car il est bien vrai que l'histoire, et l'évolution des espèces, se présentent comme une inlassable agression de l'esprit du pénis contre la matrice. Mais que des femmes, sitôt qu'elles ont accédé à la vie de l'esprit, épousent la vieille horreur virile, voilà qui ne me paraît pas être une promesse de bonheur.

Plan de ce livre

Devant cette confusion fondamentale, et si constamment reprise, avec quelques variantes, par certaines militantes féministes — dont les plus virulentes, ce n'est pas un hasard, sont des Américaines en révolte contre leur puritanisme — j'ai cru utile de remonter aux sources. C'est pourquoi ce livre commence par le commencement : la naissance de la sexualité et son évolution dans le monde animal, depuis le petit mâle dérisoire dévoré par la monstrueuse femelle jusqu'à la glorieuse virilité du Cob de l'Ouganda, à l'astuce du Singe hurleur et au tendre amour des Choucas.

Nous pouvons y trouver quelques renseignements sur nous-mêmes : autant il serait de mauvaise méthode de prêter aux animaux des comportements humains, autant il est justifié d'observer chez eux des comportements qui nous révèlent avec la force de l'étrangeté ce qui survit en nous et que l'habitude nous dissimule.

Le premier chapitre s'achève avec l'apparition de l'animal vertical, dont la prestance physique est des plus médiocres mais qui a un esprit, par quoi lui est révélée la cruauté de son destin. Terrifié de se découvrir engendré et mortel, il se prosterne devant la Déesse Mère. D'innombrables statuettes en attestent le règne depuis l'Aurignacien jusqu'à la fin du paléolithique, c'est-à-dire pendant quelque 30 000 ans, et toutes les mythologies s'en souviennent.

La révolution agraire s'accompagne d'une révolution sexuelle. Quand le chasseur devient agriculteur, il s'approprie le moyen de production : la terre, et le moyen de reproduction : la femme. Il entend être le père de ses enfants, à qui il transmettra sa propriété. La filiation utérine s'efface au profit de la filiation agnatique. La charrue a inventé la jalousie, la fidélité, l'autorité patriarcale.

On voudrait en savoir davantage sur les relations des sexes dans la préhistoire. Les peuples primitifs peuvent-ils nous éclairer ? Sans doute, si l'on n'oublie pas qu'ils sont un conservatoire altéré par une longue, lente évolution : ces « naturels » sont, eux aussi, des « culturels ». Mais ce sont précisément leurs inventions culturelles dans le bain du naturel qui sont instructives. Elles nous enseignent qu'il y a mille et une manières de faire vivre ensemble deux êtres humains de sexe opposé ; que des choses que nous tenons pour spécifiquement masculines ou féminines ne le sont pas ; que d'autres, que notre rationalisme conteste, sont essentielles. Elles nous enseignent qu'il n'y a pas de *pattern* universel, que le nôtre est tout aussi relatif que les autres, et donc, que nous pouvons changer la vie.

J'essaie ensuite de voir quelle situation fut faite à la femme par les grandes civilisations. Il n'y en a qu'une dizaine, si l'on regarde d'assez haut. Et une évidence s'en dégage : à travers les tyrannies, les libérations et les rechutes, l'énergie créatrice de l'homme s'exerce toujours aux dépens de la femme — comme le mâle, dans l'évolution des espèces, s'est affirmé aux dépens de la femelle. Peu importe que cette énergie soit spiritualiste ou matérialiste, le résultat est toujours la subordination de la femme à l'homme : la Bible ou le Coran, la grandeur chinoise ou la grandeur romaine, sont des formes civilisées de l'agression du pénis contre l'utérus.

Le sommet de l'agression est atteint avec la révolution industrielle et bourgeoise. La révolution agraire avait renversé la Déesse Mère, mis Dieu le Père sur le trône et la femme au foyer (le foyer, première acquisition du nomade sédentarisé). La révolution industrielle cloître bourgeoisement l'épouse chaste et pure et installe sur le trône l'Homme-Savant-Tout-Puissant. Jusque-là, il avait trouvé mille raisons de tenir la femme en servitude, mais mille raisons n'en valent pas une, mille raisons ne valent pas la Raison, celle des encyclopédistes, des jacobins, des positivistes, des scientistes, des ingénieurs en tout genre, en un mot, la Raison phallique.

Jetée dans une servitude à nulle autre pareille, la femme se révolta, et d'autant plus efficacement que l'industrie en répandant les biens répandait aussi l'instruction nécessaire au combat. C'est alors que certaines radicales à grosse tête, éperdues d'admiration pour les prouesses viriles, n'imaginèrent pas d'autre voie que celle qui avait mené l'homme à la domination. Colonisées par l'impérialisme de la raison, elles l'étaient si totalement qu'elles se voulurent impérialistes comme leurs maîtres. Et même, elles ont dépassé leurs maîtres, celles qui ont inscrit à leur programme la castration et la stérilité.

C'est, en effet, un moyen de changer la vie, mais je doute que ce soit le meilleur. Et, sur le plan social, je crains que cette révolution-là soit en retard d'un bon demi-siècle. Car s'il est juste et nécessaire que la femme ait enfin la possibilité de vivre en être humain à part entière, c'est-à-dire d'agir, elle aussi, dans le monde extérieur et d'y conquérir son indépendance, faut-il qu'elle se jette tête baissée dans le système de la compétition quand l'homme commence à rêver de s'en dégager ? Ce serait un étrange paradoxe qu'au moment où l'homme se découvre aliéné par sa propre domination de la matière, « chosifié » par les choses qu'il crée, la femme considère comme un triomphe de partager son aliénation.

Betty Friedan s'est rendue célèbre en attaquant, à juste titre, l'homme américain coupable d'avoir mystifié la femme avec les valeurs traditionnelles du foyer, de la féminité, de la maternité. Un certain fanatisme de l'abstraction est une autre mystification. Je pense que la femme vraiment démystifiée aura pour tâche de démythifier l'homme, ses pompes et ses œuvres. Elle ne peut le faire qu'en lui opposant ses propres valeurs. Les unes sont vieilles comme le monde. Les autres, il va falloir qu'elle les invente. Elle est le sexe essentiel, elle seule peut retrouver le droit fil, mais elle ne saurait se sauver sans sauver en même temps l'accessoire viril. Si l'homme est un enfant perdu, comme je le crois, à elle de le prendre en main, ou par la main, et de montrer le chemin vers un monde où toute activité sera ouverte à la femme, si elle le désire, mais une activité dont elle aura repensé les moyens et la finalité.

Que faire ? Comment le faire ? Pour quoi le faire ? Dans quel esprit ? Question fondamentale dont la femme porte en elle les réponses, pourvu qu'elle sache écouter sa voix intérieure, et la faire entendre ; pourvu que le premier sexe rouvre les sources originelles faute desquelles l'histoire de l'humanité n'eût pas été buvable.

Sur tous les plans — car tout se tient — que ce soit celui de l'organisation du travail, de la production, de la consommation, de l'habitat, de la pollution, de la démographie, des relations internationales, du sexe ou de l'amour, notre société industrielle ne peut être humanisée — c'est ma conviction — que par la *féminité créatrice*.

PREMIÈRE PARTIE

LE SEXE PRIMORDIAL

CHAPITRE PREMIER

LA VIE SEXUELLE DES ANIMAUX

Des animaux farouches, mâle et femelle, se retirent la nuit dans des tanières et s'y affrontent en un singulier combat. La femelle défie le mâle, l'agace, parfois elle le provoque d'un air d'indifférence feinte, le mâle fait le beau, se rengorge, se gonfle d'importance, à la fin la culbute, la terrasse, la transperce, la fouille avec une opiniâtreté invincible, lui arrachant des cris et des gémissements qui semblent de douleur sans pareille ; les membres s'emmêlent, les corps soudés ensemble vibrent, tremblent, se tendent, et soudain, foudroyés, s'affalent. Quelques soubresauts encore les secouent, puis tout s'apaise en une molle hébétude. « Ils ont comme une voix articulée, et quand ils se lèvent sur leurs pieds, ils montrent une face humaine et, en effet, ils sont des hommes [1]. »

L'étrange et invincible désir qui accouple le roi et la reine de la création est aussi celui qui conjugue deux Infusoires. Regardons : on croirait assister à la naissance de la sexualité, voilà quelque cinq cents millions d'années.

Comme tous les Infusoires, la Vorticelle est un être unicellulaire qui se reproduit habituellement par bipartition : la cellule se divise en deux cellules identiques à la première. Habituellement, mais pas toujours. Voici que la Vorticelle, saisie par la débauche, se divise en quatre Vorticelles naines. Alors que la Vorticelle reste d'ordinaire fixe, les naines s'agitent, circulent, et en voilà une qui accoste une des Vorticelles fixes. Elles se pressent l'une contre l'autre comme en un baiser de tout leur être, si intime que les membranes cellulaires en contact s'effacent et, peu à peu, la grosse absorbe la naine. Chacune perd un de ses deux noyaux, et les deux qui subsistent s'unissent, formant, ô nouveauté, un être qui est le produit de deux êtres.

« Cette fusion, cette jonction de deux cellules en une seule, c'est bien tout l'essentiel de la sexualité animale. Chez les organismes composés de plus d'une cellule — organismes pluricellulaires — ce ne pourra plus être le tout d'un individu qui s'unit avec le tout d'un autre, chacun détachera de soi, déléguera de soi une cellule, une seule, qui le contient et le représente, et c'est par l'entremise de ces deux cellules que s'opérera le mélange de deux êtres. Qu'il s'agisse de mouches, de grenouilles, de colibris ou d'éléphants, ces deux cellules — si expressivement dénommées *gamètes*, ou cellules mariables — sont les vrais protagonistes du drame sexuel. Pour diverses que soient les structures des procréateurs, leurs conduites, leurs instincts, leurs moyens de rencontre ou de séduction, tout cela n'aura d'autre fin que de produire, de libérer, de protéger, de mener l'un vers l'autre les deux gamètes, et d'assurer, au bout du compte, leurs invisibles noces [2]. »

D'entrée de jeu, les rôles sont répartis : une cellule féminine volumineuse, sédentaire, et une petite cellule masculine, agile, vagabonde, qui l'aborde et la pénètre en une sorte de « viol cellulaire », mais un viol désiré et comme télécommandé.

Et surgit la grande énigme. Qu'est-ce que cette force qui pousse l'un vers l'autre deux Vorticelles ou deux êtres humains ? Des hormones, c'est-à-dire une affaire de chimie ? Bien. Et les mécanismes nerveux qu'elles déclenchent, comment se sont-ils formés ? Et cette coadaptation des sexes, si étroitement ajustée que chacun, manifestement, n'est pas fait pour lui-même mais pour l'autre ? Les mathématiques statistiques nous diraient peut-être qu'une infinité de mutations hasardeuses dans le milliard d'années de la nuit précambrienne rendaient probable la trouvaille. Mais d'où vient cette force, et où nous mène-t-elle ?

La vie a inventé la mort

Ce que nous savons, c'est que, avec la reproduction sexuelle, l'individu est né. *Avant*, les êtres se reproduisaient identiques à eux-mêmes — immortels. *Après*, les caractères héréditaires présents dans une population ont pu se combiner à l'infini, et *au hasard*, engendrant un autre toujours autre, un « moi » unique *, irremplaçable, et mortel. La vie a inventé la mort.

Finie la monotonie de l'éternité. Voici la grande débauche de l''imaginaire, la profusion des formes animées, insectes, poissons, oiseaux, mammifères **, voici la compétition, la sélection, l'insécurité, l'agressivité, l'ambition, la peur, l'espérance, la haine, l'amour — l'amour qui unit les amants au-delà de la mort et qui est peut-être la nostalgie du temps immémorial où nous n'étions qu'un dans la vase indifférenciée.

Et voici mille et une formes de la sexualité. Aussitôt, une autre question se pose. Qu'est-ce qui est le plus admirable ? La prodigieuse diversité de la nature, ou son refus des complications nocives ? Son foisonnement, ou son conservatisme ? Son délire, ou sa discipline ?

La volupté plénière de l'Escargot

Pour nous, *sexe* égale deux, un mâle et une femelle. Il vient du mot latin *sexus*, dérivé de *sectus* : section, séparation. Ainsi l'étymologie se conforme à l'histoire de la Vorticelle — ou à la légende inverse d'Eve extraite du flanc d'Adam. Mais pourquoi *deux* sexes ? Pourquoi pas trois, pourquoi pas douze ? Voilà qui nous aurait permis quelques *belle*

---

* Partant des composantes d'un spermatozoïde, on a calculé que le nombre des arrangements génétiques possibles pour l'homme est de l'ordre de $10^{2\,400\,000\,000}$. Chacun de nous était improbable.

** 650 000 espèces d'insectes ont été décrites. On en trouve chaque année environ 2 500 et les entomologistes pensent qu'il doit rester entre 1 500 000 et 2 000 000 d'espèces d'insectes non décrites. Nous connaissons 4 500 espèces de mammifères.

combinazioni... La nature y a songé : certains Infusoires, justement, n'ont pas craint — et ils continuent — de se séparer en neuf sexes ; certains champignons se contentent de quatre sexes. Mais, si l'on peut dire, une plus belle carrière était promise à la simplicité de la dualité.

Toutefois, la nature aurait pu épargner une certaine incompréhension entre mâle et femelle si elle avait laissé les deux sexes à l'intérieur d'un même être. C'eût été à la fois simple et doublement satisfaisant. Elle l'a fait. Les Escargots connaissent encore la volupté plénière de l'hermaphrodite. « A la fraîcheur de l'aube ou du crépuscule, deux individus s'abordent : ils se dressent, s'appliquent verticalement l'un contre l'autre, et exécutent une série de mouvements oscillatoires, en même temps qu'ils se flairent et s'agacent de leurs tentacules recourbés. Puis, ayant amené en contact leurs ouvertures génitales, ils projettent une sorte de petit stylet, ou dard, qui va se ficher dans la chair du partenaire. On ne sait à quoi répond ce coup de poignard préliminaire : inocule-t-il un philtre d'amour ? ou, par la douleur qu'il lance, éveille-t-il l'ardeur génésique ? Chacun des deux Escargots, maintenant, projette une longue lanière blanchâtre — le fouet, ou flagellum — qui, se logeant dans la vésicule séminale du partenaire, noue ensemble les deux Mollusques. Puis, c'est l'entre-fécondation, chaque bête ne se satisfaisant comme mâle que si elle est, dans le même temps, satisfaite comme femelle [3]. Ce n'est pas un privilège d'Escargot : l'hermaphrodisme est très répandu chez les Invertébrés (et chez les Plantes supérieures ; mais nous ne nous intéressons pas assez aux amours de la marguerite). Et il en reste des traces chez tous les Vertébrés, y compris l'Homme.

Si nous étions mâle et femelle ?

Nous sommes des hermaphrodites qui s'ignorent. L'embryon humain porte l'ébauche des deux sexes. Il ne commence à se différencier qu'à partir de la septième semaine, témoignant d'un esprit de décision très supérieur à celui de l'Anguille, qui met plusieurs années à acquérir son sexe. En fait, le choix était inscrit dans notre constitution génétique, une des vingt-trois paires de chromosomes, « marquée » XX, ayant prédéterminé le sexe féminin, ou une paire de chromosomes XY, le masculin. Les milliards de cellules de notre corps portent et cette ambivalence et cette différence. Certaines exaltent la différence : elle est assurément plus visible dans les testicules et dans l'utérus que dans le cerveau ; mais elle se trouve aussi dans les cellules du cerveau. Et l'ambivalence, qui semble le propre du cerveau, alors qu'elle n'y règne pas sans partage, perdure dans la sexualité d'où nous voulons croire qu'elle est normalement exclue. Il faut nous faire à cette idée : l'homme est viril, la femme est féminine, de la tête aux pieds ; mais chacun, de la tête aux pieds, participe de l'autre sexe. Ambivalence + différence donne un sens à la querelle actuelle de l'égalité des sexes, et démasque les adversaires : certaines féministes, qui entrent en transe quand on ose dire que l'esprit de la femme est féminin ; les hommes conservateurs, c'est-à-dire presque tous, qui se hérissent quand on a l'audace d'insinuer que l'esprit féminin pourrait bien valoir l'esprit masculin. Enfin, la révélation que, virtuellement, l'homme a en lui une part de féminité, et la femme une part de virilité, risque de troubler la féminité de l'une, d'inquiéter la virilité de l'autre... Et pourtant, l'Escargot ne nous a-t-il pas montré le chemin du parfait accord sexuel ?

Les Crevettes nous avertissent

Ce n'est point que je rêve d'un monde où la différence sexuelle serait abolie. J'y tiens beaucoup, au contraire, et ne rêve que de l'enrichir. Une histoire de Crevettes m'aidera à préciser ma pensée. Deux espèces de Crevettes pratiquent l'ambivalence à fond, mais successivement : mâles dans la première moitié de leur vie, elles s'inversent en femelles et le restent jusqu'à leur mort *. Le drame se joue dans la mer

* Les Huîtres plates d'Europe ont peut-être trouvé la solution idéale : mâles une année, et femelles l'année suivante, elles alternent les plaisirs — si elles en ont.

du Nord pour *Pandalus borealis* et dans la Méditerranée pour *Lysmata seticaudata.* Je dis bien le drame, car cette métamorphose, qu'un homme curieux pourrait juger instructive — « Enfin, je vais savoir ce qu'Elle pense ! » — est catastrophique : un petit calcul arithmétique dont je vous fais grâce établit que les femelles vraies sont appelées à disparaître. Et en effet, elles sont très rares chez *Pandalus,* et chez *Lysmata,* il n'y en a plus [4]. Ces Crevettes nous avertissent du péril que courraient les sexes à quitter leur rôle masculin et féminin. Je ne sais ce qui serait le plus triste : pour les femmes de cesser d'être, ou pour les hommes de vivre dans un monde sans femmes. Notre vérité ne seraitelle pas qu'il faut être richement viril pour accueillir la féminité, et richement féminine pour accueillir la virilité ? Si l'Escargot nous montre le chemin, il serait téméraire de prétendre le rattraper.

Le sexe primordial est le sexe féminin

L'Escargot a encore à nous apprendre. Cet hermaphrodite ne possède qu'une seule gonade, qu'une seule glande productrice des spermatozoïdes et des ovules. Si l'on isole du cerveau la gonade, elle ne produit plus que des ovules. D'autres expériences sur les Vers de terre, qui possèdent ovaires et testicules, aussi bien que sur les Vers luisants qui, eux, poussent la différence sexuelle à l'extrême (la femelle luit dans l'herbe, le mâle vole et ne brille guère) confirment : le cerveau commande la sécrétion d'une hormone masculinisante. Pas de cerveau, pas de mâle : rien que des femelles sans cervelle.

Les mythologies des peuples les plus divers l'avaient bien dit : l'esprit est virilisant, l'esprit est viril. Oui, mais... la nôtre, la Genèse, prétendait que la Femme avait été extraite de l'Homme. C'est tout le contraire. Le sexe primordial est le sexe féminin, et le mâle n'est qu'un luxe. Il est vrai que la femme ne peut plus s'en passer : on s'habitue au luxe.

Mais pour en arriver à ce pénis si spirituel, combien de

copulations baroques, combien d'orgies, combien de noces cruelles la nature n'a-t-elle pas inventées !

La sexualité dévorante

A la saison du frai, les populations de Vers marins se rassemblent pour une orgie à faire frémir le marquis de Sade. Les femelles attaquent les mâles par la queue, la sucent, la coupent et la mangent. Les spermatozoïdes digérés transitent jusqu'aux œufs à travers la paroi de l'intestin, si les femelles ont eu la chance de sectionner avec la queue les testicules en ce festin sexuel. Les mâles n'en meurent pas ; ils vont, loin du tumulte, régénérer leur queue pour la prochaine joute.

On doute, à voir ces valeureux amants, que le frisson érotique soit l'unique moteur de l'attraction sexuelle. A moins que « mourir d'amour » soit, pour certains êtres, un peu plus qu'un cliché romantique. Chez la Sauterelle, le Criquet, le Scarabée doré, la Mante religieuse, les mâles se conduisent en vrais kamikases de la sexualité. La Sauterelle femelle ne dépose pas ses œufs qu'elle n'ait éventré son mâle. La femelle du Criquet le remercie de sa sérénade en écrasant sa harpe et en dévorant ce qu'elle peut attraper. Le Scarabée doré mâle n'a pas, il est vrai, fait le sacrifice de sa vie. Sitôt finie la copulation, il lutte désespérément pour se dégager. Mais l'épouse implacable enfouit sa tête sous la jolie carapace des ailes, fouille le dos, évide le thorax, et abandonne la dépouille conjugale complètement sucée. Quant à la Mante religieuse, sa triste réputation est bien établie. Tandis que le mâle la chevauche, elle commence à lui dévorer la tête. Il ne s'interrompt point. Bientôt il n'est plus qu'un corps décapité, et il n'en continue pas moins de la besogner. Il n'en continue que mieux : car il souffre d'inhibition sexuelle, et il faut qu'il perde ses ganglions cérébroïdes, il faut qu'il perde la tête pour faire l'amour. Heureusement pour son espèce, la Mante religieuse est un des rares insectes que la nature ait dotés d'un cou mobile. Si elle ne pouvait pas tourner la tête, il n'y aurait plus de

Mantes religieuses sur la terre. Ne voilà-t-il pas une occasion peu ordinaire d'admirer le travail d'adaptation des sexes ? On objectera qu'il eût été plus simple de ne pas créer un mâle inhibé. Les desseins de la nature, comme ceux de la Providence, sont insondables... Peut-être vaudrait-il mieux dire : les voies de l'évolution sont sans retour, et quand elle s'est fourvoyée dans une impasse, elle peut aller jusqu'au crime pour corriger son erreur. Elle la corrige, d'ailleurs, gaillardement : Fabre [5] a vu une Mante religieuse insatiable recevoir et croquer sept mâles successivement.

Il arrive aussi, dans les profondeurs abyssales des océans, que le mâle survive d'une existence falote. Chez une sorte de Baudroie, le Ceratias, la femelle est longue d'un mètre, et le mâle, de quinze à vingt fois plus petit. Il attaque son flanc, le mord, et le voilà soudé à elle, Eros tout entier à sa proie attaché. Il perd ses dents, sa mâchoire, il perd son tube digestif, son cœur même, il s'abandonne au point de n'être plus qu'une verrue testiculaire reliée au système sanguin de la femelle, et qui libére son sperme au commandement des hormones. Vit-on jamais femelle réduite en une si abjecte sujétion ? J'ajoute que cette Baudroie transporte un harem de nombreux mâles.

Mieux vaut courir que tenir

On comprend que certains mâles prennent leurs précautions. Le Scolopondrella, petit Mille-pattes prudent, délivre ses spermatozoïdes dans des coques, des spermatophores, qu'il pose sur de minuscules piquets à l'intention de sa femelle. Si d'aventure elle rencontre un spermatophore, elle le mange. Sitôt croquée la coque, les spermatozoïdes se réfugient dans deux poches spéciales qu'elle a dans sa bouche, où ils attendent qu'elle ait pondu. Alors, elle lèche ses œufs, et la destinée des spermatozoïdes du Mille-pattes s'accomplit.

Les petites bêtes que l'on voit parfois courir dans les livres, les pseudo-Scorpions, sont aussi des pratiquants du spermatophore, mais le mâle ne se fie pas à l'appétit de sa femelle. Il va la chercher, « il l'immobilise avec ses grandes pinces et l'entraîne de force à l'endroit où il a planté le spermatophore ; il la soulève de terre et, en tâtonnant laborieusement, il coiffe son spermatophore avec les voies génitales de la femelle ; puis il agite cette dernière de droite et de gauche jusqu'à ce que le spermatophore se vide dans les voies génitales [6] ».

Le mâle de l'Araignée n'aime pas être mangé. Il opère à distance, au moyen d'un double pénis, les palpes, situées à l'extrémité d'une de ses huit pattes (marcher sur son pénis ne semble pas le gêner). Il tisse une petite toile, dépose une gouttelette de semence qu'il aspire avec ses palpes, comme on remplit une seringue ; puis, tenant à distance la femelle avec ses autres pattes, il injecte la semence dans l'orifice génital, et se retire précipitamment. Parfois, « il tâche de distraire l'ogresse par des danses, des exhibitions de pattes, des jeux de sémaphore, ou à la désarmer par l'offrande de moucherons ou de cocons vides... En quelques espèces, il va jusqu'à la mettre en état de catalepsie, ou à la ligoter de soie pour opérer en toute sécurité [7] ».

Le Poulpe a trouvé la même solution que l'Araignée : un de ses tentacules prélève sa semence qu'il projette dans la cavité de la femelle cependant que, de ses autres bras, il la maintient et la flatte. Mais, quand il est trop petit, comme l'Argonaute, qui n'est que le dixième de la femelle, le bras copulateur délègue un long fouet qui s'en va se nicher dans la cavité de la femelle. Le Nautile est plus radical : c'est son bras tout entier qui se détache, part à la recherche de la femelle et, sans yeux ni cerveau pour se guider, la trouve. Elle ne rechigne pas à héberger plusieurs de ces pénis en bordée.

Mourir au septième ciel

Les amants de la reine des Abeilles dédaignent ces misérables prudences.

Dans la ruche où les ouvrières s'affairent, les mâles, les

faux bourdons, attendent, nourris et logés, le bon plaisir de la reine. Ils ne sont pas très nombreux, pour deux raisons. La première est que leur mère a limité les naissances des mâles, grâce à son pouvoir étrange et enviable de contrôler le sexe des œufs qu'elle pondait : une légère pression sur son stock de spermatozoïdes fécondait l'œuf et donnait une femelle, pas de pression, c'était un mâle. Mais quand elle eut épuisé son stock, les derniers œufs furent tous des mâles : les ouvrières ont rétabli l'ordre en assassinant ces parasites surnuméraires. Peut-être les vierges besogneuses trouvèrent-elles dans ce meurtre collectif une douce compensation à leur chasteté forcée. Donc, l'aristocratie des faux bourdons qui ont échappé au pogrom se prélasse dans le miel en attendant que la reine (qui ne doit sa couronne qu'à une exceptionnelle goinfrerie de gelée royale) s'envole vers l'azur où doivent s'accomplir ses noces, les noces d'un seul jour de sa vie. Son vol nuptial l'emporte si haut que nul regard humain n'a pu le suivre, à l'exception du regard poétique de Maeterlinck [8].

« Elle gagne ainsi des hauteurs et une zone lumineuse que les autres abeilles n'affrontent à aucune époque de leur vie. Au loin, autour des fleurs où flotte leur paresse, les mâles ont aperçu l'apparition et respiré le parfum magnétique qui se répand de proche en proche jusqu'aux ruchers voisins. Aussitôt les hordes se rassemblent et plongent à sa suite dans la mer d'allégresse dont les bornes limpides se déplacent. Elle, ivre de ses ailes et obéissant à la magnifique loi de l'espèce qui choisit pour elle son amant et veut que le plus fort l'atteigne seul dans la solitude de l'éther, elle monte toujours, et l'air bleu du matin s'engouffre pour la première fois dans ses stigmates abdominaux et chante comme le sang du ciel dans les mille radicelles reliées aux deux sacs trachéens qui occupent la moitié de son corps et se nourrissent de l'espace. Elle monte toujours. Il faut qu'elle atteigne une région déserte que ne hantent plus les oiseaux qui pourraient troubler le mystère. Elle s'élève encore et déjà la troupe inégale diminue et s'égrène sous elle. Les faibles, les infirmes, les vieillards, les malvenus, les mal nourris des cités inactives ou misérables renoncent à la poursuite et disparaissent dans le vide. Il ne reste plus en suspens, dans l'opale infinie, qu'un petit groupe infatigable. Elle demande un dernier effort à ses ailes, et voici que l'élu des forces incompréhensibles la rejoint, la saisit, la pénètre et, qu'emportée d'un double élan, la spirale ascendante de leur vol enlacé tourbillonne une seconde dans le délire hostile de l'amour. »

« Délire hostile », en effet : la reine a arraché le pénis de son amant. Et tandis que Lancelot émasculé tombe du ciel où il a connu l'extase, la reine « descend des hauteurs de l'azur et retourne à la ruche, traînant après elle, comme une oriflamme, les entrailles déployées de son amant ». Et chargée d'une cargaison de sperme suffisante pour féconder les œufs que désormais elle pondra à la cadence de deux mille par jour pendant cinq ans. Prodigieuse génitrice ! Et prodigieux Lancelot. On la soupçonne cependant, aujourd'hui, de consentir, en son vol nuptial, que plusieurs chevaliers lui servent sa provision de semence.

Le faux bourdon sauverait son pénis s'il copulait comme le mâle de la Punaise. Sa Punaise a beau offrir son vagin, il ne s'y laisse pas prendre : il lui plante son pénis dans le dos et il l'en retire sain et sauf, laissant la femelle se débrouiller pour acheminer la semence jusqu'aux œufs à travers son corps. La ruse est habile, mais basse, et bonne pour une Punaise. Nous ne saurions l'imiter. Mais le sublime du faux bourdon, peut-être ? Tristan y prétendit, léguant aux amants romantiques un funeste modèle. Il reste le rêve futuriste d'une société aussi hautement spécialisée que celle des abeilles, où des ouvrières diligentes et stérilisées assureront l'ordinaire des jours et des nuits, cependant que quelques hommes d'élite, épargnés pour la vertu de leurs génitoires, se prélasseront dans le miel jusqu'à l'extase mortelle.

La psychologie humaine : 50 % animale

Ces rapprochements paraîtront incongrus, sinon désobligeants. Et pourtant...

L'homme descend, il faut en convenir. Jadis, il descendait du ciel. Depuis Darwin, il descend d'un arbre. Depuis Freud, il plonge dans la psychanalyse de l'inconscient. Les éthologues prétendent maintenant l'abaisser jusqu'à la psychologie des animaux... Et, n'est-ce pas étrange ? on voit plus clair dans les profondeurs que dans les nuées.

Cependant, quelque chose en nous résiste. A quoi ? A nous reconnaître prisonnier des lois de la nature. Certes, nous n'en sommes pas entièrement prisonniers : il arrive que la raison en nous commande. Il arrive aussi qu'elle divague, loin des faits, dans un délire d'interprétation : combien de beaux esprits seraient justiciables de la psychiatrie, s'ils ne jouissaient du privilège du philosophe ! C'est un étrange respect de la vieille philosophie idéaliste qui n'accorde de valeur qu'au monde intérieur de la raison pure ; et c'est une attitude peu rationnelle que de dénier toute valeur à l'observation scientifique du monde extérieur.

D'évidence, l'homme est à la fois un être de raison et un être de la nature. Comment pourrait-il en être autrement ? La vie est apparue sur la terre depuis deux milliards d'années ; le primate marche sur ses pattes de derrière depuis une quinzaine de millions d'années ; l'hominien sait tailler un galet depuis plus de deux millions d'années ; et nous voudrions que cette immensité de vie biologique ait été effacée par dix mille années de vie culturelle ? Si elle peut l'être jamais. S'il est souhaitable qu'elle le soit jamais... Les comportements inférieurs de l'homme, c'est-à-dire une bonne moitié de ses comportements, peuvent être comparés — je ne dis pas : identifiés — à ceux de l'animal, et, répétons-le, il est aussi légitime de le faire que, pour un médecin, d'expérimenter sur les animaux.

En fait, nature et raison ne s'opposent pas, et je n'ai accepté la distinction que pour sa commodité : il est bien clair que la raison est une des composantes de la nature de l'homme. « La circonvolution de Broca, dans le lobe temporal gauche, où le savoir et le pouvoir, *gnosis* et *praxis*, collaborent d'une façon si prodigieuse pour donner naissance à la pensée conceptuelle et au langage, écrit Konrad

Lorenz, est un organe naturel, corporel, de l'homme, au même titre que ses poumons ou ses reins, même si, à la différence de ceux-ci, elle n'a pas d'équivalent dans le règne animal. » Disons, avec Arnold Gehlen : l'homme est par nature un être civilisé. Ou, du moins, il pourrait l'être...

Nous nous croyons au sommet de l'histoire : nous ne sommes qu'à son commencement. Notre raison a accompli des performances non négligeables mais dérisoires en regard de ce qui nous reste à accomplir dans la connaissance et dans la morale. Et comment pourrions-nous jamais connaître et diriger notre héritage animal, si nous nions son existence ? A la superbe de l'idéaliste je préfère l'humilité du naturaliste. Un de ses avantages est qu'elle engendre tout *naturellement* la poésie, l'ironie, l'humour — bref, la suprême sagesse. Esope et La Fontaine s'en étaient déjà avisés. Les histoires naturelles ne sont pas moins belles ni moins instructives que les fables.

Le sexe téléguidé

Les odeurs féminines sont un aphrodisiaque irrésistible. C'est le « parfum magnétique » de l'abeille, écrit Maeterlinck, qui appelle le faux bourdon à son assomption sans retour. L'odeur du mâle semble d'une portée plus limitée : elle ne fait que persuader la femelle de l'accepter. Chez les Papillons, « les mâles désodorisés ont beaucoup moins de succès que les mâles normaux », dit Jean Rostand. Mais les effluves féminins du Grand Paon de nuit ou de l'Orgye antique battent l'appel des mâles à plusieurs centaines de mètres à la ronde. « Ne vous lavez pas, j'arrive », écrivait Henri IV à ses maîtresses. Si les sexes ont recours aux signaux lumineux, c'est tantôt l'un, tantôt l'autre, ou tous les deux, qui brûlent de mille feux. Quant au chant, il serait plutôt viril, si l'on en juge par la sérénade à la Grenouille ou à la Napolitaine, qui l'écoutent avec leurs cuisses [9].

Qu'il soit mené par le nez, par l'oreille ou par l'œil, le mâle n'est pas libre de résister à cette séduction. Mais elle prend parfois d'étranges détours. Konrad Lorenz a découvert qu'il existe des déclencheurs sexuels que l'on serait tenté de dire « culturels ». Qu'est-ce qui fait qu'une Cane accepte un Canard colvert ? Les plumes vertes de son cou. Plumez-lui le cou, elle repoussera ses avances ; et, comble d'infortune, il subira les assauts d'un autre Colvert, bien que le reste de son plumage ne ressemble en rien à celui de la Cane.

On peut toujours se tromper, mais personne ne se méprend plus complètement qu'une Guêpe sur une Orchidée. Le pollen des Orchidées est trop loin du pistil pour pouvoir l'atteindre ; trop lourd pour que le vent l'emporte ; et les Orchidées, ne donnant pas de nectar, n'intéressent pas les Abeilles. Qu'à cela ne tienne : elles se déguisent en Guêpes, ou en Mouches, ou en Frelons. Kullenberg a observé l'Orchidée « guêpe », et il a vu des Guêpes mâles venir copuler avec l'Orchidée, enfoncer leur dard dans le calice où il s'englue de pollen, puis s'en aller copuler avec une autre et ainsi la féconder. Comme pour mieux assurer leur affaire, ces Orchidées secrètent une odeur qui est la même que celle de la Guêpe femelle [10]. A-t-on jamais vu plus subtile invention de la ruse féminine ? Une fois encore, la nature a corrigé son erreur, mais par des voies plus aimables que le sacrifice du mâle de la Mante religieuse. On peut, il est vrai, repousser l'idée d'une adaptation si miraculeuse. Il faut alors supposer l'évolution parallèle de deux êtres qui n'ont rien à voir l'un avec l'autre — si l'on trouve plus rationnel le hasard de leur rencontre. Mais il faut y ajouter un autre hasard encore : que le mâle de la Guêpe éclose un mois avant elle, qu'il se trouve plus tôt qu'elle sexuellement excité, et copule avec l'Orchidée faute de Guêpe ; car, tout de même, il la préfère, et lorsque enfin elle est pubère, il abandonne l'Orchidée, esseulée mais affaire faite.

Spontanéité sexuelle

Le sexe n'a même pas besoin que « les parfums, les odeurs et les sons se répondent » : il peut « partir » tout seul.

Konrad Lorenz raconte les expériences que fit Wallace Craig sur des couples de Colombes rieuses. Il sépara le mâle de la femelle. Au bout de quelques jours, il lui présenta une Colombe blanche qu'il avait toujours ignorée, et il se livra à la danse d'amour. Quelques jours de plus, et il s'inclina et roucoula devant un Pigeon empaillé. Quelques jours encore, et il courtisa un chiffon roulé en boule. Lorenz conclut : « Goethe fait dire à Méphisto : « Avec ce philtre dans les veines, tu verras bientôt Hélène dans chaque femme. » Si tu es un Pigeon mâle, tu peux voir Hélène même dans un torchon [11]. »

Un Crapaud mâle peut la voir dans un bout de bois. Quand vient le printemps, il chevauche tout ce qui lui passe entre les pattes, un bâton ou un autre mâle — mais celui-ci se débat et proteste par un grognement qui révèle la méprise. La femelle reste aussi silencieuse qu'un bâton, mais elle le retient par l'aimable rugosité de sa peau, elle le retient pendant des jours et des jours, et quand il est juché sur elle, on peut « le brûler, l'électriser, le larder de coups d'aiguilles, le lacérer, le taillader, le mutiler, il ne lâchera pas prise pour autant ». Comme les mâles sont en surnombre, il n'est pas rare qu'un deuxième, un troisième, un quatrième viennent s'accrocher au couple, composant « ces nœuds de crapauds qui, par l'emmêlement des membres, évoquent un fétiche oriental [12] ».

Parades nuptiales et nids d'amour

Voici que des poissons, des oiseaux, apportent une sorte de volonté dans la séduction. Sans doute, l'un n'est pas plus libre de parader, ni l'autre de le trouver à son goût, que des Vers marins saisis par la débauche. Cependant, qu'ils le veuillent ou non, leurs manigances aboutissent à un choix, et à une sélection.

Le Combattant siamois est, comme son nom l'indique, un poisson belliqueux, et si beau dans la bataille que les Siamois en ont fait depuis des siècles un spectacle, comme d'autres organisent des combats de Coqs. Habituellement d'un brun gris, que le Combattant rencontre un congénère aussi terne que lui, ils hissent les couleurs et, resplendissants de magnificence, commencent la danse de mort — ou la danse de vie, s'il se révèle que l'un des deux est une femelle. Le mâle n'en sait rien à l'avance, mais la femelle s'empresse d'annoncer la couleur : elle baisse pavillon en repliant ses nageoires et s'enfuit ; ou, si elle est consentante, elle arbore des stries transversales claires et s'approche d'une nage lente, insinuante. Alors il s'éloigne avec ostentation vers le berceau d'écume qu'il a préparé à la surface de l'eau, revient vers elle, repart, revient, repart, elle le suit, hésitante et timide, et enfin la voilà sous le toit d'écume. Et c'est la merveilleuse danse d'amour qui rappelle, dit Konrad Lorenz, « par sa grâce tendre le menuet et, par son style général, la transe des danseuses des temples de Bali... On sent que chaque geste a derrière lui une longue évolution historique et doit sa forme particulière si élaborée à une antique ritualisation ». Le cavalier tourne en rond, présentant son flanc rutilant à la dame qui, elle, doit toujours lui être perpendiculaire ; car lui laisser apercevoir son flanc serait le signe du défi viril, dont le galant se trouverait métamorphosé en brute sanguinaire. « Les couleurs sont de plus en plus flamboyantes, les mouvements de plus en plus animés, le cercle de plus en plus étroit, jusqu'au moment où les corps se touchent. Le mâle enlace alors soudain fermement la femelle avec son propre corps, la retourne doucement sur le dos, et tous deux accomplissent en frémissant le grand acte de la procréation, déversant en même temps œufs et semence [13]. » Les œufs tombent, le mâle plonge à leur suite... Mais nous verrons plus tard ce qu'il en advient.

Les Oiseaux à berceau ont, comme le Combattant, la sagesse de construire le berceau avant de songer à procréer. Il en est, parmi les Oiseaux de Paradis, qui se donnent un mal inouï, comme s'ils se fiaient moins à leurs charmes qu'à la beauté de leur demeure pour séduire une femelle : ainsi l'Oiseau dit de Lauterbach, qui édifie une maison à quatre murs où l'on a compté trois mille baguettes entrelacées, tapissées de mille touffes d'herbe ; et, devant la maison, une esplanade pavée de mille petits cailloux. Sur le pas de sa porte, le garçon à marier attend. Survient une fille. Un coup d'œil sur les lieux... Non, décidément, elle n'aimerait pas vivre ici ; elle s'envole et va chercher fortune ailleurs. Enfin en voilà une qui consent à entrer. Extrêmement excité, il vole cueillir une baie pourpre, et danse devant elle, en tenant la baie dans son bec, la danse des accordailles. Quant aux mâles qui n'ont pas su s'approprier un territoire et y édifier une maison, ils errent dans les bois, sans attrait ni descendance.

Les champions du sexe

On peut aller plus loin dans l'exclusive. Les Abeilles nous l'ont déjà dit. Et chacun sait que le brame des Cerfs appelle les mâles aux tournois qui décideront lequel régnera sur la harde des Biches. Mais ces superbes antilopes, les Cobs, ou les Coqs de bruyère du Wyoming dans l'Ouest américain, sont — certainement avec beaucoup d'autres dont les ébats n'ont pas été observés — des champions de la copulation sélective.

Vers la fin du mois de mars, les Coqs et les Poules se rassemblent sur un « champ de danses », toujours le même. Ils étaient environ huit cents dans la population observée par W. C. Allee, sur un terrain de huit cents mètres sur trois cents. Au crépuscule, les Coqs s'affrontent et les plumes volent tous les soirs, jusqu'à ce que des « maîtres Coqs » émergent du lot. Il y en eut cinq, qui établirent leur trône chacun sur une aire de dix mètres carrés. Alors les Poules se pressèrent autour d'eux et les maîtres Coqs les servaient à la chaîne. Chacun était assisté d'un sous-maître Coq prêt à le suppléer quand il était à bout de forces (et à l'expulser quand il serait définitivement exténué). Mais les Poules préféraient attendre patiemment que le maître Coq se remette. Au bout du compte, les trois quarts des Poules furent fécondées par les maîtres Coqs, et un huitième par les sous-maîtres. Seules les Poules du huitième restant se laissèrent tenter par des Coqs vulgaires.

Imaginez maintenant une quinzaine de petites pelouses tondues ras, réparties sur des pâturages légèrement onduleux dont elles occupent les bosses : ce n'est pas un terrain de golf, c'est le terrain des Cobs — ceux de l'Ouganda, dont Helmut K. Buechner, professeur de zoologie à l'université de l'Etat de Washington, a observé les amours. Chaque pelouse est la propriété d'un champion Cob ; et de même que, dans une ville, les faubourgs sont moins appréciés que le cœur de la cité, la concupiscence des femelles va vers les arènes du centre où les attendent les super-champions. Dès qu'une femelle pénètre dans son domaine, le Cob hume l'air, la tête rejetée en arrière, exhibant sa gorge irrésistible. La femelle broute. Il la flaire, elle le flaire, tête-bêche. L'affaire semble conclue. Il se dresse sur ses pattes de derrière, la monte... mais elle le fait glisser d'un mouvement de croupe et retourne à son herbe. Il recommence. Alors, comme excédée de ces galanteries, elle s'en va brouter chez le voisin. Et le voisin la couvrira, si elle trouve l'herbe à son goût. Quant au premier mâle, il aurait eu garde de la suivre. Chacun chez soi. Et une de perdue, dix de trouvées : les femelles se succèdent, elles ne rechignent pas à plusieurs saillies par jour, et elles sont disponibles trois cent soixante-cinq jours par an. Point de périodes de rut entre lesquelles souffler un peu. On comprendra que les champions doivent finir par céder leur sceptre à des champions plus frais. C'est la seule chance des jeunes challengers qui se morfondent dans une frustration totale : les femelles n'auront pas pour eux un regard tant qu'ils n'auront pas conquis une aire d'amour [14]. Si les femmes sélectionnaient aussi rigoureusement leurs amants, l'espèce humaine n'aurait plus à envier la beauté des Cobs. Mais quel homme, si grandes que soient ses ambitions secrètes, oserait prétendre au sceptre du Cob ?

Les voix du silence

La toute-puissance de la loi génésique, c'est peut-être chez les Tortues et les Anguilles qu'elle est le plus fascinante.

Les Tortues vertes, monstres marins d'un quart de tonne,

sont de très respectables ancêtres qui ont connu le temps des dinosaures. Nous les apprécions dans la soupe mais elles donnent aussi, me disait un vieux Gabonais qui les pêche au harpon, des escalopes tout à fait dignes d'un veau. Elles ont d'autres mérites. Quand l'envie les prend de pondre, elles appareillent pour d'incroyables voyages. Celles qui vivent sur la côte brésilienne font une navigation de deux mille kilomètres vers l'îlot de l'Ascension au milieu de l'Atlantique. Sans doute s'orientent-elles, comme les oiseaux migrateurs, sur les constellations. Mais avec quelle précision, pour trouver cet îlot de sept kilomètres de long et dont le plus haut sommet culmine à un mètre cinquante !

A l'automne, les Anguilles d'Europe descendent les rivières et disparaissent dans l'Atlantique. Les sociétés danoises de pêcheries et de conserveries, affligées par cette trahison annuelle d'un animal que la Providence avait destiné à être fumé, financèrent des recherches qui aboutirent, en 1922, à cette nouvelle incroyable : les Anguilles s'en allaient frayer dans la mer des Sargasses. Et les Anguilles américaines faisaient de même. Frayer, et mourir : ce rendez-vous avec la vie est aussi un rendez-vous avec la mort, la mer des Sargasses est le tombeau des Anguilles et le fabuleux berceau où grouillent des myriades de larves qui, en un an, deviennent de jeunes Anguilles transparentes, les civelles. Alors elles se mettent en route, toutes seules, comme des grandes. Et celles dont les parents étaient américains, et qui possèdent cent sept vertèbres, se dirigent vers les rivières américaines. Celles qui sont nées de parents européens, et qui possèdent cent quinze vertèbres, se dirigent vers les rivières européennes. Quelle puissance les pousse, quelle étoile les guide vers les rivages inconnus et vers notre assiette ?

Grandeur et défaillance de l'instinct maternel

Mais l'irrésistible besoin de procréer a aussi des défaillances, et consternantes pour qui croit à l'infaillibilité de l'instinct.

Nous avions laissé le Combattant siamois plongeant à la poursuite des œufs qui tombaient du ventre de sa femelle. Il se hâte de les recueillir dans sa bouche et d'aller les déposer dans le nid d'écume. Sans doute parce qu'il ne les retrouverait plus dans la vase ? Pendant ce temps, l'amoureuse demeure tout alanguie. Enfin elle reprend ses esprits, elle plonge, elle va l'aider, en bonne épouse et bonne mère... Vous vous trompez : tous les œufs qu'elle pourra attraper seront inexorablement avalés. L'instinct maternel de la siamoise, le Combattant sait ce qu'en vaut l'aune, voilà pourquoi il faisait diligence et voilà pourquoi, après dix à vingt autres séances de charme pour compléter sa provision d'œufs, il ne laissera plus l'ogresse approcher du nid.

Chez l'Hippocampe, ou Cheval marin, c'est le mâle qui se charge de tout : la femelle pond directement dans une poche incubatrice qu'il porte à l'abdomen. Quelques minutes plus tard, il accouche des jeunes alevins, non sans douleur, à en juger par ses contorsions. Quant à l'épouse de l'accouché, elle n'est même pas là pour lui tenir la main.

Tout animal qui couve ou qui garde ses petits, que ce soit le père ou la mère, est animé d'une agressivité féroce contre la terre entière, à l'exception de sa progéniture. C'est bien naturel, direz-vous. Et pourtant... Mettez à couver une Dinde sourde : sitôt éclos ses dindonneaux, elle les tuera, des collaborateurs de Konrad Lorenz en ont fait l'expérience. Pourquoi ? Parce qu'elle ne les reconnaît pour siens que si elle entend leurs piaillements — tout au moins à la première couvaison : elle ne sait pas, de naissance, ce que c'est qu'un dindonneau. Une Dinde normale, voyant un poussin empaillé, l'attaque ; mais si un petit haut-parleur incorporé dans le poussin lui fait entendre des piaillements, la voilà toute maternelle. Même un rejeton de ses ennemis jurés recevra le même accueil. « Il est vraiment impressionnant, écrit Lorenz, d'observer comme cette Dinde, qui n'a que coups de bec pour le poussin muet, s'aplatit en poussant des glougloutements maternels pour accueillir sous ses ailes un bébé Putois glapissant [15]. » Et si le tintamarre des mégalopolis — ou une altération culturelle de leurs sens — rendait les femmes sourdes aux cris des nouveau-nés ?

Dans le silence glacial de la nuit antarctique, l'instinct maternel paraît mieux assuré. Croîtrait-il en raison directe de l'hostilité du milieu ? Ou bien, ne serait-il qu'une survivance de la dureté des temps préhistoriques ? Aux fabuleux voyages génésiques des Tortues et des Anguilles répond l'abnégation des Pingouins, qui n'ont pas changé depuis la période Eocène, voilà soixante-dix millions d'années, quand nul animal, Singe ou Homme, n'était encore là pour se tenir debout comme un Pingouin. Au mois de mars, lorsque tombe la nuit polaire de l'Antarctique, les Manchots-Empereurs se rassemblent sur la banquise que leur tradition a désignée pour la couvaison. Chaque femelle pond sur la glace un œuf, que le mâle ramasse et pose sur sa patte. Après cet effort, les femelles s'en vont se refaire une santé dans l'océan, laissant les mâles avec leur œuf sur la patte. Le vent furieux balaie l'espace noir, poussant des tourbillons de neige, les Empereurs se serrent fraternellement les ailerons et pendant deux mois ils endurent le froid mortel, silencieux, immobiles, leur œuf sur la patte. Enfin elles reviennent, les femelles dodues. L'œuf change de patte. C'est aux mâles d'aller se dégourdir et se restaurer dans les eaux libres et poissonneuses, et aux femelles de monter la garde, sentinelles de la vie dans la nuit polaire. Quand les mâles regagneront leur « foyer », l'éclosion des œufs et du printemps sera proche, et les petits Pingouins naîtront avec le jour.

On voit peu de pères ni de mères de famille humains qui endureraient les souffrances d'un Manchot-Empereur pour avoir un enfant. On n'en voit pas non plus qui partagent le fardeau de la couvaison dans une si parfaite égalité des sexes. Mais on en voit beaucoup qui perdent leur vie à la gagner pour que leurs enfants ne manquent de rien, qui mettent les bouchées doubles pour donner la becquée à leurs petits, comme des oiseaux. Ne ressemblent-ils pas à ce couple de Rouges-gorges qui, pour cinq bouches à nourrir dans leur nid, volent sans cesse de la maison au marché, toutes les deux minutes, afin d'apporter à ces petits oiseaux la pâture que Dieu ne leur donne pas — mille chenilles par jour ? Il en est aussi qui rêvent de se libérer de cet esclavage où l'enfantement les réduit. Le Coucou a trouvé la solution.

Chacun sait que le Coucou pond ses œufs dans le nid d'un autre oiseau qui couve pour lui et nourrit ses petits. Ce n'est pas si simple. C'est même si compliqué que l'on se demande comment le Coucou peut résoudre tous les problèmes que lui pose sa vocation de parasite. Il faut qu'il choisisse le nid d'un oiseau insectivore comme lui. C'est facile. Maïs comment faire pour que cet œuf étranger ne soit pas rejeté ? Il faut qu'il ait la même couleur que les œufs de l'hôte. Et le Coucou pond des œufs de la couleur requise — toujours la même pour lui qui parasite toujours la même espèce, maïs différente pour ses congénères d'une autre région qui ont choisi un hôte différent. Ce n'est pas tout. Il faut qu'il dispose d'un œuf frais au moment où son hôte se mettra à couver les siens (car il ne va pas pondre directement dans le nid, et il n'y dépose qu'un œuf : on est discret, tout de même). En conséquence, il en pond une quantité exceptionnelle, jusqu'à dix-huit, et quand son hôte est prêt, hop ! voilà l'œuf du jour. Un œuf dont le temps d'incubation est inférieur à celui des œufs de son hôte, ceci est capital. Car le petit Coucou, qui deviendra gros, voudra avoir ses aises dans le nid ; c'est pourquoi, sitôt éclos, il jettera par-dessus bord ses frères de couvée — s'il en a la force ; le mieux est qu'il naisse le premier : il les attend à la sortie. Après quoi, il ouvre l'entonnoir de son bec, et le malheureux Passereau dont il vient de massacrer la progéniture y enfourne bonnement des insectes. Ne voilà-t-il pas beaucoup de paramètres dans l'équation qu'avait à résoudre le Coucou femelle pour s'épargner la peine de couver et de nourrir son petit Coucou ? La paresse est la mère de l'invention. Les riches bourgeoises du temps jadis avaient partiellement résolu le problème avec des nourrices et des nurses. Reste à faire couver nos œufs dans un utérus d'emprunt : consultons le Coucou.

Le contrôle naturel des naissances

La gestation artificielle résoudrait du même coup le problème de la sélection et celui de la régulation des naissances — deux problèmes devant lesquels l'espèce humaine se révèle dramatiquement incompétente. Alors que les animaux...

Les Abeilles, les Coqs de bruyère, les Cobs nous ont donné un aperçu de leurs méthodes de sélection. Elles impliquent une certaine autorégulation des naissances. La lutte pour les territoires fait le reste. Aucun chasseur n'ignore qu'il est inutile de laisser une trop forte densité de Perdrix sur un territoire : un couple ne s'établira pas s'il ne dispose d'au moins quatre hectares. Tous les animaux ont la sagesse de proportionner leur activité génésique au territoire et aux ressources — tous, sauf l'animal humain, qui a trop d'esprit pour se soumettre aux mécanismes naturels, mais qui n'en a pas encore eu assez pour inventer des régulateurs rationnels.

Voyez les Sternes, ou Hirondelles de mer. Leurs nids sont groupés sur des rochers, toujours les mêmes : comme les Cobs, les Tortues vertes, les Coqs de bruyère, les Anguilles ou les Pingouins, elles ont leurs aires rituelles de la procréation. A quelques mètres de là, des couples de jeunes attendent. Quoi ? Qu'il y ait une place vacante sur cette aire que l'on dirait sacrée. Qu'est-ce qui les empêche de nidifier sur le rocher où ils se trouvent ? Le respect de la tradition ? Si l'on veut. Toujours est-il que cette tradition contrôle les naissances. Et cela vient de très loin. Voici l'expérience stupéfiante due à Le Gay Brereton : « Il a installé dans un premier bocal dix femelles de Ver de farine en état de se reproduire, cent dans un deuxième, mille dans un troisième, etc. Ces femelles pondent naturellement des œufs en quantité proportionnelle, par exemple dans le premier bocal, 100, dans le deuxième, 1 000, dans le troisième, 10 000. Or, on constate qu'au bout de quelques mois la population se stabilise à un même niveau dans les trois bocaux, par exemple à 100 adultes suivant le volume de la nourriture. On a invoqué deux motifs : les femelles mangent une partie de leurs œufs, et les crésols qu'elles sécrètent intoxiquent le milieu. Tout cela est vrai, mais ne suffit pas. Brereton a eu l'idée de tamiser les œufs aussitôt après la ponte, et de les faire éclore en dehors des parents adultes, dans de la farine fraîche : le résultat a été surprenant ; dans un litre de farine, 100 œufs, 1 000 œufs, 10 000 œufs ne donnent jamais que 100 Vers adultes. Il s'agit donc d'un phénomène, probablement hormonal, d'autorégulation de la fertilité des œufs par les femelles [16]. » Si les femmes avaient les capacités de la femelle du Ver de farine, ce serait la fin des guerres et la prospérité universelle.

La maturation sexuelle

Pourquoi les garçons sont-ils sexuellement plus précoces dans les villes qu'à la campagne, et beaucoup plus précoces aujourd'hui qu'autrefois ? Peut-être qu'un oiseau et un petit poisson le savent.

L'Hemichronis est un poisson familier des laboratoires. Si on l'isole dans un aquarium aux vitres troubles, sa maturation sexuelle se fait mal. La présence de congénères améliore un peu les choses. Mais ce qui règle tout, c'est de laver les vitres : la vision du monde extérieur, les gens qui se promènent dans le laboratoire, voilà ce qui le met en état de copuler. Il n'est pas le seul : privés de stimuli extérieurs, plongés dans un environnement monotone, les oiseaux et les mammifères perdent leurs moyens. Il ne semble pas que la publicité, les magazines, les films, bref, que l'érotisme partout affiché dans nos villes prive la jeunesse de stimuli extérieurs — jusqu'au jour où ils les trouveront monotones.

L'imitation précipite le mouvement. Combien de garçons et de filles font l'amour parce que leurs copains le font, qui n'y auraient pas songé si vite... Un jour, Lorenz prit un Oiseau de marécage et lui injecta un cocktail d'hormones qui hâta de deux mois sa maturation sexuelle. L'expérience était banale, mais ce qu'il observa l'était moins : les autres oiseaux, voyant leur congénère construire un nid, se mirent à construire le leur et se trouvèrent, eux aussi, sexuellement mûrs avec deux mois d'avance. Ainsi la vie sociale déclenche le système hormonal, et l'amour est une épidémie.

Il existe, il est vrai, un frein, mais nos sociétés démocratiques ne le tolèrent pas : c'est la hiérarchie. On a vu qu'elle condamne à la chasteté des Antilopes aussi bien que des Hirondelles de mer. Elle est capable de faire mieux, ou pire. Inutile d'aller chercher bien loin : une basse-cour est une société rigoureusement hiérarchisée, où le Poulet « alpha » a le droit de becqueter tous les autres, le Poulet « bêta », tous les autres sauf « l'alpha », et ainsi de suite jusqu'au Poulet « omega » qui est battu par tout le monde. Et non seulement il est battu, non seulement il est repoussé de la mangeoire, mais il lui est interdit de copuler. De sorte que le malheureux, s'il reste trop longtemps dans cette situation, quand on l'en sort, il est atteint de castration psychique[17]. Au fait, nos sociétés démocratiques ont-elles banni cette infortune ? On en doutera, si l'on veut bien considérer qu'une bande de jeunes garçons n'est pas moins cruelle qu'une troupe de Poulets ou de Macaques.

Déviations sexuelles

L'intrusion du psychisme dans le comportement animal, voilà une nouveauté. Les perversions sexuelles suivent tout naturellement. C'est à peine une boutade : le psychisme, lui aussi, est naturel, bien que d'un autre ordre, d'un ordre capable de révolutionner le premier âge de la nature.

Mais pourquoi parler de « perversions » ? Ne faudrait-il pas dire « déviations », ou « réorientations » ? Dans la chaîne de l'évolution, les derniers venus semblent vouloir échapper par quelque biais au despotisme de la loi sexuelle. Leurs réponses aux voix du silence sont moins automatiques, ils imaginent des variantes, ils s'offrent des fantaisies, ils inventent. Et ces inventions, nous les qualifions tantôt de perverses et tantôt de sublimes. Pervers, les Singes du jardin zoologique qui pratiquent l'homosexualité et prennent un malin plaisir à se masturber sous le nez des badauds. Et le

Dauphin qui aime tellement la compagnie des hommes : il est pervers ; non pour la sympathie que nous lui inspirons, bien sûr, mais parce qu'il ne déteste pas non plus la Tortue géante sur le dos de laquelle il se masturbe jusqu'à l'orgasme. Il fallait y penser : cet animal est d'une intelligence exceptionnelle. Quant à la Tortue, elle doit être à mille lieues de soupçonner, dans son archaïque innocence, cette activité culturelle du Dauphin. Mais le couple de Choucas qui respectent toute leur vie durant — et elle est longue — la fidélité conjugale : sublimes.

Si l'on veut bien s'abstenir d'un jugement de valeur, ces comportements ont un caractère commun, ou plutôt ils ont en commun l'absence d'un caractère : ils ne sont pas au service de l'espèce, mais de l'individu. De ce point de vue, strictement objectif, nommons-les donc « déviations », dans le sens des Ponts et Chaussées : ils ont quitté la route de Grande Communication. Mais il n'est pas prouvé qu'ils ne la retrouveront pas plus loin. Ainsi de l'amour, et de l'homosexualité des Jars.

Les honorables pères de famille homosexuels

Il arrive, en effet, que l'homosexualité se mette au service de l'espèce. Je ne pense pas ici à un Platon faisant « l'éducation » des jeunes gens, mais aux Oies, ou plus exactement aux Jars.

La déclaration d'amour d'un Jars à une Oie se fait par le « cérémonial de triomphe » qui est une agression ritualisée, plutôt comique avec ses contorsions du cou, que Helga Fischer a minutieusement décrite. L'agression est, en effet, le fondement de l'amour ou, si l'on préfère, l'amour est une sublimation de l'agression (et les animaux qui vivent en bandes anonymes ignorent et l'agression et l'amour). Aussi, quand ce sont deux Jars qui se livrent au cérémonial de triomphe, l'agression de l'un rencontre une agression à sa hauteur, d'où naissent une satisfaction et une estime qui les portent mutuellement aux plus hauts exploits, tels Achille et Patrocle chez Homère : c'est-à-dire, sans consommation sexuelle (car ce furent les intellectuels pédérastes de l'époque classique qui prétendirent annexer ces héros homériques à leur confrérie : l'*Iliade* n'en souffle mot). A vrai dire, quand le printemps les travaille, il arrive bien qu'un des deux Jars essaie de côcher son ami, mais il se rend compte assez vite qu'il y a comme un défaut, il redescend, et leur amour n'en est pas altéré.

Jusque-là, ils n'ont pas beaucoup fait pour l'espèce. Mais, par l'alliance de leurs forces combatives très supérieures à celles d'un couple d'hétérosexuels, leur couple jouit d'un énorme prestige social. Il se trouve toujours une Oie pour en être séduite. Elle suit les deux héros à distance respectueuse, espérant que l'un d'eux, toujours le même, celui que son cœur a élu, daignera abaisser les yeux sur elle. Elle parvient généralement à ses fins en saisissant l'instant où il tente de côcher l'autre : elle en profite pour se présenter dans la position convenable, et se trouve côchée comme un pis-aller. Faute de merle, le Jars mange une grive. Mais le mâle aussitôt se détourne vers son « amant » et c'est à lui qu'il adresse le salut rituel qu'exigent les bonnes manières après la copulation : « En vérité, c'est à toi que j'ai pensé. » Et l'autre Jars répond comme si de rien n'était. Puis ils la plantent là. Il faudra des années pour qu'ils l'acceptent dans leur intimité quotidienne. A moins qu'elle ait la chance qu'ils tombent sur elle couvant ses œufs ou menant ses oisons. Alors, ils l'adoptent, ou plutôt ils adoptent les petits, qui sont en fait les enfants de l'un d'eux. Car élever des oisons, pour un Jars, c'est beaucoup plus « gratifiant » que de copuler. Ainsi, tôt ou tard, le ménage à trois est constitué, le second Jars se met lui aussi à côcher l'Oie, tout le monde se salue en cérémonie avant et après la copulation, ils ont beaucoup d'enfants très bien élevés et, l'union faisant la force, ils jouissent de la considération générale.

Invention de l'amour

Dans la quasi-totalité des espèces, le sexe (généralement le féminin) appelle l'autre sexe, qui s'exécute sans discussion.

Mais l'Oie, il faut qu'elle soit amoureuse. Ce qui la pousse vers le Jars, et le Jars vers elle, et ce qui maintiendra leur union, ce ne sont pas les rapports sexuels, dont il font peu de cas, c'est bel et bien de l'amour. Et il tombe sur eux comme un « coup de foudre ».

Un jeune Jars qui, dans son premier printemps, tombe amoureux, se trouve métamorphosé en un clin d'œil. Il clame son amour à cor et à cri. Hier nonchalant, paresseux, rechignant à l'effort de l'envol, le voilà glorieux, en l'air pour un rien, atterrissant à grand fracas avec le cri de triomphe chez sa bien-aimée.

Elle est plus réservée. « Elle ne lui court pas après. Tout au plus se trouve-t-elle « comme par hasard » aux endroits fréquentés par lui : ni par ses attitudes, ni par ses gestes, elle ne fait savoir au Jars qu'elle accueillerait favorablement ses propositions. Seulement par le jeu de ses yeux. Car elle n'observe jamais directement ses gestes de bravade. « Feignant » de diriger ses regards ailleurs, elle le regarde quand même sans tourner la tête. Autrement dit, elle louche vers lui du coin de l'œil, exactement comme le font nos jeunes filles [18]. » Tout au moins, celles de nos jeunes filles qui seraient encore des oies blanches.

Enfin, ils sont fiancés. Pas mariés, puisqu'ils devront attendre un an — le printemps suivant — avant de pouvoir copuler. L'engagement est pour la vie, qui sera longue, si le renard ne les mange pas. On voit des veuves inconsolables, les yeux cernés par le chagrin fou — ou, si l'on préfère, par l'abaissement du tonus du grand sympathique ; mais un Jars ne porte pas le deuil plus d'un an. Il se rencontre aussi des infidèles ; rarement dans les « premiers lits », plus fréquemment après qu'un accident leur a révélé la fragilité des serments d'amour. Là encore, il faut dire que ces infidèles sont moins souvent des veuves que des veufs remariés. Les mâles dissocient plus facilement que les femelles sentiment et copulation (c'est des Oies que je parle). Comme Lorenz, un jour, s'en désolait, sa collaboratrice, Helga Fischer, eut ce mot : « Je ne sais pas ce que tu attends. Après tout, les Oies ne sont que des humains [19]. »

La parfaite image de la fidélité, les Choucas nous la

donnent, qui se fiancent, comme les Oies, à leur premier printemps, se marient l'année suivante, et dont le mariage dure, indissoluble, beaucoup plus longtemps que le nôtre, puisqu'ils vivent presque aussi longtemps que nous. Pendant soixante ou soixante-dix ans, ils se vouent assistance mutuelle, chacun en toute circonstance prend furieusement le parti de l'autre, et ils ne sont l'un pour l'autre que douceur. Le mari donne à son épouse tout ce qu'il trouve à manger, et elle reçoit le cadeau avec les petits piaillements de l'enfance. Elle caresse les longues plumes soyeuses de la nuque que son époux lui tend, les yeux voluptueusement mi-clos. Et leur tendresse ne fait qu'augmenter avec les années. Après plus d'un demi-siècle de vie conjugale, « le mâle continue à nourrir aussi tendrement sa femelle, la femelle à trouver les mêmes sons tendres, tout frémissants d'émoi intérieur, qu'au premier printemps de leur amour qui était aussi le premier printemps de leur vie [20] ».

L'amour, le mariage, la fidélité conjugale des Oies et des Choucas sont parfaitement inutiles : une année suffit pour que leurs petits deviennent adultes. L'invention est gratuite. Mais elle les enchante. Elle est encore plus gratuite chez l'homme. Car si les Oies et les Choucas s'acquittent en un an de leur tâche parentale, chaque année ils recommencent. Il faut une vingtaine d'années au couple humain pour que ses enfants volent de leurs propres ailes, mais il ne recommence pas : il est quitte avec l'espèce. Et pourtant la société veut que l'amour perdure, et le mariage, et la fidélité, comme si l'Homme et la Femme avaient une constance de Choucas.

Peut-être les Oiseaux de mer monogames, tels les Albatros, ont-ils trouvé la solution qui conviendrait à la versatilité humaine : l'indépendance dans l'interdépendance. Au printemps, les couples se rassemblent en colonies serrées pour nidifier. Quand leur agressivité génésique s'apaise, et du même coup leur affection, à l'automne, ils se dispersent à travers les océans, l'époux d'un côté, l'épouse de l'autre. Ce qu'ils font pendant les mois d'hiver, nul ne s'en soucie. Au printemps, tout le monde revient de son odyssée, et dans le tohu-bohu de milliers d'oiseaux chacun retrouve sa chacune pour reprendre la vie commune. Et quand de nouveau c'est l'automne, Ulysse, qui n'aime pas « la vie de ménage ni l'éducation des enfants » repart pour l'aventure, et Pénélope aussi qui, en femme moderne, n'aime pas faire de la tapisserie.

Le prestige du pénis

Que le sexe primordial soit le féminin, et que la différenciation masculine soit un produit du cerveau, progressant avec lui, ce fait biologique * se suit à la trace dans l'évolution, depuis la femelle Ceratias qui réduit son mâle à l'état de verrue testiculaire jusqu'à l'Homme (certes peu évolué) qui bat sa femme. L'esprit donne la virilité. Mais la virilité ne donne pas toujours de l'esprit, il s'en faut de beaucoup: il y aurait quelques réserves à faire sur les prouesses de l'Homo sapiens (je les ferai plus loin). Et à voir les champions des Cobs s'exténuant à servir toutes les femelles de la harde qui se présentent, il est permis de se demander si le glorieux pénis ne serait pas un attrape-nigaud. (Et d'ailleurs, on se le demandera.)

Pour l'instant, je retiens ceci. Chez les êtres inférieurs, la femelle appelle le mâle, et il vient. Chez les êtres supérieurs, à partir du moment où le psychisme s'introduit dans les paramètres, le mâle prend des initiatives. Mais, bien que dans ces espèces il soit le plus fort, il n'apparaît pas en conquérant : il se présente comme un objet de consommation enviable dans la vitrine, comme un Cob, un Coq de bruyère, un Cerf ou, pour tout dire, comme un Daim. Un pas encore dans l'évolution, nous voyons la danse charmeuse du Combattant siamois ou la cour sentimentale du Jars à l'Oie charmante : le mâle se présente en quémandeur, et c'est tout ce que l'Homme peut faire, ou faire semblant de faire, quand il est civilisé. Le mâle propose, la femelle dispose.

---

* Voir page 26.

Et puis, qu'elle soit choucas ou humaine, quand elle a accordé ses faveurs, voilà la reine soumise. Que s'est-il donc passé ? La copulation lui a-t-elle révélé la puissance physique du mâle ? A-t-elle découvert la volupté masochiste d'être possédée ? Se prosterne-t-elle dans la reconnaissance du ventre ? En vérité, il ne s'est rien passé du tout. Nous étions victimes d'une illusion d'optique. La femelle ne s'y trompe pas : avant comme après, elle a reconnu, dans le courtisan comme dans le mari, la supériorité musculaire du mâle. Mais elle sait ce que nous ignorons : que la nature a inhibé l'instinct d'agression du mâle devant la femelle comme devant les petits, pour le salut de l'espèce.

Souvenons-nous du poisson Siamois mâle hissant les couleurs du combat : sitôt que l'adversaire lui signale son sexe féminin en baissant pavillon, la fureur tombe. Les couleurs féminines lui interdisent l'attaque. Le Lézard, c'est l'odeur de la femelle qui l'empêche de mordre. Chez d'autres, comme le Chien ou le Loup, ce sont des gestes — donner des coups de museau, toucher avec la patte — qui évoquent l'enfance inattaquable. Chez l'Homme, ce n'est peut-être qu'un conformisme imposé par la pression sociale, mais le fait est qu'il y a encore un certain nombre de mâles humains que quelque chose retient de donner une raclée à une femme.

On peut s'y tromper. Jamais un Chien ne mord une Chienne, mais il arrive qu'une Chienne se jette sur un Chien, et il subit les assauts sans riposter. Les oreilles collées en arrière, vous croiriez qu'il a peur. Non : c'est la « marque d'amabilité » qu'il oppose, imperturbable, à la furie femelle. Tout au plus, si elle insiste, l'enverra-t-il valser à quelques mètres en balançant son arrière-train, toujours avec le sourire aimable. Dans les couples de Bouvreuils, qui durent plusieurs années, la femelle donne souvent à son mari de méchants coups de bec. Si la supériorité se mesure aux coups de bec donnés, cette femelle est incontestablement supérieure au mâle. Mais il ne les reçoit pas dans l'attitude de la peur ni de la soumission, bien au contraire : il demeure fièrement impassible. Il est au-dessus de ça. Pour une épouse querelleuse, il n'y a rien de plus exaspérant, ni de plus désarmant. Et même, le Bouvreuil pousse la virilité jusqu'à répondre aux coups de bec par l'attitude de la tendresse. Mais c'est peut-être trop demander à un Homme.

Confondre cette maîtrise de soi avec la soumission serait donc une lourde erreur. Les courbettes du Jars devant l'Oie, ou de l'Homme devant la Femme, ne sont que des rites culturels, des bonnes manières d'espèces civilisées. Que la convention devienne une réalité, les hommes — et plus encore les femmes — accableront de sarcasmes l'homme véritablement soumis. Il sera, pour les Anglais, *hen-pecked*, « becqueté par la Poule ». Mais cette réalité-là est impensable : le Coq est justement un des rares animaux qu'aucune inhibition chevaleresque n'empêche de rosser les Poules. Et les femmes qui rejettent les simulacres « avilissants » de la galanterie pourraient bien se trouver un jour devant des coqs plus du tout inhibés.

C'est, d'ailleurs, ce qui se passe chez les Babouins. Toute incartade de la Guenon y est sévèrement punie par son seigneur et maître. Qu'il la surprenne en train de manger un beau fruit qui lui revient de droit, ou de goûter au fruit défendu avec un autre Babouin, elle n'a qu'une chance d'échapper à la raclée : prendre l'attitude de la soumission, c'est-à-dire lui offrir son derrière. Qu'il consente à la chevaucher, ne serait-ce que pour esquisser nonchalamment les gestes de la copulation, elle saura qu'elle est pardonnée.

Dans les sociétés animales où les relations entre les sexes n'ont pas cette franchise babouine, la femelle trouve, semble-t-il, quelques avantages à la soumission. Celui d'être protégée, bien sûr. Mais aussi celui d'être nourrie, et logée quand c'est le mâle qui a construit le nid. Ah ! le noble Bouvreuil qui répond aux coups de bec de son épouse en lui dégurgitant de la nourriture... A vrai dire, elle ne consent pas sans contestations à être une femelle entretenue. Qu'il la chevauche, passe encore, mais qu'il lui donne la becquée, c'en est trop. Car les Bouvreuils savent ce que savaient les sociétés féodales, ce que savent encore les tribus primitives : celui qui donne engage la foi de celui qui reçoit. Noblesse oblige, oui : elle oblige le vassal. Les femelles n'acceptent donc pas toujours sans rechigner leur soumission, et j'espère que les féministes se réjouiront d'apprendre qu'il y a dans le monde animal des éléments pour un mouvement d'émancipation des femelles. Mais, sans attendre la révolution, la femelle Bouvreuil prend sa revanche saisonnière, quand la mue de son mari, qui précède la sienne, en affaiblit les ambitions sexuelles et sociales : il l'aura, la becquée [21] ! Ne dit-on pas que des hommes dont l'épouse a une plus belle situation qu'eux font des complexes ? Il serait intéressant de psychanalyser le Bouvreuil en automne.

Cependant, le complexe du Bouvreuil est un cas assez rare. Le plus souvent, dans les espèces évoluées, la femelle ne fait pas de difficulté à accepter la domination du mâle, à en profiter, et même à en abuser. Quand un Choucas se marie, son épouse se trouve automatiquement promue au rang qu'il occupe dans la société. Un jour, Lorenz [22] eut la stupeur de voir une petite Choucas de rien du tout bousculer le Président de la colonie, et il ne corrigeait pas l'impertinente. Il comprit quand il constata qu'un Choucas, envolé six mois plus tôt pour l'aventure, venait de rentrer, plein de vigueur et d'assurance ; qu'il avait « démissionné » le Président ; et que, voulant prendre femme, il n'avait trouvé (nous savons que les Choucas sont fidèles) que cette petite mal plumée dont personne n'avait voulu. Du jour au lendemain, par un coup de pénis magique, Cendrillon était Madame la Présidente, et elle se conduisait comme une parvenue. Voilà encore des choses, n'est-ce pas ? qui ne se verraient point chez les humains.

Les Singes hurleurs : la société de demain ?

Si un Singe hurleur lisait ce que je viens d'écrire, il dirait : « L'émoi amoureux des Oies, quelle puérilité ! Le mariage des Choucas, quel embarras ! Leur fidélité conjugale, quel ennui ! La compétition des champions Cobs, quelle vaine gloriole ! La possessivité des Babouins, quelle niaiserie ! Quant au snobisme de cette petite Présidente, c'est tout simplement ridicule. Nous autres, Singes hurleurs, nous sommes affranchis de tous ces conformismes. Nous sommes sans honneur, sans pudeur, sans modestie, sans orgueil, sans scrupule, sans principes, sans amour, et surtout, surtout, nous sommes sans amour-propre : nous sommes libres !

« S'il nous faut combattre aux frontières pour défendre notre sagesse, nous nous battons, parce que nous ne sommes pas assez naïfs pour croire que demain l'Internationale sera le genre hurleur, hélas ! Maïs nous nous battons sans risques autant qu'il est possible : nous sommes toujours prêts à ne pas faire le sacrifice de notre vie, et à fuir quand c'est plus sûr. D'ailleurs, nous avons contre les envahisseurs l'arme de dissuasion : du haut de nos arbres — car nous vivons sur les cimes, à notre façon — nous déféquons sur leur tête. Ça les dégoûte.

« Nous apprécions l'ordre, donc la hiérarchie, sans quoi il n'y aurait pas de société. Et nous lui accordons tant de prix que nous balayons les personnalités dont le tempérament trop robuste pourrait nous imposer une morale ou une idéologie.

« Mais puisque c'est le sexe qui semble vous préoccuper, regardez donc comment nous avons réglé nos problèmes sexuels. Vous jugerez si l'on peut aller plus loin dans le souci de l'ordre et de la prévoyance.

« Tout tient en deux phrases ; nos femelles se foutent complètement de leur réputation ; nous nous foutons de la leur et de la nôtre. (C'est un Singe hurleur qui parle.)

« Le Singe hurleur moyen vit dans une communauté familiale de sept femelles et trois mâles (sans compter les enfants). Cette relation arithmétique convient à notre constitution, sous quelques réserves que je vous dirai tout à l'heure : rien n'est parfait en ce monde. Les femelles, chez nous, ont un cycle menstruel de vingt-huit jours. Avant, pendant et après la menstruation, elles se tiennent tranquilles. Dans la période d'ovulation, qui dure environ le tiers du cycle, elles sont déchaînées. Nous avons donc toujours, en principe, à satisfaire les désirs de deux femelles virgule quelque chose : dur labeur pour lequel trois mâles ne sont pas de trop. Dès l'aube, elles commencent à claquer la langue pour nous faire savoir qu'elles sont prêtes. Nous,

nous avons bien d'autres choses à faire : hurler pour tenir éloignés les importuns, conduire la bande au chapardage, ramasser les enfants tombés des arbres... L'un d'entre nous s'en occupe, les deux autres vont au turbin sexuel. De bon cœur, croyez-moi. Mais il arrive un moment où l'enthousiasme baisse. Alors elles courent après le mari de réserve, tandis qu'on récupère. Voilà les claquements de langue qui se rapprochent. On se cache, elles nous poursuivent de branche en branche, ça fait passer le temps... Quand le soleil décline, les Guenons s'apaisent. S'il y en a une qu'un désir encore tenaille, elle ne nous trouvera pas : les trois maris se sont retirés dans un coin réservé de la forêt où ils se restaurent, palabrent sur les dangers de la frustration sexuelle et se congratulent d'avoir des épouses satisfaites.

« Ainsi vivons-nous en paix, égaux et solidaires dans la collaboration sexuelle comme dans la paternité. Et nos enfants sont les mieux élevés du monde, ayant le privilège de l'être par dix pères et mères collectifs qui leur épargnent la peine de faire des complexes.

« Mais nous comprenons très bien que les Hommes aient rarement atteint à la simplicité de nos mœurs, car elle n'est concevable que sur un territoire regorgeant de nourriture et à l'abri des ambitions nationales. Exigeants comme vous l'êtes, il vous faudrait une société d'abondance et un gouvernement mondial. A moins que vous n'appreniez à faire l'amour dans les arbres fruitiers. »

L'émancipation des mâles

Récapitulons. La Mante religieuse dévore la tête de son mâle, et le Ver marin croque la queue ; l'Abeille l'émascule, la femelle Ceratias l'absorbe. Le Mille-pattes Scolopondrella mâle s'épargne ces périls en déposant sa semence sur des spermatophores ; l'Araignée mâle garde ses distances grâce à une patte-seringue, hypnotise la femelle ou même la ligote ; le Poulpe Nautile, plus prudent encore, s'ampute d'un bras qu'il délègue au sacrifice copulatoire ; la Punaise mâle prend des risques calculés, dardant son pénis, oui, mais dans le dos de la femelle... Quel besoin avaient ces animaux d'aller se jeter dans tous ces tracas ? N'auraient-ils pas été mieux avisés de s'en tenir à l'insouciance des huîtres, des oursins ou des étoiles de mer, qui déversent en vrac leur sperme et leurs œufs, et s'en remettent aux mouvements de l'eau pour qu'ils se rencontrent ? Peut-être ont-ils voulu faire des économies : voilà ce qu'il en coûte. Aux mâles. Dès les premiers pas de l'amour, le sexe primordial les a asservis, châtrés, dévorés. Ils n'ont été que le citron dont on extrait le jus et que l'on jette. Dans la longue nuit de l'évolution, la guerre des sexes fut le combat du citron contre le presse-citron.

Après des centaines de millions d'années *, la petite différence (c'est du pénis que je parle) devint grande. Oh ! pas tellement — exception faite de la puce, qui peut se vanter, toutes proportions gardées, d'avoir le plus grand pénis du monde et le plus perfectionné — pas tellement ébouriffant, ce pénis, et qui ne se serait peut-être pas senti tellement rassuré s'il ne s'était construit un respectable environnement de muscles, de crocs, de cornes. Rassuré ? Non, les terreurs ancestrales étaient toujours là. Il lui fallait séduire, conjurer l'ogresse par les parades nuptiales et les bariolages du Combattant siamois, les plumes du Faisan, les palais de verdure des Oiseaux de Paradis, les tournois des Cobs et des Coqs de bruyère. Les femelles trouvaient encore le moyen, sous les apparences de la soumission, de se faire servir. Alors il inventa des valeurs spirituelles, l'amour des Oies, la fidélité conjugale des Choucas. L'homme pouvait venir : il n'avait plus qu'à systématiser la trouvaille. Il orna son corps de peintures et de plumes, forgea des armes, construisit des machines et paracheva ses défenses en élevant contre le sexe le château fort de la Raison, dont il se réserva l'usage exclusif...

Mais je crois que je suis allé un peu trop vite. Nous n'avons pas encore vu cet Homme se distinguer des primates.

---

* C'est à la fin du Cambrien, il y a 500 millions d'années, que les principaux embranchements du règne animal se sont différenciés.

La femme préhistorique

Comment les préhominiens faisaient-ils l'amour ? Nos aïeules étaient-elles esclaves ou reines ? Nous n'en savons rien, puisqu'ils ne sont plus là pour nous tenir le discours d'un Singe hurleur. Heureusement, d'ailleurs : s'ils y étaient, nous n'y serions pas.

Nos ancêtres et leurs cousins gorilles ou chimpanzés se tenaient debout sur leurs pattes de derrière. Les uns et les autres, il y a quinze millions d'années, saisissaient des objets avec leurs mains, savaient prolonger leur bras d'une branche pour gauler des fruits, armer leur main d'un galet pour écraser de la nourriture. Mais, chez nos ancêtres, la denture était plus faible et le cerveau plus développé : voilà tous les signes qu'ils pouvaient donner d'un léger accident de parcours qui s'était produit dans leur évolution. Quelques centaines de millénaires auparavant, parmi les milliards de mutations que proposait le hasard, leur code génétique en avait accepté une, infime, qui était grosse du destin de l'humanité, puis d'autres, beaucoup d'autres, qui « collaient » avec la nouvelle combinaison, avec l'orientation nouvelle vers un affinement du système nerveux. Ce qui distinguait nos ancêtres des gorilles et des chimpanzés, mais cela ne se voyait guère, c'est qu'ils avaient le goût du changement.

Un goût encore très modéré, il faut bien le dire : l'Australopithèque, à qui l'on accorde maintenant une ancienneté de cinq millions d'années et l'honneur d'avoir façonné un outil (le galet), deux millions d'années plus tard, qu'est-ce qu'il aura appris ? A casser son galet. Lui prêter des inventions amoureuses serait téméraire ; mais non moins téméraire d'affirmer qu'il était incapable de ritualiser la sexualité ou de tomber amoureux : les Oies l'ont bien fait, qui ne savent pas tailler un caillou. Nous ne pouvons juger des progrès dans la préhistoire que par la technologie. Méfions-nous : à ce compte, un Polytechnicien serait un amant parfait.

Cependant, une chose est certaine : l'esprit est lent, toute innovation coûte à l'Australopithèque une gestation millénaire, et quand il en mène une à terme, il s'y tient. La « civilisation du galet » se répand sur l'Afrique, l'Europe et l'Asie. Et l'on peut être assuré que si l'Australopithèque a fait une découverte amoureuse, tous l'ont répétée aussi rigoureusement que des Babouins. Une civilisation élaborée, fine, évolutive, n'est valable que pour un petit nombre d'hommes pendant peu de temps. Seule la grossièreté est universelle.

A un million d'années de nous, voici enfin le Pithécanthrope. Celui-là est nettement plus doué. Pendant huit ou neuf cents millénaires, son cerveau s'affine, il apprend à tailler le galet, ou un rognon de silex, en forme de couteau, le « biface », dont il se sert pour tuer de petits animaux inoffensifs, pour dépecer un cadavre d'ours ou d'éléphant antique. La femelle utilise, pour déterrer les racines, un bâton appointé, dont l'extrémité a été durcie au feu. Car cet animal réfléchissant a trouvé le moyen de faire du feu. Sans doute par l'inspiration du hasard : on ne taille pas des silex sans faire des étincelles. Et si la taille était un travail de mâle, les Grecs n'avaient pas tort d'attribuer à Prométhée la gloire d'avoir dérobé au ciel le feu.

La femelle est-elle aussitôt promue vestale du foyer ? C'est probable. Et vestale esseulée attendant le retour du mâle. Pas tellement esseulée, d'ailleurs : d'autres femelles sont là. Tout permet de penser que l'idée de couple n'est pas encore trouvée. Ces êtres s'accouplent au hasard du désir et vivent dans la promiscuité. Mais si les femelles restent seules, c'est parce que le Pithécanthrope se risque maintenant à affronter le grand gibier. Tout le changement tient à une astuce capitale : la frappe en biais. Son biface n'était qu'un éclat obtenu par une frappe perpendiculaire à la paroi ; il s'est avisé de frapper les faces tangentiellement, produisant ainsi de longs éclats minces, des « limandes » ; les déchets, taillés en triangles, arment des pointes d'épieu ; et ces armes, quand elles s'émoussent, il peut les affûter par la même technique. Le voilà armé, et d'un armement autonome qui lui permet de s'éloigner de la carrière — et d'abandonner le foyer. La femelle alourdie par les maternités, fatiguée par les allaitements, encombrée par sa progéniture, serait un embarras dans ces expéditions. Elle ne chasse pas, sauf, peut-être, l'escargot. Sa tâche est d'entretenir le feu, de ramasser du bois, de cueillir des baies, d'arracher des plantes comestibles, de les faire cuire. Au mâle le minéral et l'animal, à la femelle la terre et le végétal. Cette civilisation hominienne est, elle aussi, œcuménique.

Quand on assiste au départ d'un voyage dans la Lune, on a l'impression que la fusée n'en finira jamais de cracher du feu pour s'arracher de la Terre. Imperceptiblement, elle décolle d'un mètre, de deux mètres, de dix mètres... enfin, une accélération foudroyante la libère de la pesanteur. Ainsi de nos ancêtres — et de nous aujourd'hui. L'animal vertical a mis trois millions d'années pour faire d'un caillou une arme et un outil un peu moins grossiers. Maintenant, l'accélération commence. L'évolution va se faire de moins en moins en fonction du milieu, de plus en plus en fonction du comportement, qui pose des problèmes infiniment plus variés. Le progrès provoque le progrès. L'esprit est en action.

Entre - 75 000 et - 25 000, en une cinquantaine de millénaires, les progrès de l'humanité, mesurés au silex, sont plus grands que pendant les trois mille millénaires précédents : la longueur totale des tranchants extraits d'un kilo de silex était passée de dix à cinquante centimètres ; pendant ces cinquante millénaires, elle atteint sept mètres. Progrès aussi dans la diversité de l'outillage : couteaux, lances, racloirs, grattoirs, rabots, burins. C'est alors, vers - 45 000 — pour nous en tenir à notre aire de civilisation — que le dernier refroidissement du Quaternaire étend sa chape de glace sur l'hémisphère Nord. La France connaît le climat de la Norvège. Les animaux et les hommes d'Europe reculent vers le Sud-Ouest atlantique plus tempéré, se concentrent en Aquitaine comme dans une nasse. Il faut inventer ou mourir. Et une certaine densité humaine, pour la première fois dans la préhistoire, doit permettre la communication relativement rapide des découvertes — techniques, oui, mais aussi, n'en doutons pas, morales.

Voici l'homme de Néanderthal. Il a 1,60 m, la femme, 1,45 m. Leur tête est grosse pour leur corps : 62 ou 63 cm de tour, contre 55-58 chez nous. Cette tête est aplatie, le front bas sur l'énorme bourrelet des arcades sourcilières. Le tronc est massif, les membres courts et trapus, mais ils se tiennent droit. Et ce sont bien des hommes et des femmes : ils ont peur de la mort. Elle est, d'ailleurs, impitoyable : plus de la moitié d'entre eux n'atteignent pas leur vingtième année, tous sont morts à quarante ans, et les femmes meurent bien avant les hommes. Dans la grotte calcaire où ils ont élu domicile, à l'abri du vent et de la neige, hommes, femmes et enfants sont assis autour du feu. Au fond de la grotte, les hommes ont entassé les provisions de venaison : voilà de la nourriture assurée pour plusieurs jours. Et que faire en un gîte, à moins que l'on ne songe ? Les rois et les reines de la création chassent les mouches attirées par le charnier pestilentiel, et ils pensent, ils pensent qu'ils ne sont pas éternels, et que c'est bien dommage. Mais que, peut-être, il y a en eux quelque chose comme une âme qui ne mourra jamais tout à fait ? Ils enterrent leurs morts, hommes, femmes ou enfants, avec les mêmes rites, les munissant d'un quartier de bison pour leur subsistance dans l'au-delà. Si les activités sur cette terre sont différenciées, et peut-être inégales, au moins les sexes sont-ils égaux dans la mort.

Mais, s'il faut parler d'inégalité, il n'est point certain que le supérieur soit l'homme. Sans doute, par ces temps de froidure, la femme n'a pas beaucoup de fruits à cueillir ni de plantes qu'elle puisse arracher de la terre gelée. Le grand pourvoyeur de nourriture est le mâle chasseur. Mais la gardienne du feu devient un personnage considérable. C'est elle qui entretient la chaleur et le confort de l'abri, qui conserve les viandes, les boucane, les fait cuire. C'est autour d'elle que les enfants et les hommes se pressent pour recevoir leur pitance. Ils sont sortis de son ventre chaud, elle leur a donné son lait, elle métamorphose la viande en une nourriture savoureuse, et les intrépides chasseurs peuvent bien s'en aller courir le mammouth ou le chamois, ils reviennent toujours déposer leur butin dans l'antre de la Terre-Mère. Les plus anciennes statuettes de Déesses-Mères datent de ce temps-là. L'homme se tenait debout depuis plusieurs millions d'années lorsqu'il leva le front vers le ciel. Et il n'y vit pas un dieu, il y vit une déesse.

Elle y avait toujours été, la Génitrice. Mais il fallait, pour la voir, un regard spirituel. Entre - 30 000 et - 10 000, les Hommes modernes (*Homo sapiens*) qui succèdent au Néanderthalien apportent un progrès considérable. Avec eux, l'humanité est en pleine accélération de la préhistoire. La taille en lamelles se perfectionne jusqu'à extraire d'un kilo de silex vingt mètres de tranchant, selon une technique qui sera encore employée pour les pierres à fusil au XIXe siècle : le chasseur peut aller traquer son gibier loin de la carrière. Aux Eyzies, « Chapelle Sixtine de la préhistoire », les bisons bondissant sur les parois des grottes sont de la main de tels artistes que Picasso en pourra dire : « On n'a jamais fait mieux. » Et l'homme de Cro-Magnon, si beau, si élégant, si distingué qu'il nous ressemble comme un frère, exalte la femme. Très exactement, il la porte aux nues. Des images rupestres en Afrique Noire, dans l'Atlas saharien, ou en Dordogne, à Laussel, représentent l'acte sexuel : la femme est toujours au-dessus de l'homme, accroupie ou le chevauchant. Ces images d'un érotisme sacré sont la figuration du sentiment religieux qui étend jusqu'au Ciel l'empire de la Déesse-Terre.

Elle régnait sur le végétal. Il fait froid, la terre n'offre que de maigres fruits en regard de la profusion du gibier : ne serait-ce pas l'occasion d'adorer un dieu-chasseur ? Non : l'homme ne fait que tuer ce que le ventre des femelles a engendré. La source de toute vie, animale ou végétale, c'est elle. Au plafond rouge de la grotte de Rouffignac, une harde tumultueuse de bisons, de bouquetins, de chevaux, de mammouths, dit Louis-René Nougier, jaillit de la fente matricielle de la Terre-Mère.

Toutes les statuettes de ce temps représentent des femmes. La tête, les bras, les jambes, sont volontairement effacés : elles ne sont que des fesses, des seins, un ventre énormes. On les a appelées des Vénus. Ce sont des mères, des essences de mères. L'homme n'apparaît guère. Et l'artiste magdalénien s'astreint à reproduire ces formes élémentaires parce qu'elles sont sacrées, intouchables, immuables : elles seront encore vénérées quand l'humanité agricultrice ne peindra plus d'animaux. Fichées en terre près du foyer ou sculptées dans la paroi de la grotte, les Déesses-Mères veillent sur leur descendance. Protectrices et, cela va ensemble, redoutées.

Cette descendance est-elle également celle du père ? J'en doute, et lui aussi, il doit en douter. Peut-être lui a-t-il fallu très longtemps pour comprendre qu'il y a une relation de cause à effet entre le plaisir d'un jour et cette enflure de neuf mois. Il faut avouer que voilà une chose peu croyable. L'opération d'un esprit serait plus vraisemblable. C'est, du moins, ce que l'on peut penser, quand on a de l'esprit ; et c'est bien ce que pensent encore aujourd'hui les habitants des îles Trobriand, nous le verrons tout à l'heure. Mais ces serpents qui ondulent au plafond de Rouffignac, symboles phalliques vingt mille ans avant le serpent d'Eve ? Mais les images d'accouplement rituel, qui représentent la femme butinant la semence du mâle ? Ils témoignent que l'homme a surpris, au-delà du désir, sa puissance miraculeuse. Cette participation toute nouvelle de l'homme à la procréation que la femme jusqu'alors accomplissait sans lui était une découverte sensationnelle, dont la nouvelle devait se répandre sur les continents ; mais qui devait aussi heurter des croyances traditionnelles (auxquelles les Trobriandais sont restés fidèles). De toute façon, la fonction de l'homme demeurait dérisoire en regard de celle de la femme, ce qui justifiait sa position subalterne dans le coït. Dérisoire et incertaine, car le moyen de savoir si l'on est le père quand la femelle s'en va butiner la semence selon son bon plaisir ? Nous-mêmes, avec toute notre science, sommes incapables de prouver notre paternité. Seule la femme était l'auteur indubitable, et la première structure sociale ne pouvait être que matrilinéaire. Elle l'est encore chez la plupart des peuples dits primitifs.

Au bout du compte, cette situation subalterne du mâle était une promotion. La femme aurait dû se méfier. Peut-être des centaines de millénaires sur le trône lui avaient-ils donné quelque infatuation ? Elle va forger elle-même ses chaînes.

Vers - 10 000, la Terre se réchauffe, les glaces et la toundra se retirent devant les forêts de chênes et de noisetiers. Le gibier s'égaille, l'homme va le chasser plus loin de son foyer et le mange sur place, cependant que la femme retourne à l'ancestrale cueillette des fruits, à la collecte des végétaux, des escargots, des coquillages. Les deux sexes n'ont plus la même nourriture, et le féminin manque de protéines. Une végétation profuse étouffe la civilisation de Cro-Magnon, comme la forêt tropicale engloutira les temples khmers.

Le Proche-Orient et la bande saharienne, où le climat est alors tempéré, prennent le relais. Le blé, l'orge, le millet y poussent à l'état naturel. La femme s'équipe d'une faucille pour les récolter. Elle en fait des galettes. Et puis, c'est la trouvaille : les graines que sème le vent, si elle les mettait dans les trous de son antique bâton à fouir ? Déméter a inventé l'agriculture.

De ce jour, elle s'est condamnée à la servitude. Cette terre que le travail de la femme a fécondée et qui donnera ses fruits quelques mois plus tard, il importe de l'interdire aux autres. Et qui peut la défendre, sinon l'homme qui porte les armes ? Et les récoltes, il faut les mettre à l'abri des pillards. La société sédentaire est née, avec ses villages fortifiés, ses greniers, sa police, son armée, ses guerres. L'homme s'est attaché la terre et s'y trouve enchaîné. L'héritage ! Il le transmettra à ses enfants.

Il n'y a qu'une solution : s'approprier aussi la femme. Avec les vertus domestiques qui garantissent la paternité autant que faire se peut : la pudeur, la fidélité, la fécondité. Lui faire beaucoup d'enfants est un placement à long terme, un placement de père de famille.

Sur cette terre nourricière, l'humanité prolifère, qui en retour accroît les surfaces cultivées. Cependant que des groupes plus vastes engendrent l'animal politique, au foyer la société de consommation manifeste ses exigences. Boulangère, cuisinière, potière, fileuse, tisserande, teinturière, couturière, la femme est bonne à tout faire. Elle voile son précieux sexe tantôt d'une jupe mi-longue, au-dessous du genou, tantôt d'une sorte de tutu de danseuse serré à la taille, la poitrine restant nue. Mais de maternité en maternité sa taille ne doit pas être aussi fine que le prétendent les figurines, et est-ce qu'elle met son tutu pour s'atteler à l'araire dans les champs ? Le timon se termine par un renflement en forme de phallus que la femme, pour tirer, empoigne à pleine main, cependant que l'homme maintient l'équilibre et guide l'araire : le phallus-soc est en train d'usurper le pouvoir fécondant de la femme, l'homme prétend être le laboureur du ventre de la Terre-Mère. L'esprit sorti du gouffre en conteste la toute-puissance : c'est la révolte du pénis.

Cependant, l'homme a reçu de l'Occident les statuettes de la Déesse-Mère, et il continue de la révérer. Conformisme ? Vieux reste de la terreur sacrée, dont il ne se défera jamais ? Il l'aime, la hait et la redoute. Prosterné et blasphémateur, il charge la Déesse de Vie de tous les maléfices d'une Déesse de Mort, que l'on retrouvera, sous un nom parfois ambivalent, dans les premières religions de l'histoire, Kâlî en Inde, Hathor-Sekhmet en Egypte, Tiamat en Sumer, etc.

Cette déesse grosse du meilleur et du pire, génitrice et ogresse, l'homme n'aura de cesse qu'il ne l'ait soumise à un dieu de raison, juste et mâle. Il faut qu'à la révolution terrestre réponde une révolution céleste. Ce sera le combat des premières religions jusqu'au jour où Abraham, archétype du Père et promoteur du Père Eternel, démontrera que la Raison du plus fort est toujours la meilleure.

Ce mouvement de la pensée archaïque, la psychanalyse le mettra à jour dans l'inconscient de notre enfance.

En attendant, les peuples se sentiront heureux ou misérables selon qu'ils placeront leur foi dans la Déesse de Vie ou dans la Déesse de Mort. Quelques tribus de primitifs nous le confirmeront.

CHAPITRE II

CES FEMMES QUE L'ON DIT SAUVAGES

Les tribus primitives nous offrent les émerveillements des contrées étranges. Mais l'on y peut trouver autre chose que les plaisirs du tourisme.

« Chaque groupe a la conviction que ses propres mœurs sont les seules bonnes, et n'a que dédain pour celles des autres groupes », écrit W. Graham Sumner [23]. Les Incas se disaient Fils du Soleil et leur capitale, Cuzco, était « le nombril des quatre parties du monde ». Les Chinois se disaient Fils du Ciel, Souverains de l'Empire du Milieu, Seigneurs du Monde. Pour les Romains, Rome était la Ville, et l'*urbs* et l'orbe du monde ne faisaient qu'un. Un grand nombre de noms de tribus — Zun, Déné, Kiowa... — par lesquels ces peuples se désignent eux-mêmes, signifient « Etres humains », les autres étant exclus de cette qualité, observe Ruth Benedict. [24] Alors, nous, les seigneurs de la civilisation industrielle, qui avons bouleversé la face de la terre, qui voyons tous les peuples se mettre à l'école de notre technologie, se convertir à notre religion matérialiste, blanche ou rouge, qu'est-ce qui pourrait nous retenir de croire que notre province est l'univers et que nous sommes les seuls « Etres humains » ?

Nous devrions pourtant admettre que, dans le domaine des relations humaines, et singulièrement dans celui des relations entre les sexes, la valeur ne se mesure ni à l'effectif du troupeau ni à la superficie qu'il broute. Consentironsnous que telle tribu de Mélanésie ait pu créer des relations qui lui conviennent mieux que celles que nous lui infligeons ? Qu'elles puissent être plus riches que les nôtres ? Que nous y pourrions trouver l'occasion d'un retour sur nous-mêmes, et d'une autocritique créatrice ? L'étude des mœurs primitives, dit Lévi-Strauss, dépouille « nos usages de cette évidence que le fait de n'en point connaître d'autres — ou d'en avoir une connaissance partielle ou tendancieuse — suffit à leur prêter [25] ». Voici neuf peuples qui ont imaginé autant de manières différentes de vivre avec le sexe. Regardons-les. « Nous jugerons alors notre ensemble d'opinions et de coutumes simplement comme l'une des nombreuses variantes possibles ; et nous nous enhardirons à les modifier selon nos nouvelles aspirations.[26] »

L'ethnologie — et les figures de la femme que nous verrons ensuite dans les civilisations — nous apporte donc la révélation que des comportements et des institutions que nous nous entêtons à tenir pour tabous n'ont qu'une valeur très relative ou pas de valeur du tout. Elle nous débarrasse de nos lieux communs aussi péremptoires que contradictoires, du genre « Les hommes sont de grands enfants — les femmes ont des cervelles d'oiseaux — les hommes sont volages — souvent femme varie, etc. ». Elle nous aide à balayer des idées reçues, par exemple la croyance traditionnelle que certaines différences entre les sexes sont innées, quand elles sont culturelles, ou, inversement, la croyance « révolutionnaire » qu'il n'y a pas de différence essentielle. Elle envoie à la ferraille les arguments rouillés pour ou contre l'égalité des sexes.

Ne ferait-elle que cela, ce serait un prodige. Mais elle peut aussi nous montrer — dès l'instant que nous avons dépouillé nos préjugés — où sont « les limites que la société ne peut franchir sans renier l'héritage biologique de l'homme », quelles sont les constances de la virilité et de la féminité dont toutes les sociétés doivent tenir compte, qu'il s'agisse de similitudes ou bien de disparités [27].

Bien sûr, ces primitifs ne vivent pas dans je ne sais quel « état de nature ». Ils ne sont pas des nouveau-nés. Leur diversité même dit assez qu'ils ont travaillé la pâte originelle. Chez eux aussi, l'esprit s'est mis en branle pour interpréter les signes, rêver, dire le bien et le mal, le droit et le devoir, le vrai et le faux. Mais il n'a atteint ni à l'abstraction universaliste où planent les philosophes depuis près de trois millénaires, ni à l'objectivité de la science expérimentale qui ne nous a soumis à sa loi — quand nous y consentons — que depuis un siècle : leur esprit a fonctionné dans une sorte de liberté.

Pourquoi, comment ont-ils fait leur choix ? Probablement selon un procédé analogue au procédé biologique : le hasard a mis l'accent sur un trait de la vie, la répétition l'a renforcé, et toutes les mutations psychologiques qui « collaient » à cette structure s'y sont agglutinées, les autres étant refoulées sous l'inculpation d'incohérence. Dans ce long cheminement, l'inquiétude de l'esprit fut à la fois le moteur et le récepteur des « inventions ». La crainte et l'espérance assurèrent la répétition, le conformisme. Mais il semble évident que la source est dans cette particularité de l'être humain : peu d'animaux mettent au monde des petits aussi désarmés, et il n'en est pas qui restent si longtemps dans la dépendance de leurs parents. La « fœtalisation » du petit d'homme l'expose à toutes les angoisses et à tous les dressages et le quart de sa vie se passe à devenir adulte. On verra une corrélation étroite entre la façon dont les enfants sont élevés et la tonalité dominante des peuples.

Ni rationnels, ni objectifs, mais travaillés par l'esprit, on peut dire des primitifs autant que des civilisés que le propre de leur nature est de n'être pas naturelle. Et c'est précisément pour cela qu'ils ont tant à nous apprendre. Ils sont, comme nous, les rejetons d'une longue histoire, mais d'une histoire qui serait à des millénaires de la nôtre : archaïques et présents. Cette rencontre n'aura pas lieu deux fois : hier, nous ignorions leur existence, et déjà le bulldozer de la civilisation industrielle les arrache de la terre. Notre éphémère privilège est de regarder vivre des hommes qui ont dix mille ans de moins que nous.

Les Trobriandais : seule la femme... [28]

La Déesse de Vie règne sans partage dans les îles Trobriand de l'archipel mélanésien, et les enfants y viennent au monde d'une façon très particulière. Mais il faut d'abord parler de la mort, qui est le commencement de la vie, selon les Trobriandais.

L'esprit des défunts s'en va à Tuma, l'île des Morts, où il mène une existence fort agréable, et qui peut durer longtemps car, lorsque sa peau flétrie se ratatine, il la dépouille, comme un serpent, et se retrouve frais et gaillard. Longtemps, mais pas éternellement : on se lasse de tout, même de la jeunesse, et il vient un moment où l'esprit éprouve la nostalgie de la terre. Alors il rajeunit beaucoup, beaucoup, et devient un bébé-esprit. Ce résultat remarquable s'obtient en se plongeant dans la mer, vrai bain de jouvence. Et les bébés-esprits s'en vont sur les vagues, accrochés à une algue marine ou à une brindille de bois, ou à un flocon d'écume. Les pêcheurs entendent leurs pleurs, *wa, wa, wa,* dans les gémissements du vent et disent : « La marée les apporte, ils arrivent. » Les jeunes filles averties évitent de se baigner, mais les femmes qui désirent devenir enceintes nagent tant qu'elles peuvent. Si cela ne suffit pas, elles prient leur frère ou le frère de leur mère — jamais leur mari — de les aider à concevoir : qu'il aille remplir d'eau de mer un baquet et qu'il le mette près du lit pour la nuit. Ainsi, le bébé-esprit a plus de facilités pour pénétrer le corps de la femme. On pense communément qu'il entre par la tête, siège naturel de l'esprit, que le sang s'y porte, le charrie jusqu'au ventre, où il le nourrit ; c'est pourquoi les menstrues se tarissent. Mais il se trouve aussi des Trobriandais pour penser que l'esprit vient aux femmes par le vagin car, c'est bien connu, jamais une femme n'a eu d'enfant avant que la porte de l'hymen n'ait été ouverte. Aux îles Trobriand, tous les enfants sont conçus par l'opération du Saint-Esprit, mais il n'y a pas de vierges-mères.

On ne saurait pousser plus loin l'idée que le sexe féminin est le sexe primordial. Leurs mythes le confirment : le premier être humain qui émergea était une femme. Mais la porte du vagin ? Certains admettent qu'elle eut un frère, qui l'ouvrit : c'est la version dramatique, l'inceste frère-sœur étant le plus rigoureux des tabous. La version poétique dit qu'elle s'endormit sous une stalactite dont les gouttes d'eau percèrent son hymen. Les conteurs prosaïques insinuent railleusement qu'une femme a bien des moyens de faire ça toute seule. Toujours est-il que la première conçut seule, par son propre esprit ; et qu'elle ne conçoit toujours que par un esprit de son clan.

Un système matrilinéaire aussi parfait va-t-il enfin nous donner l'occasion de voir ce régime dont beaucoup ont parlé mais que personne n'a jamais vu : le matriarcat intégral, c'est-à-dire le gouvernement des femmes ? Dépouillé de sa gloire de géniteur, que reste-t-il de l'homme ? Eh bien ! l'édifice masculin tient encore debout. C'est réconfortant pour les hommes qui s'inquiéteraient des conséquences de l'insémination artificielle.

L'importance sociale du Trobriandais compense sa nullité naturelle. Et cela, sitôt l'accouchement terminé. Ce qu'il a perdu dans le lit, il le regagne sur le berceau. Laver le bébé, lui donner à manger la purée de légumes dès les premiers jours en alternance avec le lait maternel, le dorloter sur ses genoux, « avoir les mains souillées par les excréments et l'urine de l'enfant », sont des privilèges qu'un « père » trobriandais n'abandonnerait à personne. Et il promène l'enfant pendant des heures, vantant la force et la beauté de la progéniture de sa femme, riant d'aise aux compliments.

Il est propriétaire de la maison. La toute-puissante génitrice doit venir habiter chez son mari. Ses parents et ses frères ont payé une dot pour cela, et chaque année ils paient au mari un tribut équivalent à la moitié des besoins du ménage. Ils rétribuent ainsi la peine que prend le mari pour élever « leurs » enfants. En revanche, c'est eux, et non point le mari, qui détiennent la « puissance maternelle » au nom de la femme. L'avantage pour le mari est clair ; et rien ne l'empêche d'accroître son revenu en épousant plusieurs femmes. L'avantage pour la femme n'est pas moindre : elle peut toujours menacer un mari déplaisant de lui couper les vivres en « retournant chez sa mère ». Après tout, il n'est jamais qu'un salarié de la paternité. Cependant, elles n'usent de ce droit qu'à la dernière extrémité, parce que leurs maris font le plus souvent des pères exemplaires et parce qu'elles se sont mariées précisément pour cela, après avoir généreusement jeté leur gourme.

Les enfants sont élevés dans la complaisance et la facilité. Ils ignorent les punitions et en prennent à leur aise. Garçons et filles font leur éducation sexuelle en jouant de la main et de la bouche avec leurs organes génitaux (sauf entre frères et sœurs). Et les garçons vers dix ans, les filles vers sept ou huit ans, font l'amour dans la brousse, en cachette ; car, tout de même, leurs parents, si tolérants qu'ils soient, trouvent que ce n'est pas convenable. Ce le sera sans beaucoup tarder. Les adolescents des deux sexes ont à leur disposition dans le village des « maisons de célibataires ». Le mobilier est strictement fonctionnel: des bat-flanc recouverts d'une natte. Plusieurs couples peuvent y passer la nuit. Mais que l'on n'aille pas imaginer des amours collectives : chacun sur son bat-flanc fornique discrètement, les autres prétendent être sourds et aveugles, et tout voyeur serait déshonoré. Dans le jour, ils évitent de paraître ensemble : les commérages iraient leur prêter des intentions de mariage, et ils tiennent à leur liberté, les filles plus encore que les garçons ; ce sont elles qui le plus souvent prennent l'initiative de changer de partenaire.

De temps en temps, les filles s'en vont en bande dans un village voisin, sous le prétexte d'aller voir la belle récolte ou de vendre des objets de leur confection. Et, la nuit, chacune avec son chacun de rencontre s'égare dans la forêt pour agrandir le champ de ses connaissances. Des bandes de garçons font aussi leurs expéditions.

Leur technique érotique leur donne de grandes satisfactions. Un amant raconte : « Nous nous frottons le nez, nous nous suçons la langue, nous nous mordons le nez, les cils, le menton, les joues, nous nous caressons les aisselles et les aines. Elle dit alors : « O mon bien-aimé, cela me chatouille beaucoup, attaque vigoureusement... » Elle est couchée sur le dos, les jambes écartées, les genoux fléchis. Il s'assied devant elle sur les talons, le buste droit, et la soulève vers lui.

De ses jambes, elle lui encercle les reins, le propulse en elle et, par des tractions de ses jambes, commande elle-même le rythme, l'ampleur, la vigueur et la durée du va-et-vient horizontal qui la conduira à l'orgasme. Alors il s'incline sur elle, joue contre joue, l'enlace, la relève vers lui tandis qu'elle passe ses bras autour de ses épaules ; et l'homme encerclé des bras et des jambes de la femme, la femme profondément pénétrée explosent ensemble *. Ils n'ont que dédain pour la façon dont les Blancs s'y prennent ; les femmes qui ont couché avec eux déplorent la brièveté de leur coït et des hommes qui ont un talent d'imitateur obtiennent un franc succès comique en mimant leurs mouvements flasques et étriqués dans la position « à la missionnaire » que nous tenons pour orthodoxe.

Mais les plus beaux coïts ne font pas une romance. Une nuit de clair de lune au bord de la mer, l'amour entre dans le cœur des jeunes gens. La métamorphose dont ils se voient le jouet leur paraît d'autant plus extraordinaire qu'ils sont souvent des amis d'enfance. Ce ne peut être qu'un effet de magie. Qui serait assez vain pour prétendre résister à la magie ? Ils y succombent allégrement. Et la fille donne au garçon des témoignages sensibles de son amour en lui balafrant le dos avec des coquilles de moules ou une pointe de bambou. Il exhibera fièrement les marques de la passion qu'il inspire. Mais ils ne se permettront en public qu'un seul geste de tendresse, le plus délicieux, il est vrai : chercher les poux dans la tête de l'autre et les croquer.

Enfin, quand ils auront couché ensemble avec une assez longue constance, non plus dans la maison des célibataires, mais chez les parents du garçon, le village saura qu'ils sont vraiment décidés à se marier. Un matin, au lieu de réintégrer la maison paternelle, elle restera chez son fiancé, ils prendront un repas ensemble, et ils seront mariés. Car, jusque-là, elle pouvait bien avoir tous les amants qu'elle

* Les docteurs Masters et Johnson devraient expérimenter dans leur clinique sexuelle cette méthode qui semble très propre à exciter les zones érogènes des petites lèvres et du clitoris. Si, toutefois, ils ont des clients assez athlétiques.

voulait, mais elle ne devait pas manger avec eux. En Occident, il n'y a pas si longtemps, nous tenions au contraire qu'une jeune fille pouvait dîner avec tous les garçons qu'il lui plaisait, mais qu'elle ne devait pas entrer dans leur lit. Ainsi vont les interdits.

Si un garçon des îles Trobriand serait malvenu à attendre de sa fiancée qu'elle soit vierge, il importe qu'elle ne soit pas mère. Une fille enceinte est déshonorée. Que ce soit par une longue liaison avec son fiancé, sans qu'aucun autre l'ait approchée, cela n'y change rien, puisque de toute manière il n'est pas le père : elle a péché contre la coutume qui prescrit qu'elle ne doit pas recevoir la visite d'un esprit avant d'avoir un mari pour lui mettre l'enfant sur les bras. Son fiancé a le droit, mieux, le devoir d'abandonner la pécheresse. Toutefois, par une heureuse rencontre qui pourrait laisser suspecter les femmes de n'avoir pas une foi aveugle en la procréation spirituelle, il est assez rare qu'elles enfantent avant leur mariage *. Par quoi la foi des hommes se trouve confirmée : « Vous voyez bien que notre sperme n'engendre pas les enfants, disent-ils aux missionnaires qui prétendent le contraire : c'est quand les filles font tout le temps l'amour qu'elles n'ont pas d'enfants. Alors qu'une femme mariée peut en concevoir même quand son mari est en voyage. »

Cependant, pour n'être pas père on n'en est pas moins homme. Un Trobriandais n'échappe pas aux affres de la jalousie, et sa coutume est aussi pointilleuse que la morale chrétienne sur le chapitre de la fidélité conjugale — avec les mêmes accommodements et les mêmes drames. Il y a des cocus qui se satisfont de casser des bouteilles, il y a aussi des hommes — ou des femmes, car la réciproque est rigoureusement égale — outragés qui grimpent au cocotier, plongent et se fracassent, lavé leur honneur. Peut-être, après leur jeunesse donnée aux joyeusetés sexuelles, paient-ils de leur vie le tribut à la passion magique, et tellement plus ravageuse d'être interdite ? Rien ne nous rend plus grands

* Malinowski n'a pas pu tirer au clair si les Trobriandaises ont des méthodes contraceptives secrètes. C'est dommage.

qu'une grande douleur... Sur la terre. Dans l'île des Morts, on s'en passe.

Là-bas, c'est le paradis d'Allah. Donc, un paradis vu par les hommes : « A Tuma, nous sommes tous pareils à des chefs ; nous sommes beaux, nous avons de magnifiques jardins, et pas de travail : les femmes font tout. Nous avons des tas de bijoux et beaucoup de femmes, toutes charmantes. » Les femmes font le travail sans même en parler : elles sont vraiment charmantes. Et les chefs ne s'offusquent pas de voir les roturiers aussi heureux qu'eux : c'est vraiment le paradis.

Ardentes et passionnées plus qu'aucune femme charnelle, les femmes-esprits se pressent autour du nouveau-mort, le caressent, l'entraînent vers leur lit d'herbes aromatiques, et il se passe des choses très propres à scandaliser quiconque n'est pas familier des chemins spirituels. Elles s'accouplent publiquement avec le novice, les habitués du paradis entrent dans le jeu, hommes et femmes se prennent, se quittent, s'échangent, se reprennent, s'emmêlent délicieusement, inlassablement. Tous et toutes également jeunes et beaux s'offrent aux perpétuels désirs de toutes et de tous et parfois, pour varier les plaisirs, ils chantent et dansent en habits de fête, parfumés d'huiles. Comme ils changent de peau quand elle vient à se flétrir, leur bonheur durerait éternellement si les humains savaient se contenter du bonheur. Mais le bonheur n'est pas assez pour eux. Vient le temps où leur peau de plaisir se fait peau de chagrin, s'en va rétrécissant jusqu'à l'état fœtal, et vogue sur la mer vers un ventre de femme.

Et la vie recommence, où l'homme n'est pour rien, et ne s'en porte pas plus mal. Ne dirait-on pas que les femmes des îles Trobriand, dans leur simplicité naïve, ont pesé l'homme à la balance de leur sexe premier : une chose superflue et très nécessaire ?

Les Zuñi, ou la Déesse de Vie [29]

Chez les Zuñi du Nouveau Mexique, les biens de ce monde appartiennent aux femmes et les maris sont des subalternes qui travaillent pour elles. Non pour elles seules, mais pour le groupe des femmes de la famille : la grand-mère et ses sœurs, ses filles et leurs filles. A elles la maison et les réserves de blé qu'amasse le travail des maris de la grand-mère, de ses sœurs et de ses filles. Elles sont le fonds social et pérenne, et les maris, des hommes de journée, ou de nuit. On n'est pas loin, ici, du matriarcat.

Quand une femme constate que son mari ne la rend pas heureuse — le bonheur est une chose à quoi l'on tient, chez les Zuñi — elle s'en va officier aux fêtes religieuses, où l'on rencontre beaucoup d'hommes. La population masculine étant en surnombre, elle en trouve toujours un disponible et consentant. Alors elle rassemble les affaires de son mari (peu de choses : une paire de mocassins, un jupon et un ceinturon de danse, des pots de peinture pour les masques et les bâtons de prière), et les dépose sur le seuil de sa maison. Quand le mari rentre le soir et qu'il voit le petit paquet, il le prend et s'en va en pleurant chez sa mère. Mais il n'est pas convenable de pleurer longtemps sur le pot de lait renversé, et il peut espérer que bientôt il sera choisi par une autre femme.

Toutefois, les séparations sont rares. L'adultère, s'il a lieu, n'exige pas une réaction violente, comme chez leurs voisins les Indiens de la Plaine, ou chez les Apaches, où le mari trompé se croit obligé de couper le bout du nez de sa femme. Mieux vaut feindre d'ignorer son infortune. Ou agir discrètement. A une épouse, mariée depuis douze ans, mère de trois enfants, dont le mari était notoirement infidèle, un trafiquant de race blanche remontrait l'immoralité de sa patience. Elle répliqua : « Mais je n'ai pas lavé ses vêtements. Il savait donc que je savais ce que tout le monde savait. Et il a cessé de fréquenter cette fille. » La finesse de cette représentation diplomatique était d'autant plus louable que la coutume tolère chez les femmes la violence qu'elle interdit aux hommes : une épouse trompée a le droit d'assaillir publiquement sa rivale et de lui pocher un œil. C'est le seul litige dont les Zuñi admettent qu'il puisse être réglé à coups de poing ; mais les femmes préfèrent le plus souvent la manière douce des hommes.

Dans la maisonnée, le mari n'est investi d'aucune autorité ni sur sa femme, cela va de soi, ni sur ses enfants. Le frère de sa femme n'en a pas davantage, bien qu'il soit le chef de la famille. Les hommes de la maison soignent les enfants quand ils souffrent, jouent avec eux, les prennent sur leurs genoux, mais ils n'ont pas à s'occuper de la discipline. Est-ce donc la mère qui règne ? Non plus. Le collège des femmes ? Oui, mais en tant que noyau permanent du groupe familial, qui détient, gère et transmet les biens matériels et moraux à travers les générations : un peu comme faisaient les chapitres de chanoines dans les cathédrales. Aussi est-il pratiquement impossible aux enfants de souffrir du complexe d'Œdipe, donc, d'éprouver le besoin de s'en sortir par la contestation.

Les Zuñi ne connaissent pas non plus le complexe chrétien de la faute originelle. Ces sauvages sont incapables de concevoir Adam et Eve dérobant à Dieu la pomme de la connaissance : ils ne peuvent donc pas savoir que la chair est un péché. Pour eux, les relations sexuelles ne sont qu'une forme particulièrement aimable des aimables relations humaines. Leur plus grand éloge d'un homme est : « Il a toujours affaire avec les femmes. » Leur plus grand blâme : « Personne ne l'aime. Il ne se soucie pas des femmes. » Et, dans l'ingénuité de leur logique, ils jugent les femmes avec la même balance.

N'ayant pas croqué la pomme, ils ignorent la dualité du bien et du mal. Ils sont encore dans la main de la Déesse de Vie — qu'ils ne connaissent, d'ailleurs, que sous les apparences d'une centaine de délégués divins. S'il advient qu'une fille orgueilleuse se refuse au mariage dans le temps où sa beauté peut faire le bonheur d'un mortel, les dieux n'hésitent pas à descendre sur la terre, sous le masque d'un homme initié, pour la contraindre à coucher avec eux et lui enseigner ainsi le désir et l'humilité.

Les dieux aiment ce qu'aiment les hommes, le surnaturel aime le naturel. En conséquence, le naturel déteste le surnaturel, les hommes détestent les surhommes. Quiconque manifeste une autorité personnelle, une volonté de puissance, et prétend devenir un « conducteur du peuple », s'expose à être accusé de sorcellerie et pendu par les pouces jusqu'à ce qu'il « avoue ». Dans les compétitions sportives, qu'ils affectionnent presque autant que la danse, on interdit de concourir au champion qui gagne trop souvent : il convient que tous aient leur chance, le champion gâte le jeu. Sans doute, il faut des chefs. Mais celui que ses concitoyens sollicitent d'accepter une tâche de direction ne la doit accepter qu'après avoir manifesté sa répugnance, tel Octave pressé par le Sénat romain de devenir Auguste.

Tout repose sur la croyance que les dieux ne sont pas cruels, arrogants, vindicatifs, mais bienveillants, sereins, courtois, maîtres d'eux-mêmes — comme les hommes. La voilà bien, la foi en la vertu innée du bon sauvage ! Les Grecs, eux aussi, plaçaient leur idéal dans la sérénité — j'allais dire : dans la féminité — d'Apollon ; mais elle n'était qu'un antidote à la frénésie de Dionysos. Les Zuñi ne reconnaissent qu'Apollon. Encore faut-il le connaître, établir la communication avec lui, entendre ses paroles et les interpréter. De cette fonction sacrée, les femmes sont exclues.

Ainsi, les femmes ont une situation prééminente sur le plan sexuel, familial, social, économique ; les hommes passent, elles assurent la continuité de la lignée et de la tradition ; les hommes travaillent et ne possèdent rien, toute la fortune est à elles. Mais l'essentiel, le dialogue avec les dieux, est l'affaire des hommes. Les femmes dominent la vie quotidienne mais la vie quotidienne n'est que l'ombre portée du divin. Et la fortune n'est pas une valeur en soi : elle est le moyen d'acquérir les ornements, les bâtons de prières, les masques, bref, les fétiches par lesquels on peut communiquer avec les dieux. Ces fétiches sont à la disposition du frère, non du mari. Encore le frère n'a-t-il pas le monopole de leurs pouvoirs surnaturels : il les prête à tout homme qui les lui demande, pourvu qu'il soit qualifié pour les utiliser, c'est-à-dire, qu'il soit de la même confrérie. Car le sacré, comme les jeux, les danses, la fortune ou l'éducation des enfants, n'est confié qu'à un groupe. Rien à l'individu, et à chaque sexe son domaine. Aux groupes de femmes le terrestre : les maris n'y sont que des étrangers de passage. Aux groupes d'hommes le céleste : il n'y a pas de confrérie de femmes.

Alors que l'histoire nous enseigne que les hommes fascinés par les pouvoirs magiques de la femme ont employé toute leur énergie à la neutraliser, à l'asservir dans la vie concrète, voilà donc une société où les pouvoirs magiques appartiennent à l'homme, qui est économiquement faible.

Voilà — autre sujet d'étonnement pour un esprit occidental — une société fondée sur le groupe, et qui témoigne à l'individu un respect plutôt rare.

Comment cela est-il possible ? Serait-ce qu'il suffit de changer la couleur des lunettes pour que le monde soit changé ? Qu'il suffit de croire que la bienveillance est le propre de l'homme pour que cela devienne vrai ? Les Zuñi seraient alors un admirable exemple de la force du préjugé.

Les Dobuans, ou la Déesse de Mort [30]

En Mélanésie, dans l'archipel d'Entrecasteaux, au sud-est de la Nouvelle-Guinée, les Dobuans vivent sur une île volcanique où la terre cultivable est rare. Et ils cultivent la haine. A défaut de légumes ? Sans doute la mesure des Zuñi n'aurait-elle pu s'établir dans la pauvreté. Mais nous verrons un autre peuple, les Arapesh, où la pénurie cohabite avec la douceur. Non, la stérilité du sol des Dobuans n'est pas toute la raison de leur comportement. Mieux vaut avouer notre ignorance devant le hasard de la sélection. Ils ont choisi la Déesse de Mort, ils ont sélectionné la malveillance comme le tigre a sélectionné ses crocs. C'est encore, autrement exprimée, la force du préjugé.

Dans l'île de Dobu, la nature, les dieux, les hommes, ne rêvent que de détruire. Même les graines d'igname, leur nourriture de base, sont hostiles. Elles ne germeront que si leur propriétaire possède la formule magique qui les y contraindra — *sa* formule, dont il garde jalousement le secret, pour *ses* graines, qui ne sauraient germer ailleurs que dans *son* jardin : s'il les perd, si on les lui vole, personne ne les remplacera, c'est un homme mort. Si la récolte est bonne, il la cache comme un larcin : elle n'a pu être obtenue que par la sorcellerie, aux dépens des voisins ; et leur jalousie ne manquerait pas de lui envoyer une calamité. Il est entendu que rien ne se peut acquérir qu'aux dépens d'un rival. L'homme estimé, « l'homme de bien », est celui qui a dépouillé les autres. Les victimes sont méprisables. On ne saurait mieux pousser dans ses dernières conséquences l'esprit de compétition — qui est, songeons-y bien, le moteur de notre société industrielle : enlevons le frein, ou le masque, des sentiments chrétiens ou humanitaires, nous avons la loi de la jungle dobuane.

Il y a toutefois une différence fondamentale : c'est que, à Dobu, la jungle n'admet aucune loi. Les Dobuans n'ont ni chef, ni juge, ni arbitre chargé de faire respecter des limites, car il n'y a pas de limites à la méchanceté universelle. Il n'y a que des méthodes plus ou moins efficaces. La violence, l'arrogance n'en sont pas : elles mettraient l'ennemi en garde. La meilleure est la perfidie. « Quand nous voulons tuer un homme, dit un Dobuan au Docteur Fortune, nous recherchons sa compagnie, nous mangeons, buvons, dormons, travaillons et nous reposons avec lui, quelquefois pendant des mois. Nous lui consacrons notre temps, nous l'appelons notre ami. » Déloyauté qui est une forme de la franchise : aux yeux du sorcier de la partie adverse qui recherche le meurtrier pour en tirer vengeance, cette amitié vaut une preuve. De sorte que la véritable amitié serait interdite aux Dobuans, s'ils pouvaient y songer. Mais ils n'y songent pas. A un homme qui fait un cadeau, la formule de remerciement est : « Si maintenant tu m'empoisonnes, comment te pourrai-je payer en retour ? » Ce n'est pas de l'humour noir, c'est l'avertissement qu'on ne se laissera pas prendre au piège. D'ailleurs, un Dobuan ne rit jamais : le rire désarme.

Sous ce régime de l'individualisme absolu et de la méchanceté totalitaire, comment vont le sexe et le conjugal ? (Je ne mentionne pas l'amour, qui peut-être ferait rire un Dobuan, s'il le pouvait imaginer.)

Les Dobuans sont extrêmement prudes. On ne les voit jamais faire un geste, on ne les entend jamais dire un mot qui évoque la sexualité. Mais, chez eux, la pruderie accompagne la lascivité comme l'amitié la trahison.

Dès la puberté, les garçons vont coucher avec les filles dans la maison des parents de celles-ci. Personne ne l'ignore, tout le monde y consent, mais ils doivent être rentrés dans leur village avant l'aube. Quand un garçon a fixé son choix, ou quand il est las de se lever si tôt, il lui suffit de ne pas se réveiller : sa future belle-mère le « surprend » et lui coupe la retraite en barrant de son corps la porte. Les villageois, voyant la vieille plantée là, s'attroupent, dévisagent les deux jeunes gens pendant une heure sans prononcer une parole, et s'en vont. Les voilà fiancés devant témoins. La symbolique est claire : le choix du conjoint ne vaudrait rien s'il n'était contraint.

On comprend, à vrai dire, que les Dobuans doutent qu'un garçon puisse être assez fou pour se marier, quand on voit le destin qui l'attend. Aussitôt, sa future belle-mère lui met une bêche dans les mains : « Et maintenant, au travail ! » Pendant au moins une année de fiançailles, il va cultiver un jardin pour la famille de sa fiancée. Plus celui qu'il possède dans sa famille. Et en plus, il doit accumuler les ignames dont il fera cadeau à sa belle-famille le jour de son mariage.

La cérémonie est simple : le garçon reçoit, dans le village de sa belle-mère, une poignée d'aliments cuits par elle, et les mange ; la fille va faire de même dans le village du garçon. Ils ont échangé leur foi que la famille de l'un n'empoisonnera pas l'autre. Mais de là à se promettre du bien, il y a un grand pas qui ne sera jamais franchi.

Le seul groupe structuré est le lignage maternel. On l'appelle « le lait de la mère », la *susu*. C'est le lieu d'asile aux portes duquel la perfidie s'arrête. Le conjoint n'en est membre qu'au titre étranger, et il ne doit s'attendre qu'à un loyalisme restreint. Sans doute, les jeunes mariés ont droit à une case inviolable. Mais où ? Dans la *susu* de l'épouse, le mari sera brimé ; et dans celle du mari, ce sera la femme. Sous quels regards hostiles va-t-il falloir vivre ? Les

Dobuans ont réparti le malheur équitablement : une année chez l'un, une année chez l'autre.

Pendant une année, le mari règne en despote, et la femme subit toutes les humiliations. Chaque fois que la *susu* de son mari fait ou reçoit des cadeaux de cérémonie, elle doit disparaître. Dans les querelles conjugales, qui sont fréquentes, on s'en doute, le mari en appelle à l'autorité du frère de sa mère, qui est trop heureux de l'occasion de rabrouer l'intruse. Enfin, le mari a toutes facilités de coucher avec ses « sœurs » du village, c'est-à-dire ses cousines (le mariage consanguin est tabou, mais la copulation en famille est un passe-temps tout naturel). L'épouse bafouée n'a d'autres recours que de se répandre en imprécations, de battre le chien de son mari, au risque d'être chassée ignominieusement, ou d'attendre l'année suivante. Alors, on déménage, et c'est son tour de commander, d'humilier et de coucher avec ses « frères ».

L'alternance n'est rompue que lorsqu'un des deux conjoints tombe gravement malade. S'il ne se trouve pas dans sa *susu*, le couple doit s'y transporter. Car s'il est malade, c'est qu'un sort lui a été jeté. Et le suspect numéro un est évidemment son conjoint. Que la mort s'ensuive, le veuf ou la veuve restera dans sa belle-*susu* pour une année de pénitence : d'abord enfermé pendant un ou deux mois sous la plate-forme de la case conjugale, le corps noirci avec des charbons du foyer, puis astreint aux travaux forcés dans les jardins, sans aucune rétribution. Pendant ce temps, les membres de sa *susu* travaillent chez eux pour payer des dommages et intérêts. Enfin, purgée sa peine, le survivant peut se laver et rentrer chez lui. Si c'est la femme, elle emmène ses enfants. Si c'est le mari, il les laisse dans leur village maternel, où il lui est interdit de jamais revenir les voir.

« Individualisme farouche » : l'expression prend sa pleine valeur dans l'île de Dobu. Rien ne peut arriver que par la malveillance, ou par la conjuration de la malveillance. Et l'homme — ou la femme — seul, de toutes parts menacé par des ennemis invisibles, ne peut en effet utiliser de meilleure arme que la ruse, la perfidie, et la botte secrète de la sorcellerie. Dans une lignée, l'héritage le plus convoité n'est pas la terre, ni les graines d'igname, ni la maison, mais les formules incantatoires qu'un seul être par génération détient. La récolte, la pluie, le vent, le triomphe, la défaite, la maladie, la mort, et la vigueur sexuelle, tout vient par un charme.

Dans un monde où, à l'exception du lignage maternel, l'intimité mesure l'inimitié, il est bien naturel que le plus redoutable ennemi soit celui dont on partage la couche. Et les charmes et la perfidie étant des armes qu'une femme ne manie pas plus mal qu'un homme, on serait tenté de conclure que l'égalité des sexes règne à Dobu. En fait, la femme a un double avantage.

D'abord, elle est capable de laisser son corps endormi à côté de son mari et de s'envoler dans les airs, même sans l'aide d'un manche à balai ; et la sorcière volante dessèche les graines, rompt les amarres des pirogues, déracine les arbres, arrache les âmes, répand, insaisissable, la terreur.

Son corps éveillé n'est pas moins nocif, car les femmes de sa *susu* lui ont enseigné, avant qu'un homme ne l'approche, le secret de l'exténuer. Et quel que soit le charme qui donne la puissance virile, jamais homme n'en a connu de si efficace que ses plus furieux assauts ne le mènent à la défaite par la sorcellerie de la femme. Le traquenard du plaisir n'est-il pas la preuve de la malignité fondamentale ?

Les Chambuli, ou la domination féminine [31]

En Nouvelle-Guinée, la tribu des Chambuli vit sur des collines boisées qui dominent un lac. L'eau est d'un bleu de nuit ponctué de lotus pourpres et de nénuphars roses et blancs. Ce lac est poissonneux, et la nourriture ne fait pas de problème pour les Chambuli. Chaque famille possède une bande de territoire depuis la rive du lac jusqu'au sommet de la colline, où l'on peut cultiver un jardin, si l'on y tient. La maison familiale est à mi-côte, au milieu des arbres ; au bord du lac, sur de hauts pilotis plantés dans le marais, les hommes ont leur maison cérémonielle, leur club où les femmes ne sont admises que pour certaines festivités.

La ségrégation des sexes est rigoureuse. L'un assume les activités essentielles de la vie économique. Il pêche le poisson et fabrique les sacs-moustiquaires, qui sont la grande industrie d'exportation dans les tribus voisines : deux moustiquaires suffisent pour acheter une pirogue. Il négocie les contrats de vente et d'achat. Pour la livraison des moustiquaires, il envoie les personnes du sexe faible ; elles s'en vont, la chevelure bouclée, parées de bijoux et de leurs plus belles plumes, perdent des heures délicieuses à faire les difficiles sur les coquillages du paiement, et d'autres heures encore à faire des emplettes personnelles au marché, si leurs regards langoureux ont réussi à obtenir la permission de prélever quelque monnaie sur l'argent qu'elles doivent rapporter à leur épouse. Car, ici, ce sont les femmes qui produisent, possèdent, commandent, et les hommes qui sont d'adorables créatures.

Quelle bizarrerie ! Mais alors, notre répartition des rôles ne serait pas aussi naturelle et nécessaire que nous nous plaisons à le croire ? Au moins manque-t-il à ces femmes la profonde volupté de se sentir dominées, possédées par un mâle ? Apparemment, elles n'y songent pas, et elles ont tout l'air de femmes heureuses, bien qu'elles aient le crâne rasé. Trois générations — grand-mères, mères, filles — vivent ensemble dans la case familiale, assez spacieuse pour qu'une douzaine de femmes y évoluent à leur aise. Elles tressent ensemble les sacs-moustiquaires, descendent au lac relever les nasses, remontent faire la cuisine dans leurs marmites en terre, s'affairent joyeusement, le pied agile, la main leste, la parole vive, racontant des histoires assaisonnées de plaisanteries salaces, comme une bande de copains. Parfois les hommes viennent s'asseoir dans la case, mais à côté de la porte, prêts à s'envoler. Elles traitent avec une bienveillance enjouée ces êtres gracieux, versatiles et pas tout à fait inutiles puisqu'ils savent faire l'amour, sculpter de beaux masques, les peindre, les orner de plumes et de fleurs, parader, chanter, jouer de la flûte, danser les jours de fête aux frais des femmes.

Autour du terrain de danse, les femmes et les enfants attendent l'arrivée des masques. Pour passer le temps et s'échauffer un peu, elles dansent entre elles, mimant jovialement des amours homosexuelles. Entrent les masques : deux masques mâles qui portent une lance, deux masques femelles qui portent un balai. Sous les premiers se dissimulent des hommes mûrs, sous les seconds, des jeunes gens ; les masques les aveuglent, et les femmes ignorent, ou feignent d'ignorer, qui ils sont. Bientôt elles se mêlent à la danse. Aux porteurs de lance, elles témoignent une déférence aimable, elles ramassent les plumes qui tombent de leur chef. Mais avec les masques féminins, elles se déchaînent, plantent des branchages dans les fentes des masques, les chatouillent, se pressent contre eux, provoquent, excitent les jeunes mâles empêtrés et aveugles, affichant sans vergogne l'ambiguïté de leurs désirs et l'indépendance de leur sexe. Indépendance qui désole les hommes quand elle va jusqu'au splendide isolement avec un phallus en pierre. Mais qu'y faire ? La chair des femmes a des impatiences qui refusent les contraintes auxquelles les hommes se soumettent. « N'ont-elles pas une vulve ? » demandent-ils. Et ils gardent dans leur maison cérémonielle, dissimulé derrière un store, le symbole de la puissance qu'ils redoutent et vénèrent : une statuette féminine en bois, avec une énorme vulve écarlate.

Et pourtant, l'homme achète son épouse. Et même plusieurs. La vente des femmes et la polygamie ne sont-elles pas le signe indiscutable de leur asservissement ? A-t-on jamais vu un conjoint acheté prendre en main la domination ? Eh bien oui, cela s'est vu souvent, et pas plus loin que chez nos grands-parents de la bourgeoisie absolue, où un monsieur épousait une dame pour sa dot : n'achetait-elle pas son mari, qui n'en était pas moins son maître et son seigneur ? C'était la même chose, inversée. (Avec cette différence, toutefois, que nos grand-mères n'achetaient qu'un mari.) Par où l'on voit que l'argent n'est pas le seul maître. Ou que tel est pris qui croyait prendre. Ou qu'en amour moins qu'en toutes choses il ne faut se fier aux apparences. Car l'argent de la dot bourgeoise, un père industriel l'avait amassé, et l'argent dont le fiancé chambuli achète son épouse, il le doit aux femmes industrieuses.

Quand il était un tout petit garçon, il avait une mère qui lui donnait le sein s'il pleurait et le ramassait s'il tombait. Et il y avait encore dix ou douze femmes pour le ramasser, dont une ou deux autres épouses de son père qui avaient du lait. A sept ou huit ans, il a tenté de se faufiler dans le groupe des hommes, on l'a chassé, et il a couru chercher refuge auprès des femmes. Vers l'âge de dix ans, il a été initié à la virilité ; c'est-à-dire que des hommes lui ont scarifié le dos, et qu'il s'est sauvé en hurlant chez les femmes. A cet âge, la maisonnée s'est augmentée de sa future épouse, habituellement une fille du frère de sa mère. Ou de deux : des sœurs font des co-épouses unies. Et toutes les femmes de la case, vieilles ou jeunes, il les appelle « mères ». Il épousera donc une ou plusieurs de ses « mères » : rien n'est plus simple, son destin est tracé tout droit de l'antre secourable à la vulve dévorante, de la Génitrice à l'Ogresse.

Sans doute, il peut y avoir des accidents de parcours ; le veuvage, par exemple, qui pose un problème. Il le pose à la veuve, dont la chair est exigeante ; à sa parenté masculine, où elle fera des ravages tant qu'elle n'aura pas jeté son dévolu sur un homme désirable et capable de l'acheter ; aux hommes épousables, enfin, qui s'épient et se dépitent comme des jeunes filles à leur premier bal — ou comme des veufs. Quant à l'élu, il n'a qu'à payer ; toutefois, un homme avisé n'accordera pas sa main avant que la femme ne lui ait ouvert son sac de couchage : ce serait, disent-ils, jeter son argent dans le lac. On le jette dans le sac.

Les femmes forment un groupe uni, vigoureux, jovial. Les hommes se jalousent, rivalisent de coquetterie, toujours prêts à soupçonner une manigance pour obtenir la faveur des femmes. « As-tu vu Koshalan avec une fleur dans les cheveux ? Qu'est-ce qu'il mijote ? » Artistes en perpétuelle représentation, ils n'existent pas pour eux-mêmes mais pour jouer le rôle qui plaira aux femmes.

Les hommes vivent dans l'artifice. Et un autre artifice encore aggrave l'inconfort de leur situation : n'est-il pas proclamé sur la façade de la société chambuli qu'ils sont les maîtres, qu'ils achètent leurs épouses, que la terre et la maison se transmettent par eux ? Les enfants entendent dire cela. Ils savent de quel prix leur père a payé leur mère. Et ils voient que c'est elle qui fait la loi. Ils entendent dire que les hommes sont de redoutables chasseurs de têtes. Et ils voient qu'ils achètent à leurs voisins authentiquement belliqueux un prisonnier pour lui couper la tête : ce sont les femmes qui paient cette gloriole (ou, du moins, la payaient avant que l'occupation britannique mît fin à l'usage). Les petits garçons attendent l'âge où ils seront initiés aux secrets des hommes dans la maison cérémonielle. Et ils savent que les femmes connaissent ces secrets ; adultes, ils sauront que leurs secrets sont de polichinelle. Mais les femmes ont le tact de faire semblant d'y croire ; et la prudence, parce que, tout de même, les hommes sont plus forts. « Oui, elles connaissent nos secrets, dit l'un, mais elles sont gentilles et prétendent que non pour ne pas nous vexer. Et aussi : nous pourrions avoir tellement honte que nous en arriverions à les battre. »

Parfois un homme puissant, énergique, autoritaire, bref, un anormal, a l'ingénuité de prétendre que les emblèmes de la virilité exposés à la devanture sociale ne soient pas factices. Un jour, raconte Margaret Mead, un beau jeune homme musclé, Kaviwon, assis sur le plancher de la case, entendait ses deux épouses et leurs sœurs qui, en dessous, bavardaient gaiement. Il passa sa sagaie dans une fente du plancher et transperça la joue d'une de ses épouses. Il dit qu'il ne pouvait plus supporter leurs rires.

Les Iatmul, ou la domination masculine [32]

Ces farouches guerriers chez qui les Chambuli allaient s'approvisionner en têtes à couper se nomment les Iatmul. Ils vivent au bord d'un fleuve, le Sepik, dans des conditions qu'il est inutile de décrire : ce sont les mêmes que celles des Chambuli. Et, entre les sexes, le rapport des forces est symétrique, mais il est inversé : la société vit sous la domination masculine.

Alors que l'opposition entre la bienveillance zuñi et la malveillance dobuane ne semblait être que le produit d'un préjugé contraire, ici l'opposition résulte d'un énergique parti pris, d'une violence qui est faite au garçon quand vient le temps de la puberté.

Les femmes iatmul, comme leurs voisines chambuli, sont de maîtresses femmes. Elles ne sont pas moins actives, ni moins autoritaires, ni moins sensuelles. Mais elles ont perdu la bataille des sexes, et elles ne s'y résignent pas : à la sérénité des souveraines chambuli répond ici la rogne et la hargne.

Inconsciemment peut-être, les femmes iatmul préparent elles-mêmes l'enfant mâle à la domination. Elles lui apprennent que s'il crie assez fort et assez longtemps, il aura un sein à téter, un os de seiche à ronger, un coquillage sur quoi faire percer ses dents. Elles ne le dorlotent pas : elles le traitent comme un petit paquet d'énergie, qui gagnera s'il sait s'affirmer et se mettre en colère. Sans doute, le même traitement est appliqué aux filles. Mais quand l'accent est mis sur la valeur de l'agression, les filles ne partent pas gagnantes.

Cependant, jusqu'à la puberté, les mères tiennent en main leurs garçons. Les auraient-elles brisés ? Ils fuient la rudesse des hommes, marchent en se dandinant, jouent avec les bébés presque aussi souvent que les filles. C'est à croire qu'ils ont fait leur complexe d'Œdipe avec la virago maternelle.

Ils ne semblent pas tellement pressés de devenir des mâles. Et pourtant, il le faut. Alors les hommes se saisissent d'eux, et les jettent dans l'épreuve de l'initiation.

Ils embouchent les flûtes sacrées, que jamais femme ni enfant ne doit voir, sous peine de mort, et les novices assourdis, ahuris, battus, humiliés, cruellement scarifiés, ignominieusement coiffés de vulves géantes, pénètrent dans un enclos de feuilles dont la porte figure la gueule d'un crocodile ; la gueule les avale, les hommes les abreuvent de sang, comme feraient des « mères », dans le ventre du crocodile, d'où ils ressortiront nouveau-nés à la virilité, dignes de prendre place dans la maison des hommes justement nommée la « matrice ». Ainsi, toute la cérémonie n'est rien d'autre qu'une agression contre la primauté du sexe féminin. Nous, Occidentaux nourris de judéo-christianisme, ne pouvons nous défaire du mythe de la femme née de la côte de l'homme ; et certaines féministes — pas toutes, heureusement ! — sont incapables de concevoir pour Eve d'autre objectif que d'imiter Adam, de l'égaler et de le châtrer — bien que l'idée de châtrer son étalon de mesure soit d'une dialectique pathétique. Les mâles iatmul ont la prétention inverse — qui est celle, camouflée ou proclamée, de tous les cultes initiatiques : arracher à la femme son pouvoir magique de faire des enfants, s'égaler, se substituer à elle. Tout ce tintamarre que font les hommes n'a d'autre but que de nier leur infériorité essentielle. Mais ils sont si peu assurés que, ces objets sacrés dont le bruit virilise, leurs mythologies racontent qu'ils furent découverts par les femmes qui, tremblant d'en divulguer le secret, le confièrent aux hommes et les supplièrent de les tuer. Ils ne les tuent plus, par courtoisie, assez contents qu'une pantomime musicale suffise à affirmer leur virilité. « Les femmes ont fait des êtres humains, disent-ils, seuls les hommes peuvent en faire des hommes. » Les éducateurs pédérastes de la Grèce ne pensaient pas autrement. Et, chez eux comme chez les Iatmul, la virilité officielle se sentait sollicitée au premier signe de défaillance manifesté par un jeune homme. C'est pourquoi les initiés iatmul se promènent « en portant de petits tabourets de bois solidement fixés à leurs fesses », dit Margaret Mead.

Mais, aux femmes, les hommes opposent un front uni, hautain, majestueux, qui leur inspire respect et admiration. Du moins, en public. Chez eux, c'est autre chose. Dès qu'un mari rentre à la maison, elles l'attaquent furieusement. Il lui faut répliquer avec une fureur supérieure. Elles sont plusieurs contre lui, mais rivales dans leurs revendications : il faut diviser pour régner. Et en dernier recours, il leur rappellera qu'il est grand (un mètre quatre-vingts), fort et méchant. Après tout, c'est lui qui coupe les têtes, n'est-ce pas ? Dans une société où les femmes comme les hommes vénèrent en l'agressivité la valeur première, ces arguments-là ne peuvent être contestés.

Cependant, les femmes iatmul sont plus résistantes au travail et plus ardentes au déduit que les hommes (sont-elles les seules ?).

Pêcher, aller vendre le poisson au marché, faire la cuisine, jardiner, tresser des moustiquaires, elles n'arrêtent pas de la journée et n'ont jamais l'air d'être fatiguées. Les hommes ne consentent à se remuer que pour des tâches importantes et brèves : construire une pirogue, chasser le crocodile, édifier des décors pour les fêtes. Encore les femmes doivent-elles les injurier pour qu'ils s'y décident.

Quand elle veut satisfaire ses désirs, la femme iatmul dédaigne les détours de la séduction. A l'amant qu'elle convoite, elle envoie un messager porter un petit cadeau et ce défi railleur : « Tu n'as donc pas d'os ? » A son mari, elle ne l'envoie pas dire. Et le malheureux n'a pas qu'une épouse... Il réplique, proprement excédé : « Vous, les femmes, croyez-vous que je sois en bois de fer pour pouvoir faire l'amour tant que vous voulez ? »

Faire travailler les femmes n'est pas nécessairement le signe d'une infériorité masculine. Mais le seigneur, s'il ne sert pas sa servante, risque sa situation. La domination de l'homme, chez les Iatmul, apparaît fragile, qui ne repose que sur la force du poing et le bruit des flûtes. Leurs voisins, les Chambuli dociles, n'étaient-ils pas, eux aussi, autrefois, de vigoureux coupeurs de têtes, que les femmes ont contraints de démissionner, à l'usure ?

Les Arapesh : le monde au féminin [33]

La question de la domination de l'homme ou de la femme, qui nous agite tellement aujourd'hui, n'a pas de sens quand toute la société accepte les valeurs d'un sexe ou de l'autre. Chez les Arapesh, toute la société vit au féminin ; chez les Mundugumor, elle vit au masculin. Deux éthiques diamétralement opposées, et il n'y a entre elles que deux cents kilomètres.

Les Arapesh en question sont établis sur des montagnes escarpées entre la vallée du Sepik et la mer. Les cases sont accrochées sur les pentes abruptes, l'exiguïté des terrains plats limite les villages à quelques cases, il faut parfois descendre et remonter pendant des heures pour aller cultiver une parcelle de terre.

Ici, comme chez les Iatmul, la flûte sacrée inspire aux femmes un profond respect. Quand elle résonne dans le village, les femmes et les enfants dévalent la pente à toutes jambes. Mais il est frappant de voir comme une coutume identique peut prendre une signification toute différente. Chez les Iatmul (et chez beaucoup d'autres peuples voisins), cette flûte est l'instrument de l'opposition masculine ; chez les Arapesh, elle est le moyen de communication de la communauté avec les puissances surnaturelles. C'est la fonction des hommes, voilà tout : une charge, comme les femmes ont la charge des fonctions naturelles. Si les femmes détalent, ce n'est pas par respect des hommes, c'est par respect de l'ordre établi. Si elles voyaient la flûte interdite, elles n'en seraient pas châtiées, mais ce serait un désastre pour le village.

Les hommes seraient bien ridicules de s'en croire davantage pour cela. Toute prétention sexuelle et toute ambition personnelle leur sont étrangères. Ils n'existent que par et pour le groupe, le plus grand malheur serait la solitude. Sans doute, il faut un chef — essentiellement, pour orchestrer les fêtes et les cérémonies. Rien n'éclaire mieux le caractère des Arapesh que la manière dont ils le recrutent.

« Les chefs, écrit Margaret Mead, doivent prévoir, organiser des échanges, se pavaner, prendre des airs importants, parler haut, se vanter de ce qu'ils ont fait et de ce qu'ils feront : c'est un comportement que les Arapesh considèrent comme ingrat, difficile à tenir, et qu'aucun homme normal ne se permettrait s'il pouvait l'éviter. »

Quand les garçons atteignent leur quinzième année, les aînés observent leurs talents, supputent leur aptitude à jouer le grand personnage, en choisissent un « dont les oreilles sont ouvertes et la gorge ouverte ». Et ils lui assignent, dans un clan différent, un « partenaire d'échanges », un *buanyin*.

Il vaudrait mieux dire : un « adversaire d'échanges », car il s'agit de s'insulter à coups de cadeaux.

Il y a là de quoi nous étonner. Voici une société où le penchant naturel — c'est-à-dire, de cette seconde nature qu'est la culture spontanément vécue — incline les sociétaires à travailler ensemble, à chasser ensemble, et à partager sans compter ignames et gibier, où tout le monde est assuré de recevoir sa part du stock social, non point par la décision d'une autorité centrale, mais au hasard des générosités privées — et où personne, bien sûr, ne se mettra en grand souci de produire plus que le nécessaire ; où celui qui s'avise de thésauriser, ou de manger seul dans son coin fût-ce un petit oiseau, encourt la réprobation générale... Voici une société d'entraide mutuelle et bénévole, chose assez étonnante en soi, et, autre étonnement, qui charge son chef de métamorphoser la gentillesse en agression. Comme si sa gentillesse ne lui paraissait pas tellement « naturelle », comme s'il fallait l'exorciser. L'émulation, la jactance, l'agressivité que les Arapesh s'interdisent, les *buanyin* s'en chargent. Ils n'ont qu'un devoir : s'insulter chaque fois qu'ils s'aperçoivent, et humilier l'autre par des cadeaux tels qu'il soit incapable de répliquer avec autant de faste.

Heureusement, vient le temps où un autre jeune garçon laisse paraître qu'il a les oreilles et la gorge ouvertes. Le bouc émissaire couronné peut se retirer. Il n'a plus besoin de crier, de parader, d'aller de fête en fête faire le suffisant. Il a le droit de jardiner tranquillement, de faire des cadeaux pour le plaisir, de se consacrer à son plus cher devoir : éduquer et marier ses enfants.

Voilà donc les deux axiomes sur quoi est fondée la vie des Arapesh. Le premier : entre le commun des hommes et les chefs, entre les hommes et les femmes, il y a des fonctions spécialisées, mais il n'y a pas de différence. Le second : hommes et femmes sont également doux, sociables, maternels. C'est-à-dire : également féminins.

Cela se voit dans l'éducation des enfants, dans les fiançailles et le mariage, dans leur vie conjugale et leur sexualité.

Tout est concerté pour que l'enfant se sente en confiance

dans un monde qui lui veut du bien. Il a toujours à sa disposition pour se faire câliner le corps nu et chaud de sa mère ou de son père. Quand il commence à marcher, il y a un petit garçon pour le porter dans ses bras, une petite fille pour le porter sur son dos dans un sac : les enfants adorent les bébés. Il tète jusqu'à trois ans. Mais son père aussi lui donne à manger, de la soupe, avec une cuiller trop grande. Dès qu'il pleure, sa bouche trouve un sein ou une cuiller. Les tétées s'espacent. Il arrive que sa mère le laisse une journée aux soins de son père pour aller cultiver un lopin de jardin avec d'autres femmes sur la montagne d'en face. Le jour suivant sera tout entier à l'enfant. Quel bonheur ! On se vautre sur sa maman, on lui tambourine le ventre, on lui mordille une oreille, elle chatouille les orteils, elle tapote le sexe, on tète un sein et on joue avec l'autre... Le père ne se sent pas très intéressant avec sa cuiller de bois.

Les garçons et les filles vont nus jusqu'à quatre ou cinq ans, jouent ensemble, et les filles n'envient pas plus le pénis des garçons que les garçons ne jalousent leur pouvoir d'enfanter. Ils font leurs excrétions sans vergogne, mais en dehors du village parce que c'est une « chose sale ». S'ils se disputent, les adultes les séparent, car il est interdit de se battre, mais les laissent passer leur colère en se roulant dans la boue ou en tapant sur un arbre avec un bâton ; les adultes en rage pratiquent eux aussi cette réorientation de l'agressivité. Il n'est pas question d'entraîner un garçon à avoir du cran ; et un homme insulté fondra en larmes.

Tant que leurs enfants ne sont pas pubères, les parents ne se soucient pas de leurs jeux sexuels. Mais dès que les poils poussent autour du pénis, ou que les seins commencent à se former, on les met en garde : si le garçon se masturbe ou copule, personne ne le punira, seulement, il ne deviendra pas un homme grand, fort et digne d'être père ; si la « veine », c'est-à-dire l'hymen, de la fille est prématurément rompue, ses seins resteront petits, durs, agressivement dressés, au lieu de tomber, lourds et abondants, comme il sied à une belle femme hospitalière.

En fait, le risque de rapports sexuels entre des jeunes gens qui ne sont pas fiancés paraît improbable. Les Arapesh pensent que le désir est l'expression d'une affection longuement mûrie. Sans doute, parfois, une pulsion soudaine précipite un homme vers une femme : c'est qu'elle lui aura jeté un sort ; un mauvais sort, car la fusion des principes mâle et femelle sans qu'ils aient eu le temps de s'habituer l'un à l'autre, de s'apprivoiser, de se domestiquer, est dangereuse : l'homme en mourra avant d'avoir des cheveux gris. Il arrive aussi qu'un veuf cherche à se remarier. Alors, pour convaincre la femme de l'honorabilité de ses intentions, il peut prendre le risque de coucher avec elle : en lui livrant son sperme, il lui confie sa vie. Mais si, après cela, elle n'est pas convaincue, elle peut le conduire à sa perte.

La voie normale est qu'un garçon élève sa femme. Quand il est pubère, ses parents choisissent une petite fille de sept ou huit ans. Ces fiançailles s'appellent, symboliquement, « placer le sac de portage sur sa tête » : les Arapesh considèrent que les femmes sont plus fortes et ont la tête plus solide que les hommes, et elles sont fières de porter de lourdes charges. La petite fille vient vivre dans sa future belle-famille. Tous prennent soin d'elle, mais c'est à l'adolescent qu'il incombe de cultiver la terre et de chasser pour nourrir sa « femme ». Tel sera le fondement de son autorité. Il est plus âgé qu'elle et, si elle regimbe, il pourra lui dire : « J'ai récolté les ignames, j'ai tué les kangourous qui ont fait ton corps. Pourquoi n'apportes-tu pas le bois pour le feu ? » C'est le langage du père nourricier à ses enfants, et non point d'un mâle dominateur : les enfants respectent leurs parents, la femme respecte l'époux qui l'a élevée. Mais si tous les jeunes doivent respecter tous les vieux — ce qu'ils font d'autant plus aisément que les adultes leur transmettent le pouvoir et ses charges dès qu'ils sont en âge de les assumer — les femmes, hors de la famille, ne doivent aucun respect aux hommes.

Quand la fiancée est pubère, le garçon attendra encore un ou deux ans avant de l'approcher, s'il veut qu'elle ait de gros seins bien tombants. Les parents leur permettent de longues promenades dans la brousse. Et un jour, à l'heure de leur cœur, sans hâte et sans publicité, ils feront l'amour.

Ils sont désormais libres de répondre au désir de leur

tendresse quand la femme ou l'homme la manifeste. On dit indifféremment que l'homme « prend » la femme ou que la femme « prend » l'homme — mais plus souvent : « Ils ont joué tous les deux. » Comment ? Ils s'embrassent sur la bouche, mélangeant leurs souffles — ce qui est une rareté chez les primitifs. Mais tout contact est interdit entre la bouche et les organes génitaux, en vertu du principe que la fonction nourricière de l'homme et la fonction reproductrice de la femme ne doivent pas être confondues. Pour la même raison, l'homme doit se purifier du coït avant d'aller cultiver les ignames, comme il doit se purifier avant d'approcher sa femme quand il vient de jouer de la flûte sacrée. Ils ignorent les transports et les pâmoisons sado-masochistes ; l'acte sexuel est pour eux un abandon aux forces bienveillantes du Grand Pan, une effusion de douceur panique, où la femme n'éprouve pas d'orgasme mais un bien-être diffus, où l'homme n'investit aucune vanité dans les performances de son pénis. Il semble que les jeux de bouche auxquels ils prenaient tant de plaisir dans leur enfance seraient de bons serviteurs de leur érotisme. Trop bons, peut-être : l'interdit bucco-génital n'aurait-il pas le but secret de les contraindre à procréer ?

Enfin, un enfant est en route. D'autres pères considéreraient que la nature n'a plus besoin d'eux. Pour le père arapesh, finis les jeux, le travail commence. Un travail de Titan car il faut, pour former l'enfant, que le sperme paternel fusionne avec le sang maternel *en quantités égales*. Cela fait combien ? Un litre ? Deux litres ? Un bon père ne lésine pas. Et il n'arrêtera pas de déverser de la semence, battant des records à faire pâlir d'envie un Don Juan, mais sans amour-propre, pour l'amour de l'espèce, tant qu'un certain gonflement n'aura pas signalé que l'enfant est achevé. Alors, repos, tous rapports sexuels sont interdits, rien ne doit troubler la gestation. L'enfant dort.

La femme va accoucher à distance du village : le sang de l'accouchement doit être dissimulé aux hommes comme la flûte aux femmes. Cependant, l'homme a tout autant que la femme le droit de dire qu'il a « mis au monde » un enfant. Dès qu'ils sont de retour, il se consacre à ses fonctions magiques (purifications et incantations diverses) et nourricières. De nourrice sèche, toutefois : il garnit de feuilles le filet où l'on couche le bébé, apporte l'eau, le lave, le torche, le berce, lui communique le souffle vital de sa poitrine, dort à côté de la mère et de l'enfant. Il est « couché en train d'avoir un enfant ». L'homme arapesh, dont la cérémonie initiatique n'est pas une contestation du pouvoir primordial de la femme, fait tout ce qu'il peut pour le partager.

Les rapports sexuels lui restent interdits jusqu'à ce que l'enfant marche, sinon, il serait chétif. Hier, l'enfant requérait son plein de semence ; maintenant, il a besoin de tout le souffle paternel. N'est-ce pas aussi un bon moyen de limiter les naissances ? Et d'emmagasiner de la puissance sexuelle pour les travaux forcés qui l'attendent à la prochaine grossesse ? « Si quelqu'un, dit Margaret Mead, remarque d'un homme mûr qu'il a encore belle allure, on répond : « Belle allure ? Heu... oui... Mais vous auriez dû le voir avant qu'il ait tous ces enfants ! »

Les Mundugumor : le monde au masculin [34]

Les Mundugumor, établis sur la rive d'un affluent du Sepik, le Yuat, sont des cannibales. (Ou plutôt, ils l'étaient avant l'arrivée des Britanniques.) Les Arapesh les connaissent et les tiennent pour des sauvages.

Chez eux, la grossesse est une calamité. L'homme cesse immédiatement toutes relations sexuelles avec sa femme car, s'il recommençait, il risquerait d'avoir des jumeaux. A la frustration de l'épouse s'ajoute la crainte qu'il ne l'abandonne pour aller chercher une seconde épouse ; ce qu'il ne manque pas de faire, s'il en a les moyens.

Elle accouche. Si c'est un garçon premier-né, et que le père se trouve là, il y a une bonne chance pour qu'il le tue. Si c'est une fille, on la garde. Mais si ce sont des jumeaux, chose en effet fréquente chez ce peuple, par quelle malignité des dieux ? De deux garçons, on en garde tout de même un. D'un garçon et d'une fille, on garde la fille. Et deux filles sont assurées de survivre. Toutefois, la mère n'élèvera qu'un enfant. Il se rencontre toujours une femme qui se propose pour adopter l'autre, tout heureuse d'échapper ainsi à la corvée de la grossesse. Mais elle n'a pas de lait ? Eh bien ! elle en aura. Elle offre son sein à la stimulation du bébé, elle boit de grandes quantités de lait de noix de coco, et parvient à provoquer artificiellement la sécrétion. (Que ne donnerait un père arapesh pour en faire autant !)

Ce bébé adopté a de la chance : lui, au moins, il est autorisé, et même encouragé, à sucer le sein pour que le lait monte. Sinon, il reste encagé dans un panier dur et étroit, suspendu à une poutre. S'il pleure, un doigt distrait gratte le panier : ou bien il se tait, par réflexe conditionné ; ou bien il insiste assez obstinément pour que sa mère se résigne à l'extraire de sa prison et à l'allaiter, debout. S'il s'arrête un instant pour souffler un peu, il est immédiatement remis dans le panier. Alors il tète goulûment, s'étrangle, hurle, et sa mère hurle encore plus fort. Seul un petit vigoureux survit à ce régime. Quand il commence à marcher et manifeste l'envie stupide de grimper sur les genoux de sa mère, elle a vite fait de l'en dissuader à coups de taloches ; la méthode est la même pour lui faire passer l'envie de téter ; toutefois, une mère exceptionnellement douce enduira ses mamelons d'une sève amère. Ainsi un Mundugumor apprend-il dès son premier âge quel est le goût de la vie.

Elevé dans un monde hostile, il sera un adulte agressif qui, à son tour, traitera en ennemis ses enfants. La haine engendrée par la haine engendre la haine, et comment savoir qui a commencé ? Les Mundugumor trouvent des raisons suffisantes dans leur structure sociale, fondée sur l'antagonisme entre les individus d'un même sexe. Il n'y a pas ici de communautés d'hommes, ni de femmes. Seuls les individus de sexe opposé peuvent collaborer — mais dans les étroites limites du travail et de la copulation : il n'y a pas non plus de clans unis par le sang, ni même de familles, sinon de petites escouades de femmes en bataille contre un homme. L'étrange résultat est que, dans l'enclos où vivent un mari et une demi-douzaine d'épouses, les forces des combattants se répartissent ainsi : d'un côté, le père, ses filles, plus, éventuellement, les fils de ses filles, et ainsi de suite en alternant les sexes à chaque génération ; de l'autre côté, les mères, leurs fils, et la suite. Chaque suite constitue une « corde ». Les biens se transmettent le long de la corde ; c'est ainsi que les filles héritent des armes de leur père.

On comprend que la femme déteste d'engendrer une fille : elle sera son ennemie, dans l'alliance du père ; et que l'homme repousse l'idée d'avoir un fils pour la même raison. Mais il a un motif supplémentaire : quand un fils voudra se marier, il devra donner une de ses sœurs en échange de sa fiancée. Il l'enlèvera donc au père, il affaiblira son camp. Pis encore : il le frustrera d'une monnaie d'échange. Sans doute, la coutume interdit au père de monnayer sa fille contre une épouse supplémentaire ; mais un Mundugumor s'en moque, s'il est fort.

D'ailleurs, pour beaucoup de Mundugumor, ce troc est un procédé pacifique dénué d'agrément. Il convient qu'il soit imposé par un enlèvement assorti d'une bonne bataille. Rien n'est plus « gratifiant » que la provocation.

Dès l'âge le plus tendre, la petite fille apprend l'art de la provocation sexuelle. Quand sa mère en est encore à lui enseigner que la tétée est une bagarre, son père exige qu'elle soit parée de boucles d'oreilles, de colliers, de ceintures en coquillages ; puis, quand elle marche, de minuscules jupes d'herbes de couleurs vives. En même temps que la coquetterie elle découvre, par ses frères, que le mâle est un adversaire avant d'être un partenaire ; qu'elle est un enjeu, mais qu'elle a les moyens de brouiller le jeu. Et elle ne s'en prive pas. La voilà grande, mince, musclée, à l'affût d'un amant. Un mot furtif, un regard, rendez-vous est pris dans la brousse. Elle se jette sur lui, arrache ses ornements, brise ses flèches, le garçon brise son collier, déchire sa jupe, ils se griffent et se mordent, pressés d'arriver par le plus court chemin au tremblement sacré. La fille, au retour, expliquera qu'elle a rencontré quelque bête sauvage, qu'elle s'est déchirée aux branches dans sa fuite éperdue. Car elle perdrait sa valeur sur le marché des échanges conjugaux, si l'on savait qu'elle n'est plus vierge. Bien sûr, son mari s'en apercevra. Mais s'il ébruitait la chose, il aurait l'air d'une dupe. Et d'une bien grande dupe quand elle l'a provoqué à l'enlever, qu'il s'est battu pour la conserver et qu'enfin il l'a payée d'une de ses sœurs.

Et puis, quand elle sera enceinte, et retombée la flambée érotique, il se mettra en quête d'une seconde épouse, et d'une troisième, accroissant inconsidérément le nombre de ses adversaires en même temps que celui des travailleuses. Certes, il peut les battre. Mais il sera bien avisé de s'assurer au préalable qu'elles ne sont pas armées, et de se munir d'une mâchoire de crocodile. Et qu'il se hâte : le jour approche où les fils qu'il a laissé vivre seront assez forts pour défendre leur mère. Jusqu'à ce qu'ils se marient, eux aussi. Alors, les mères ressembleront à des veuves.

Dans cette société où les deux sexes ont un comportement également « viril », bien qu'avec des fortunes inégales, que deviennent les inadaptés, c'est-à-dire une femme ou un homme tendre, rêveur, ami du genre humain comme un Arapesh ? Ils sont parfaitement tolérés. Les puissants ne tolèrent-ils pas les esclaves ? Les lions et les lionnes n'aiment-ils pas les gazelles ?

Mais dans la société des Arapesh, où chacun est le tendre souci des autres, une femme orageuse, un homme « compétitif » à l'occidentale, n'a d'autre choix que la paranoïa ou le terrorisme. Il faut que les eaux douces l'engloutissent, ou qu'il les trouble irrémédiablement. La douceur ne peut sans dépérir tolérer la violence. Pas de liberté pour les ennemis de la liberté : le trublion est un homme à abattre. De sorte que la douce liberté ne peut survivre qu'en se reniant. Consternant paradoxe, qui voue les sociétés sentimentales au totalitarisme.

Samoa, ou l'harmonie sexuelle [35]

Dans les îles du Pacifique vivent des « sauvages » qui sont à la fois les plus civilisés et les plus proches d'une image du paradis perdu.

Quand une femme des îles Samoa met au monde un enfant, ce n'est pas un tel événement que le cercle de famille doive applaudir à grands cris, et ce n'est jamais un drame : c'est une bonne chose de faite. Elle n'a plus qu'à lui donner le sein chaque fois qu'il pleure ; pendant deux ou trois ans, si ne survient pas une nouvelle grossesse : c'est le moyen le plus simple de le faire taire, et on déteste que les enfants fassent du bruit. Pour le reste, il se trouve toujours une grande sœur ou une grande cousine de six ou sept ans qui prend la charge de nurse. Quand il n'y a plus de sein à mettre dans la bouche du petit, la nurse n'a que deux solutions : ou bien elle s'époumone à crier « tais-toi ! » pour obtenir le silence, ou bien, plus efficacement, elle va le déposer sous un cocotier assez éloigné de la case pour que les parents n'en soient pas importunés. Aucune mère sensée ne se soucierait de faire l'éducation de son enfant quand une fille plus âgée est là pour ça. D'ailleurs, il n'y a pas grand-chose à lui apprendre, sinon quelques interdits : ne pas rester au soleil, ne pas emmêler les fibres du nattage, ne pas toucher au feu ni aux couteaux, ne pas se salir, et surtout ne pas se mettre debout, car lorsqu'un enfant sait marcher, les bêtises commencent. Bien sûr, on ne peut pas empêcher un enfant de grandir ; c'est pourquoi, dès qu'il devient insupportable, si c'est une fille, on lui en met un autre sur les bras ; si c'est un garçon, il s'en va jouer avec les petits voisins, regarder comment les hommes s'y prennent pour pêcher et pour grimper aux cocotiers.

Tous les petits tracas de la vie à la maison qui accablent une ménagère sont pour la fille. Ainsi va-t-elle jusqu'à la puberté, tyrannisée par sa mère, son père, ses tantes, ses oncles et ses grands-parents. Non sans contrepartie : il y en a toujours un auprès de qui elle peut chercher secours. Et non sans limites : si la tyrannie devient intolérable, elle est libre de s'en aller dans un autre village, où une autre famille de sa parenté l'accueillera.

A ce train, elle ne s'instruit guère. Elle n'apprend même pas à faire la cuisine : ce sont les garçons qui la font. (Toutefois, ils acceptent volontiers qu'elle joue les marmitons.) Mais pourquoi s'instruirait-elle ? Si on la voyait compétente et habile à tresser une natte fine, à fabriquer de l'étoffe d'écorce et à la décorer, on lui donnerait encore du travail à la maison. Et les garçons voudraient l'épouser avant qu'elle ait eu le temps, enfin, de s'amuser.

La fille samoane n'a appris que trois ou quatre choses, mais essentielles. Elle a vu des enfants naître, et des fœtus arrachés du ventre de femmes mortes en couches afin qu'ils n'aillent pas naître dans la tombe et devenir de méchants esprits ; elle a vu mourir des parents, et des cadavres « autopsiés » pour découvrir quelque cause suspecte : elle a appris que la naissance et la mort sont aussi familières que la vie. Elle a appris que le mariage est inévitable, mais que le plus tard sera le mieux. Elle a appris que l'amour est bien agréable, d'après les couples qu'elle a vus le faire. Et sa devise, « rien de trop », n'attend que de se contredire en amour, car une fille, à Samoa, n'a jamais trop d'amants.

Mais, en amour, il faut être compétent. Vers sa quinzième année, elle ne manque pas de rencontrer un professeur de sexualité, tandis que le garçon apprend chez une femme mûre l'art des préludes et variations sur un thème ancien. Les leçons se donnent aussi discrètement qu'il est possible dans un village friand de commérages ; les couples d'âge disparate prêtent à la moquerie, et puis la pudeur sied aux adultes ; on ne voit jamais des époux se tenir la main en public, alors qu'un garçon n'aura pas scrupule de crier à une fille sur la place du village : « Attends-moi ce soir sous les palmiers ! »

Avant d'en venir là, ils ont connu quelques émois. Vers la dixième année ont commencé les regards en coulisse, les rougeurs et les gloussements ; ils se sentaient « confus ». La fille a su qu'elle ne devait plus toucher ses frères ni ses cousins, qu'elle devait s'asseoir à distance d'eux, et plus généralement considérer les garçons comme ses ennemis aussi longtemps qu'elle ne serait pas pubère. Mais si l'envie la prenait de se masturber, ou de caresser une amie, libre à elle. Ses premières règles sont arrivées comme une bénédiction. Puis l'instituteur. La voilà femme et savante. Mais le tabou de la virginité ? On n'en fait plus de cas que pour la fille que son rang destine à épouser un chef. Et encore, si elle n'est plus toute neuve, une vieille femme de sa famille lui enseignera comment arranger l'affaire avec du sang de poulet.

Le garçon est peut-être bien savant, lui aussi, mais il est

timide, il n'ose déclarer sa flamme : il envoie un camarade beau parleur faire sa déclaration — non sans quelque appréhension, car il n'est pas rare que l'ambassadeur plaide trop bien et plaise. Avec l'un ou avec l'autre, rendez-vous est pris, le soir, « sous les palmiers ». Ou avec l'un, puis avec l'autre. Mais il faut se méfier de la vanité masculine : si le premier apprend qu'un second lui a succédé dans la même nuit, il rompra plutôt que de supporter la honte d'être moqué par celui qui est venu après lui.

Parfois la fille a peur de s'aventurer la nuit dans les bois où errent les démons et les fantômes. Plusieurs couples rassemblés au même lieu de rendez-vous se réconfortent mutuellement — mais chaque couple sous un arbre. Ou bien la fille attend le garçon dans la case familiale. Il y a là beaucoup de monde qui dort, ou fait semblant. Le garçon se dénude, enduit son corps d'huile de noix de coco afin de glisser entre les mains des parents s'ils s'avisaient de se saisir de lui, soulève le store, et prend son risque et son plaisir. Comme ces amours se font dans le plus grand silence, il y a des garçons qui en profitent pour jouir des faveurs destinées à d'autres. Ce n'est pas un exploit, bien que le risque soit énorme : que la fille s'aperçoive de la substitution — et qu'elle ne la trouve pas à son goût — elle se récrie d'horreur, et si le garçon est attrapé, il est ridicule pour la vie. Celui qui n'a pas trouvé d'autre moyen pour faire l'amour à une fille ne peut être qu'un pauvre type.

Et les amants succèdent aux amants, les maîtresses aux maîtresses, sans que personne s'en offense : c'est l'âge des amours. Oh ! les amoureux savent aussi bien qu'un troubadour prendre à témoin de leur passion la lune et les étoiles. Mais personne n'a l'ingénuité de croire que les serments d'amour soient valables au-delà de quelques semaines, ou de quelques jours. Rien ne leur paraîtrait plus comique que la passion éternelle et le destin fatal de Tristan et d'Iseut, de Roméo et de Juliette. Seule la grossesse assortie du mariage peut témoigner de leur sérieux.

Du moins, en principe : les liens du mariage ne sont pas beaucoup plus solides que ceux des amours. Si un homme se lasse de son épouse, ou une femme de son époux, il ou elle retourne dans son village. On dit que leurs relations « se sont éteintes ». Inutile de chercher à savoir pourquoi. Ils répondent : « Je me le demande. » Parfois ils consentent à ajouter : « Et puis, je n'en ai plus envie, c'est tout. » Quant aux enfants, à quoi bon s'en soucier ? La parenté est vaste et accueillante.

Le couple n'est pas une entité, il n'est qu'un morceau de famille qui peut manquer ou se remplacer sans que l'édifice s'écroule. Bien sûr, de telles relations supposent l'indépendance économique de la femme : elle dispose des terres de sa famille, et elle n'a nul besoin d'une pension alimentaire. Le bon usage veut qu'au foyer ce soit l'homme qui commande ; mais le fait est qu'assez souvent l'épouse règne. Elle ne se mêle jamais de la vie publique — préséances, palabres, commerce avec les dieux et les fantômes ; mais qu'elle se trouve promue épouse de chef, et sans que son éducation l'y ait préparée, elle s'improvise avec une grande aisance diplomate, orateur, maîtresse des cérémonies. Parmi les choses essentielles que la petite fille avait apprises, j'avais omis de nommer la plus rare chez les humains : le tact.

Maintenant, si nous tracions à grands traits les différences entre une femme occidentale (j'entends par là une Européenne de l'Ouest ou une Américaine du Nord, vivant dans une ville), et une femme de Samoa ?

A l'âge de nourrisson, la Samoane tète le sein maternel à gogo, passe de main en main dans la maisonnée, roule dans un univers de peaux douces, de tendresses, de chants et de brusqueries inoffensives. L'Occidentale reçoit à heures fixes biberons et repas vitaminés dans le cube aseptisé d'une chambre où de temps à autre apparaît sa mère, unique et toute-puissante déléguée du monde extérieur.

A peine éveillée, la Samoane voit naître, mourir, procréer ; et le premier tumulte s'apaise pour s'accorder au consentement de tous devant l'inéluctable. Ces trois moments fondamentaux de la vie restent soigneusement cachés à la petite fille d'Occident, et si par hasard elle en rencontre un, comment n'en serait-elle pas choquée, comment ne s'en formerait-elle pas une idée fabuleuse ?

A l'âge de s'instruire, la petite fille de Samoa n'apprend

pas par le *dire* mais par le *faire*. Elle agit au milieu des adultes, comme les adultes, accomplissant des actes d'une utilité évidente, et au rythme lent des besoins. De sorte que pour elle, comme pour les adultes, il n'y a pas de frontière nette entre le travail et le jeu, entre l'école et la vie. Je disais qu'elle était tyrannisée par les « grands » : elle l'est beaucoup moins, elle a infiniment plus de temps laissé à son inspiration qu'une écolière occidentale.

Quand passe le temps des corvées de l'enfance, et qu'approchent les délices de la jeunesse, pourquoi l'adolescente samoane serait-elle torturée par les conflits et les révoltes ? Elle n'a pas à s'affranchir de la tendresse envahissante d'une mère, de l'autorité ou du prestige d'un père : les complexes d'Œdipe, ou d'Electre, se sont dilués dans la masse des parents. Elle n'a pas à faire un choix entre le conservatisme de son père, le libéralisme de son professeur et le gauchisme de son cousin, ni entre la vertu bourgeoise affichée par sa mère et l'érotisme affiché dans les rues, ni même entre la robe longue, le short, le pantalon et la minijupe : tandis que l'adolescente occidentale cherche du « prêt-à-porter » dans la collection des idées, l'adolescente samoane n'attend que de pouvoir enfin vivre aussi agréablement que les adultes, elle ne rêve que de sa liberté dans le conformisme.

La jeune fille occidentale cultive sa personnalité, se lie d'amitié ou d'amour avec des personnes, professe la libération de son sexe et croit à l'amour éternel. La jeune fille samoane pense qu'une amie doit être choisie avec soin, que beaucoup d'amants sont également bons, qu'un chagrin d'amour ne mérite pas une larme, et ne fait pas de complexe de culpabilité.

La femme occidentale attend de son mari le plaisir et l'amour, s'indigne quand il lui fait défaut, se débat dans les ruses de l'adultère ou dans les complications du divorce, à moins qu'elle ne se morfonde dans la frustration. Elle compte que ses enfants accablés de ses bienfaits lui seront toujours attachés, et lamente leur ingratitude. La femme samoane se marie par convenance sociale, trouve dans le mariage ni plus ni moins de plaisir sexuel qu'avant, ne promet ni n'escompte une fidélité indéfectible, n'a pas d'affectivité refoulée à transférer sur sa progéniture, divorce le plus aisément du monde par consentement mutuel, et ses enfants ne l'en aimeront pas moins, ni plus, que leurs autres « mères ».

Pour les Samoans l'excès en tout est un vilain défaut. Ils blâment l'homme qui veut « être le plus haut » comme l'enfant qui veut « trop présumer de son âge ». Se battre pour dominer, travailler dur pour amasser des biens, est aussi malséant que de prétendre accaparer un être humain. L'esprit de compétition et la passion amoureuse sont également proscrits. Ils ignorent cette inquiétude de l'âme qui jette l'homme vers Dieu ou vers l'assiette de son voisin. Ils ont trouvé leur harmonie, et s'en contentent.

D'où leur vient cette facilité de vivre ? Dirons-nous : la douceur émolliente du climat, l'abondance de la nourriture, l'absence de nations concurrentes ? J'ai vu, sous le même ciel, la même facilité à Tahiti. Mais les conditions ne sont pas sensiblement différentes dans les îles de l'Amirauté, où les Manus se comportent tout autrement. Le bonheur de la Polynésie n'est certainement pas « naturel », il est peut-être unique, et déjà notre civilisation le ruine.

Les Manus, ou l'horreur du sexe[36]

Les Manus, en Mélanésie, on croirait qu'ils vivent aux antipodes. Cela se marque dès le premier âge, et commande toute leur éthique : alors que le nourrisson samoan a un sein dans sa bouche sitôt qu'il le désire et que les conséquences de cette délicieuse activité buccale s'évacuent sans problème à l'autre extrémité, pour la mère manu, allaiter son enfant est une corvée, et ce qu'il en résulte une malédiction. Toute l'éducation est dirigée contre ces orifices abjects, sur le devoir de retarder le plus longtemps possible la honte de la miction et de la défécation.

Comme les Manus répugnent à aller voir ce qui se passe du côté du cloaque, ils ignorent que les filles ont un hymen, et le mot « vierge » n'existe pas dans leur idiome. De toute façon, la virginité ne pourrait faire un problème : seule une fille anormale songerait à copuler avant d'y être contrainte par le mariage. Le « devoir conjugal » a ici sa signification plénière ; l'épanchement de sang de la nuit de noce est attribué a un déclenchement de la menstruation ; et les menstrues étant, bien sûr, encore une excrétion honteuse, la défloration n'inspire au mari nul enthousiasme.

Cependant, à la cérémonie du mariage, l'épousée se présente comme une personne éminemment précieuse, surchargée de rangs de coquillages. En effet : ce sont les pièces de monnaie de sa dot. Quand on les a publiquement comptées, elle peut aller se délivrer de son fardeau, personne ne la retient, l'essentiel est fait. S'il advient qu'elle trompe son mari, il ne s'y trompe pas : l'amant ne vise pas au cœur, mais au coffre, l'adultère mène à la banqueroute. Quand elle fait un enfant, elle se retire pendant un mois dans sa famille pour laver la souillure ; et elle n'en revient que contre une forte somme versée à son frère : une femme ne donne pas un enfant à son mari, elle le lui vend.

La prostitution, inconnue à Samoa, est le complément nécessaire de la pruderie des Manus. Les hommes n'éprouvent l'émoi de l'aventure sexuelle qu'avec des prostituées, à l'écart de leur tribu, dans la clandestinité qui sied au péché et aiguillonne le plaisir. Toute peine mérite salaire. On peut aussi en tirer profit : la guerre fournit des captives qu'un Manu avisé débite au détail.

« Enrichissez-vous par le travail et par l'épargne », disait Guizot aux bourgeois de Louis-Philippe. « L'âme des morts punit les paresseux », dit la loi morale des Manus. Leur grande, leur unique affaire est d'acquérir des richesses, de l'influence, du pouvoir par leur travail acharné et par leur habileté à négocier avec les autres îles de l'archipel de l'Amirauté. Horreur du sexe et amour de l'argent, ces primitifs puritains ressemblent assez à des bourgeois de l'époque victorienne.

Mais ils sont plus cohérents avec eux-mêmes : les femmes travaillent, négocient, thésaurisent dans une parfaite égalité avec les hommes. Rien ne s'y oppose, puisque leur sexe est neutralisé, puisque la charge explosive de la féminité est désamorcée. La dépréciation des fonctions de femme et de mère, la surestimation de la réussite sociale des hommes, conduisent au nivellement extérieur dans une finalité indifférenciée. Par où ces primitifs dépassent de beaucoup les bourgeois de la reine Victoria : ils sont à la pointe du féminisme antisexiste *.

Variables et constantes

Neuf échantillons de civilisations primitives, ce n'est certainement pas assez pour faire le tour des inventions humaines dans le vaste champ des relations entre les sexes, mais cela suffit pour nous donner un aperçu de leur diversité. Et comme elles sont des plus contradictoires, si quelques traits se retrouvent dans toutes on pourra, me semble-t-il, les tenir pour essentiels.

Eliminons les variables, nous verrons ce qui reste.

Les Iatmul vivent sous la domination des hommes, les Chambuli et les Zuñi, sous la domination des femmes ; les Mundugumor, dans une dominante masculine, les Arapesh, dans une dominante féminine. L'égalité des sexes n'est pas exclue, mais elle n'est pas le remède à tous les maux : si les Samoans la pratiquent dans l'harmonie, les Dobuans sont égaux dans la haine, et les Manus dans un commun refus du sexe. La domination masculine que nous connaissons nous semble inhérente aux civilisations avancées : elle n'est qu'une variable parmi d'autres et pourquoi ne s'effacerait-elle pas dans une civilisation encore plus avancée ?

L' « instinct » maternel n'en est plus un, il a perdu l'automatisme animal : chez les Dobuans, les Iatmul, les Mundugumor, les Manus, les mères maltraitent délibérément leurs enfants.

Le travail créateur de richesses peut être fait par les femmes pour elles-mêmes (Chambuli) ; ou par les hommes

* Les observations de Margaret Mead furent faites en 1928. Quarante ans après, les Manus sont fort bien adaptés à la civilisation industrielle des États-Unis.

pour les femmes (Zuñi) ; ou par les femmes pour les hommes (Iatmul) ; ou chacun pour soi (Dobuans et Manus) ; ou pour la communauté (Arapesh). Le travail, la production, la possession des biens ne sont donc pas la condition suffisante de la liberté de la femme.

Un homme peut acheter son épouse, pratiquer la polygamie, et être dominé par les femmes (Chambuli). Une femme peut payer son mari sans qu'il lui soit soumis pour cela. Il peut même n'être pas le géniteur sans perdre son prestige (Trobriand).

Un homme peut être l'interprète des dieux et de la loi, et n'avoir aucune autorité (Zuñi).

Quant à la sexualité, c'est comme les auberges espagnoles, chacun y trouve ce qu'il apporte : les Mundugumor, la violence ; les Dobuans, la perfidie ; les Arapesh, la tendresse domestique ; et les Trobriandais, les Zuñi, les Samoans, la chanson de la joie.

Une idée à la mode veut que l'émancipation des femmes passe par leur émancipation sexuelle. Il en est comme du travail et de l'émancipation économique : ce n'est sûrement pas une condition suffisante. Les femmes Iatmul prennent toutes les initiatives sexuelles qu'elles veulent, et elles sont asservies.

Une autre idée bien établie, du moins chez les sociologues, soutient que l'agressivité n'est pas innée dans l'homme, qu'elle n'est que le produit de la société répressive. Les biologistes soutiennent qu'elle est d'origine biologique. Et les psychanalystes, que le nœud du problème est dans le complexe d'Œdipe, que certains disent universel *. Ma modestie m'interdit de trancher entre de si savants spécialistes, et un peu de bon sens appuyé sur quelques observations m'incline à penser qu'ils ont tous tort et raison. Je veux bien que l'ontogenèse répète la phylogenèse, que le fantasme du père assassiné par la horde primitive hante tous les bébés et que le complexe d'Œdipe soit déposé dans tous

* Geza Roheim a écrit un livre de six cents pages : *Psychanalyse et anthropologie* (Paris, 1967) pour démontrer aux anthropologues que le complexe d'Œdipe est universel.

les berceaux du monde ; mais je constate que ce complexe est singulièrement dilué, et ses effets imperceptibles, chez les Trobriandais, les Zuñi ou les Samoans. Je vois bien, avec les biologistes, que tous les enfants manifestent spontanément, sans intervention extérieure, de l'agressivité ; et je constate, avec les sociologues, que la répression joue un rôle déterminant — mais pas toujours dans la direction attendue. Pour s'en tenir à la répression sexuelle : elle engendre l'énergie extravertie des Manus, mais aussi l'introversion tendre et désarmée des Arapesh ; la licence de la jeunesse dobuane débouche dans une société névrotique, et les Samoans, qui pratiquent la répression jusqu'à la puberté, sont le peuple le plus heureusement sensuel. La répression sexuelle n'a pas de signification en soi : ce qui importe, c'est sa finalité. Il en va de même pour l'agressivité. Les uns, loin de la réprimer, la cultivent et l'exaltent : ce sont les quatre sociétés qui se veulent viriles (Dobuans, Iatmul, Mundugumor, Manus). Les cinq autres sociétés, plus ou moins féminines, l'exténuent et la castrent (Trobriand), la réorientent (Arapesh), la dévalorisent (Samoa) ou la proscrivent (Zuñi).

Voilà, à mes yeux, la première constante, et ce n'est pas un trait masculin ou féminin mais une relation de cause à effet : les bébés rudoyés font une société à haute tension, créatrice et destructrice, les bébés choyés font une société pacifique mais pusillanime, sans défense, les bébés choyés *et* réprimés font une société confiante, en harmonie. Car le dosage ne se peut concevoir que dans l'optimisme : une certaine idée de l'homme donne la mesure. On pensera peut-être que ce n'était pas la peine d'aller chercher si loin pour découvrir une vérité aussi élémentaire. Voire... je pense, quant à moi, que l'élémentaire est ce qui répugne le plus à l'esprit de notre temps ; que nous ne savons plus être durs avec nos enfants parce que nous ne savons plus être tendres ; et que la jeunesse occidentale serait moins désespérée, moins nihiliste, et plus efficace dans sa contestation, si les parents et les éducateurs retournaient à l'école des primitifs.

D'ailleurs, quand on a éliminé tant de variables, comment les constantes qui demeurent seraient-elles originales ? Comment ce qui se retrouve partout ne serait-il pas banal ? Et comment le banal ne serait-il pas méconnu ?

C'est banal, mais quand même étrange : tous les hommes et toutes les femmes font l'amour, même quand ils se haïssent ; tous font des enfants, même quand ils les détestent ; tous se marient, même quand ils ne peuvent pas se souffrir. Le « génie de l'espèce » sait se faire obéir même par ceux qui ne croient pas en lui.

Tous posent comme un idéal le mariage indissoluble, et divorcent ; la fidélité conjugale, et se trompent ; le tabou de l'inceste, et l'enfreignent. C'est peut-être moins étrange.

Tous ces primitifs sont pudiques, et tous s'interdisent la promiscuité sexuelle (bien qu'ils se la promettent parfois au paradis). Il faut une certaine dose d'intellectualité pour faire l'amour en public ou en groupe.

Toute société fondée sur la compétition est défavorable aux femmes : celles qui aujourd'hui souhaitent, ou se trouvent contraintes, de lutter avec les hommes, feraient bien d'y réfléchir — non pour y renoncer mais pour essayer de changer les règles du jeu.

Ni l'un ni l'autre sexe ne domine jamais s'il va à la bataille en franc-tireur. Diviser pour régner est une loi dont le corollaire n'est pas moins absolu : se grouper pour régner. Les femmes Zuñi en sont une illustration frappante. Sans doute le succès de l'oppression masculine dans notre histoire tient-il pour une grande part au goût des ingénieurs, des mineurs de fond, des sportifs, des clubmen, des chevaliers du Moyen Age ou des piliers de bistrot de se sentir « entre hommes », les femmes restant isolées dans le château fort ou devant la télévision.

Le père peut être un personnage subalterne, il est toujours nécessaire ; et les Trobriandais, qui croient à l'insémination artificielle, ou spirituelle, sont des gens pointilleux là-dessus.

Les hommes ont toujours une activité spécialisée dont les femmes sont exclues. Ce n'est pas toujours la même. Les hommes portent généralement les armes de chasse et de guerre (sauf chez les Amazones) et les femmes ne tuent pas, sauf parfois les enfants. Ils se réservent la palabre et la politique. Ils ont le monopole du sacré, depuis qu'ils ont détrôné la Déesse-Mère ; les prêtres sont des hommes (mais la magie est souvent l'apanage des sorcières). Il arrive que les hommes se réservent des domaines moins nobles, comme la peinture des poupées ou le barbecue. L'essentiel est que leur spécialité soit glorieuse, c'est-à-dire qu'ils croient qu'elle l'est, et que les femmes l'envient. Un Chambuli se satisfera de n'être qu'un danseur, si les femmes tiennent cette activité pour admirable, ou font semblant. Car l'homme a toujours besoin de compenser par quelque prestige, fût-ce le plus futile, cette spécialité féminine dont même un Arapesh est exclu : la maternité. Rejeté de la source, irrémédiablement étranger à la vie, il pense trouver son salut dans la fuite, il se *sauve* dans la transcendance, pontife ou joueur de flûte.

Il existe certainement d'autres variables et d'autres constantes. Mon dessein se limitait, provisoirement, à faire apparaître que des traits que nous tenons pour des constantes de la nature humaine sont variables, et que d'autres, que nous jugeons insignifiants ou indignes de nous, sont des constantes sans lesquelles nous ne pouvons rien construire.

Nous y reviendrons avec la femme d'aujourd'hui, quand nous aurons vu les avatars du premier sexe dans les grandes civilisations.

DEUXIÈME PARTIE

LA FEMME DANS LES GRANDES CIVILISATIONS

Que serait l'histoire de l'humanité si les femmes l'avaient écrite ? Quelle serait la figure de César vu par Cléopâtre ? Et si les femmes avaient fait l'histoire, qui parlerait d'un César ? Sans conquérants, sans empires, sans nations, quelle forme auraient eue les peuples ? Combien de guerriers seraient morts dans leur lit et combien de dieux sanguinaires n'auraient jamais été engendrés !

Mais ce sont les hommes qui ont fait les lois, les guerres, les palais, les temples, les Etats, les dieux ; ils ont été l'action et sa mémoire, et nous ne pouvons voir les femmes qu'à travers leur miroir déformant.

Cependant, une image gauchie peut être plus riche de significations qu'une image fidèle : on y peut lire les rêves, les terreurs, les désirs... Cette relation d'un sexe par l'autre nous révèle les relations d'un sexe à l'autre. Pendant cinq mille ans les hommes ont prétendu dire ce dont ils avaient conscience ; et ils ont dit, sans le savoir, leur inconscient. L'humanité a projeté dans ses mythes la dialectique du Moi et de l'inconscient, pour reprendre l'expression de Jung, et plus précisément, en ce qui nous concerne ici, la dialectique de l'esprit et du sexe. Notre histoire sexuelle est écrite au plafond.

La psychanalyse des civilisations reste à faire. Mon incompétence se limitera à tenter de dégager dans chacune des grandes civilisations — il n'y en eut guère qu'une dizaine, si l'on regarde d'assez haut — quel fut le souci fondamental des hommes et, par ce détour, la situation des femmes.

Mais encore, de quelles femmes ? Pas les princesses, dont le destin est trop singulier pour être significatif. Ni les femmes de la masse obscure, pour la raison qu'elle est obscure ; et elle l'est parce que les lumières du temps vécu sont trop au-dessus d'elle ; si elle évolue, c'est imperceptible : elle échappe par en bas à l'histoire des mœurs comme les princesses par en haut. Notre objet est la classe moyenne dans sa frange la plus sensible à l'air du temps.

Je n'ignore pas que je m'expose à ajouter mes préjugés et mes refoulements à ceux du passé. Maïs qu'y puis-je ? Essayer d'être honnête, voilà tout. Je ne crois pas à l'objectivité historique. Je pense, avec Toynbee, que l'historien est sur un bateau qui descend le fleuve du temps : le paysage est immuable, la perspective change. C'est pourquoi, aggravant délibérément mon cas, je n'interrogerai que les morts qui peuvent nous aider à vivre.

CHAPITRE PREMIER

LA VOIE SACRÉE : L'INDIENNE

Quand la jungle tropicale encercle l'homme de ses lianes et de ses jolies fleurs vénéneuses, quand la vie ou la mort dans les rizières sous le soleil vertical est suspendue à la ponctualité de la mousson, quand la nature généreuse ou féroce tranche souverainement, aveuglément, comment nier sa puissance ? De la préhistoire à nos jours, l'Indien s'est prosterné devant la Déesse-Mère. Non sans regimber. Dès les temps védiques il lui a opposé des dieux mâles, des concurrents, des époux, des tueurs. Brâhmane, il a rêvé qu'il s'envolait vers les cimes blanches de l'Himalaya où souffle l'esprit pur et glacé, loin de la profusion équivoque. Bouddhiste, il a interdit à la Déesse l'entrée du nirvâna. Musulman, il l'a bouclée dans le harem. Si l'Indien avait une histoire, ce serait celle du combat de l'esprit contre la nature, du Ciel contre la Terre. Mais dans le temps des saisons, ou hors du temps, rien ne peut s'inscrire ; la terre humide effaçait l'empreinte de ses pas et à ce signe, ou plutôt à cette absence de signes, on soupçonne que tant de protestations de virilité n'étaient pas plus efficaces que les cris d'un enfant qui a peur du noir.

Au risque de trahir le génie indien, essayons d'introduire un peu de clarté dans cette profusion.

Chez un peuple si soucieux de conjurer les puissances dont il se voyait le jouet, les déesses pullulent : Ushas, l'Aurore ; Çri, la Beauté ; Sarasvatî, le Savoir ; Indranî, la

Guerrière ; Prithvî, la Mère-Terre ; et l'impitoyable tueuse d'hommes sous l'aspect de Durgâ ou de Kâlî, vieille harpie noire à quatre bras, aux crocs pointus, à la langue pendante, dégouttante de sang, portant à son cou un collier de serpents et de crânes.

L'agression du pénis

Contre la déesse aux cent visages, les Aryens élevèrent des dieux mâles. Il en fallait beaucoup, pour avoir raison d'elle. Parmi tant de valeureux combattants, Brâhman prétendait être le Créateur, Vishnu, le Conservateur, Çiva, le Destructeur.

Celui-là était le concurrent direct de l'Ogresse, et des plus concernés puisqu'il s'incarnait dans le phallus. Il y eut de grandes batailles célestes. Çiva érigea son phallus jusqu'au firmament et les populations émerveillées lui reconnurent les trois pouvoirs.

Sans la Déesse, toutefois, un si beau phallus ne valait pas grand-chose. Et même, sans elle, se serait-il érigé ? En la Déesse était depuis toujours l'élan vital, l'énergie qui faisait marcher le monde et les hommes : la *çakti,* principe féminin, actif, immanent, sans lequel Çiva ne pouvait que demeurer passif. Mais, agi par elle, il retournait la situation par un tour de passe-passe intellectuel et, de l'immanence femelle, s'élevait à la transcendance virile.

Qu'est-ce donc que cette transcendance ? Je réponds tout de suite : c'est l'agression essentielle, métaphysique et toujours actuelle contre la Terre-Mère. C'est l'ambition d'échapper à la pesanteur terrestre, au destin biologique, afin de planer dans l'absolu. « Je suis grandissime. Je m'élève jusqu'aux nuages... Je suis arrivé à la lumière. Je suis immortel », chante le brâhmane. Il a crevé le toit de la maison. Toutefois, il est sage d'attendre que l'âge ait quelque peu éteint la sensibilité du phallus de Çiva à la *çakti* de la Déesse. Alors le vieux brâhmane abandonne son épouse et, par une rigoureuse ascèse aidée de la liqueur magique du soma, se délivre de notre naturelle immanence.

« ... J'ai bu le soma, je me suis élevé du dos de la terre... » Il est évident — ou du moins, il est admis une fois pour toutes — qu'une femme ne saurait réussir cet exercice de lévitation.

Le doux, le tendre, le charitable Bouddha alla plus loin, et dans la transcendance et dans l'agression. Le projet qu'il assigna à l'esprit n'était plus l'apesanteur d'un cosmonaute mais la liberté absolue dans l'abolition du cosmos, dans le non-être du nirvâna. Et aucune femme ne pouvait espérer d'y atteindre (à moins qu'elle ait la chance de transmigrer dans un corps d'homme). Comment l'aurait-elle pu, elle « dont l'intelligence tient dans les deux doigts, disait-il, et pour qui le mensonge est comme la vérité, et la vérité comme le mensonge » ? N'oublions pas qu'il avait pris sa décision de fuir le monde une nuit qu'il reposait dans son harem parmi ses femmes endormies. Cinq siècles avant saint Paul, il répondait à son disciple Ananda qui lui demandait comment se comporter avec la femme : « Il faut éviter sa vue, ô Ananda. — Et si cependant nous la voyons, maître, que faut-il encore que nous fassions ? — Ne point lui parler, ô Ananda. — Et si cependant, maître, nous lui parlons ? — Alors, il faut prendre garde à vous, ô Ananda. »

Pour combattre les terribles pouvoirs de la femme, l'Indien a imaginé une troisième forme d'agression plus subtile et plus conforme à ses goûts sensuels : l'érotisme sacré.

On lit dans une Upanishad : « Ce n'est pas pour l'amour de la femme que la femme est désirée par l'homme, mais bien pour l'*âtmâ* », pour le principe « toute lumière, toute immortalité ». C'est-à-dire que l'homme ne se consume dans la femme que pour se délivrer d'elle. La copulation devient un rite équivalent au sacrifice par le feu. « Celui qui connaît la femme sous forme de feu atteint à la libération. » L'instrument de l'envolée virile ne peut être n'importe quelle femme : il faut une jeune fille instruite dans l'art des postures magiques, dont le corps ait été préalablement éveillé aux « fluides divins » par des attouchements sacramentels de ses « points de vie ». On obtient alors une « femme d'exception », une « dame du miracle » parfaitement utilisable (femme *utilisée*, femme *employée* sont des termes courants). Cependant, le plus mystique des hommes a ses faiblesses ; il risque de succomber dans l'effusion amoureuse : « Quand les deux meurent dans l'unité et quand la crise-spasme se résout en un état continu, tu peux appeler ce qu'on éprouve une sorte de béatitude cosmique exaltée. » Un couple ordinaire s'en contenterait ; mais l'érotisme sacré vise à d'autres sommets. « Fais bien attention pourtant que cet état n'est pas l'état suprême... Tu dois savoir renoncer à cette béatitude presque nirvânique en employant le *pouvoir du Feu* si le régime des Eaux doit vraiment finir, si la femme doit être complètement vaincue et la Matière purifée de toute son humidité. » Ainsi l'homme atteint-il, en s'unissant avec « le poïson » de la femme, à l'activité pure, à l'activité sans acte. Condition qui est aussi inaccessible à la femme que le non-être du Bouddha : « La limite de participation de la femme, je veux dire, la limite de sa réalisation quand, unie à toi, elle te suït, c'est l'extase où trépasse et se développe l'acmé de l'étreinte sexuelle. Par une loi irrévocable de sa nature, la femme ne peut aller plus loin. »

Comment le pourrait-elle ? Elle est la nature (*prakrtî*), elle est l'énergie (*çaktî*) qui érige le phallus de Çiva, elle n'est pas l'esprit phallique. Seul l'esprit peut aller loin, très loin dans la transcendance du phallus et dans l'imposture. L'étreinte inversée que nous avons vue en Afrique et dans la grotte de Laussel, où la femme prend la place du Ciel et où l'homme gît sur la Terre, les Egyptiens l'ont explicitée : Nut, Maîtresse du Ciel, Souveraine des deux Terres, c'est-à-dire la Déesse primordiale, tenant dans sa main la clé de vie, se courbe au-dessus d'un dieu de la Terre, Geb, dont le phallus dressé attend qu'elle descende en prendre la semence ; et des musulmans ne s'y tromperont pas : « Que soit maudit celui qui fait de la Femme le Ciel et de l'homme la Terre ! » Mais j'ai déjà dit qu'en Inde l'esprit viril sait retourner la situation : si l'homme figure immobile, passif et, semble-t-il, peu glorieux dans une multitude de statuettes indo-thibétaines, c'est parce que l'impassibilité est l'expression éminente de la véritable virilité, comme chez un Empereur Céleste, un Inca Suprême, un Chien ou un Bouvreuil. De plus, la technique érotique du tantrisme y trouve une commodité. Pendant que la femme s'active, l'homme n'a rien d'autre à faire que de se concentrer sur ce qui se passe, de contrôler l'épuration de sa conscience ; la passivité est le plus sûr chemin vers l'activité pure sans acte, et effectivement : la maîtrise tantrique va jusqu'à l'arrêt de l'émission séminale, non point par un *coïtus interruptus* profane et prudent, mais par une inhibition violente à l'instant de l'orgasme accompagnée d'un arrêt de la respiration et de la pensée qui « tue le tyran obscur », c'est-à-dire le Moi, et le libère du magma de la procréation dans l' « illumination parfaite ». L'esprit-pénis s'est évadé de la nature-utérus.

Devant la femme, incarnation du monde, le spiritualiste hindou ou bouddhiste pense comme saint Jean de la Croix : « Ma voie est fuite. » Par l'ascèse ou par l'érotisme sacré, sauve qui peut ! Mais qui le peut ?

De tous temps, l'homme ordinaire a cherché refuge dans les « zones réservées » qui étaient à sa portée : le métier, la guerre, le club, la société secrète. L'Indien n'est pas un adepte de ce sexisme-là. Est-ce parce que le système des castes suffit à satisfaire ses pulsions racistes ? Ou parce que sa sensualité l'attache à la femme ? Sensualité invincible — sauf pour les acrobates de l'érotisme — sensualité gluante du harem d'où le Bouddha s'était évadé et qui ne manqua pas de récupérer les fidèles : sur les parois du monastère d'Ajantâ, le paradis du Grand Véhicule apparaît comme un nirvâna très peuplé de corps désirables promis à d'éternelles fêtes galantes. La défiance du Bouddha, le défi du phallus de Çiva sont vaincus. Et l'Indien chérit sa défaite.

L'empire de la sensualité

La séduction est parmi les premiers devoirs d'une femme, amante ou épouse. Chaque matin son corps doit être béni, massé, parfumé ; elle doit peigner ses longs cheveux, les enduire d'une huile de santal, y piquer une fleur, maquiller ses yeux de noir de lampe, colorer de laque rouge la plante de ses pieds, ombrer les mamelons de ses seins, afin que son mari ou son amant en la voyant s'écrie :

La voici, ses yeux longs et mobiles,
Ses seins lourds dont le globe se gonfle,
Sa démarche alanguie par le poids des lourdes hanches.
C'est ma bien-aimée,
Elle a ravi mon cœur[1]

Sa réputation d'amoureuse a été solidement établie par la vogue des *Kâmasûtra.* Des traités d'érotisme énumèrent, avec le pédantisme habituel en ce genre d'ouvrages, les types de femmes qui s'évanouissent dans l'orgasme. Et puis elle enfante, et atteint à l'apogée de sa condition féminine. « Elle est plus haut que tous les *guru* (maîtres spirituels) », dit le *Mahâbhârata.* Par elle se transmettent les vertus et les traditions : la tendresse, la bonté, la justice, l'indulgence, la clairvoyance, l'intuition, l'amour filial, le culte des ancêtres.

La femme est le grand souci de l'homme, le projet essentiel, la source de toute joie et de toute douleur. « O femme, tu n'es pas seulement le chef-d'œuvre de Dieu, tu es aussi celui des hommes ; ceux-ci te parent de la beauté de leur cœur. Les poètes tissent tes voiles avec les fils d'or de leur fantaisie ; les peintres immortalisent la forme de ton corps ; la mer donne ses perles, les mines leur or, les jardins d'été leurs fleurs pour t'embellir et te rendre plus précieuse. Le désir de l'homme couvre de gloire ta jeunesse. Tu es mi-femme et mi-rêve[2]. »

Mais alors, elle vivait dans la facticité, comme disent nos philosophes ? Je crois qu'elle n'en sortait pas et, c'est horrible à dire, qu'elle s'en trouvait bien. Comme elle ne savait pas qu'elle était « aliénée », elle se sentait pleinement « gratifiée ». Inconséquence aussi incompréhensible que blâmable, mais qu'y faire quand on vit dans une société qui place au sommet l'épouse maîtresse et mère, quand le mari moyen, qui a laissé tomber les armes de l'ascétisme brâhmanique, de la pureté bouddhique ou du mysticisme érotique, se prosterne devant le ventre de la volupté et de l'enfantement ? « Embrassée par son bien-aimé on eût dit qu'elle eût envie d'entrer chez lui jusqu'au milieu du cœur : peut-être, en vérité ! ne savait-elle pas qu'en lui-même il lui réservait une demeure perpétuelle. »

« Entrer chez lui » : elle est en lui comme il est en elle. N'est-ce pas l'égalité profonde dont rêvent les femmes — et les hommes, quand ils renoncent à se réfugier dans le *divertissement* ? Il n'est plus question de voir la Femme « vaincue », « la Matière purifiée de toute son humidité », et rien ne prévaut contre le « régime des Eaux » : « Rempli des eaux de l'amour, le corps de la femme portait sans doute en soi une source car, dans les bras de son amant qui l'étreignait avec vigueur, l'eau ayant d'abord mouillé sa robe en tombait comme une pluie[3]. »

La toute-puissance du vagin avait des effets pratiques. La femme pouvait rester célibataire et gérer seule les biens hérités de son père. Elle choisissait librement son mari, elle pouvait divorcer pour incompatibilité d'humeur ou par consentement mutuel. Le *Rigveda*, il est vrai, dit : « Je l'enlève à l'autorité paternelle pour la remettre dans la dépendance d'un mari. » Mais, le jour du mariage, le mari prononçait cette formule : « Je suis lui, tu es elle, tu es elle, je suis lui ; je suis le Ciel, tu es la Terre ; je suis le chant, tu es la strophe. Viens, nous allons nous unir et mettre au monde des enfants. Aimants, plaisants, le cœur joyeux, puissions-nous vivre cent automnes ! » Et au moment de consommer l'acte (après trois nuits d'abstinence passées côte à côte), c'était à la femme de prononcer cette autre formule rituelle : « Unies sont nos âmes, unis nos cœurs, unis nos corps. Je m'engage à l'aimer ; que cela soit indissoluble ! »

Les fonctions féminines étaient si essentielles que l'on a pu écrire que sous un patriarcat de façade existait un matriarcat de fait. Et la femme en sentait si peu la « facticité », et si bien l'avantage, qu'elle ne se souciait pas de changer d'état. Les brâhmanes, spécialistes de l'esprit, réservaient l'instruction supérieure aux garçons ? Grand bien leur fasse ! Sans doute, il se trouvait quelques filles pour passer outre. Le Grec Mégasthène observait au IVe siècle avant Jésus-Christ : « Les femmes sont autorisées à mener la vie des philosophes et des ascètes. » Au VIIe siècle de notre ère, sous le règne du grand roi Harsha, un poète affirmait que « la culture est en rapport avec l'âme et non avec le sexe ». Mais ce n'était que propos de poète. La femme savait qu'elle devait abdiquer ses pouvoirs pour entrer dans le domaine de l'esprit ; qu'elle devait, en se faisant nonne, passer à l'ennemi. Et la vénération dont jouissait l'ascète « hors caste » lui paraissait bien maigre en regard de la vénération de son ventre. Elle n'avait pas tort. Le pouvoir réel ne se fondait pas sur la spiritualité brâmanique, non plus qu'aujourd'hui sur les « humanités », mais sur la possession du secret de la vie, et l'art de s'en servir : une technologie féminine, en quelque sorte. C'est juger avec nos idéaux que de s'indigner à voir l'épouse servir son mari et ne s'asseoir qu'après qu'il a mangé : la préparation de la nourriture est un acte religieux, seule la femme en connaissait les rites, et cette « servante » était à la fois le prêtre qui officie et l'ingénieur qui veille sur la machine humaine.

Le pénis se rebiffe

Malheureusement, tout s'épuise et s'affadit, même l'amour de la nature et la nature de l'amour. Au début de notre ère, l'esprit du pénis reprit l'offensive, et les « lois de Manu » tendirent à mettre un terme aux pouvoirs de la femme. Manu stipule : « Une petite fille, une jeune femme, une femme avancée en âge ne doivent jamais rien faire selon leur propre volonté, même dans la maison. » Il insiste : « Le père d'une fille la protège pendant son enfance, son mari la protège pendant sa jeunesse et son fils la protège pendant sa vieillesse. Elle n'est jamais indépendante *. » Manu rend à la femme l'hommage rituel : « Une mère est plus vénérable que mille pères. » Qu'elle s'en tienne là : « Mettre au

---

* Dans la belle époque des Gupta, au IVe siècle, la femme n'est qu'un objet précieux. Un Râja possède sept joyaux : une femme, un ministre, un cheval, un trône, une roue, un parasol blanc et un chasse-mouches en queue de yack. On appréciera que la femme vienne encore en premier.

monde des enfants, les soigner quand ils sont nés et surveiller les soins domestiques dans tous leurs détails, telles sont évidemment les fonctions de la femme. » Elle doit être comblée d'égards et de présents. « Là où les femmes sont honorées, les dieux sont satisfaits. » Mais elle « ne doit jamais se gouverner à sa guise ». La femme est honorée, mais suspecte ; et son mari est également suspecté, mais de complaisance, ce qui nous laisse à penser que le rapport des forces dans le couple n'était pas toujours conforme à la loi : « Que les maris, quelque faibles qu'ils soient, considérant que c'est une loi suprême pour toutes les classes, aient grand soin de veiller sur la conduite de leurs femmes. » Fini le droit de divorcer ; il est réservé au mari, et l'énoncé de quelques motifs éclaire le comportement de la femme de ce temps : peut être répudiée celle « qui boit des liqueurs alcoolisées, qui agit avec immoralité, qui témoigne de la haine contre son mari, qui souffre d'une maladie incurable, qui est dotée d'un caractère furieux ou encore qui dilapide les biens familiaux ». S'il la trompe, qu'elle l'endure : « Bien qu'il se livre à d'autres amours... une jeune femme vertueuse doit constamment le révérer comme un dieu... » Et quand elle sera veuve, « qu'elle amaigrisse son corps volontairement en vivant de fleurs et de fruits purs ».

Or, elle devenait assez habituellement veuve. Autrefois, elle se mariait entre quatorze et seize ans. Manu édicta — et du même coup il nous éclaire sur les différences d'âge souhaitables : un homme de trente ans peut épouser une fille de douze ans ; un homme de vingt-quatre ans, une fille de huit ans. En quoi il se montre, pour une fois, modéré : l'exigence (nouvelle) de la chasteté des filles conduisait à les marier dans leur enfance. N'accablons pas Manu (d'ailleurs, il n'est probablement qu'un législateur mythique, comme Lycurgue à Sparte) : ses lois qui ordonnaient l'abaissement de la femme ne faisaient sans doute que l'enregistrer.

Enfin, on sait que le sort de la veuve pouvait être encore pire : celle qui montait sur le bûcher funéraire et qui se faisait brûler vive avec le corps de son époux était entre toutes « la femme vertueuse », la *satî*. Il n'est pas prouvé que cette pratique ait existé dans les temps védiques. Elle n'est mentionnée qu'exceptionnellement dans les tout derniers siècles avant notre ère. Sans doute était-elle alors l'acte de désespoir d'une femme héroïque, et pourquoi lui refuserions-nous l'admiration que nous inspire une Romaine comme Pauline s'ouvrant les veines afin de ne pas survivre à Sénèque ? L'oppression masculine allait rendre le sublime obligatoire. La caste des *kshatriya*, des guerriers, fut évidemment la première en ce domaine. Au Moyen Age, la *satî* se généralisa : au XIe siècle, l'écrivain persan al-Birouni constatait que « l'abominable coutume de la *satî* prévalait partout ». Si la veuve s'y soustrayait, elle se voyait réduite à un état misérable : son corps n'avait plus droit à aucune parure, ni son esprit aux rites. Mais telle est la force du conformisme que la peur du qu'en-dira-t-on, ou le point d'honneur, suffisait à la jeter au feu. Au XVe siècle, treize mille femmes et jeunes filles de Chitor (Gujarât) se firent brûler vives plutôt que d'aller orner les harems des conquérants musulmans. Ceux-ci tentèrent de lutter contre la coutume, mais elle ne cessa qu'au XIXe siècle.

La conquête musulmane aggrava encore la condition de la femme. En Inde, la claustration n'existait que dans les harems princiers. La coutume musulmane de séquestrer les femmes apparut aux Indiens comme le meilleur moyen de les protéger de la contamination des envahisseurs *. Les femmes de basse condition qui étaient obligées de sortir, le voile (le *purdah*), ce cloître ambulant, les mit à l'abri des convoitises, ou tout au moins de celles qu'elles ne souhaitaient pas. Recluse et voilée, la femme perdit le contact avec la réalité. La Déesse était coupée de la Terre. Et l'homme aussi.

Le Moyen Age indien se complaît dans l'émotivité cérébrale de la décadence. Le sentiment amoureux n'est plus que soupirs navrés, larmes, palpitations, tirades déchirantes et, à l'autre extrémité du raffinement, supplices et magie

* Les rapts et les viols étaient fréquents. Il fut admis qu'une femme enlevée retrouvait son honneur en s'abstenant de nourriture et de rapports sexuels pendant trois jours et trois nuits. Il est réconfortant de voir la morale s'adapter si heureusement aux nécessités.

noire. La belle santé, la robustesse, l'énergie, la générosité, le tempérament ne se portent plus. La femme est désormais une ravissante petite chose attendrissante, qui se balance sur une escarpolette sous les ombrages des bosquets, languit dans l'absence, s'évanouit d'anxiété, défaille de bonheur. Certes, on loue toujours en elle « des seins comme des jarres dorées, la taille fine comme un tronc de palmier et des hanches larges comme la roue d'un char », mais elle prend des pauses précieuses, sophistiquées. L'épouse s'est faite courtisane et le mari va chercher chez les prostituées l'intelligence et le caractère qu'il ne trouve plus chez lui.

Qui disait que la femme est trompeuse ? Que fait-il donc, l'homme, quand il déguise sa cruauté sous les grâces de l'afféterie, quand il attrape sa proie dans les filets de l'adulation ? Il abuse la femme, et il s'abuse lui-même. Il se félicite d'avoir réduit la déesse à l'impuissance, mais du même coup il s'est châtré. Ses fantasmes sont toujours là, mais il n'en comprend plus le sens fécond, et il les exalte dans les outrances du formalisme *. Le temps de la sophistication indienne est aussi celui où la dévotion porte au pinacle la Déesse-Mère : même les bouddhistes la vénèrent en la personne de Mâyâ, la mère du Bouddha, comme les Hindous en Çri et Lakshmi, la Belle et l'Auspicieuse — et comme nous la Madone ; cependant que Kâlî la Noire exige ses rations d'enfants sacrifiés — comme nos sorcières. Voilà la victoire de l'esprit sur le sexe : un maniérisme sanglant. D'adorables créatures qui seront brûlées se balancent sur l'escarpolette [4].

* Songeons à l'Occident qui, à la même époque, vidé de sa substance, ravagé par les guerres et par la peste noire, raffine dans les extravagances sur l'air de la Danse macabre.

CHAPITRE II

LA DÉESSE AUX PIEDS BANDÉS : LA CHINOISE

Peut-on imaginer un peuple qui n'ait d'autres dieux que des génies et des dragons, d'autre religion que les lois de la nature ? Le Chinois ne rêve pas, sinon de formuler la théorie de l'Univers, de communier avec les forces du cosmos. Ces forces sont sexuelles. « L'entremêlement constant du Ciel et de la Terre donne forme à toutes choses. L'union sexuelle de l'homme et de la femme donne vie à toutes choses », dit le *Yi-king*, le « Livre des Mutations ». Et il nomme ces forces : le *yin* et le *yang*.

Ces termes, apparus au VIe siècle avant Jésus-Christ, ne font que mettre en formule l'antique observation d'un peuple de paysans attelé au labeur titanesque de gagner de la terre fertile contre les marécages et les forêts. La Chine était un pays immense et redoutable, trop grand et trop puissant pour sa population. Les plaines qui aujourd'hui s'étendent du Fleuve Jaune au Fleuve Bleu n'étaient à l'origine que des terres mouvantes enserrées dans un lacis de rivières. Les eaux venaient de partout, elles allaient on ne savait où et pas toujours au même endroit. « Les Eaux débordées coulaient licencieusement ». Au centre de cette gigantesque éponge, le massif montagneux du Chan-tong, bordé par la mer, était comme une île inaccessible. En remontant le Fleuve Jaune, les premiers Chinois abordaient les plateaux de lœss découpés par des canyons, couverts d'immenses forêts. Creuser des canaux, construire des digues, « guider les rivières », brûler les forêts : pendant plus d'un millénaire le paysan avait eu le temps d'apprendre la puissance de l'Eau et du Feu. Et il avait vu partout dans la nature la même dualité, le froid et le chaud, l'hiver et l'été, l'ombre et la lumière, la Lune et le Soleil, la Terre et le Ciel, la femme et le mâle — bref : le *yin* et le *yang*. Il aurait pu y voir deux forces antagonistes. Il eut la sagesse d'y voir deux aspects du cosmos, ou deux « emplois » du drame humain, concourant également, harmonieusement, dans le temps et dans l'espace à l'Unité toujours recommencée. « Le *yin* et le *yang* concertent et s'harmonisent, » dit Tchouang-tseu, philosophe taoïste du - IVe siècle [5]. Toute la philosophie est fondée sur la joute sexuelle résolue dans la communion. C'est par rapport à cette idée fondamentale que l'on mesurera la gravité des agressions du pénis chinois.

Car l'harmonie est chose fragile. Mais sa fragilité chinoise dura près de deux mille ans, entre la primauté féminine et la pudibonderie virile.

La grande initiatrice

Dans les temps archaïques, « maisons et villages appartenaient aux femmes. Elles y commandaient, portant le titre de mères. Gardiennes des semences, elles les conservaient dans le coin sombre où elles étendaient leurs nattes pour la nuit. Les hommes, ces étrangers, n'approchaient du lit conjugal que d'une façon presque furtive. Dans la maison, par l'effet contagieux des émotions communielles, les unions sur le sol étaient des unions avec le sol. Ce sol était la terre des femmes. Celles-ci concevaient dans la demeure natale au contact des graines où de la vie semblait enclose... Auprès des graines et du lit, une masse confuse d'âmes ancestrales semblait, attendant le temps des réincarnations, séjourner dans le sol maternel cependant que, donnant la fécondité aux femmes et la recevant d'elles, la Terre paraissait une Mère. Ainsi il y eut une époque où la terre habitée et appropriée n'eut que des attributs féminins. L'organisation était alors tout près d'être matriarcale [6] ».

Quelques signes témoignent de l'antique primauté féminine. Le langage se souvient du temps où la descendance s'assurait par la mère, où le garçon entrait dans la famille de sa femme et en prenait le nom : la différence est insignifiante entre le terme qui désigne le gendre et celui qui désigne tout ensemble famille et nom de famille.

La couleur rouge a toujours représenté en Chine le pouvoir créateur, la puissance sexuelle. La littérature érotique l'attribue à la femme, les peintures érotiques représentent souvent son corps dans cette couleur, alors que le blanc est le symbole de l'homme et de sa semence. Dans la combinaison *yin-yang*, la femme (*yin*) vient invariablement en premier. Il semble même qu'à l'origine *yin* signifiait tout le sexuel, comme si le masculin n'était qu'un épiphénomène du féminin. (Pour désigner la femme, le français ne dit-il pas « une personne du sexe » ?) Ce n'était pas une mauvaise intuition de l'évolution biologique. Et ceci n'était pas moins bien deviné : les Chinois pensaient que tout homme porte en lui une part du féminin, et toute femme une part du masculin. Il n'est pas un seul manuel du sexe — et ils furent nombreux — qui ne présente « la femme comme la grande initiatrice et l'homme comme un élève ignorant [7] ». Détentrice première de la puissance sexuelle, la femme était la dépositaire du secret vital, la source où l'homme venait boire. C'est assez dire que l'idée que la chair pût être un péché n'effleurait pas un Chinois ; et qu'il était tout aussi éloigné des croyances de tant de peuples que le sexe fût tabou, que la défloration d'une vierge fût lourde de périls magiques. De la conviction que les forces sexuelles participaient des forces cosmiques, et qu'elles résidaient essentiellement dans la femme, les taoïstes, au - VIe siècle, tirèrent leur philosophie et leur morale qui allaient être pour « mille générations » une inspiration — et un art de faire l'amour.

Mais la vénération même qu'ils portaient à la femme n'était pas sans dangers pour elle. Sa puissance sexuelle, le *tö*, pouvait apparaître comme un « pouvoir ensorcelant » qu'il convenait de maîtriser. « Coucher avec une femme, dit un recueil de préceptes sexuels, le *Yi-hsin-fang*, c'est comme monter un cheval au galop avec des rênes usées, ou bien chanceler sur le bord d'un précipice hérissé de lames nues et prêtes à vous engloutir. » Les confucianistes, eux, seront bien persuadés que l'homme doit construire des garde-fous au bord du précipice. Dès le - VIe siècle, le *Tso-tchouan* annonçait la couleur de la réaction patriarcale : « La femme est une créature sinistre, capable de pervertir le cœur de l'homme. »

Les confucianistes ne songeront pas pour autant à dénier les pouvoirs de la femme : tout leur effort consistera à les confiner dans la chambre à coucher, et à faire de leur usage un morne devoir conjugal. Sortie de la chambre, la femme, à leurs yeux, n'était pas un être humain. Cependant, même quand, dans l'Empire des Han (de - 202 à 220), la réaction patriarcale du confucianisme sera parvenue à soumettre la femme sur le plan social, elle sera encore pour beaucoup de Chinois la souveraine de la chambre, et elle le restera jusqu'aux Song (XIIe siècle). Alors le temps viendra où la femme inférieure au-dehors perdra aussi sa supériorité du dedans, pour finir ensevelie dans le puritanisme barbare des Mandchous (XVIIe siècle).

L'art du sexe

Tous les manuels du sexe qui furent publiés au long de quinze siècles ne nous sont point parvenus, mais ils se trouvent heureusement compilés dans deux ouvrages, le *Tong-hsuan-tseu* et le *Yi-hsin-fang*, dont Robert Van Gulik a publié de larges extraits [8]. Les variantes sur le sujet n'étant pas en nombre illimité, on doit avoir là un aperçu satisfaisant de la sexologie chinoise. En voici quelques passages qui me paraissent contenir l'essentiel.

« L'Empereur Jaune s'adressa à la Fille de Candeur en disant : « Mon esprit se débilite et manque d'harmonie. Mon cœur est triste et je suis continuellement dans la crainte. Que faut-il que je fasse ? »

« La Fille de Candeur répondit : « Tout affaiblissement

de l'homme doit être attribué à l'exercice défectueux de l'acte sexuel. La femme est supérieure à l'homme de la même manière que l'eau est supérieure au feu. Ceux qui s'entendent au commerce sexuel sont de bons cuisiniers qui savent mêler les cinq arômes en un brouet savoureux. Ceux qui connaissent l'art du *yin* et du *yang* peuvent mélanger les cinq plaisirs ; ceux qui ne connaissent pas cet art mourront d'une mort prématurée sans avoir joui réellement de l'acte sexuel. N'est-ce pas là une chose dont il faut se garder ?

« ... Le principe de cette méthode, c'est d'avoir fréquemment commerce avec des filles jeunes, mais de n'émettre de la semence qu'en de rares occasions. Cette méthode rend léger le corps d'un homme et en bannira toutes maladies... Si en une nuit on peut copuler avec plus de dix femmes, c'est pour le mieux. Si un homme s'accouple toujours avec une seule et même femme, son essence vitale s'affaiblira graduellement et pour finir, elle ne sera plus dans l'état voulu pour procurer ses bienfaits à l'homme. En outre, la femme elle-même s'amaigrira. »

Mais justement, si l'essence vitale de l'homme est défaillante, que faire ? « L'Empereur Jaune dit : « Il m'arrive, au moment d'exercer le coït, que ma Tige de Jade ne veuille point se dresser. En pareil cas, la honte de mon humiliation me fait rougir, et j'ai le front mouillé de sueur. Cependant, enflammé d'un brûlant désir, j'agite mon membre de la main, afin qu'il se dresse. Veuille m'instruire sur ce qu'il faut faire en pareille occasion. » La Fille de Candeur répondit : « Ce dont Votre Majesté s'enquiert est une souffrance commune à tous les hommes. C'est (qu'ils oublient) qu'un homme, chaque fois qu'il souhaite copuler, doit suivre un certain ordre des choses. Tout d'abord, l'homme doit harmoniser son état d'esprit avec celui de la femme, et alors la Tige de Jade se lèvera. »

Il est essentiel que la femme atteigne à l'orgasme. Il faut que la Terre tremble et que le *yang* baigne dans les Eaux vivifiantes du *yin.*

Tous les chemins n'y mènent pas. Le *Tong-hsuan-tseu* recommande trente positions, le *Yi-hsin-fang* les reprend et en donne neuf autres. Je n'en donne que sept dont j'espère que le lecteur et la lectrice voudront bien se contenter.

« ... La Fille aux Cheveux de Jais dit : « La première des neuf positions s'appelle le Dragon Changeant. La femme s'étant couchée sur le dos, l'homme s'étend sur elle, les genoux portant sur le lit. La femme ouvre la Porte de Jade et l'homme lance la Tige de Jade dans la Caverne en forme de Grain, visant en même temps l'endroit qui est situé au-dessus d'elle. Alors, il se met à bouger lentement, séparant par des huitaines de coups légers deux coups qui pénètrent profondément. Qu'il introduise le membre alors qu'il n'est pas encore tout à fait durci, et qu'il le retire quand il est encore rigide. S'il exécute ces mouvements avec énergie et vigueur, la femme deviendra folle de joie, tant elle ressentira de volupté.

« La deuxième position s'appelle le Pas du Tigre. On fait mettre la femme sur les genoux et les mains, fesses levées, tête basse. L'homme s'agenouille derrière elle et l'enlace par le milieu du corps. Alors il enfonce la Tige de Jade dans le centre. Il importe beaucoup de le pénétrer profondément et de faire des mouvements qui se succèdent rapidement, en séparant de cinq coups brefs les huitaines de coups pénétrants et profonds. Le rythme correct naîtra de lui-même. Le vagin de la femme, tour à tour contracté et distendu, émettra du liquide en telle abondance qu'il tombera goutte à goutte. Après l'acte, il faut se reposer. Cette méthode empêchera les cent maux et l'homme deviendra de plus en plus vigoureux. (...)

« La quatrième position s'appelle la Cigale Bien Attachée. On étend la femme sur le ventre. L'homme se couche sur son dos ; pour être en mesure d'introduire profondément la Tige de Jade, qu'il soulève les fesses de la femme assez haut pour pénétrer la Perle Rouge. S'il fait alterner les neuvaines de coups en profondeur et les séries de six coups brefs, le vagin de la femme se mouillera d'une grande abondance de liquide. L'intérieur du vagin en sera remué et contracté, tandis que la vulve se distendra. Il conviendra de s'arrêter aussitôt que la femme aura éprouvé l'orgasme. Cette méthode guérira les sept sortes de douleur.

« La cinquième position s'appelle la Tortue qui Monte. On invite la femme à s'étendre sur le dos et à soulever les jambes. L'homme lui pousse les jambes vers le haut jusqu'à ce que les pieds se situent près de ses propres tétins. Alors il introduit la Tige de Jade jusqu'à ce qu'elle pénètre la Jeune Mignonne. Qu'il alterne en bon ordre coups brefs puis coups profonds, de telle sorte que chacun vise le centre même. Voilà qui pénétrera la femme d'une intense volupté ; elle répondra à l'homme en remuant le corps. Son vagin se mouillera d'un copieux liquide. Alors l'homme la pénétrera du plus profond qu'il pourra, ne s'arrêtant qu'au moment où la femme atteindra à l'orgasme. Par cette méthode, on épargnera sa semence, et l'on multipliera sa force par cent. (...)

« La septième position s'appelle le Lapin qui Suce son Poil. L'homme est étendu sur le dos, jambes allongées. La femme est assise sur lui, jambes écartées, genoux posant sur le lit de part et d'autre des jambes de l'homme, dos tourné du côté de sa tête, regardant ses pieds. Alors la Tige de Jade est introduite dans les Cordes du Luth. Quand la femme parviendra au sommet de la volupté, le liquide découlera de son vagin comme eau de source ; une grande joie, une voluptueuse satiété paraîtront sur son visage. On s'arrête aussitôt que la femme atteint à l'orgasme. Ainsi les cent maux ne naîtront pas.

« La huitième position s'appelle les Ecailles de Poisson Imbriquées. L'homme est couché sur le dos ; la femme est assise sur lui, jambes écartées, l'une et l'autre jambes allongées en avant. Le membre est lentement introduit. Dès qu'il est entré dans le vagin, qu'il se tienne en repos et qu'on n'aille pas en bougeant l'introduire plus profond ; mais qu'il continue de se jouer, à la façon de l'enfant qui happe le sein de sa mère. Que la femme seule remue. Cette manière d'union doit être prolongée. Quand enfin la femme atteint à l'orgasme, l'homme doit se retirer. Cette méthode guérira toutes les sortes de congestion.

« La neuvième position s'appelle les Crânes aux Cous rejoints. L'homme est assis, jambes croisées. La femme, assise sur les jambes de l'homme, ses propres jambes écartées, lui enlace le cou de ses bras. On introduit la Tige de Jade, et elle pénètre dans la Caverne dont la forme est celle du Froment. Il importe beaucoup d'introduire le membre aussi profond que possible. L'homme placera les mains sous les fesses de la femme pour en aider les mouvements. D'elle-même et naturellement, la femme éprouvera la plus grande volupté. Son vagin s'humectera d'un abondant liquide. Par cette méthode, les sept douleurs se guériront d'elles-mêmes. »

On a vu qu'il était souhaitable pour l'homme de copuler en une nuit avec dix femmes. Pour gorger son *yang* de l'Eau vitale, évidemment. Si, à chaque fois, il répandait son *yang*, le bilan serait une perte sèche. (De plus, il est à craindre que même un Dragon chinois n'y parviendrait pas.) Au contraire, s'il retient sa semence, il en retirera des bénéfices, qu'un barême précise : « Si un homme se livre une fois à l'acte sans émettre de semence, alors son essence vitale sera vigoureuse. S'il le fait deux fois, son ouïe sera fine, sa vue sera perçante. S'il le fait trois fois, toutes les maladies disparaîtront. Quatre fois, et son âme sera en paix. Cinq fois, et la circulation de son sang sera améliorée. Six fois, et ses reins se feront robustes. Sept fois, et ses fesses et ses cuisses gagneront en puissance. Huit fois, et son corps deviendra luisant. Neuf fois, et il atteindra la longévité. Dix fois, et il sera comme un Immortel. »

Le but ultime de ces aimables travaux n'est pas le seul bénéfice de l'homme, mais de l'espèce. Il s'agit de hisser le *yang* à un tel degré de puissance qu'il engendre de beaux enfants. Voici enfin venu le moment de répandre la semence virile. Mais là encore, qu'il soit économe ! La Fille de Candeur, après avoir précisé qu'un homme ne doit « jamais se forcer à émettre de la semence », donne les normes selon l'âge et la robustesse : entre quinze et vingt ans, une ou deux fois par jour ; à trente ans, une fois par jour ou tous les deux jours ; à quarante ans, une fois tous les trois ou quatre jours ; à cinquante ans, une fois tous les cinq ou dix jours ; à soixante ans, une fois tous les dix ou vingt jours ; à soixante-dix ans, une fois par mois chez les robustes, et chez les faibles, c'est terminé. A vrai dire, ces normes sont données comme les maxima permis, car « P'ong-tsou dit : « Afin d'avoir des enfants, un homme doit emmagasiner et nourrir sa semence, et ne point éjaculer trop souvent. » Et « Maître Tong-hsuan a dit : « Tout homme qui désire un enfant devrait attendre que la femme ait déjà eu sa menstruation. S'il s'accouple avec elle le premier ou le troisième jour suivant, il obtiendra un fils. Si c'est le quatrième ou le cinquième jour, une fille sera conçue. Toutes émissions de semence faites au cours d'un accouplement après le cinquième jour ne sont qu'épanchements non suivis d'effet. » C'était viser un peu juste, au moins pour les femmes dont les règles ne duraient pas longtemps ; comme le taux des naissances était quand même élevé, si élevé que les Chinois pratiquaient volontiers l'infanticide — cela s'appelait « herser la progéniture » — on en conclura que les maris se laissaient parfois aller, hors des jours ouvrables, à des épanchements suivis d'effets.

Ces manuels sexuels étaient destinés à la consommation conjugale. Les dix femmes avec lesquelles un homme devait s'accoupler étaient ses épouses — si toutefois il avait les moyens d'entretenir une telle maisonnée. De sorte que la puissance et la longévité qu'assuraient des bains répétés de *yin* étaient réservées aux riches ; et que seules les filles de bonne famille recevaient une éducation sexuelle. Le manuel d'érotisme faisait partie du trousseau de la mariée. Il était à portée de la main près du lit, on le consultait en faisant l'amour. Comme peu de femmes savaient lire, des illustrations leur enseignaient les positions à prendre et les choses à faire ou à se laisser faire. Notamment la fellation du pénis, qui valait à celui-ci un apport appréciable de salive *yin* — sous réserve qu'elle n'aboutît pas à une émission inconsidérée de semence virile ; et une jeune femme eût été bien mal élevée si elle n'avait pas trouvé bon que son mari vînt boire son *yin* à la Terrasse du Joyau (le clitoris) et à la Ravine Dorée. Enfin, le saphisme était autorisé, voire encouragé : les Eaux du *yin* sont inépuisables, et même, il est des puits d'autant plus abondants que l'on y puise plus souvent. En revanche, il va de soi que l'homosexualité masculine et l'onanisme étaient considérés comme un péché cosmique.

Au total, ces préceptes devaient effectivement concourir à l'harmonie du foyer. S'ils visent toujours à renforcer l'indigence du *yang* par la richesse du *yin*, ils n'insistent pas moins sur la nocivité de toute contrainte chez l'homme et chez la femme, sur la nécessité d'un désir réciproque ; ils appellent constamment l'attention de l'homme sur la sensibilité de la femme, lui enseignent à prolonger le coït (le Feu est prompt, les Eaux sont lentes, mais elles éteignent le Feu), et lui font un devoir de toujours mener la femme jusqu'à l'orgasme ; un seul, il est vrai, et la sexologie moderne pourrait objecter ici que chez la femme, du moins celle qui a du tempérament, l'orgasme en appelle un autre et d'autres encore ; mais peut-être les Chinois s'en étaient-ils aperçus tout seuls et leurs manuels se bornaient-ils à exiger un minimum vital.

Le repos du mari

On se demande pourquoi, après cela, un homme éprouvait encore le besoin de fréquenter les prostituées. Passe encore pour les pauvres monogames : les lupanars de bas étage leur offraient l'occasion de varier le menu ; mieux : de revigorer leur *yang* dans un *yin* des plus généreux, car les prostituées, du fait de la fréquence de leurs relations sexuelles, étaient réputées avoir du *yin* en abondance. Les lupanars étaient, en somme, un réservoir d'essence cosmique à la disposition des classes inférieures. Mais les riches nantis d'une dizaine d'épouses ?

Les courtisanes tenaient auprès d'eux une fonction sociale. Plus cultivées que les épouses, habiles à tourner un petit poème, chanteuses, danseuses et professionnellement aimables, elles étaient l'ornement des dîners d'affaires ; discrètement offertes au dessert, elles pouvaient plaider sur l'oreiller la cause de leur protecteur. A la qualité des courtisanes de sa suite, on reconnaissait l'homme du monde ; les plus huppées, aussi hautement considérées que le seront les courtisanes de la Renaissance italiennes ou les cocottes de la Belle Epoque, étaient un brevet d'élégance. Enfin — et ce n'était peut-être pas le moindre de leurs charmes — on n'était pas obligé de leur faire l'amour.

Il faut dire aussi que la réaction confucéenne, défiante des pouvoirs de la femme, séparant les sexes, enfermant les épouses, accrut considérablement la prostitution. C'est le corollaire immanquable de l'austérité patriarcale. Sous la grande dynastie des T'ang (618-907), leur capitale, Tch'ang-an, avait un quartier réservé fort bien achalandé, où les filles étaient inscrites sur des registres et payaient l'impôt. Les plus distinguées se faisaient acheter par des particuliers. D'autres, qui n'étaient pas des moins astucieuses, entraient dans des monastères taoïstes ou bouddhiques, où elles échappaient à la mise « en carte » ; elles y donnaient des soupers fins dont les autorités religieuses tiraient bon profit. Un auteur de manuel sexuel de ce temps (VIIIe siècle), Po Hsing-Kien, révèle que les nonnes elles-mêmes faisaient concurrence aux courtisanes dans les bras des moines où, dit-il, elles « oublient la loi de Bouddha et jouent distraitement avec leur rosaire »

L'évasion du pénis

Revenons à l'essentiel — à l'essence vitale dont la femme était la détentrice. L'homme ne ménageait sa semence que parce qu'il avait conscience de son insuffisance ; et pour la même raison il devait raviver le plus souvent possible la source féminine. Ce n'était peut-être qu'un égoïsme bien compris, mais la femme trouvait son compte à cette économie domestique.

Il se trouva des pénis particulièrement spiritualistes pour tenter de ravir à la femme son pouvoir au bénéfice du seul esprit viril. Je ne m'attarderai pas sur leur méthode : c'était la même que celle du tantrisme en Inde. (On ne sait, d'ailleurs, qui des Chinois ou des Indiens en furent les inventeurs.) La femme n'était plus que le moyen utilisé par l'homme pour s'approprier l'énergie créatrice et la transmuer, par quelque alchimie secrète, en un esprit pur, transsexuel. Non seulement l'initié devait retenir sa semence, mais il devait la faire monter le long de sa colonne vertébrale jusqu'au cerveau : on ne saurait mieux dire que les prétentions du pénis lui montaient à la tête. Quant à l'orgasme de la femme, c'était là une manifestation de sa puissance dont le Sage devait se préserver.

Le procédé était gardé secret : « Les Immortels se le transmettent entre eux, ils jurent, en buvant le sang, de ne pas le transmettre au hasard », dit le *Yu-fang-che-yao*, cité par Maspero qui a étudié ces pratiques [9]. Il était recommandé aux moines taoïstes qui pratiquaient cette alchimie sexuelle d'utiliser des filles au-dessous de dix-huit ou dix-neuf ans et qui ne fussent pas dans le secret ; elles auraient été capables d'en profiter pour devenir immortelles, catastrophe à éviter. Et de les utiliser collectivement. Ce qui devait donner une orgie quelque peu compassée, si l'on considère que la Tige de Jade dans les Cordes du Luth devait accomplir chaque fois quatre-vingt-un mouvements, pas un de plus, pas un de moins, ce nombre étant le symbole du *yang*.

Il faut croire que des moines trahirent le secret, car il y eut des maris pour mettre en commun leurs épouses aux fins d'immortalité. Et même il advint que cette alchimie fit trembler l'Empire : les Turbans Jaunes qui se révoltèrent sous les Han, au IIe siècle, pensaient atteindre à l'immortalité par des orgies sexuelles publiques. La tradition n'en fut jamais tout à fait perdue : en 1950, la République Populaire chinoise sévit contre une secte taoïste, le *Yi-koan-tao*. Le journal *Koang-ming-je-pao* du 20 novembre publia que ses chefs, « lubriques éhontés », organisaient des « concours de beauté » parmi les femmes de la secte pour servir aux travaux pratiques d'érotisme de masse dans des « classes d'études taoïstes » ; l'immortalité était promise au bout du chemin des écoliers [10].

La réaction patriarcale

Mais s'il y eut quelques « spiritualistes » pour perpétuer jusqu'à Mao la magie sexuelle, s'il se trouva des Chinois, plus nombreux j'espère, pour continuer de rechercher l'harmonie du *yin* et du *yang* après que ses préceptes eurent été recouverts sous le voile de la pudibonderie, c'est le confucianisme qui finit par imposer sa loi à la société, pour la raison très simple que la domination patriarcale est la compagne nécessaire de la grandeur de l'Etat.

De ce que Confucius pensait des femmes, on n'a que cette observation : « Il n'est pas agréable d'avoir affaire aux femmes et aux personnes de basse condition. Si on leur témoigne trop d'amitié, elles se font turbulentes, et si on les tient à distance, les voilà pleines de ressentiment. » Son petit-fils, philosophe lui aussi, exprima plus brutalement la suprématie du mâle et l'insignifiance de la femme : « Celle qui était ma femme était aussi la mère de mon fils. En cessant (par la répudiation) d'être ma femme, elle a cessé d'être la mère de mon fils. » L'école confucéenne orchestra le thème.

Pour les confucianistes, la famille avant tout. C'est-à-dire : la famille paternelle. Une fille est destinée à être la déléguée de sa famille dans une famille étrangère. Elevée à servir ses parents, elle ne les oubliera pas au service de son mari. On voit, dans le *Tso-tchouan*, une fille consulter sa mère : « Du père ou du mari, qui est le plus proche et qui doit être le plus cher ? — N'importe qui peut faire un mari et l'on n'a jamais qu'un père ! », répond la mère. La fille avait déjà choisi : en « amusant » son mari, elle lui a soutiré un renseignement qui lui coûtera la vie et sauvera celle de son père [11].

Sous cette réserve du conflit d'autorité, elle doit être absolument soumise à son mari. On ne lui demande que de procréer, de s'abstenir de toute activité dans les affaires extérieures, à plus forte raison dans les affaires de l'Etat, et de ne pas contaminer l'homme avec sa redoutable essence vitale. La cérémonie du mariage, la vie conjugale, sont soumises par le confucianisme à une étiquette dont l'objectif est de mettre l'homme à l'abri de la femme. Au repas de noces, les époux doivent manger côte à côte, jamais face à face, et tout est ordonné pour qu'ils soient désormais les moitiés d'un même corps, mais des moitiés séparées : assis chacun sur sa natte, ils mangent les mêmes mets sans les prendre au même plat, et ils font à part des libations aux esprits des ancêtres ; et buvant et mangeant, ils se saluent respectueusement. Puis ils vont se déshabiller, chacun dans sa salle, et se réunissent pour la nuit, chacun sur sa natte. S'ils sont de petits nobles, ils pourront consommer le mariage la troisième nuit ; s'ils sont princes, le troisième mois. Le confucianisme ne méconnaît certes pas l'importance du *yin*, bien au contraire ; mais il pense que l'homme a plus à perdre qu'à gagner à son contact, et il en codifie rigoureusement l'usage, il tente d'exorciser ses sortilèges. Le protocole varie selon la noblesse du mari et le rang de l'épouse dans le gynécée. « La femme secondaire d'un grand officier, par exemple, doit, avant d'aller retrouver son maître, se purifier par le jeûne, se rincer la bouche, revêtir des vêtements frais lavés, arranger sa chevelure d'une certaine manière, lier à sa ceinture un sachet d'odeur et, surtout, attacher solidement les cordons de ses souliers [12]. » La première épouse veille sur ce protocole, et c'est elle aussi qui doit s'assurer que l'époux honore ponctuellement ses épouses, chacune à son tour, au jour dit. « Tous les cinq jours », stipule le *Li-ki*, ce qui, à un seigneur nanti de neuf épouses, posait un problème arithmétique. Un érudit commentateur, Tcheng, le résolut ainsi : « Les nièces, les sœurs cadettes couchent avec le seigneur deux par deux, ce qui fait trois jours ; puis viennent les deux suivantes, ce qui fait quatre jours ; puis la femme principale a sa nuit particulière, ce qui fait cinq jours. »

J'ai dit que la plupart des femmes, sauf les courtisanes, étaient illettrées. Tout ce qu'une demoiselle avait à apprendre, c'était à coudre, à tisser, à tenir la maison et, pour les taoïstes, à savoir se tenir dans un lit. Il se trouva, au Ier siècle, une femme de lettres, la Dame Pan, pour proclamer que les filles devaient être instruites : « Le Livre des Rites dit que l'on commence d'instruire un garçon quand il a huit ans, et qu'on l'envoie à l'école quand il en a quinze. Pourquoi ceci ne vaudrait-il pas également pour les filles ? » La Dame Pan serait-elle la première féministe chinoise ? Non point : les filles doivent étudier les livres classiques afin de « connaître plus tard la manière de servir leur mari et celle de se conformer aux Rites et au Cérémonial ». Car tout le propos d'une femme doit être : « appliquer son esprit à plaire à son mari ». C'est exactement ce que dira Jean-Jacques Rousseau, autre « libérateur » des femmes *. Aussi le livre de la Dame Pan, *Les préceptes des femmes*, fut-il transmis par les confucianistes de génération en génération comme le catéchisme de la parfaite épouse, jusqu'en Corée et au Japon, pour atteindre à sa plus haute gloire après le XVIe siècle, dans l'Empire de la bigoterie mandchoue. Il méritait bien cet honneur, qu'on en juge par les « trois devoirs » de la femme [13].

« Etre humble, complaisante, respectueuse et pleine de révérence ; se placer après les autres ; ne point parler de ses propres mérites et n'être point raisonneuse sur ses propres fautes ; supporter le reproche et endurer le manque d'égards ; agir en toute chose avec circonspection — ces qualités-là sont celles qui démontrent par l'exemple la basse et humble condition de la femme.

« Se coucher tard, se lever tôt ; ne pas renâcler devant l'effort de l'aube jusqu'à la nuit ; ne pas discuter de ses affaires privées ; s'appliquer diligemment aux tâches difficiles comme aux faciles ; être propre et ordonnée — c'est ce qu'on appelle être diligente.

« Se conduire comme il faut et selon les formes en servant son mari ; être sereine et maîtresse de soi, en fuyant les plaisanteries et le rire ; donner tous ses soins à la nourriture sacrificielle qu'on offrira aux ancêtres — c'est ce qu'on appelle être digne de continuer la lignée du mari. »

Quant aux droits de la femme : « Selon les Rites, l'homme a le droit d'épouser plus d'une femme, mais la femme ne suivra pas deux maîtres. Car il est dit : « Un mari est le Ciel, et l'on ne peut se dérober au Ciel. » C'est pourquoi une épouse ne peut pas quitter son mari. »

Bref : « Si une épouse est comme une ombre ou un écho, comment ne point faire sa louange ? » Et comme un balai :

---

* Voir p. 332-334.

le mot « épouse » n'est-il pas composé de deux caractères qui signifient « femme-balai » ?

Hélas ! La réalité, dans le temps de la Dame Pan, ne s'était pas encore adaptée à ce bel idéal patriarcal. Et les femmes faisaient un bien triste usage de la culture mandarine. Deux siècles plus tard, un philosophe, Ko Hong, déplorait leur frivolité. Elles « ne s'adonnent plus au filage et au tissage... ; elles ne préparent plus le chanvre ; ce qui leur plaît, c'est de vadrouiller sur la place du marché... Elles sortent pour faire visite à leurs parents... elles franchissent même les frontières du district... dans des voitures ouvertes, tous rideaux relevés, s'attardant dans chaque hameau, dans chaque ville qu'elles traversent, buvant à la santé d'autrui, chantant et faisant de la musique en chemin. » Voilà où mène l'instruction.

Devant une telle liberté d'allures, l'idée de bander les pieds des femmes devait paraître d'une saine logique. Cette trouvaille se fit pourtant attendre jusqu'aux environs de l'an 900. La tradition l'attribue à un délicat poète, Li Yu, dont le sentiment amoureux semble avoir été obsédé par les pieds :

Le brocart du tapis rouge fait des plis
Dans la foulée de ses pieds dansants.
La ravissante va d'un pas léger...

Ne balayez pas les pétales rouges,
Laissez-les comme ils sont, épars,
En attendant qu'ils reviennent,
Les pieds de la belle danseuse.

Ils ne reviendront pas avant la Révolution Populaire de Mao : les femmes aux pieds bandés ne pourront plus danser. Ni courir le guilledou (en principe). Par une juste revanche, le pied prendra une valeur de fétiche : il suffira qu'elles le laissent effleurer par un amoureux pour que les dernières faveurs lui soient promises. Les femmes de l'époque victorienne, il est vrai, s'étrangleront la taille dans un corset. Mais justement : ce sera le temps du despotisme viril le plus absolu que l'Occident ait connu.

Et dans la Chine des Song (960-1279) où se répand la coutume des pieds bandés, la prostitution prolifère comme elle le fera au XIXe siècle dans l'Europe industrielle. Les lupanars se signalent déjà par une lanterne rouge à l'entrée. A Hang-tcheou, capitale et grand port où affluent tous les produits de l'Extrême-Orient, Marco Polo s'extasie : « Il y en a tant (de filles) pour les gens de passage que c'est merveille. Car je vous dis pour certain qu'elles sont plus de vingt mille qui font monnaie de leur corps. Et toutes à gagner, si bien que vous pouvez voir quelle grande abondance de gens il y a. »

Il ne manque à la vertu patriarcale que la touche d'hypocrisie. La voici. Les épouses, dit Marco Polo, « sont traitées avec le plus grand respect et celui qui se permettrait à l'égard d'une femme mariée des paroles déshonnêtes serait regardé comme un être infâme ». Mais un auteur du temps observe que les bourgeoises de Hang-tcheou sont si coquettes et si gourmandes que leurs maris, dans l'incapacité de répondre à leurs demandes, préfèrent fermer les yeux et leur permettre d'avoir des amants, quatre ou cinq, des « maris de complément » — qu'elles recrutent parfois parmi des hommes non chargés de famille, les moines bouddhistes.

C'est à cette époque, enfin, qu'un très grand esprit, Tchou-hi (1130-1200), rassemble et ranime la doctrine confucéenne, alors vieille de dix-sept siècles, et l'érige en philosophie d'Etat, unique, officielle et obligatoire. La séparation des sexes aura désormais la force d'un dogme. Et l'invasion mongole arrivant là-dessus ne fera qu'inciter les Chinois — comme, en Inde, l'invasion musulmane — à cloîtrer leurs épouses. La restauration des Ming, qui se voulait « lumineuse » (c'est le sens du mot *ming*) et ne fut qu'une veilleuse de la Chine endormie avant l'éteignoir mandchou, se garda de réveiller l'essence vitale du *yin*. Les manuels de la Chambre à Coucher ne furent plus réédités. Et la valeur d'une femme, jusqu'au XXe siècle, se résuma dans ce dicton : « Si une femme n'a point de talents, c'est toute vertu pour elle. »

La Chine avait compris que l'énergie créatrice de l'univers réside dans le sexe primordial. L'Inde aussi l'avait compris : c'est la *çakti* qui éveille le phallus de Çiva. Et nous, depuis Freud, nous appelons la *çakti*, ou le *yin*, la libido. Mais la Chine avait un grand avantage : elle avait refusé de voir dans le *yin* et le *yang* deux forces antagonistes, elle avait tout fondé sur leur union harmonieuse. Emprisonner le *yin*, le mutiler, l'exploiter, était donc l'hérésie fondamentale et le plus parfait exemple de la sottise virile.

CHAPITRE III

L'ÉGYPTIENNE, OU LA MINEURE ÉMANCIPÉE.

On peut imaginer que les Egyptiens, quand ils étaient encore dans leur berceau africain, tremblaient comme les autres devant la Déesse-Mère. Mais lorsque commence leur histoire, il y a cinq mille ans, Nut, maîtresse du Ciel, souveraine des Deux Terres, est une déesse de la fécondité qui ne fait peur à personne. Sa primauté semble incontestable : il est dit qu'elle est la mère de Rê, qui créa l'Univers. Mais ce n'est pas elle, c'est bien Rê qui est le « Maître Universel ». Un mâle souverain, voilà qui ne présage rien de bon pour les femmes : le dieu d'Abraham le leur fera savoir. Cependant, aucun Egyptien n'irait jusqu'à prétendre que Rê créa d'abord l'homme, puis la femme. Peut-être les deux sexes existaient-ils de toute éternité... Rê n'ordonne-t-il pas dans le *Mythe de la destruction des hommes* * : « (faites venir) les pères et les mères qui étaient avec moi quand j'étais dans le Noun (le chaos primordial) » ? L'Egyptien semble avoir renoncé à se former une idée claire de la Genèse : signe qu'il est sage, et que la peur de la Déesse-Mère ne le taraude pas. S'il devait choisir, il serait pour l'égalité au départ, avec un léger avantage à Eve, ou à la vache : « Je suis, dit Rê, celui qui a fait le taureau pour la vache, de sorte que puisse naître le plaisir sexuel. »

L'égalité au départ, oui ; mais à l'arrivée au pied des Pyramides, le taureau avait pris de l'avance. Hérodote a

---

* Les passages entre parenthèses sont conjecturaux, ou des ajouts explicatifs.

beaucoup frappé les Grecs en écrivant que les femmes conduisaient tout le train des trafics et marchandises, tenaient les tavernes et cabarets, tandis que les hommes demeuraient assis dans leur maison, occupés à tisser. Et Diodore de Sicile s'esbaudit : « Le pouvoir est donné à la femme sur le mari et, dans les contrats de mariage, les maris promettent de se soumettre en tout à la puissance de leur femme. » Avait-on jamais ouï des choses si étranges ? Des égyptologues en furent aussi frappés que les Grecs et allèrent répétant : « La femme avait une situation très considérée et qui en faisait pleinement l'égale de l'homme. » (Revillout.) « La femme, *de jure* et *de facto*, a une position complètement égale à celle de l'homme. » (Pestman.) Ces égyptologues n'ignorent pourtant pas qu'Hérodote n'avait vu, au ve siècle avant Jésus-Christ, qu'une Egypte de Basse Epoque ; Diodore, au Ier siècle, une Egypte qui n'était plus qu'une colonie romaine ; et que de nombreux documents démentent ces affirmations. Encore la puissance du préjugé ! Ou peut-être une confusion des idées ? Elle tient dans ces deux phrases de Simone de Beauvoir : « C'est en Egypte que la condition de la femme a été la plus favorisée... Elle a les mêmes droits que l'homme, la même puissance juridique. » Il est bien vrai que le sort de la femme égyptienne fut digne d'envie ; mais il le fut dans l'inégalité juridique jusqu'au Nouvel Empire, c'est-à-dire pendant près de deux mille ans, et dans la dépendance économique jusqu'à la fin*.

---

* Je rappelle les grandes divisions de l'histoire de l'Égypte :
- Période protodynastique et des deux premières dynasties (ou Période thinite), 3300-2780 av. J. C.
- Ancien Empire (IIIe-VIe dynasties), 2780-2280.
- Première Période Intermédiaire (VIIe-X^e^ dynasties), 2280-2150.
- Moyen Empire (XIe-XIIe dynasties), 2150-1780.
- Seconde Période Intermédiaire (XIIe-XVIIe dynasties), 1780-1570.
- Nouvel Empire (XVIIIe-XXe dynasties), 1570-950.
- Basse Époque (XXIe-XXVIe dynasties), 950-525.
- Époque perse et dernières dynasties indigènes (XXVIIe-XXXe dynasties), 525-332.
- Période ptolémaïque (332-30 av. J. C.).

Le secret du bonheur égyptien tient en une vertu des plus rares : la bienveillance. Ou mieux : la gentillesse. De l'homme envers la femme, et de la femme envers l'homme. Et ce qui rend possible la gentillesse, c'est, me semble-t-il, que l'homme délivré de l'angoisse originelle n'éprouve pas le besoin d'assurer sa virilité par des échafaudages brâhmaniques, des rites mandarins ou des prouesses guerrières. Certes, il a édicté des lois qui lui donnent des droits, mais aussi des devoirs. Il y voit moins un titre de gloire qu'une utilité ; non un privilège : une fonction. Tant il est vrai que les lois sont ce que les mœurs les font.

La femme idéale

Le modèle des femmes et le rêve des hommes a nom Isis. Sa touchante histoire ne nous est connue que par un manuscrit tardif (vers - 1160), mais des fouilles ont établi que son culte remontait à la Ire dynastie, sinon plus haut. Nut avait engendré — en prélevant la semence du dieu Geb par la méthode que nous savons * — deux fils, Osiris et Seth, et deux filles, Isis et Nephthys. Isis épousa Osiris, et Nephthys, Seth. Osiris reçut en héritage la terre et il y fit des merveilles. « C'est moi qui ai créé l'orge et le froment », déclare-t-il. Il la gouverna en roi excellent jusqu'au jour où Seth, jaloux, réussit par ruse à le faire mourir. Alors Isis le chercha partout, se lamentant. Elle finit par trouver dans un coffre au fil de l'eau son cadavre, et elle parvint, en l'éventant de ses ailes, à le faire revivre. Mais il n'eut que le temps de la féconder avant de retourner au royaume souterrain où il préside le tribunal du jugement des morts. Un fils naquit de ses œuvres, hélas fugitives, Horus, de qui devaient être issus tous les Pharaons.

Osiris luttant contre son frère Seth, c'était l'éternel conflit entre le jour et la nuit, la tendresse et la violence, la création et la destruction, le bien et le mal, frères ennemis qui ne peuvent exister l'un sans l'autre, ennemis et complices.

---

* Voir p. 118.

Osiris mourant et ressuscitant était l'espoir des hommes. Mais fécondant Isis, c'était aussi le Nil fécondant la terre, disparaissant et revenant chaque printemps par l'intercession d'Isis, la sœur, l'épouse fidèle, la sainte patronne des mères et des enfants, soucieuse mais confiante, obstinée et perspicace. « Son cœur était plus habile qu'un million d'hommes, elle était plus éminente qu'un million de dieux, elle était plus perspicace qu'un million de nobles morts. Il n'y avait rien qu'elle ne sût dans le ciel et sur la terre. » Chaque année, quand le soleil semble renaître, au solstice de décembre, les temples exposeront l'image d'Isis nourrissant son enfant dieu Horus, comme la madone de Raphaël.

Le dévouement conjugal et maternel, c'est très bien, mais cela ne suffit pas à l'Egyptien, ni à l'Egyptienne : et les voluptés de la chair ? Elles ne conviendraient pas à la dignité d'une madone. La déesse Hathor s'en charge. Son nom signifie « sanctuaire d'Horus ». Un de ses avatars la donne en effet pour la femme d'Horus — bien que son culte ne semble pas moins ancien que celui d'Isis : elle apparaît dès - 3200. Que la volupté précède la maternité paraîtra même, peut-être, dans l'ordre des choses. Elle est représentée, dès cette époque, avec des oreilles et des cornes de vache — nous savons déjà que Rê avait voué à la volupté cette bête bovine. Il n'eut pas à s'en repentir. Les *Aventures d'Horus et de Seth* racontent qu'un jour, Rê, « étendu sur le dos dans son pavillon avait le cœur très triste et était seul. Alors, après un long moment, Hathor, dame du Sycomore du Sud, vint et se tint debout devant son père le Maître Universel, et elle dévoila sa nudité à sa face. Alors le grand Dieu rit ». Les Egyptiens ont le sexe gai. Et s'ils trouvent plus convenable qu'une déesse se spécialise dans les fonctions d'amante ou de madone, ils ne trouvent pas mauvais qu'une femme ait plus d'une corde à son luth.

Quant à l'idéale beauté féminine, les peintures des tombeaux nous l'ont fait connaître, mais elle est là dès l'époque thinite, la silhouette élancée, la tête petite sur un cou élégant, les jambes longues, la taille déliée, les seins hauts, et dans l'arrondi des hanches ce qu'il faut pour réjouir un honnête homme.

La femme de condition porte une longue robe-fourreau de lin blanc dont la finesse voile ses formes sans les dissimuler. Elle a des bracelets aux bras, aux poignets, parfois aux chevilles, et un large collier sur sa poitrine. Le fourreau des servantes laisse les seins nus ; pour avoir les mouvements plus libres, elles le troussent sans façon sur leur croupion.

Ancien Empire : la femme soumise

Quelle était la situation de la femme dans l'Ancien Empire ? Les *Instructions* du vizir Ptah-hotep, « le plus vieux livre du monde », qui fut composé sous la Ve dynastie, nous en donne quelques aperçus. L'Egyptien est conservateur, et l'imitation de soi-même est sans doute la raison de son exceptionnelle longévité : il citera encore des maximes de Ptah-hotep dans le Nouvel Empire, où la situation de la femme aura tout de même changé. Que dit Ptah-hotep ?

« Si tu désires garder l'amitié dans la demeure où tu entres... garde-toi d'approcher des femmes. La place où cela se ferait ne saurait être bonne. On n'y fait jamais assez attention, et des hommes sans nombre ont été ainsi détournés du droit chemin. On est affolé par la chair... un bref instant semblable à un rêve et pourtant on peut être conduit à la mort pour cela. » D'où l'on peut déduire, non pas qu'un Egyptien de qualité était polygame — seul le Pharaon l'était — mais que dans sa maison se trouvaient, outre son épouse, des servantes sinon des concubines ; qu'elles vivaient dans une partie réservée mais qui n'était pas fermée ; enfin, que l'adultère pouvait être puni de mort.

La mort pour les deux complices, ainsi qu'il apparaît dans le « Conte du mari trompé * ». Un chef lecteur, c'est-à-dire un magicien, du nom de Oubaoné, avait une femme, laquelle avait un amant, un bourgeois de la ville. Celui-ci eut

* Le roi Khéops, bâtisseur de la première des grandes Pyramides, s'ennuyant dans son palais, fait venir ses neuf fils afin que chacun lui fasse un récit merveilleux. Quatre ont été conservés. Celui-ci, le second, est du roi Khéphren, autre bâtisseur de grande Pyramide. Je suis le résumé qu'en donne Jean Vercoutter.

l'audace de proposer à sa maîtresse un rendez-vous dans le jardin du mari, où il y avait, comme en toute belle demeure, un pavillon près d'une pièce d'eau. « Elle y passa tout le jour avec le bourgeois. » Mais le jardinier, outré, alla prévenir son maître. « Alors Oubaoné lui dit : « Apporte-moi ma trousse en bois d'ébène et or. » Et il fabriqua un crocodile de cire long de sept pouces, puis il lut sur lui une formule magique : « Quiconque viendra se baigner dans la pièce d'eau, empare-toi de lui. » Il le remit au serviteur et lui dit : « Après que le bourgeois sera descendu dans la pièce d'eau, tu jetteras le crocodile de cire derrière lui. » Le serviteur s'en retourna, emportant avec lui le crocodile de cire. Le couple coupable et inconscient du danger passa encore une journée dans la joie. « Quand le soir fut arrivé, le bourgeois vint à la pièce d'eau... Le serviteur jeta alors derrière lui dans l'eau le crocodile de cire : celui-ci se transforma en un crocodile de sept coudées (plus de 3,65 mètres), et il s'empara du bourgeois. » Le chef lecteur, qui était de service près du roi Nebka (de la IIIe dynastie), « s'étant placé devant le roi lui dit : « Que ta Majesté vienne voir le prodige qui est advenu... » Le roi vint donc avec Oubaoné, et alors celui-ci appela le crocodile en disant : « Amène le bourgeois. » Le crocodile sortit de l'eau et l'amena... Alors la Majesté du roi Nebka dit : « Certes, ce crocodile est terrifiant. » Mais Oubaoné se baissa, saisit le crocodile et il ne tenait dans sa main qu'un crocodile de cire. Puis le chef lecteur Oubaoné raconta... ce que le bourgeois avait fait dans la maison avec sa femme. Alors Sa Majesté dit au crocodile : « Emporte ce qui est à toi. » Le crocodile descendit au fond de la pièce d'eau et l'on n'a jamais su en quel endroit il était allé avec le bourgeois. Ensuite la Majesté du roi Nebka fit conduire la femme d'Oubaoné sur un terrain au nord du palais, la fit brûler, et ses cendres furent jetées au fleuve. »

Le mari peut aussi se séparer de sa femme pour de vulgaires raisons d'intérêt. « Garde-toi de la cupidité, dit Ptah-hotep, (c'est elle qui) fait répudier l'épouse par l'époux. » Donc, le mari peut répudier sa femme, mais ce n'est pas bien.

Ce qui est bien, c'est un mariage uni. Et il ne peut être fondé que sur l'amour partagé, dans l'autorité bienveillante du mari et l'heureuse soumission de l'épouse. « Si tu es sage, fonde un foyer. Aime ta femme ardemment, nourris-la bien et habille-la (convenablement). (Enduis son teint de pommade car) la crème (de beauté) est un remède pour son corps. Rends-la heureuse aussi longtemps que tu vis ; ce sera (alors) un champ utile à son maître. Ne divorce pas d'avec elle (ou : considère-la avec respect) et elle restera dans ta maison. Ne la laisse pas prendre la direction (de la maison), maintiens-la (dans l'obéissance), c'est alors qu'elle prospérera dans ta maison. Si tu la domines (fermement), elle sera souple comme l'eau. »

A quel âge les filles pouvaient-elles être mariées ? Ptah-hotep semble recommander de n'avoir pas de rapports sexuels avec une femme encore enfant. Mais l'interprétation est douteuse. On admet qu'au Nouvel Empire l'homme pourra se marier à quinze ans et la femme à douze ans. Rien ne permet d'affirmer qu'elle choisissait librement son époux. Tout au contraire, un Egyptien devait pouvoir déclarer dans sa « confession négative » devant le tribunal des morts : « Je n'ai pas pris une fille à son père (sans son consentement). » Dans le conte de Sinouhé, au Moyen Empire, on lit : « Il me donna sa fille aînée pour femme. » Un Sage de la XXVIe dynastie conseille au père : « Choisis un mari prudent pour ta fille, ne lui choisis pas un mari riche. » Et dans la Basse Epoque, période de la plus grande liberté de la femme, des contrats de mariage stipulent que le père remet sa fille à l'époux après versement d'une somme d'argent.

On ne voit pas, d'ailleurs, comment un esprit moderne pourrait concevoir la liberté d'une femme qui n'avait pas d'indépendance économique. Aucune Egyptienne n'exerce un métier, sinon celui de danseuse — assorti peut-être du plus « vieux métier du monde ». Bien que la divinité de l'écriture fût féminine, l'éducation était réservée aux garçons, et parmi les innombrables scribes qui peuplent les tombeaux de l'Ancien Empire, il n'y a pas une seule femme.

Moyen Empire : la femme toujours soumise

Je cherche l'émancipation que le Moyen Empire a apportée à la femme et je ne la vois pas. Son destin dépend toujours de la bienveillance de l'homme. Peut-être pourrait-on dire ceci : l'ascension d'Osiris et d'Isis dans la ferveur populaire, comme celle de Notre-Dame au Moyen Age, incline à la douceur. « J'ai protégé la veuve et l'orphelin... » On insiste souvent sur le devoir de protéger les veuves... Preuve qu'elles avaient besoin de l'être. Mais un texte, dit du *Misanthrope*, laisse à penser que les testaments qui assurent à la veuve de quoi vivre tendent surtout à assurer la survie des orphelins. Un paysan charge sur un bateau sa moisson, embarque sa femme et ses enfants, s'en va au fil de l'eau et chavire. Tout est perdu, sauf le paysan, qui déclare : « Je ne pleure pas pour cette femme qui ne pourra jamais revenir de l'Occident (le séjour des morts)... Je suis anxieux pour ces enfants qui ont été brisés (presque) dans l'œuf, qui ont dû affronter le crocodile avant même d'être (grands). » Un sage de l'Ancien Empire n'écrivait-il pas : « Epouse une femme de cœur, il te naîtra un garçon. »

Un Egyptien du Moyen Empire en est encore à penser que sa femme doit être une bonne mère et une « maîtresse de maison» accomplie. (C'est à cette époque que l'expression apparaît.) Passons sur les travaux qu'elle a à faire, ou à faire faire si elle est riche : ils seront à peu près les mêmes dans notre XIXe siècle. Elle allaite longtemps : « Trois ans durant son sein était dans ta bouche », dit le Sage Ani. Ce pourrait bien être une raison de la douceur des mœurs. Elle accouche accroupie sur le sol. Les traités médicaux donnent des procédés pour estimer la fécondité des femmes, prévoir le sexe des enfants *, confectionner des médicaments anti-

* Voici la plus connue de ces recettes : « Autre moyen de reconnaître si une femme enfantera ou si elle n'enfantera pas : (tu placeras) de l'orge et du blé (dans deux sacs de toile) que la femme arrosera de son urine chaque jour, pareillement des dattes et du sable dans deux autres sacs. Si (l'orge et le blé) germent tous deux, elle enfantera. Si c'est l'orge qui germe (la première), ce sera un garçon; si c'est le blé qui germe (le premier), ce sera une fille. S'ils ne germent (ni l'un ni l'autre), elle n'enfantera pas. »

conceptionnels, peu employés, semble-t-il : les Egyptiennes souffrent de nombreuses maladies des organes génitaux « qu'il est tentant d'attribuer à des unions précoces et à des grossesses répétées », dit G. Maspero. Cependant, une reine de la XIIIe dynastie a à son service une femme-scribe. Cette hirondelle annonce le printemps de l'émancipation féminine en Egypte.

Les reines ont un destin très particulier. Dès l'Ancien Empire, elles étaient habilitées à régner. Mais c'est dans les temps troublés de la Seconde Période Intermédiaire, quand le pays était occupé par les envahisseurs Hyksös venus d'Asie, qu'on les voit jouer un rôle politique. Le roi Amosis, qui acheva la libération du pays et fonda le Nouvel Empire, célèbre en ces termes sa mère Aahhotep : « Faites louanges à la Maîtresse du Pays... L'épouse royale... la fille de roi et mère de roi, la femme auguste... qui a réuni l'Egypte, a pris soin de son armée et l'a protégée. Elle a rassemblé ses fugitifs, réuni ses déserteurs ; elle a pacifié les gens du Sud et repoussé les rebelles. »

Une Egyptienne pouvait donc être aussi valeureuse qu'un homme. Mais il y fallait deux conditions rarement rassemblées sur une tête d'Egyptienne ordinaire : être de pur sang pharaonique, c'est-à-dire divin, et avoir reçu de l'instruction. Et ce n'était pas encore assez pour vaincre le goût du peuple d'être gouverné par un homme. Hatshepsout, fille, mère, sœur et épouse de Pharaon, et que son époux Thouthmosis avait eu le tact de laisser prématurément veuve, régna pendant vingt-deux ans. Cependant, elle ne se montrait qu'habillée en homme et portant la barbe de son emploi.

Néfertiti, autre fameuse Pharaonne, ne régna pas (sauf une brève régence) mais elle régna sur le cœur et l'esprit de son époux Akhenaton, Pharaon révolutionnaire et imberbe qui prétendit balayer le grand dieu Amon-Rê et ses milliers de dieux subalternes au bénéfice d'un seul, Aton, symbolisé dans le disque solaire, dieu de Beauté et de Joie qui fait « danser les moutons sur leurs jambes » et les femmes aussi. Moïse qui, cent cinquante ans plus tard, à Héliopolis, sera « instruit de toute la sagesse des Egyptiens », exportera ce dieu unique — dont Israël fera Dieu le Père tonnant. La révolution religieuse d'Akhenaton fut éphémère. Mais la Pharaonne qui portait la barbe et le Pharaon qui n'en portait pas laissaient présager quelques changements dans les relations entre les sexes.

Nouvel Empire : émancipation de la femme

Amon restauré est servi par des prêtres et des prêtresses. La reine, en tant que Divine Epouse, est la supérieure du clergé féminin, qui comporte surtout des « chanteuses » : elles personnifient Hathor, déesse de l'amour et de la musique. Ce sont des femmes ou des filles de fonctionnaires aisés. Elles sont rétribuées, elles ont des servantes personnelles et elles semblent jouir d'une certaine liberté : l'une d'elles divorce... à la demande de son amant. A la Basse Epoque, vers - 750, les richesses et la puissance du clergé d'Amon feront du Grand Prêtre un danger pour les Pharaons. Le chef de tous les personnels du Temple sera désormais une princesse, portant le titre de Divine Adoratrice.

Les conquêtes du Nouvel Empire, qui font affluer les richesses et les esclaves, puis le développement du commerce dans les villes du Delta, qui engendre une bourgeoisie, améliorent la situation juridique de la femme, du moins dans les classes aisées. Les biens hérités de ses parents, son mari les gérait ; et son fils aîné, ceux qu'elle héritait de son mari. Désormais, elle les gère elle-même. Parfois des contrats de mariage lui garantissent en contrepartie de sa dot soit une allocation annuelle, soit une pension alimentaire sa vie durant, ou encore une indemnité en cas de répudiation. Qu'elle ait besoin de se faire donner ces assurances n'est pas précisément le signe de l'égalité. Le fait est que si elle n'a rien hérité, si elle n'a pas de contrat de mariage, elle est dans la dépendance de son mari, car elle ne gagne toujours pas sa vie, à moins qu'elle ne soit servante, danseuse ou prêtresse. Dans ces conditions, elle pourra bien avoir le droit, à Basse Epoque, de divorcer, ce ne sera qu'un droit théorique si elle n'a pas un contrat qui stipule : « Le jour où je te répudierai ou (le jour) où tu voudras t'en aller de toi-même, je te donnerai... »

Est-elle enfin libre de choisir son mari ? Le Sage conseille toujours : « Donne ta fille comme femme à un homme bien. » Mais il arrive qu'une fille ait sa petite idée sur la question. Elle peut avoir recours à Hathor, déesse de l'Amour, ou aux charmes et aux philtres. Et comme on n'est jamais si bien servi que par soi-même, elle ne se prive pas de prendre des initiatives : « O mon bel ami, ta jolie sœur que ton cœur aime vient dans les vergers, ô frère que j'aime : car mon cœur poursuit ce que tu aimes et tout ce que tu fais... O mon bel ami, mon désir est de devenir ta femme et la maîtresse de tes biens. » On n'est pas plus franc.

Mariée, sa liberté d'allure est admirable quand le désir l'échauffe. Plus d'un conte nous le dit, comme le *Conte des deux frères,* où l'épouse du frère aîné fait des avances précises au cadet : « Il y a en toi une (grande) force et je vois ta vigueur chaque jour... » Elle l'enlace : « Viens passer une heure (ensemble), couchons-nous ; tu en tireras profit car je te ferai de beaux vêtements. » Il faut être un farouche Joseph devant la femme de Putiphar pour repousser une offre si intéressante.

Seulement, cette liberté, elle risque toujours de la payer de sa vie. Et, en effet, le frère aîné « tua sa femme et la jeta au chien ». S'il est d'un naturel plus doux, le mari se contentera de la répudier sans indemnité. Et s'il est un mari complaisant, ou qui pense que sa femme ne doit pas être soupçonnée, il la priera de prononcer le serment : « Je n'ai pas eu de rapports hors du mariage. Je n'ai eu de rapports avec personne autre depuis que j'ai été mariée avec toi. » Comme un parjure s'exposait à la vengeance divine, et que les Egyptiens étaient très religieux, la femme se trouvait innocentée sur parole. Peut-être, toutefois, poussera-t-elle un peu trop loin cet avantage : à très Basse Epoque, quand la femme jurera, ce sera au mari d'être puni : « Si elle prononce le serment, il n'aura rien contre elle et il devra lui donner quatre talents et cent dében d'argent. » Un mari trompé pouvait se trouver enclin à faire taire sa femme pour l'éternité, par souci d'économie. Ou plus simplement à suivre ce conseil qui date de la même époque : « Ne fais pas savoir que ta femme t'a ennuyé. Donne-lui une bonne raclée et laisse-la partir avec ce qui lui appartient. »

Fais un jour de fête...

L'idéal que professent les Egyptiens est très éloigné de ces tromperies et violences. Tenons-les pour des accidents de parcours. L'idéal, c'est l'amour dans le mariage, l'amour et la joie. Quel mari ne souhaiterait d'entendre sa femme lui chanter cette chanson :

> *Mon dieu, mon époux, je t'accompagne. Il est charmant de s'en aller vers le fleuve.*
> *Je me réjouis de ce que tu me demandes, de descendre dans l'eau pour me baigner devant toi.*
> *Je te laisse voir ma beauté, dans une tunique du lin le plus fin.*
> *Imprégnée d'essences balsamiques, trempée dans de l'huile parfumée.*
> ....
> *O toi, mon époux, ô bien-aimé, viens et regarde.*

Ecoutons leur duo dans les *Chants d'amour* : « Entendre ta voix, dit la femme, m'enivre. Te voir est meilleur pour moi que manger ou boire. » Le mari : « Quand je la tiens dans mes bras, il me semble que je suis sur une terre embaumée d'encens, que je porte des parfums. Lorsque je la baise, ses lèvres sont ouvertes et je me réjouis sans bière... Ah ! hâte-toi de préparer le lit, Serviteur... » L'homme et la femme n'ont-ils pas été créés pour « faire un jour heureux » ensemble ? Quand les jours déclinent, une femme prêtresse dit de son mari : « Nous désirons reposer ensemble, Dieu ne peut nous séparer. Aussi vrai que tu vis, je ne t'abandonnerai pas avant que toi tu ne sois lassé. Nous ne voulons qu'être assis chaque jour en paix sans qu'aucun mal ne survienne. Ensemble nous sommes allés au Pays d'Eternité pour que nos noms ne soient pas oubliés. Qu'il est beau le moment où l'on voit la lumière du soleil éternellement en seigneur de la Nécropole ! »

Enfin, il faut partir. Et un haut fonctionnaire, que sa femme a quitté depuis trois ans, n'a pas encore réussi à maîtriser son chagrin. Une si grande douleur l'inquiète ; il place dans la tombe de son épouse une figurine de bois représentant une servante au cou de laquelle est attachée sa plainte sur papyrus timbré. « A l'esprit excellent Ankhiri. Quel mal ai-je donc commis à ton égard pour que je sois tombé en l'état où je suis ?... Lorsque j'étais ton époux et jusqu'à aujourd'hui, qu'ai-je fait contre toi que j'aurais à cacher ?... Et vois, voici trois ans que j'ai passés déjà, habitant seul et n'entrant dans aucune maison » (c'est-à-dire : sans me remarier). Il a été un mari parfait : il trouve inadmissible d'être un veuf inconsolable, un veuf persécuté par le souvenir de sa femme. « Mais vois : si tu ne laisses pas mon cœur se réjouir, j'intenterai une action en justice contre toi, et l'on verra ce qui est juste et ce qui ne l'est pas. »

Pourtant, la foi se perd. Tous les Egyptiens ne croient plus que leur vie se prolonge au-delà du tombeau. Où sont les Pharaons des Grandes Pyramides ? « Les dieux qui ont été auparavant et qui reposaient dans leurs Pyramides dont on a construit des palais, leurs places ne sont plus. » (Eh ! oui ! des Pyramides — pas toutes, on le sait — ont servi de matériau de construction.) Les Sages dont on cite partout les maximes, où sont aujourd'hui leurs demeures ?... C'est comme s'ils n'avaient jamais existé... Alors... « Fais du jour une fête. Place devant ton visage l'encens et le parfum tout ensemble. Et sur ta poitrine mets des guirlandes de lotus et de fleurs. Tandis que ta femme, celle qui est dans ton cœur, est assise auprès de toi. Fais que l'on chante et que l'on récite devant ta face. Oublie tout mal et songe au bonheur. Jusqu'à ce que vienne le jour où tu aborderas au pays qui aime le silence. »

Quand les dieux sont morts, l'Egypte s'abandonne à la domination étrangère, perse, grecque, romaine, et la femme y perd beaucoup. On ne peut pas dire qu'elle était l'égale de l'homme puisque, si elle acquit dans le IIe millénaire l'égalité juridique, elle n'avait ni instruction, ni métier, ni fonctions administratives ou politiques (excepté quelques Pharaonnes, qui étaient tout à fait à part). La société égyptienne était de domination masculine. Mais, et ceci change tout, à dominante féminine. Je veux dire que les valeurs féminines donnaient le ton, le style de vie. Une femme parfaite était « celle qui ouvrait sa main à chacun, celle qui disait ce qui est bien et répétait ce que l'on aime, celle qui faisait ce qu'aime chacun, aux lèvres de qui rien de mal n'est venu ». En Egypte, ce portrait aurait pu être aussi celui d'un homme parfait.

L'Egyptienne connaissait quelque chose de mieux que l'égalité des sexes : leur fraternité. Cette fraternité, nous l'avons vue à Samoa, nous ne la reverrons guère que dans l'amour courtois du XIIe siècle, ou dans une certaine complicité au XVIIIe siècle. Demain, peut-être, par-delà les machines, saurons-nous réinventer l'art des vahinés des Pyramides de « faire un jour de fête[14] » ?

CHAPITRE IV

DE BABYLONE A JÉRUSALEM : LA FEMME SOUMISE AU PÈRE ÉTERNEL

La civilisation égyptienne naquit du limon du Nil, l'indienne, du limon de l'Indus, la chinoise, d'une longue conquête des marécages du Fleuve Jaune. Mais avant le Nil, bien avant le Fleuve Jaune, sinon avant l'Indus, une autre vallée fertile s'était offerte aux hommes lorsqu'une longue langue de terre avait émergé des eaux entre le Tigre et l'Euphrate. Dans le « jardin de Mésopotamie », où les Orientaux situeront leur nostalgie de paradis terrestre, des nomades avaient pris racine, parmi lesquels des Sémites dont les rejets seraient quelques cités peu ordinaires, Babylone, Jérusalem, Tyr, Sidon, Byblos, La Mecque... et qui allaient apprendre aux femmes ce que c'est qu'un patriarche.

Quand ils n'avaient pas encore échappé à la loi commune de l'animal vertical, les hommes de ce peuple tremblaient très convenablement devant la Déesse-Mère. Elle avait, bien sûr, cent noms et cent visages. Peu importe, elle était la seule source de tout : « C'est toi, le sein maternel qui a formé l'humanité ! » (Celle-ci s'appelait Mami, un nom pour nous très approprié.) Mais, l'esprit phallique venant à un Sémite plus vite qu'à un indigène des îles Trobriand, il fallait bien que la question fût posée : et le mâle, alors ? Il fut établi qu'un dieu mâle, Marduk, avait fécondé la déesse — ici nommée Aruru — pour former la semence de l'humanité. Poussant ses avantages, Marduk apparut tel que des hommes au pénis déjà spirituel le voulaient : le principe d'énergie virile qui avait ordonné la pagaille naturelle. La déesse primordiale — dans cette mythologie, elle se nomme Tiamat, et c'était un monstre horrible, dont le haut du corps était viril et le bas femelle — Tiamat régnait méchamment sur le Chaos, et l'humanité n'en serait jamais sortie si Marduk n'avait tué l'Ogresse et créé la Loi pour le plus grand bien des hommes — et pour l'asservissement de la femme *.

Cependant, les théologiens avaient beau dire, la déesse n'était pas morte. La sensualité populaire syncrétisait les cent formes de la déesse en une seule, Ishtar, fontaine de toutes les joies et de tous les malheurs. De même qu'Isis sauvait du royaume des morts son frère et époux Osiris, Ishtar sauvait Tammuz, et leurs noces printanières fécondaient la terre — noces que le roi et une prostituée sacrée célébraient effectivement devant le peuple, qui collaborait de bon cœur à la résurrection de la nature en une hiérogamie, orgie collective dont des Chinois auraient très bien compris la portée cosmique.

Mais la bonne déesse, « elle dont la splendeur monte dans les cieux au coucher du soleil, la pure flamme qui emplit les cieux, elle qui se tient dans les cieux comme la Nouvelle Lune, notre Reine (dont) le bétail, les chèvres sauvages, les ânes, les créatures des plaines, les puits des vergers, les poissons de la mer, les oiseaux du ciel » attendent d'être revivifiés par les eaux de son plaisir, est aussi une effroyable garce. Gilgamesh, héros non moins légendaire en Orient qu'Ulysse chez les Grecs, n'a pas peur de lui dire son fait. Il était si beau qu'Ishtar en était tombée amoureuse. « Gilgamesh, lui dit-elle, viens, sois mon amant. Je te donnerai un char d'or incrusté de pierreries et les mules qui le tireront seront aussi rapides que le vent. Tu entreras dans notre demeure au milieu du parfum des cèdres... Tes brebis don-

* J'ai raconté cette Genèse ainsi que les amours d'Ishtar et de Tammuz dans *Pecus*, Paris, 1970.

neront naissance à des agneaux jumeaux. » — « O déesse, répondit Gilgamesh, tu parles de me combler de richesses et tu demanderais bien plus encore en retour ; il te faudrait de la nourriture et des vêtements dignes de la fille des dieux ; ta demeure devrait être celle d'une reine et tes robes seraient de la plus fine étoffe. Et pourquoi devrais-je te donner tout cela ? Tu ne vaux pas mieux qu'une porte disjointe qui laisse passer l'air, pas mieux qu'un palais qui menace ruine, qu'un turban qui ne couvre pas la tête, que la poix qui salit les mains, qu'un flacon qui fuit, qu'une sandale qui comprime le pied. As-tu jamais gardé ta foi à ton amant ? As-tu jamais été fidèle à ton serment ? Lorsque tu n'étais qu'une jeune fille, Tammuz t'aimait, et qu'est-il donc advenu de lui ? Chaque année les hommes se lamentent à son sujet. Celui qui vient à toi se rengorgeant, fier comme un paon, finit les ailes brisées ! Celui qui vient à toi comme un lion, orgueilleux de sa force sans égale, tu le fais tomber sept fois dans des pièges ! Celui qui vient à toi avec la noblesse d'un coursier dans la bataille, tu le mènes pendant des lieues avec la cravache et l'éperon, et ensuite tu lui donnes de l'eau bourbeuse pour le désaltérer ! »

Malheur aux Joseph ou aux Hippolyte qui repoussent les avances de Putiphar ou de Phèdre en chaleur ! Ishtar envoya sur la terre le Taureau du Ciel qui tuait trois cents hommes chaque fois que ses naseaux soufflaient, et asséchait les rivières quand il y buvait. Heureusement, Gilgamesh avait un camarade non moins valeureux que lui, Enkidu, qui tua le taureau.

L'éducation sentimentale

Tout est dans tout, et surtout dans la femme. Enkidu, justement, en cette même *Epopée de Gilgamesh*, illustre ce que l'homme doit à la femme. Originairement, il était une brute farouche, velue, les cheveux longs comme ceux d'une femme, qui vivait avec les animaux sauvages. Une belle fille fut envoyée l'attendre, nue, près de la rivière où les animaux venaient se désaltérer. Quand il la voit, il en a le souffle coupé — littéralement : elle lui « prend son souffle ». Et ils font l'amour pendant « sept jours et sept nuits d'affilée ». Après quoi, un peu las, Gilgamesh veut rejoindre son troupeau. Et voici que :

Les gazelles s'échappent devant lui,
Les animaux sauvages le refuient,
Lui-même a beau s'élancer pour les rejoindre : il ne peut plus courir comme avant...
Par contre il a mûri, il est devenu intelligent.

« Le plus vigoureux homme du monde » revient, les jambes lourdes, s'asseoir aux pieds de la jeune fille, tel Hercule aux pieds d'Omphale. Mais le héros vaincu par l'amour est aussi la brute qui apprend de la femme à manger et à boire, à se laver et à se vêtir selon le bon usage : « Le voilà devenu un homme véritable. »

En Mésopotamie, la vie quotidienne se conformait à la mythologie. Les hommes tenaient en grande estime l'amour physique, et appréciaient sa fonction éducative, qui était assurée par un vaste corps enseignant de prostituées. La jeune fille d'Enkidu en était. On songe aux geishas apprivoisant l'âme sauvage des samouraïs. Mais il en faut pour tous les goûts. A Babylone, comme dans chaque cité de Mésopotamie, les unes attendaient les clients dans les « maisons » des temples d'Ishtar, et les autres, on les trouvait dans des cabarets. Celles-ci avaient tout l'air de prostituées laïques ; c'est une vue trop moderne : mieux vaut dire que les unes appartenaient au clergé régulier, les autres au clergé séculier. Elles se recrutaient dans les familles aisées, qui vouaient leurs filles à cet état, soit qu'elles eussent la vocation, soit qu'elles ne l'eussent pas — d'autres parents ne mettront-ils pas leurs filles au couvent sans leur consentement ?

On voudrait bien savoir ce que les Babyloniens apprenaient à l'école des femmes. Les textes manquent de précisions, mais l'ardeur y est. Quand la « courtisane des dieux » s'ébat avec son amant, qu'elle appelle « homme-miel », cela donne :

Lorsque j'ai rencontré le chéri de mes yeux,
Lorsque mon chéri est venu me rejoindre,
Pour prendre son plaisir avec moi, pour s'ébattre
[avec moi,
Alors mon ami m'a emmenée chez lui,
Il m'a couchée sur son lit de douceur,
Il est venu s'étendre près de moi,
N'a plus fait avec moi qu'un seul corps et une seule
[bouche,
Et m'a aimée cinquante fois.

C'était une bonne école.

Les exigences de la virilité

Mais, avec l'épouse légitime, rien ne va plus. Je n'irai pas jusqu'à affirmer que l'amour conjugal n'avait pas cours à Babylone : toute société a ses originaux. Le certain est que la divine liberté des courtisanes n'avait d'égale que la rigueur du foyer. Un père mariait sa fille alors qu'elle n'était encore qu'une enfant. Le fiancé avait le droit de venir la visiter, mais lui seul pouvait l'approcher. Vers l'âge de dix ou douze ans, on la transférait dans sa belle-famille. S'il arrivait qu'elle fût rétive, cela ne pouvait pas durer : « Une fillette qui ne veut pas venir dans les bras de son mari, cela ne dure guère. » Son mari était son propriétaire : s'il contractait des dettes qu'il ne pouvait payer, la loi autorisait son créancier à saisir sa femme « en gage ». Si elle tombait malade, ou devenait impropre à la vie conjugale, son mari pouvait épouser une autre femme ; toutefois, il devait « la garder en son foyer et l'y entretenir toute sa vie durant ». L'économie était pour elle un devoir essentiel : « Une femme dépensière dans un foyer est pire que tous les démons morbifiques. » Le code de Hammurabi ne badinait pas sur ce chapitre : « Si elle n'a pas été une maîtresse de maison soigneuse, si elle a flâné, négligé son ménage, on jettera la femme dans l'eau. » Mais la Loi n'est que la loi et un fabliau nous montre une femme avide dont le mari

« entasse des richesses pour elle », dont le fils « amoncelle des provisions pour elle » et qui soupire, jamais contente : « Si seulement mon amant voulait bien enlever pour moi les arêtes du poisson (que je mange) ! » Sa fidélité va de soi, mais encore mieux en le disant : « Si l'épouse d'un homme a été surprise en train de dormir avec un autre, on les attachera ensemble pour les jeter à l'eau. » On jette énormément à l'eau, à Babylone. Mais ce n'est pas forcément pour tuer : ce peut être par dévotion. « Si le doigt a été dirigé vers la femme d'un homme à cause d'un autre homme, et qu'elle n'ait pas été surprise couchée avec un autre homme, elle devra, par égard pour son mari, se jeter dans le fleuve. » Si elle flotte, c'est que les dieux lui ont pardonné. Enfin, « si une femme se fait avorter elle-même, une fois convaincue et la preuve apportée contre elle, on l'empalera avec défense de l'ensevelir ». Et si elle est morte de son avortement, on empalera son cadavre.

Car le Babylonien qui attend de la femme qu'elle fasse de lui un homme attend de son épouse qu'elle lui fasse des fils. Nous savons que la première victoire de l'agriculteur sur l'antique génitrice et son constant souci avaient été d'être le père de ses enfants. A Babylone, il en rajoute : les enfants n'appartiennent pas à la mère, ils « suivent le père ». Les Chinois sont allés aussi loin. On se souvient de la forte parole du petit-fils de Confucius.

Ainsi le pauvre homme vivait dans la contradiction, tiraillé entre le culte ancestral de la femme et ses exigences paternelles, entre le temps du chasseur et le temps de l'agriculteur. Fallait-il encore que l'expansion de la Mésopotamie y ajoutât les troubles d'une civilisation mercantile ?

La Mésopotamie n'avait ni bois, ni pierres, ni minerais, mais elle avait des vivres en abondance, elle était riche, et elle avait des moyens de transport par les fleuves et par la mer. Elle pouvait donc développer des échanges commerciaux. D'où la prolifération des villes, et la création d'une classe bourgeoise. Le même mouvement qui devait, plus tardivement, affranchir la femme dans le Delta égyptien, donna à la Mésopotamienne, surtout en Babylonie, des droits civils et commerciaux. Elle put intenter une action ou témoigner en justice, posséder et administrer ses biens propres, meubles et immeubles, les aliéner, les léguer, les investir dans des entreprises commerciales. Son activité première devait toujours être d'assurer les travaux domestiques. Mais les petits métiers lui étaient ouverts — tisserande, fileuse, « fabricante de bière », « distributrice d'eau », cabaretière, sage-femme, etc., sans oublier les vieux métiers d'agrément — chanteuse, danseuse et, bien sûr, prostituée plus ou moins sacrée. Il est plus étonnant de voir, dès le IIIe millénaire, des femmes scribes, et que, au IIe millénaire, les « femmes d'affaires » fussent assez nombreuses pour que le code de Hammurabi réglementât leur profession.

Le bourgeois de la Belle Epoque, sourcilleux sur la vertu de son épouse et flambeur avec les dames de chez Maxim's, un peu d'hypocrisie lui suffisait pour résoudre la contradiction. Il n'aurait pas eu l'idée d'y ajouter les tracas d'une épouse soumise au foyer et libre dans ses entreprises. Israël va y mettre bon ordre.

Le Père Tout-Puissant

Les Hébreux de Moïse apportaient dans leurs bagages la considération du nomade pour la femme et une teinture de libéralisme égyptien. Ils n'en étaient pas moins des Sémites, c'est-à-dire des spiritualistes, c'est-à-dire des antiféministes *. (Il semble bien que la première réaction patriarcale en Mésopotamie n'avait pas été due seulement au développement de l'agriculture mais aussi à l'effacement des premiers occupants sumériens sous les Sémites.) Ils arrivaient dans un pays déjà occupé depuis un millénaire par d'autres Sémites, les Cananéens, qui avaient eu tout le

* On notera que la race d'Abraham, archétype du Père, promoteur du Tout-Puissant sur la terre comme au ciel et d'où est également issu le puissant Mahomet, porte un chromosome Y plus gros que l'ordinaire (selon une observation de l'Institut de Progenèse de l'université de Paris).

temps d'être influencés par la brillante civilisation mésopotamienne mais qui n'en avaient guère assimilé que la répression virile. Car la « Terre promise » était pauvre et sèche. Ici, point d'excédents alimentaires ni d'échanges commerciaux. Pas de villes ni de bourgeois : des paysans dans des bourgades isolées par le relief accidenté. Un pays fermé. Le génie des Hébreux trouva une issue dans le ciel.

Voyons d'abord le terre à terre. Il était donc exclu qu'une épouse de petit propriétaire eût la moindre indépendance économique. Pour le reste, les Hébreux conservèrent la répression mésopotamienne, en l'aggravant.

Le père choisit le mari de sa fille et l'épouse de son fils. Abraham choisit Rébecca pour Isaac, et le consentement de Rébecca ne sera demandé ensuite que parce que, ayant perdu son père, elle n'est plus que sous l'autorité de son frère. Isaac fait épouser à Jacob une de ses cousines. Saül décide pour ses filles. Le mariage de Tobie est conclu avec le père de Sarah, en l'absence de la fille. Un garçon peut manifester sa préférence : Samson demande à ses parents la Philistine dont il est amoureux ; mais ce mariage n'est pas une réussite. Dalila ne lui réussira pas mieux. Si Samson avait écouté ses parents, tout ça ne serait pas arrivé.

Le fiancé fait un présent, le *mohar*, à sa fiancée et à sa famille. Il arrive qu'il paye en nature : Jacob, tel un Dobuan contraint de cultiver le potager de sa fiancée, reste deux fois sept ans au service de son futur beau-père pour « payer » Rachel. Du jour où il l'épouse, il en devient le propriétaire : on ne dit pas « épouse », on dit « propriété d'un homme ». Elle l'appelle « maître » comme il se doit d'un esclave, ou « seigneur » comme d'un sujet à son roi. Il peut la répudier s'il lui trouve « une tare », dit le *Deutéronome*. Toutefois, il n'a pas le droit de la vendre (mais il peut vendre sa fille). Elle ne peut pas divorcer, ni hériter, sinon à défaut d'enfants mâles. Elle est une perpétuelle mineure. Mais elle est tout de même le premier des biens que le *Décalogue* interdit de dérober à un homme : « sa femme, son serviteur, sa servante, son bœuf et son âne ».

Adultère, elle sera lapidée et son complice également. Mais à un mari qui fréquente les prostituées, les *Proverbes* ne reprochent que de dissiper son bien et sa vigueur. Stérile, elle sera maudite. Toutefois, on sait par l'histoire de Sarah donnant Agar à Abraham qu'une épouse peut procurer à son époux une servante féconde. C'est l'essentiel : imagine-t-on un patriarche sans fils ? C'est tellement essentiel qu'il peut en avoir même quand il est mort. La loi du « lévirat » stipule que s'il meurt sans avoir engendré, un de ses frères, s'ils vivaient sous le même toit, épousera sa veuve et le premier-né sera réputé son fils. Ainsi son « nom » et sa « maison » pourront se perpétuer, et l'héritage du lopin de terre sera assuré. Sinon, la terre irait au frère. Il semble donc qu'il fallait à celui-ci une certaine abnégation pour remplir un devoir conjugal qui le frustrait *. Onan s'y refusa comme on sait **. Mais Iahveh jugea que c'était un crime et le fit mourir. Alors la veuve Tamar demanda à son beau-père, Juda, de lui donner son troisième fils pour époux. Juda s'y refusa. Qui donc, enfin, lui ferait un enfant dans cette famille ? Elle décida que ce serait son beau-père lui-même. Elle se présenta à lui sous le voile d'une prostituée et Juda s'unit à elle. De ce coup d'éclat naquirent des jumeaux.

Cela dit, la veuve ennoblie par la maternité, ou chargée de famille, devait se trouver dans une triste situation. Le *Deutéronome* la recommande à la charité publique, ordonnant notamment de ne pas prendre en gage son vêtement, de lui laisser grappiller les olives qui restent sur l'olivier après qu'il a été gaulé, les raisins dans la vigne après les vendanges [15].

La parfaite ménagère

On lui devait bien ça en considération des travaux et des

* En Grèce, le frère d'un homme décédé en laissant une fille mais pas d'enfant mâle pour hériter du « cléros » aura le devoir d'épouser sa nièce; et une loi de Solon le contraindra à copuler au moins trois fois par mois.

** Ou comme on ne sait pas. Car Onan ne pratiquait pas l'onanisme mais le *coïtus interruptus*. La *Genèse* dit : « Chaque fois qu'il s'unissait à la femme de son frère, il laissait perdre à terre. »

peines qu'épouse elle n'avait pas ménagés — si l'on en croit l' « Eloge de la femme parfaite » que chante le *Livre des Proverbes* :

Elle s'occupe de laine et de lin
et besogne d'une main allègre.
Elle est telle qu'un vaisseau marchand
qui de loin amène ses vivres.
Elle se lève qu'il fait encore nuit,
distribuant à sa maisonnée la pitance,
et des ordres à ses servantes.
Elle rêve d'un champ qu'elle acquiert,
du produit de ses mains elle plante une vigne.
Elle ceint vigoureusement ses reins
et déploie la force de ses bras.
Elle sait l'utilité de son labeur,
de la nuit, sa lampe ne s'éteint...
Ses fils se lèvent pour la proclamer bienheureuse,
son mari, pour faire son éloge :
« Nombre de femmes ont accompli des exploits,
mais toi tu les surpasses toutes ! »
La grâce est trompeuse, vaine la beauté !
la femme sage, voilà celle qu'il faut vanter !
Accordez-lui une part du produit de ses mains,
et qu'aux portes ses œuvres disent sa louange !

On ne saurait mieux dire que le produit du travail de la femme dans la maison ne lui appartient pas : il va de droit au maître, à qui elle appartient. Mais elle est si parfaite : « Accordez-lui une part du produit de ses mains. » (A propos : la femme au foyer d'aujourd'hui, quelle part reçoit-elle ?) D'ailleurs, un mari pourrait-il sans déchoir admettre que le travail de son épouse lui assure une rente ? Elle aura beau se tuer à la tâche, c'est lui qui l'entretient. Souvenons-nous : le prestige du Bouvreuil exige qu'il donne la becquée à sa femelle. *L'Ecclésiastique* proclame : « C'est un objet de colère, de reproche et de honte qu'une femme qui entretient son mari. »

Le sexe abominable

Le risque ne doit pas être grand, si l'on en croit le même « Eloge » qui pose la question : « Une femme parfaite, qui la trouvera ? » Inutile de chercher. « Je trouve, dit l'*Ecclésiaste*, plus amer que la mort : la femme, car elle est un piège, et son cœur un filet ; et ses bras, des chaînes : qui plaît à Dieu lui échappe, mais le pécheur y est pris. »

Et pourtant, ne lit-on pas aussi dans la Bible cet émouvant duo d'amour qu'est le *Cantique des Cantiques* ?

ELLE :

Soutenez-moi avec des gâteaux de raisin,
ranimez-moi avec des pommes,
car je suis malade d'amour.

LUI :

Tu me fais perdre le sens,
ma sœur, ma fiancée,
tu me fais perdre le sens !...
Elle est un jardin bien clos,
ma sœur, ma fiancée,
un jardin bien clos, une source scellée.

ELLE :

Que mon Bien-aimé entre dans son jardin,
et qu'il en goûte les fruits délicieux !...

LUI :

Pose-moi comme un sceau sur ton cœur,
comme un sceau sur ton bras.
Car l'amour est fort comme la Mort,
la jalousie inflexible comme le Shéol.
Ses traits sont des traits de feu,
une flamme de Iahveh.
Les grandes eaux ne pourront éteindre l'amour,
ni les fleuves le submerger.

Salomon, s'il était l'auteur de ce Cantique, savait de quoi il parlait puisque cet amant admirable avait, dit-on, mille femmes dans son harem. Chantait-il la même chanson à chacune ? On ne prête qu'aux riches, Salomon n'a pas écrit le Cantique, et les Prophètes n'y ont voulu voir que l'allégorie du mariage d'amour de Iahveh avec Israël...

Seulement, en s'attribuant la gloire de l'épouse céleste, le peuple élu se vouait aussi à l'iniquité fondamentale de la femme. Osée, Isaïe, Jérémie ne mâchent pas leurs mots : Israël infidèle à Iahveh n'est qu'une épouse débauchée. Le corollaire s'impose pour le confort des maris : une femme infidèle, c'est Iahveh qu'elle trahit.

Les Prophètes avaient raison : le Cantique ne pouvait pas chanter l'amour terrestre. L'*Ecclésiastique* se récrie d'épouvante :

Toute blessure sauf une blessure du cœur !
toute méchanceté sauf une méchanceté de femme !...
Ne te laisse pas prendre à la beauté d'une femme,
ne t'éprends jamais d'une femme.

Et pourtant il faut se marier. Alors :

Si elle n'obéit pas au doigt et à l'œil,
sépare-toi d'elle.

L'homme est pur, la femme est lubrique :

Comme un voyageur altéré elle ouvre la bouche,
elle boit de toutes les eaux qu'elle rencontre,
elle va au-devant de toute fornication
et offre son corps à l'impureté.

Pis encore : des femmes (et des hommes) s'entêtent à adorer la Déesse-Mère. Aux remontrances de Jérémie, elles osent répliquer : « Nous continuerons à faire tout ce que nous avons promis : offrir de l'encens à la Reine du Ciel et lui verser des libations. » Josias trouve des prostituées sacrées dans le temple de Jérusalem, et le culte du Veau d'Or se célèbre en des orgies. Le Veau d'Or est toujours debout, et la Déesse est toujours couchée. Comment en irait-il autrement ?

LA FEMME SOUMISE AU PÈRE ÉTERNEL

C'est par la femme que le péché a commencé
et c'est à cause d'elle que tous nous mourons,

dit l'*Ecclésiastique.* Elle, Eve, que Iahveh eut la bonté (ou l'inconséquence ?) de façonner avec une côte de l'homme * et qui introduisit dans le Paradis le trouble de la concupiscence, Eve maudite qui fut justement condamnée à la douleur et à la servitude par la sentence de Iahveh :

Je multiplierai les peines de tes grossesses,
dans la peine tu enfanteras des fils.
Ta convoitise te poussera vers ton homme
et lui dominera sur toi.

---

* La traduction récente d'un ancien conte sumérien par Kramer apporte un curieux éclairage à cette histoire de côte. Le mot « ti », en sumérien, a deux sens : « côte » et « donner la vie ».

On lit :

Mon frère, qu'est-ce qui te fait mal?
Ma côte me fait mal.
J'ai fait naître pour toi la déesse Ninti.

Dans la version hébraïque du mythe, le mot « Ninti » fut traduit par « la femme de la côte » au lieu de « la femme qui donne la vie ». C'est ainsi que l'homme serait devenu l'être premier d'où serait sorti la femme : par un jeu de mots tendancieusement traduit.

Si l'on veut un autre aperçu de la misogynie juive s'appuyant sur l'esprit de Dieu, que saint Paul transmettra au christianisme, voici cette exégèse du Talmud :

> « Lorsque Dieu voulut créer la femme en empruntant quelque chose au corps de l'homme, Il dit : je ne la ferai point avec la tête pour qu'elle ne soit point orgueilleuse ; je ne la ferai point avec l'œil pour qu'elle ne soit point curieuse ; ni avec l'oreille pour qu'elle ne soit point écouteuse ; ni avec la bouche pour qu'elle ne soit point causeuse ; ni avec le cœur pour qu'elle ne soit point envieuse ; ni avec la main pour qu'elle ne soit point toucheuse ; ni avec la jambe pour qu'elle ne soit point coureuse; mais je la ferai avec une partie discrète du corps de l'homme, une partie qu'on ne voit point, même quand l'homme est nu. Et à chaque membre qu'il faisait Dieu disait : « Sois chaste, sois chaste! » Mais, en dépit de toutes les précautions qu'Il avait prises, la femme possède justement tous les défauts qu'Il avait voulu éviter. Les filles de Sion étaient hautaines et marchaient avec arrogance, jetant autour d'elles des regards lascifs ; Sarah montra son indiscrétion en écoutant dans sa propre tente les propos que l'ange adressait à Abraham ; Myrlam fut une faiseuse d'his-

toires et l'on connaît les accusations qu'elle porta contre Moïse ; Rachel jalousa sa propre sœur, Léa ; Eve, en dépit de l'interdiction divine, cueillit le fruit défendu, et Dina fut une coureuse...

« On dit que lorsque Adam s'éveilla du profond sommeil dans lequel on l'avait plongé il aperçut Eve, resplendissante de grâce et de beauté. Il s'exclama alors : « Voilà donc celle qui m'a fait battre le cœur pendant trop de nuits. » Et pourtant il comprit immédiatement la véritable nature de cette belle créature. Il sut très vite qu'elle n'hésiterait devant aucun moyen pour parvenir à ses fins, supplications, larmes, flatteries ou caresses. Il soupira donc : « Je possède une cloche qui jamais ne se tait ! »

CHAPITRE V

VIERGE ET MÈRE : LA CHRÉTIENNE

L'homme et la femme sont égaux dans le Christ : voilà une déclaration des droits de la femme qui va tout changer, voilà la révolution inouïe qui va libérer la femme ! Et rien ne change, sinon que ses chaînes seront encore plus pesantes.

Israël avait fondé la domination masculine sur la justice du Père Eternel. Le christianisme l'aggrave par l'horreur de la chair qui attente à la pureté du Fils et du Saint-Esprit.

« En toutes les bêtes sauvages il ne s'en trouve pas de plus nuisante que la femme », s'écrie saint Jean Chrysostome. Est-ce donc là ce qu'avait dit Jésus ? N'avait-il pas refusé que la femme adultère fût lapidée, n'avait-il pas ouvert les bras à la prostituée Marie-Madeleine, pour le scandale des Juifs ? Et surtout, il avait écarté le grand argument de la côte d'Adam : « N'avez-vous pas lu que le Créateur dès l'origine *les fit homme et femme*, et qu'il a dit : ainsi donc l'homme quittera son père et sa mère pour s'attacher à sa femme, et les deux ne feront qu'une seule chair [16] ? » Tel est bien, en effet, le premier récit de la Genèse : « Homme et femme il les créa. » La côtelette réactionnaire n'apparaît que dans la seconde version. Contresens fondamental — dont le succès nous fournit le plus bel exemple de l'impérialisme masculin. Les Juifs ne voulaient rien savoir de la première Genèse. Jésus la leur rappelle. En vain. Ses disciples, eux non plus, ne veulent pas l'entendre. Et saint Paul balaie la parole du Christ : « Ce n'est pas l'homme qui a été tiré de la femme, mais la femme de l'homme : et ce n'est pas l'homme, bien sûr, qui a été créé pour la femme mais la femme pour l'homme [17]. » Voilà la femme remise à sa place subalterne.

Subalterne, et abjecte. Mais ce fameux péché de la chair dont la femme est accablée, qu'en dit la Genèse ? Il vaut la peine d'y regarder de près, puisque tout est fondé là-dessus.

Dans la parole de Jésus que je viens de citer, lorsqu'il ajoute : « Ainsi donc... les deux ne feront qu'une seule chair », il se réfère à la seconde version. Il faut lire la suite : « Or, tous deux étaient nus, l'homme et *sa* femme, et ils n'avaient pas honte l'un devant l'autre » (je souligne au passage l'adjectif possessif). Comme Iahveh leur avait ordonné, dans le premier récit : « Soyez féconds, multipliez », et qu'ils n'avaient point engendré, de deux choses l'une : ou bien ils étaient chastes et déjà désobéissants, ou bien ils faisaient l'amour innocemment — et l'on en déduira qu'ils n'attendirent pas neuf mois pour croquer la pomme.

Dès qu'ils eurent mangé le fruit de la connaissance, « ils connurent qu'ils étaient nus ; ils cousirent des feuilles de figuier et se firent des pagnes ». Ils avaient honte. De quoi ? Pourquoi ? L'édition de la Bible de Jérusalem donne cette explication : « Le règne de la concupiscence, première manifestation du désordre que le péché introduit dans l'harmonie de la création. » Puis-je demander respectueusement au révérend exégète comment Adam et Eve pouvaient, sans désir charnel, obéir à l'ordre divin de « multiplier » ? Et comment ce désir peut être un « désordre », puisqu'il est l'ordre de Dieu ? Le texte est parfaitement clair : la honte suit immédiatement la connaissance. Mais ce qui n'est pas clair du tout, c'est ceci : pourquoi l'homme et la femme étaient-ils innocents quand ils faisaient l'amour sans le savoir, comme les animaux, et pourquoi sont-ils coupables quand ils savent ce qu'ils font ? Je ne vois qu'une réponse : l'esprit de l'homme, sitôt né, se rebelle contre la loi de la nature — qui est, il ne faudrait tout de même pas l'oublier, la loi de Dieu. Péché d'orgueil, certes oui. Orgueil qui souffle à Adam de connaître le secret de Dieu, orgueil qui refuse la loi de Dieu, c'est tout un. Mais ce n'est pas le péché d'Eve, c'est le péché d'Adam, le péché de l'esprit du pénis dont nous avons vu croître les prétentions au long de l'évolution des espèces, et soudainement illuminé, mais de quelle horrifiante lumière ! Le secret, c'était donc ça, l'antre ténébreux de la femme d'où l'homme ne sort que pour retourner s'y perdre dans un magma glaireux ! Tout à l'heure il était en révolte contre le Père ; le voilà révolté par la Mère. L'humiliation accompagne l'orgueil. Ils avaient honte ? Je ne crois pas que notre mère Eve eût grande honte. Je crois que toute la honte fut pour Adam et qu'il ne s'en est jamais remis. Parce que sa connaissance était imparfaite, parce qu'il ne voyait pas plus loin que le bout de son pénis, il ne pouvait pas adhérer à l'opinion de Dieu que « tout ce qu'il avait fait était très bon ». Adam était un arrogant jeune homme qui croyait avoir tout compris alors qu'il n'avait compris que la moitié des choses. C'était suffisant pour construire des philosophies et des politiques sur lesquelles fonder en raison la domination du pénis. Péché de la chair ? Non : péché contre la chair. La pomme qu'Eve fit manger à Adam n'était pas mûre.

Jésus, en tant que Fils de Dieu, ne pouvait pas condamner la chair, et il ne l'a pas fait. Il l'a même promise à la résurrection dans l'éternité — sans promettre toutefois qu'elle y connaîtrait la volupté des *houris* dans le paradis d'Allah.

Mais dans ce même passage de Matthieu, aussitôt après avoir dit que l'homme et la femme ne feront qu'une seule chair, Jésus ajoute : « Il y a des eunuques qui le sont devenus par l'action des hommes et il y a des eunuques qui se sont eux-mêmes rendus tels en vue du Royaume des Cieux. »

L'union de la chair, et puis les eunuques... C'est contradictoire. « Comprenne qui pourra ! » conclut Jésus. Mais n'a-t-il pas dit aussi qu'il y avait plus d'une voie vers le Père ? Jésus ne prêche la continence qu'à ceux qui veulent vivre sur cette terre la vie du royaume des Cieux. On admettra que les eunuques ne sont tout de même qu'une très petite « élite ».

L'occasion était trop belle de sanctifier la vieille peur de la femme ! Des Pères de l'Eglise, comprenant comme ils pouvaient, prétendirent vouer tous les hommes à l'état d'eunuque. Dans cette perspective, on admirera la modération de saint Paul : « Il est bon pour l'homme de s'abstenir de la femme. Toutefois, en raison du péril d'impudicité, que chaque homme ait sa femme, et chaque femme son mari. » Plus loin : « Je dis toutefois aux célibataires et aux veuves qu'il leur est bon de demeurer comme moi. Mais s'ils ne peuvent se contenir, qu'ils se marient : mieux vaut se marier que brûler [18]. » En somme, il est permis de se marier comme de prendre une purge.

Quand saint Paul ordonne la soumission de la femme — « comme l'Eglise est soumise au Christ, ainsi soient soumises en toutes choses les femmes à leurs maris » — il ne fait que tranporter dans la perspective chrétienne la relation d'Israël-Femme à Iahveh-Homme. Mais condamner l'acte de la nature, c'est condamner la femme. Et saint Paul a prononcé la sentence : « Le désir de la chair, c'est la mort, tandis que le désir de l'esprit, c'est la vie et la paix, puisque le désir de la chair est ennemi de Dieu. Il ne se soumet pas à la loi de Dieu, il ne le peut même pas, et ceux qui sont dans la chair ne peuvent plaire à Dieu [19]. »

Les autres, après lui, sonnent l'hallali de la plus nuisante des bêtes sauvages. Saint Augustin : « La concupiscence est un vice... la chair humaine qui naît par elle est une chair de péché. » Tertullien : « Femme, tu es la porte du diable. Tu as persuadé celui que le diable n'osait attaquer en face. C'est à cause de toi que le Fils de Dieu a dû mourir ; tu devrais toujours aller vêtue de deuil et de haillons. » Ce n'est pas ma faute, c'est elle qui m'a donné la pomme, dit Adam, la bouche pleine, pleine d'invectives. Clément d'Alexandrie : « Toutes les femmes devraient mourir de honte à la pensée d'être des femmes. » Saint Ambroise : « Les gens mariés devraient rougir de honte de l'état dans lequel ils vivent parce qu'un tel état équivaut à la prostitution des enfants du Christ. » Des ascètes donnent l'exemple du parfait mariage chrétien : ils mettent des vierges dans leur lit et passent avec elles des nuits d'abstinence qui valent un martyre. Saint

Jérôme maudit la maternité, « cette tuméfaction de l'utérus » et ordonne : « Mettons la main à la cognée et coupons aux racines l'arbre stérile du mariage ! » La maternité est stérile, la stérilité est féconde, et Tertullien se croit dans le droit fil de Jésus quand il prétend imposer la chasteté à toute l'humanité, dût-elle en périr : « Le Royaume des Cieux est grand ouvert aux eunuques. » Origène, en bonne logique, se fit castrer. Erreur : ces esprits entiers voulaient des hommes entiers. Origène fut excommunié pour avoir attenté à l'œuvre de Dieu...

La Déesse-Mère aseptisée

Et pourtant, les hommes engendraient toujours, Dieu sait par quel entêtement opiniâtre. Le fanatisme était une bonne chose mais, pour conduire les hommes au paradis, saint Paul avait montré que l'art de la composition n'était pas mauvais. Après tout, Jésus avait aussi parlé de l'homme et de la femme en une seule chair... Mieux valait les autoriser à se marier, puisqu'ils y tenaient tellement, mais à une condition : qu'ils ne cèdent à leur désir que pour procréer. C'était la seule excuse possible à leur péché.

Car l'œuvre de chair demeurait, de toute façon, le mal : seul Jésus avait été « conçu sans péché ». Si les époux respectaient les règles ainsi définies de la chasteté, alors ils pouvaient transcender leur misère par le don réciproque de soi dans l'amour du Christ. A condition, bien sûr, que l'épouse n'oubliât pas que « le chef de la femme, c'est l'homme [20] ». L'Eglise refusait de se compromettre davantage. Elle interdisait le divorce, mais le mariage, elle ne voulait pas s'embarquer dans cette galère. Il fallut attendre neuf siècles pour que l'empereur de Byzance, Léon VI, décrétât que seuls les mariages bénis par l'Eglise seraient légitimes. Et le Concile de Trente n'en fit un sacrement obligatoire qu'en 1563.

La férocité des théologiens ne pouvait pas faire oublier aux hommes que l'horreur de la matrice n'est que l'autre visage de l'amour. Et, par un renversement dialectique de toute beauté, ils élevèrent jusqu'au ciel la Déesse-Mère rendue inoffensive par l'opération du Saint-Esprit. Vierge et mère, n'était-ce pas l'idéal du mariage chrétien ? Cependant, les Pères de l'Eglise freinaient la ferveur populaire. « Le corps de Marie est saint, disait Epiphane, mais elle n'est pas divine. Elle est vierge et digne de grands honneurs, mais elle ne doit pas être pour nous un objet d'adoration. » Saint Ambroise saluait : « Approchez Eve qui maintenant vous appelez Marie. » Toutefois il rappelait que « Marie est le Temple de Dieu et non le Dieu du Temple ». Ce Temple, Dieu y était entré sans que la porte en fût ouverte. Mais comment en était-il sorti ? Saint Jérôme, Tertullien, opinaient que Marie avait accouché comme toutes les femmes. Saint Ambroise, saint Augustin, ne pouvaient admettre que Dieu fût passé comme les hommes par cet infect cloaque, *inter foeces et urinam.* Le Concile d'Ephèse, en 431, opta pour l'accouchement virginal et proclama Marie Mère de Dieu — Ephèse, haut lieu du culte d'Artémis, ou de Diane pour les Romains, dont le temple abritait une statue de la Grande Mère tombée du ciel, disait-on, en 330 avant Jésus-Christ...

Marie a réhabilité Eve, mais en la reniant. Dépouillée de ses redoutables pouvoirs, allégée de son animalité, Marie s'élève dans le ciel. Elle porte les attributs de l'antique Déesse, couronne d'étoiles et manteau étoilé, la Lune est sous ses pieds, la colombe d'Ishtar l'accompagne dans son Assomption. Mais le serpent, vieux compagnon de la Déesse et qui s'est si mal conduit dans l'Eden, elle l'écrase. Jésus a racheté les hommes de la mort ; femme inviolée, génitrice sans souillure, Marie les a rachetés de la naissance, elle est le pur esprit de la maternité (des gnostiques vont jusqu'à penser qu'elle est le Saint-Esprit et que la Trinité doit s'entendre : le Père, le Fils et la Mère). Les hommes peuvent enfin se confier sans danger à la Grande Mère, elle est aseptisée. Et humble, et respectueuse. On n'avait encore jamais vu une mère se prosterner devant son fils et dire : « Je suis la servante du Seigneur. » Bien sûr, les hommes savaient depuis longtemps qu'ils étaient des dieux pour leur mère ; maintenant, c'est officiel. Elle aura pour eux toutes les faiblesses. Quand ils trembleront d'avoir irrité le Père, ils courront se réfugier dans les jupes de la Dame du Bon Secours.

Et ils doivent l'irriter souvent, car toutes les vociférations contre la chair et toute l'idéalisation de la Vierge Mère ne changent pas beaucoup les mœurs. Ce qui les change, et non pour le meilleur, c'est la décadence de Rome et les invasions germaniques.

Les rudes femmes barbares

Je parlerai plus loin de Rome. Les Germains passent à juste titre pour avoir apporté avec eux la rudesse. Mais, en Gaule et dans les îles de la Grande Bretagne, les Celtes avant la vague chrétienne étaient-ils si tendres ? Et en furent-ils tellement adoucis ? Plutarque a dit sa stupeur devant la fureur guerrière des femmes gauloises dans la bataille contre une légion de Marius « avec des épées et des haches en leurs mains... grinçant des dents et hurlant de douleur et de courroux, et chargeant tant sur les fuyants que sur les poursuivants, les uns comme traîtres et les autres comme ennemis. » Il nous dit aussi son étonnement de cette clause dans le traité conclu entre les Celtes et Hannibal que « si les griefs venaient des Carthaginois contre les Celtes ce serait les femmes celtes qui décideraient ». Ainsi les femmes formaient un conseil de sages qui tranchait dans les relations internationales. Strabon rapporte que, dans une île située « non loin de l'embouchure de la Loire », vivaient des femmes « possédées par Dionysos » qui interdisaient à tout homme de mettre le pied dans leur île, traversaient l'eau quand elles avaient le désir de s'unir à eux et célébraient une fois l'an un rite orgiastique au cours duquel l'une d'elles était sacrifiée. La Dame de Vix, découverte dans la plaine de Châtillon-sur-Seine et dont la tombe remonte au début du Ve siècle avant Jésus-Christ, était une reine qui, effectivement, gouvernait. Dans l'île de Sein siégeait un « collège » de neuf prêtresses vierges qui s'étaient fait, comme la Pythie de Delphes, une solide réputation de devineresses. Et les villages avaient leur petite Déesse-Mère. Quand le christianisme arriva, le patriarcat avait triomphé, un mari avait droit de vie et de mort sur sa femme, mais celle-ci témoignait encore d'une énergie indomptable qui étonnait l'Antiquité, et Ammien Marcellin assure que si un Gaulois se prenait de querelle, sa femme volait à son secours, et avec tant de vigueur que l'autre n'avait plus qu'à s'enfuir.

Les Germaines étaient faites du même bois dur. Elles aussi, à l'origine, étaient capables de gouverner, on les consultait, dit Tacite, avant de prendre une grande décision, la prophétesse Velléda était une figure héroïque qui avait appelé à la résistance contre les Romains de Vespasien et dont la réputation égalait celle de Deborah chez les Hébreux ou de Jeanne d'Arc chez les Français. Et puis, ces Valkyries qui disaient l'avenir, s'en allaient à la guerre et enseignaient aux hommes les runes, c'est-à-dire les secrets de la vie, étaient tombées, elles aussi, dans la domination des mâles, comme en témoignent les lois barbares — les coutumes des Francs, Burgondes, Goths, Alamans ou Vandales qui furent rédigées lors de leur établissement dans la romanité.

La fille est sous le *mundium* du père : sous sa protection et sous son autorité ; quand elle se marie, son père vend à son époux le *mundium* — vente qui peut n'être que symbolique, mais toujours essentielle, signifiant que la femme doit être protégée même contre elle-même. Surtout si elle est féconde. Les lois fixent des tarifs précis. Dans la loi salique, serrer la main d'une femme coûte 15 sous ; le bras, 30 sous ; et au-dessus du coude, 35 sous. Enlever une fille impubère ou une femme après son retour d'âge représente déjà une somme rondelette : 200 sous, le même prix que pour le meurtre d'un Franc. Mais si elle se trouve en âge d'être fécondée il faut pour l'enlever faire une folie, vraiment : 600 sous. Quant à la femme enceinte, elle est hors de prix : 800 sous.

Dans ce rude climat, que devenaient les vierges du Christ et ses chastes épouses ? On voit passer quelques délicates figures de moniales, telle Radegonde dans son monastère de Sainte-Croix de Poitiers ; sa correspondance avec le poète Fortunat révèle un sentiment nouveau, une amitié amoureuse très spiritualisée. Fortunat écrivit un poème, *De Virgi-*

nitate, pour montrer aux jeunes filles les choses dégoûtantes qui les attendaient dans le mariage. Non sans succès, puisqu'elles étaient deux cents dans le monastère quand mourut Radegonde. Mais d'une vocation fragile : après sa mort elles se révoltèrent, le sang coula, les anges s'étaient mués en tigresses. On voit en Irlande, en Angleterre, des femmes diriger des monastères d'hommes. On voit, bien sûr, elles sont célèbres, des reines, comme Clotilde, agissant en agents de l'Eglise, convertir à la foi chrétienne leur époux et tout le peuple à la suite. Mais l'on voit beaucoup plus souvent des Frédégonde ou des Brunehaut massacrer gaillardement leur famille ; un Dagobert, un Charlemagne ou de moindres sires entretenir des concubines dont le nombre n'est limité que par leurs moyens ; et les filles se jeter à la tête des hommes qui leur plaisent.

Quand s'achève dans l'Occident chrétien la nuit millénaire, les chansons de gestes nous racontent les hauts faits d'une Esclarmonde guidant son amant jusqu'au lit de son père pour le voir poignardé (*Huon de Bordeaux*), ou la fille de Géri, dans *Raoul de Cambrai,* vantant ce qu'elle offre,

> *Mamèle dure, blanc le col, cler le vis.*
> *Si fai de moi trestot a ton devis.*

Naturellement, ces filles qui y vont d'estoc et de taille en amour comme à la guerre ne s'offusquent pas si leur seigneur et maître clôt la discussion conjugale d'un coup de poing « gros et carré par entravers le né ». Le coup de poing est un hommage à leur virilité et elles prennent comme un compliment d'être appelées « viragos ».

Le péché de la chair

Ni les lois barbares, ni la coutume féodale n'ont eu raison du vigoureux caractère des femmes gauloises et germaines, et il ne semble pas que la prédication chrétienne ait réussi à leur inspirer une sainte horreur du péché de la chair.

Les prêtres eux-mêmes ne craignent pas de franchir « la porte de l'enfer » en compagnie de « la plus nuisante des bêtes sauvages » : les conciles de Trosly en 909, d'Augsbourg en 952, d'Anse en 994, de Poitiers en 1000, fulminent contre les concubines des prêtres, ordonnent qu'elles soient fouettées et tondues ; au concile de Pavie, en 1023, le pape Benoît VIII ordonne que tous les enfants de prêtres et de moines soient réduits au servage. A ce compte, nous savons des papes fils de papes qui auraient dû être eux-mêmes réduits au servage. Dans ce terrible Xe siècle, le Saint-Siège est livré à la débauche et au gouvernement des courtisanes que l'on a appelé la « pornocratie ». Deux papes ayant été élus concurremment par les factions qui déchirent Rome, le chef du parti noble, Théophylacte, sort de cet embarras en les assassinant tous les deux, et les remplace par Serge III. « Bien que l'on ait souvent, sur la foi du peu impartial Liutprand de Crémone, exagéré les ignominies des papes du Xe siècle, il demeure certain que l'une des filles de Théophylacte, la cynique Marozie, a pendant plusieurs années disposé de la tiare au profit de personnages peu recommandables. Serge III était son amant et le futur Jean XI naquit vraisemblablement de cette scandaleuse union. Jean X (914-928) a été porté au pontificat non par la fille mais par la femme de Théophylacte, Théodora, avec laquelle il avait eu des rapports adultères ; il chercha d'ailleurs à gouverner Rome par lui-même et lutta contre l'influence de Marozie, mais il fut vaincu dans ce trop rude conflit. Marozie provoqua une émeute ; le Latran fut envahi et Jean X étouffé sous un coussin. Marozie, toute-puissante à Rome, nomma les papes suivants : Léon VI (928-929), Etienne VII (929-931), Jean XI (931-935). » (Augustin Fliche).

Et pourtant, dans ces bas-fonds de l'histoire, la foi chrétienne est encore vivante. Des mains pieuses en abritent la flamme dans quelques monastères. Et quand les moines s'abandonnent aux tentations terrestres, il se trouve toujours une âme ardente pour fonder un nouvel ordre et repartir à neuf sur le chemin du Paradis. Inlassablement des voix s'élèvent qui rappellent aux pécheurs qu'ils sont pécheurs, qu'ils sont responsables de leur salut, et que dans la chair point de salut.

LA CHRÉTIENNE

La religion chrétienne est la seule qui ait accablé le sexe sous tant d'honneur et tant d'iniquité. L'hindouïste le glorifie et n'en propose le détachement qu'à un brâhmane quand il est très vieux. Le bouddhiste, il est vrai, tend à la libération de toute contingence ; en quoi il est un chrétien sans Christ rédempteur ; mais la douceur, la tendresse, le cœur charitable qui sont dans le Bouddha comme dans le Christ, et qui ont été tenus jusqu'aujourd'hui pour valeurs féminines, aucun bonze ne les a transmués en fureur contre la femme ; et la sagesse indienne a trouvé plus d'une voie vers la réconciliation de la sensualité et de la transcendance. L'idée que le sexe pût être le mal n'a même pas effleuré la spiritualité égyptiennne. Pour Zoroastre, le Bien et le Mal s'opposent dans le ciel et sur la terre ; mais il n'a pas mis le sexe dans le camp du Mal, bien au contraire, il a promis aux justes une éternité de voluptés charnelles. Enfin les Hébreux vinrent, qui chargèrent la femme de tous les péchés d'Israël ; mais ce bouc émissaire, ou cette chèvre, ils l'utilisaient sans vergogne, avec la bénédiction de Iahveh. Sur ce plan, la grande et terrible nouveauté du christianisme fut de lier au salut individuel la macération de la chair ; d'exiger, non de quelques-uns, brâhmanes, bonzes, prophètes ou moines, mais de tous les hommes, qu'ils fussent des ennemis de leur corps ; et de promettre l'enfer aux vaincus de ce combat douteux.

Il va en résulter, au XIIe siècle, une étrange synthèse du profane et du sacré dans l'amour courtois, quand Notre-Dame sera au firmament — une invention qui marquera la sensibilité européenne jusqu'à l'érotisme d'aujourd'hui.

C'est, à mes yeux, un seul fleuve d'amour et d'anti-amour qui coule sur l'Occident pendant huit siècles, où aux sources chrétiennes se mêlent les sources de l'antique paganisme méditerranéen.

Mais avant de remonter aux sources païennes et de nous embarquer sur ce fleuve il nous reste à voir quel traitement a infligé à la femme la dernière venue des grandes religions, l'Islam. D'autant qu'il ne sera pas étranger à l'invention de l'amour courtois.

CHAPITRE VI

LE TRÉSOR CACHÉ : LA MUSULMANE

Allah est grand, et il sait ce qu'il fait : « Ne mettez point l'interdit sur les bonnes choses qu'il a créées », dit le Coran. Il parle par la voix du Prophète « en vue de faciliter, non de rendre difficile ». Il faut de tout pour faire un monde, et le sexe est là pour ça. Alors, les ascètes sont peut-être des gens très bien, mais Don Quichotte n'est pas musulman : « On n'exigera de personne plus qu'il ne peut exécuter. » Croissez donc et multipliez. « Vos femmes sont vos champs, allez à vos champs comme vous voulez. » Quand vous entrez dans le champ, dites : « Dieu est un ! » et quand vous y répandez votre semence, prononcez intérieurement : « Louanges à Dieu Qui créa l'homme ! »

L'Islam est simple, réaliste et totalitaire. Il est simple : il refuse la Trinité et repousse comme un scandale le mystère de Dieu mort sur la croix pour le rachat de l'homme. Il est réaliste : puisque Dieu a créé l'homme avec un sexe, et qui lui donne tant de plaisir, c'est pour qu'il s'en serve. Il est totalitaire : la religion révélée enseigne au croyant l'art de faire l'amour, et aussi la façon de satisfaire ses besoins naturels, d'utiliser un cure-dents ou de combattre dans la guerre sainte. Car, enfin, il est logique. Le temporel étant intégré au spirituel, la politique se trouve soumise à la théologie ; et, professant la tolérance, il se trouve justifié à massacrer les infidèles qui ne reconnaissent pas la supériorité d'une foi qui les respecte.

Donc, tout a été dit, une fois pour toutes, dans le Coran et dans ses ramifications que sont la Tradition et les exégèses des Docteurs de la Loi. Pour chaque geste des jours et des nuits, le croyant n'a qu'à consulter la Loi, il y trouvera la marche à suivre. Cela est précis, tatillon comme un règlement de corps de garde. Et en effet, l'Islam est une religion d'hommes. C'est pourquoi il parle beaucoup des femmes.

« En s'interposant entre le christianisme et le bouddhisme, l'Islam, dit Lévi-Strauss [21], s'est opposé à cette lente osmose avec le bouddhisme qui nous eût christianisés davantage... C'est alors que l'Occident a perdu sa chance de rester femme. » J'en demande pardon : je ne suis pas d'accord. Qu'est-ce qu'une civilisation, ou une religion, « femme » ? Est-ce celle qui vénère des valeurs féminines — douceur, tendresse, charité, amour ? Alors oui, le bouddhisme et le christianisme sont « femmes », en dépit de quelques écarts meurtriers dans l'histoire du christianisme. Mais quand ces religions interdisent à la femme l'entrée du nirvâna ou voient en elle la porte de l'enfer, sont-elles « femmes » ? Ne sont-elles pas plutôt des sommets du racisme masculin ? Il est vrai que le refus du désir par le Bouddha n'a pas résisté longtemps à la sensualité indienne ; mais la contradiction demeure dans le cœur du bouddhiste. Il est vrai que Jésus n'avait pas voué tous les hommes à la mortification de la chair ; mais à tous les chrétiens, les Pères de l'Eglise ont fait de leur horreur un devoir. L'Occident chrétien ne consentait à être « femme » que si la femme était vierge. Et, de toute façon, avant l'Islam, une autre religion, ô combien virile ! avait marqué le destin du christianisme : Israël, source commune du fleuve chrétien et du fleuve musulman qui coulent sur des versants opposés.

Religion d'hommes, l'Islam apparaît donc à un regard moderne comme affreusement réactionnaire. Son malheur est de s'être pétrifié. Il ne pouvait faire autrement : Dieu ayant parlé, tout fidèle qui prétendrait infléchir Sa Volonté serait un infidèle. Et les modernistes qui essaient de l'adapter à notre temps mènent un combat sans espoir. Mais, à l'origine, l'Islam était moderniste par rapport aux coutumes des Bédouins, très voisines de celles des Bédouins israélites avant l'Exode. Allah parlait de bonté pour les femmes ; et, s'il ne parlait pas dans le désert, il parlait à de rudes Bédouins tout juste sortis du désert de l'Arabie.

Et que disait-il ? Si je puis me permettre un résumé profane de sa pensée sur la question sexuelle, il disait à peu près ceci. Rien n'est plus beau, pour un pur esprit, que de contempler Ma Face. Mais tu as un sexe. S'il n'est pas satisfait, il te trouble l'esprit. Copule donc autant que tu en as envie, afin de rester pur. Et plus tu feras l'amour, plus tu auras envie d'accéder à mon Paradis où tu jouiras tellement de mes jolies houris que tu verras Ma Face.

Pour plus de détails — Dieu sait s'il y en a ! — suivons le guide, Ghazâlî (mort en 1111), le plus grand théologien de l'Islam, qui a écrit *Le livre des bons usages en matière de mariage* [22] en se référant, bien sûr, au Coran.

Rigoureuses limites des rigueurs de la Loi

Observons tout de suite, car cela donne le ton des relations sexuelles, que les femmes ne sont pas exclues du Paradis, mais que si des houris y attendent les croyants, aucun amant de service n'est prévu pour les croyantes. L'oubli est d'autant plus significatif qu'ici-bas un mari a le devoir de satisfaire les besoins sexuels de ses femmes. Au Ciel, elles devront se contenter des restes — mais est-ce qu'il y aura des restes, avec ces houris à discrétion ? Alors que sur la terre, tout de même, le nombre des épouses est limité à quatre, et celui des concubines trouve sa limite dans les moyens financiers du mari.

Mais pourquoi faut-il qu'un musulman aille s'encombrer d'épouses et de concubines ? Le Prophète n'a-t-il pas dit : « Chaque fois que vous faites l'œuvre de chair, vous faites une aumône » ? Qu'est-ce qui l'empêche de faire l'aumône aux passantes ? La Loi, qui ne serait pas la Loi si elle n'édictait pas des contraintes. En conséquence, il y a des actes formellement interdits : ils sont *zina,* et quiconque commet le péché de *zina* brûlera éternellement dans le feu d'Allah. La sodomie n'est pas *zina*, du moins dans la plupart des sectes : ce n'est qu'un vilain péché qui relève des juges terrestres et dont tous les musulmans ne se privent pas. La bestialité est condamnable, mais elle n'est pas *zina ;* quant à la bête qui a servi à la copulation, certains Docteurs opinent qu'elle ne saurait être rituellement égorgée pour la consommation, et d'autres, qu'elle peut être mangée. La masturbation est controversée. L'homosexualité féminine est un péché véniel. Violer une petite fille trop jeune pour que ses sens soient éveillés n'est pas *zina* (au moins chez les malékites). Bref, un père de famille qui violerait son fils impubère, cumulant inceste, viol, sodomie et adultère, commettrait un crime moins grave qu'un veuf et une veuve fiancés ensemble qui feraient l'amour avant de s'être mariés, observe G.H. Bousquet [23]. Telle est la décision de Dieu, et que la raison s'évertuerait en vain à expliquer : le *zina,* la « turpitude abominable », c'est un homme ou une femme copulant hors mariage, ou hors concubinat, avec un partenaire pubère de l'autre sexe.

Heureusement, par la bonté d'Allah, la preuve en est quasiment impossible. Il faut quatre témoins (la justice n'en demande habituellement que deux). Ils doivent attester « qu'ils ont vu le membre du fornicateur comme le style dans le pot de collyre ». Et si tous leurs témoignages ne sont pas concordants et convaincants, ils recevront quatre-vingts coups de fouet chacun. Cette sévérité est fondée sur une célèbre tradition qui remonte au Calife Omar (634-644). Bercher, cité par Bousquet, rapporte ainsi l'histoire. Le compagnon du Prophète, El Maghira Ben Cha'aba, était accusé de fornication. Le Calife Omar « fit asseoir l'accusé et, quand le premier témoin eut déposé : « Tu as perdu le quart de toi-même, ô Maghira », dit-il. Après la déposition du second, il annonça à l'accusé la perte de la moitié de lui-même et quand le troisième eut terminé sa déposition : « C'en est fait des trois quarts de toi-même », s'écria-t-il en se tordant la moustache de colère. Lorsque ce fut le tour de Ziad, qui était le quatrième, le Calife lui dit : « A ton tour, ô excrément d'orfraie ! » Alors Ziad dit : « J'ignore quel a été leur entretien, mais je les ai vus s'agiter, recouverts par un même drap, comme s'agitent les vagues, j'ai entendu une respiration bruyante et vu une chose répréhensible, je n'en sais pas davantage. » Alors, le Calife Omar s'écria : « Louanges à Allah qui n'a pas permis qu'un compagnon du Prophète subît un affront ! » Et il condamna les trois premiers à la peine légale de l'accusation calomnieuse de fornication, mais il en exempta Ziad, car effectivement il n'avait pas porté d'accusation de fornication ».

De sorte que la prostitution, cas typique de *zina*, formellement condamnée par le Coran, est tolérée dans tous les pays d'Islam, et plus d'un gouvernement ne néglige pas de prélever des taxes sur ce *zina*-là. Il y a même des « amateurs » : les filles des Oulad Naïls ont la réputation bien établie de se constituer une dot avec leurs charmes et, chez les Touareg, les filles « vivent leur vie » avant de se marier.

Et pourtant, en dépit de toutes ces facilités, le musulman obéit à la parole de Dieu : « Mariez ceux qui ne le sont pas. » Faut-il que l'attrait du mariage soit vif ! Ghazâlî passe en revue ses avantages. Il y en a cinq.

Premier avantage du mariage : la postérité

La recherche de la postérité est une œuvre pie, à quatre points de vue.

1. « C'est agir conformément à la volonté de Dieu que de s'efforcer d'obtenir une postérité, afin de perpétuer l'espèce humaine... Dieu Très-Haut a créé les époux. (Le mâle avec) la verge, les testicules et sa semence dans ses reins ; il a créé pour celle-ci des veines et des canaux dans les testicules. Il a donné (à la femme) un utérus, demeure et dépositaire pour la semence. Il a placé l'homme, comme la femme, sous la coupe du désir charnel. Tous ces actes, tous ces organes, témoignent en une langue éloquente de la volonté de leur Créateur et adressent à tout individu doué d'intelligence un appel qui suffirait à lui faire comprendre à quel effet tout cela a été disposé pour lui. »

2. C'est rechercher l'amitié de l'Envoyé de Dieu (à lui bénédiction et salut !) que d'augmenter, par ce moyen, « le

nombre de ceux grâce auxquels il doit rivaliser triomphalement avec les autres prophètes ». C'est pourquoi le Prophète a dit : « Une natte dans un coin de la maison vaut mieux qu'une femme qui n'enfante point. »

3. On obtient ainsi une bénédiction : un enfant pieux adressera pour vous une prière au Ciel après votre mort.

4. On obtient enfin un intercesseur (auprès de Dieu), par le décès du jeune enfant qui meurt avant vous.

Deuxième avantage : apaisement de la sensualité

« A la vérité, il y a dans la concupiscence encore une autre manifestation de la Sagesse divine, indépendante du rôle qu'elle a d'imposer une postérité à l'homme : en effet, quand on la satisfait, on éprouve une volupté qui serait sans analogue si seulement elle était durable... Cette volupté charnelle, si réduite du fait qu'elle est si passagère, est un motif puissant pour pousser l'homme à atteindre à la volupté complète, la Volupté éternelle, donc elle incite l'homme à adorer Dieu pour atteindre à cette volupté. Ainsi le désir d'y parvenir est si puissant qu'il aide l'homme à persévérer dans les pieuses pratiques qui le mèneront à la volupté paradisiaque. » Mahomet a dit : « Si vous ne le faites pas il y aura du désordre sur la terre et une grande corruption. » Car « érection, c'est perte des deux tiers de la raison », a dit un Docteur.

« Voilà qui est donc une épreuve accablante lorsqu'elle se présente à vous : ni la raison ni la foi ne tiennent devant elle... C'est à cela que fait allusion ce dire (de Mahomet — à lui bénédiction et salut !) : « Il n'y a pas, que je sache, de créature inférieure en raison et en foi qui sache mieux dominer ceux qui sont doués de raison que vous autres femmes ! »

Le seul moyen de s'en délivrer, c'est de les posséder. « Un saint homme multipliait ses mariages en sorte qu'il était presque toujours bigame ou trigame. Quelques çoufis lui en firent reproche. « Chaque fois que mon esprit était traversé par une envie qui me détournait de mon état (de dévotion), je satisfaisais cette envie, dit-il. Alors, soulagé, je revenais à mon occupation première. Or, depuis quarante ans, aucune pensée de péché grave n'a effleuré mon esprit. » Que chacun s'efforce donc de se conformer à la parole de Ibn Abbas : « Le meilleur dans cette communauté (l'Islam) est celui de ses membres qui a le plus de femmes. » Voyez l'exemple de H'assan, petit-fils du Prophète, qui épousa plus de deux cents femmes et dont Mahomet, l'Homme Impeccable, disait : « Tu me ressembles au physique comme au moral. » Ghazâlî conclut : « Chaque fois que l'agent excitateur est connu, il convient que le traitement soit adapté au degré d'intensité de la maladie. Ce que l'on cherche, c'est l'apaisement de l'âme et c'est de cela qu'il faut tenir compte pour décider s'il faut épouser des femmes en plus ou moins grand nombre. »

Troisième avantage : détente et distraction de l'âme

Le plus zélé des croyants a besoin de se distraire. Regarder sa femme, s'amuser avec elle, procure un délassement qui fortifiera sa dévotion. Il faut toutefois remarquer que « souvent il est des personnes qui trouvent leur distraction à contempler le ruissellement d'une eau courante, la verdure et autres spectacles de la nature : elles n'éprouvent pas le besoin de se délasser en s'entretenant avec les femmes, ou en se distrayant avec elles. Tout cela est variable selon les circonstances et la nature de chacun. Il convient d'en tenir compte. »

Quatrième avantage : une femme de ménage

Une épouse besogneuse n'est pas moins utile qu'une épouse voluptueuse à la libération de l'esprit. Si l'homme « devait assurer à lui seul tous les soins du ménage il y perdrait presque tout son temps et ne pourrait plus se consacrer à la science (religieuse), ni aux œuvres ».

Cinquième avantage : les tracas familiaux sanctifient le croyant

Mahomet a dit aux hommes mariés : « Chacun d'entre vous n'est-il pas un berger et chacun d'entre vous n'est-il pas responsable de son troupeau ? » Avoir à subir femmes et enfants équivaut à mener la guerre sainte dans la voie de Dieu. « Parmi les péchés, il en est qui ne peuvent être expiés que par les soucis que cause une famille. » Ghazâlî raconte : « Selon les traditions relatives aux prophètes (à eux le salut !) un groupe de jeunes gens entrèrent chez le prophète Jonas (à lui le salut !). Il leur offrit l'hospitalité. Il entrait dans sa maison et en sortait cependant que sa femme lui faisait la vie dure et le tyrannisait ; pourtant, lui, se taisait ; ils s'en étonnèrent mais il leur dit : « Ne vous étonnez pas : j'ai adressé à Dieu Très-Haut une prière lui disant : « Ce par quoi tu veux me punir dans l'Autre Monde, hâte-toi de m'en punir déjà ici-bas. » Et il me dit : « Ton châtiment c'est la fille d'Un tel, épouse-la. » C'est ce que je fis et me voici endurant d'elle ce que vous m'avez vu souffrir. »

A vrai dire, ce dernier avantage du mariage aurait pu être rangé parmi les inconvénients, qui sont au nombre de trois.

Trois petits inconvénients du mariage

Le premier, le plus grave, est que l'homme, pour suivre les désirs de sa femme, ne se laisse entraîner à acquérir des gains religieusement illicites et « change alors sa vie éternelle contre celle de ce bas monde ».

Le second c'est, justement, que la charge des épouses et des enfants n'excède les forces du croyant. Ainsi un célibataire endurci s'excusait-il en citant ce dicton : « Le trou de la souris ne pourra pas la contenir si elle s'accroche le balai au derrière. »

Le troisième inconvénient, à l'inverse, serait que le mari

trouve trop de délices dans le mariage : « Qui s'habitue aux cuisses des femmes ne fera rien de bon. » Mais cet inconvénient ne paraît pas trop grave aux yeux de Ghazâlî.

Supériorité de Mahomet sur Jésus : sa vigueur sexuelle

Finalement, pour faire la balance entre les avantages et les inconvénients du mariage, Ghazâlî met en parallèle la chasteté de Jésus et la puissance génésique de Mahomet :

« Si on me demande maintenant : « Pourquoi donc Jésus (à lui le salut !) s'abstint-il du mariage malgré les mérites de celui-ci et, si se vouer entièrement au service de Dieu est ce qu'il y a de plus méritoire, pourquoi donc notre Envoyé (à lui bénédiction et salut !) multiplia-t-il le nombre de ses épouses ? » je réponds : « C'est l'union de ceci et de cela qui est la chose la plus méritoire chez celui qui en est capable, dont les forces le lui permettent et dont les desseins sont assez élevés, en sorte qu'aucune préoccupation ne le détourne de Dieu. Or notre Envoyé (à lui le salut !) avait cette puissance et sut au mariage unir les mérites d'une vie entièrement consacrée à Dieu. De la sorte, malgré ses neuf femmes, il put se vouer totalement à Dieu. Pour lui la satisfaction des besoins sexuels ne fut pas un empêchement. De même, ceux qui sont absorbés par les affaires de ce bas monde ne sont pas gênés, dans leurs affaires, par l'accomplissement de leur besoin naturel : extérieurement ils font ce qu'il faut pour cela, mais leurs cœurs sont tout occupés par leurs soucis et n'oublient pas leurs affaires importantes. Or, l'Envoyé de Dieu se trouvait placé à un si haut degré que les choses de ce monde n'empêchaient point son cœur d'être sans cesse en présence de Dieu : la Révélation descendait sur lui alors qu'il se trouvait dans le lit de sa femme (A'ïcha). A quelle époque un rang si haut fut-il conféré à un autre que lui ? Rien d'étonnant que ce qui trouble les ruisseaux ne puisse troubler la mer immense ! Il ne convient donc pas de mesurer les autres à l'échelle du Prophète. »

Les huit qualités d'une épouse

Les risques du mariage étant à la mesure de ses mérites, un homme avisé n'épousera pas n'importe qui. Certaines femmes, par leur origine ou leur situation, sont religieusement interdites à un croyant. Ghazâlî a recensé dix-neuf cas. Nous pouvons passer là-dessus. C'est alors que la question se pose : cette femme a-t-elle les qualités requises ? Il lui en faut huit.

D'abord, la foi et la vertu. Sinon son infortuné mari se trouverait dans cet état où se trouvait l'homme qui vint un jour dire à l'Envoyé de Dieu (à lui bénédiction et salut !) : « J'ai une femme qui ne repousse pas la main de celui qui la palpe. » — « Répudie-la », répliqua le Prophète. — « Mais c'est que j'y suis attaché ! » — « Alors, garde-la. » Car son âme serait demeurée troublée par le regret de cette mauvaise femme : souffrir de la jalousie et jouir d'elle était un moindre mal.

Elle doit avoir un bon caractère. Il faut se préserver de la femme qui se plaint tout le temps, désire ce qu'elle n'a pas, fait la difficile sur la nourriture, ou qui tient des propos effrontés. Ali, le gendre de Mahomet, disait : « Trois défauts de l'homme sont chez la femme vertus : l'avarice, l'orgueil et la crainte. En effet, si la femme est avare, elle sauvegarde son bien et celui du mari ; si elle est orgueilleuse, elle ne s'abaissera pas à parler avec un chacun un langage suspect par sa douceur ; si elle est poltronne, elle craindra tout ; elle ne sortira pas de chez elle et évitera tous les endroits suspects par peur de son mari. »

La beauté vient en troisième lieu. C'est elle qui, en excitant le désir de l'homme, assure sa chasteté (spirituelle). « Car la nature ne se contente généralement pas d'un laideron. » C'est pourquoi il est recommandé à un croyant de regarder sa future avant de l'épouser (il n'est pas interdit à la future d'en profiter pour regarder son futur). A vrai dire, ils devraient même se toucher un peu, car le Prophète a dit que la qualité de la peau était très nécessaire à la bonne entente conjugale ; très précisément, la qualité du derme ; en quoi il est plus profond que Chamfort, qui ne voyait dans l'amour que « le contact de deux épidermes ». En somme, il faut qu'un époux ait son épouse « dans la peau ». Et vice versa : une épouse amoureuse et qui désire le coït porte au plus haut degré la volupté de son mari, observe le très éminent Docteur Ghazâlî.

Pour résumer les qualités de base : « La meilleure de vos femmes, a dit le Prophète, est celle qui se réjouit quand son mari la regarde, qui obéit à ses ordres et, s'il s'absente, garde précieusement son souvenir et sa fortune. »

Mais ce n'est pas tout.

Le mariage d'intérêt n'est pas dans l'esprit de la Loi. Ghazâlî ne va pas jusqu'à interdire d'épouser une riche héritière : la première femme de Mahomet, Khadidja, était sa patronne, qui possédait une entreprise de caravanes. Mais il cite un Docteur : « Qui se marie et demande combien a la future, celui-là en vérité est un brigand. » En revanche, il convient que la dot versée par le mari pour l'acquisition de sa femme soit modérée : « La bénédiction est d'autant plus grande que la dot est plus faible », a dit le Prophète.

Naturellement, la fécondité est à considérer. Une femme qui a déjà eu des enfants d'un premier mariage présente des références.

Mais la virginité a son prix aussi. « Pourquoi pas une vierge qui te caresserait et que tu caresserais ? » a dit le Prophète (à lui le salut !). Une vierge s'attache mieux : le premier amour est le plus puissant ; elle ne pourra pas faire de fâcheuses comparaisons ; enfin, le caractère de l'homme est tel qu'il souffre à l'idée qu'un autre a déjà caressé sa femme.

Elle doit être d'une bonne famille, craignant Dieu et vertueuse, car c'est elle qui aura à élever les enfants. Le Prophète a dit : « Sachez choisir pour votre sperme, car l'hérédité maternelle tend à s'imposer. »

Enfin, elle ne sera pas une trop proche parente, sinon les enfants seraient malingres. Le Prophète ne craignait pas tellement l'effet de la consanguinité ; il estimait qu'un puissant désir fait les beaux enfants, et qu'il est faiblement excité par un objet qu'on voit depuis longtemps.

Tout homme est assez bon pour faire un mari

Mais le mari, n'aura-t-il pas lui aussi quelques qualités ? Certes, dit Ghazâlî, c'est très important ; car la femme ne peut se libérer du mariage, alors qu'en toute circonstance le mari peut la répudier. « Mariage est servitude, a dit le Prophète. Donc que chacun d'entre vous examine en quelles mains il placera sa fille. » Toutefois, il faudra bien que le pauvre père s'en remette à son appréciation personnelle car Ghazâlî expédie la question en quelques lignes, se contentant de recommander que le futur ne soit pas « débauché, hérétique ni buveur de vin ».

Le mari doit badiner avec ses épouses...

Les voilà donc mariés. Il est temps pour eux de lire le chapitre traitant « des bons usages touchant la vie conjugale ». Malheureusement, la femme ne sait pas lire. Mais elle ne se trompera jamais si elle s'en tient à cette définition du mariage par un auteur malékite : « le contrat par lequel on acquiert l'appareil générateur d'une femme, dans l'intention d'en jouir ». La définition paraîtra peut-être un peu cynique ; toutefois, elle n'est pas aussi simple qu'elle en a l'air. Car le mâle ne sera pas heureux s'il ne tire de cet organe une jolie musique. « Le plaisir de l'homme, c'est l'homme », disait Bossuet. Un Docteur musulman dirait plutôt : « Le plaisir de l'homme, c'est la femme. » La femme soumise, bien sûr, et contente de l'être. Le livre des bons usages conjugaux ressemble à un manuel d'équitation. « Il faut faire montre d'un bon naturel à l'égard des femmes et supporter les contrariétés qu'elles nous causent, par compassion à leur endroit en raison de leur faible intelligence... L'homme devra, non seulement supporter les contrariétés de la part des femmes, mais encore badiner, plaisanter et jouer avec elles, car c'est cela à quoi les femmes se complaisent... On rapporte même que l'Envoyé de Dieu faisait la course avec A'ïcha qui, un jour, le dépassa ; mais il la dépassa une autre fois et dit : « Nous sommes quittes ! » Donc, premier point : « Le croyant le plus parfait sous le rapport de la foi est celui qui fait preuve du meilleur caractère à l'égard des femmes et qui est le plus doux avec sa famille. »

... leur tenir les rênes courtes...

Mais, second point, il convient de se méfier car « leur ruse est énorme... Malheur à qui se fait l'esclave de sa femme !... L'âme de la femme est faite sur le type de la tienne. Si tu lui lâches un peu les rênes, elle s'emballera sur une longue distance. Si tu laisses la bride pendante d'un empan, elle gagnera à la main d'une coudée. Mais si tu la retiens et la tiens bien en main quand il le faut, alors tu en seras maître ». Tous les Docteurs sont d'accord là-dessus : « Ceux qui en viennent à obéir aux caprices de leurs femmes, Dieu les culbute dans le Feu. » « Contredisez-les, car les contredire, c'est bénédiction. » Ou encore : « Consultez-les et faites le contraire. » Bref, « habituez vos femmes à vous entendre leur dire : « non ».

... les châtier avec tact...

Et si elles se rebellent ? Fort du principe énoncé par la Parole Incréée et Eternelle de Dieu : « Les hommes sont supérieurs aux femmes », le mari appliquera le barême des sanctions établi par le Coran : « Tout d'abord, dit Ghazâlî, il lui fera des exhortations et des représentations, la menaçant d'un châtiment ; ensuite, si cela reste sans effet, il lui tournera le dos dans le lit, il couchera seul et l'évitera, tout en étant dans la même demeure et ce, durant un, deux ou trois jours ; si cela reste sans effet, il la frappera de coups qui ne lui causent pas de lésions graves : c'est-à-dire, il lui fera mal mais sans lui briser d'os ni faire saigner son corps. Il ne devra pas la frapper au visage, car cela est interdit. » Selon Claude Anet, un homme soucieux de ne pas se faire mal battra son épouse avec la main si elle est grasse, mais si elle est maigre, avec un bâton.

... honorer pieusement leur chair...

La carotte, bien sûr, alternera avec le bâton. Les Docteurs recommandent qu'un mari prépare pour sa femme, chaque semaine, une pâtisserie ; et qu'il honore sa chair toutes les quatre nuits — s'il a quatre épouses ; ou plus fréquemment si elles en ont besoin pour rester vertueuses.

Comment fera-t-il ? Pieusement. Il commencera par invoquer Dieu Très-Haut et Très-Puissant. Puis il procédera sans hâte ni brusquerie. « Qu'aucun de vous ne se jette sur sa femme, comme le font les bêtes, mais il y aura d'abord un messager entre eux. » (L'Envoyé divin n'était pas un bon naturaliste : les parades nuptiales lui avaient échappé.) Le « messager », ce sont les bagatelles de la porte : des mots tendres, des baisers, des caresses. Mahomet recommande expressément que l'homme s'y attarde et il tient pour un pauvre sire celui qui « satisfait son besoin grâce à elle avant qu'elle ait pu satisfaire le sien grâce à lui ». Ghazâlî insiste : « La simultanéité de l'éjaculation des deux époux est plus agréable pour la femme. » C'est le moment pour l'homme de prononcer « intérieurement et sans remuer les lèvres », le verset 56 de la sourate 25 : « Louanges à Dieu Qui créa l'homme, etc. » On rapporte qu'un homme vraiment très pieux en cette occasion s'écriait : « Allahou Akbar ! » « Dieu est le plus grand ! » avec tant de force qu'on l'entendait dans toute la maison.

« Vos femmes sont vos champs, allez à vos champs comme vous voulez. » Telle est la Parole de Dieu. Toutes les positions sont donc admises. Toutefois, certains Docteurs blâment la position supérieure de la femme qui fait d'elle le Ciel *. Quoi qu'il en soit, il ne faut en aucun cas se trouver tourné vers La Mecque. Ont-ils le droit de se voir nus ? Selon une tradition remontant au Prophète : « quand l'un de vous connaît sa femme, ni l'un ni l'autre ne devront être découverts, comme l'âne et l'ânesse ». Il faut bien dire cependant que, sur ce point, la doctrine n'est pas ferme.

---

* Voir p. 118.

... contrôler les naissances...

Il faut maintenant citer intégralement l'invocation que le musulman doit prononcer quand il commence de copuler. La voici : « Au nom de Dieu Très-Haut et Très-Puissant, ô Dieu, fais que ce soit une bonne postérité, si Tu as décidé d'en faire sortir une de mes reins ! » Le musulman ne la prononce — quand il y pense — que par un conformisme quelque peu hypocrite. Il s'agit de proclamer le principe que la procréation est le premier but du mariage. Mais ce n'est pas vrai. Le premier but du mariage est de supprimer l'interdit qui s'oppose à la satisfaction des besoins sexuels du mâle. La preuve : il est permis d'épouser une fille impubère. Peu importe qu'elle soit incapable de procréer ni d'éprouver elle-même un désir. L'exemple vient de haut : quand Mahomet, le Modèle Impeccable, consomma son mariage avec A'ïcha, elle avait neuf ans, il en avait cinquante. Et chaque croyant est invité à admirer le plus beau mariage d'amour de l'Islam.

De plus, l'Islam est une des rares religions qui admettent le contrôle des naissances. On pourrait en douter, à voir la progression démographique qui sévit dans les pays islamiques. Mais des pays occidentaux n'ont-ils pas une faible natalité, en dépit du catholicisme qui interdit les mesures anticonceptionnelles ? Les mœurs sont plus déterminantes que la foi ou que les lois. En tout cas, c'est une erreur de penser que le Coran s'oppose au contrôle des naissances. Et les Docteurs ont trouvé toutes sortes de bonnes raisons pour le justifier. Mais c'est l'homme qui doit être le maître de ce contrôle. Aujourd'hui, un bon musulman interdit à sa femme de prendre la pilule.

... et répartir également ses faveurs entre ses épouses

Mahomet eut jusqu'à neuf épouses en même temps. Toutefois, un croyant n'a droit qu'à quatre. Un Docteur a cru pouvoir fonder ce chiffre sur l'idée que l'homme a quatre tempéraments qui doivent s'équilibrer. Comme la femme n'a droit qu'à un seul mari à la fois, on doit en conclure qu'elle n'a pas quatre tempéraments. Le Grand Moghol, Akbar, qui régnait à Delhi au XVIe siècle et qui avait de l'humour, préférait une autre explication. « Un homme doit épouser quatre femmes : une Persane pour avoir à qui parler, une Khorassane pour tenir sa maison, une Hindoue pour soigner ses enfants, et une Transoxiane pour avoir quelqu'un à fouetter comme avertissement pour les trois autres *. »

Il faut savoir à quoi l'on s'expose : un mari doit partager également ses nuits entre les lits de ses épouses. Mais sur ce qu'il devra y faire, les Docteurs sont accommodants. Ghazâlî explique fort bien la chose : « L'égalité est due par le mari quant au don qu'il fait à ses femmes, et aux nuits qu'il passe avec elles. Mais quant à l'amour et aux relations intimes, cela ne dépend pas de la libre volonté du mari. Dieu Très-Haut a dit (Coran 4, v. 128) : « Vous ne serez pas dans l'état d'observer l'égalité du cœur et des penchants de l'âme. » Or, c'est de cela que dépendent les différences touchant les relations intimes. L'Envoyé de Dieu (à lui bénédiction et salut !) observait vis-à-vis de ses épouses l'égalité quant à ce qu'il leur donnait et quant au partage des nuits, mais il disait : « O Dieu, voilà tout ce que je puis faire pour ce qui dépend de moi, mais je n'ai aucun pouvoir pour faire ce qui dépend de Toi et non de moi. » Il voulait dire l'amour. A'ïcha (que Dieu soit satisfait d'elle !) était son épouse préférée et toutes les autres le savaient. » Elles récriminaient, d'ailleurs. Le Prophète leur répliqua : « Cessez de me tourmenter au sujet de A'ïcha car, par Dieu, jamais la Révélation n'est descendue sur moi alors que j'étais dans le lit d'une d'entre vous, si ce n'est dans le sien. » La situation s'améliora lorsque Mahomet s'avisa de répudier la plus vieille d'entre elles : celle-ci le supplia de la garder, moyennant quoi elle céda à A'ïcha son tour de nuit. Mahomet n'en était pas moins sujet à des désirs extra-réglementaires. Alors, il donnait sans lésiner réparation à ses femmes.

---

* Un éleveur de faisans observe que le rapport souhaitable est de un coq pour quatre poules.

« En raison de sa noble équité et de sa puissance virile, il avait coutume, quand il avait eu envie d'une de celles dont ce n'était pas le tour, et avait eu commerce avec cette dernière, de passer le jour même et la nuit suivante chez toutes les autres. C'est ainsi que, selon A'ïcha (que Dieu soit satisfait d'elle !), l'Envoyé de Dieu (à lui bénédiction et salut !) effectua une pareille tournée en une seule nuit. Selon Anas (à lui le salut !), ses neuf femmes reçurent sa visite conjugale en une seule matinée. » Maïs tout le monde n'est pas Prophète dans son lit.

Avec les concubines, tous les coups sont permis

Si enfin cela ne lui suffit pas, le croyant a le droit de posséder autant de concubines-esclaves que ses moyens, notamment financiers, le lui permettront. Elles offrent l'avantage appréciable de ne pouvoir pas exiger que l'on passe la nuit avec elles quand on n'en a pas envie. Mais si la concubine engendre, elle se trouvera affranchie à la mort de son maître.

La mère subalterne

Enfanter anoblit, en quelque sorte, et pourtant on fait peu de cas de la mère. On n'attend pas d'elle qu'elle pourvoie à l'entretien de ses enfants : le mari s'en charge. Sans doute, elle a sur eux un droit de garde. C'est la seule supériorité que la Loi lui reconnaisse sur son époux. Maïs elle perd ce droit si elle se remarie. Autrement dit, la femme répudiée doit choisir entre son amour maternel et ses instincts sexuels.

Facilités et dangers de la répudiation

Or, un musulman peut répudier ses épouses selon son bon plaisir. Il lui suffit de dire : « Tu es répudiée », elle l'est instantanément. Comme c'est un peu trop facile à dire, la Loi lui permet de se rétracter. Mais à la troisième fois, la répudiation est irrévocable. Elle l'est également si le mari s'est laissé emporter, par exemple au cours d'une discussion, à s'écrier : « Je jure par la répudiation de ma femme que... » Même si ce n'est pas vrai, même si les époux s'entendent fort bien, c'est fait. Et ils ne pourront se remarier qu'après que la femme aura été l'épouse d'un autre. Voilà ce que c'est que de se mettre en colère. Cette épouse que son mari gardait cloîtrée dans le harem, qui ne devait sortir que voilée, qu'aucun homme ne devait ni voir ni toucher, il faut qu'elle passe dans le lit d'un autre avant de revenir dans le lit conjugal *.

Et la femme, peut-elle quitter son mari ? Elle peut, s'il y consent, lui racheter sa liberté, par exemple en lui abandonnant une partie de sa dot ou en lui versant effectivement une somme d'argent. De toute façon, il ne renoncera pas à ses droits sexuels sans en tirer quelque profit. Dans le rite malékite, beaucoup plus favorable aux femmes que les autres, elle peut s'adresser au juge pour obtenir le divorce, alléguant qu'il s'abstient volontairement du devoir conjugal, ou qu'il ne subvient pas à son entretien, ou qu'il se livre sur elle à des sévices, ou en cas d'injures graves.

Ce ne sont là que des exceptions à la règle. On s'en tiendra à cette définition de G. H. Bousquet : « Le mariage musulman est essentiellement un acte par lequel une

---

* G. H. Bousquet donne quelques beaux détails de casuistique sur ce sujet : « Ce mariage intermédiaire doit avoir été vraiment et régulièrement consommé et aucun simulacre de consommation n'est admis. A l'appui de cette opinion, on cite cette tradition du Prophète : « La femme ne deviendra licite pour le premier mari que quand elle aura senti pénétrer dans son vagin le gland de la verge du second. » Mais l'éjaculation ne serait pas indispensable. Si le second mariage a été conclu et consommé avec un esclave, sans autorisation du maître, il sera, dans notre cas, de nul effet. Il faut que le maître ratifie le mariage, et alors, à la suite d'un nouveau coït seulement, la femme pourra être répudiée et rendue au premier mari. L'adolescent quasi pubère est assimilé au pubère, s'agissant de rendre la femme licite pour le premier mari; il y a alors mariage valide, régulièrement consommé, l'éjaculation n'étant pas une condition nécessaire de la consommation. »

femme, souvent sans être consultée, doit se mettre sexuellement à la disposition d'un mari, s'il y a lieu à côté de trois autres épouses et d'un nombre illimité de concubines, pour être renvoyée incontinent, dès qu'elle a cessé de plaire, sans qu'aucune idée d'association entre les époux n'intervienne. » Le résultat est une terrible instabilité familiale. Un musulman n'a pas toujours assez de fortune pour posséder quatre épouses et des concubines ; mais la polygamie successive est à la portée de tous.

Entre la louange musulmane et l'invective chrétienne...

Ainsi l'homme musulman a toutes facilités pour satisfaire ses désirs sexuels, et la femme n'en a qu'une : lui plaire. Les théologiens modernistes s'évertuent vainement à adapter le Coran à notre temps ; et les réformes de certains pays islamiques sont encore peu efficaces, sinon en Turquie et en Tunisie.

Le chrétien traditionnel respecte la femme, oui, mais à condition qu'elle renie son sexe ; sinon, elle n'est qu'une impudique fille d'Eve. Elle ne s'élèvera qu'en se dépouillant de son poids de chair. Si la nature malgré tout se rebelle devant tant d'exigence spirituelle, ce sera au prix de la mauvaise conscience, de l'hypocrisie, du remords. Et ce grand élan aboutira, au XIXe siècle, à l'enterrement de la femme par la bourgeoisie absolue. Le musulman encense la femme, il la chante et, peut-être, l'enchante. Mais il l'a enterrée dans le harem. L'horreur du sexe et l'amour du sexe ont également travaillé pour la gloire de l'homme. Ou pour son appauvrissement.

Au point où nous en sommes de cette histoire, au carrefour de l'ascétisme chrétien et de la sensualité musulmane, dont les efforts contradictoires se rejoignent aux dépens de la femme, je voudrais vous dire un vieux conte africain. Il a le double mérite à mes yeux de prêcher en même temps contre les prétentions de l'esprit pur et contre l'orgueil des mâles.

La vie agréable à Dieu *

Dieu, après avoir créé les hommes et en avoir peuplé l'Egypte et la Nubie, reconnut qu'ils n'étaient point bons. Il envoya un anabi (un prêtre), puis un second, puis un troisième, puis un quatrième. Mais les hommes s'efforçaient toujours d'entasser des richesses et oubliaient les pauvres. Ils ne recherchaient pas le bien, mais ils se plaisaient dans une vie désordonnée. Ils ne respectaient pas leurs épouses, mais engendraient des enfants illégitimes avec de voluptueuses courtisanes.

Quand Dieu vit cela, il fut très fâché. Il appela Djiberin, le plus grand malaïka (ange), et dit : « J'ai créé les plantes et les animaux, et ils vivent selon les préceptes que je leur ai donnés. Je prends plaisir à les regarder. Mais à quoi servent les hommes ? A rien de bon ! Va donc avec tous les malaïka, et anéantis les hommes. » Quand Djiberin entendit cela, il pleura, et il supplia Dieu de permettre aux malaïka de délibérer sur les moyens de changer cette situation misérable. Dieu consentit à suspendre provisoirement son courroux.

Les malaïka s'assemblèrent et parlèrent longtemps sans que personne exposât un plan utile. Enfin l'un d'eux se leva et dit : « Le Seigneur Dieu nous a souvent assuré qu'à l'origine les hommes étaient bons. Si l'on appelle santé l'état créé par Dieu, on peut appeler maladie l'endurcissement dans le péché qui est comme la suite d'une vie trop opulente. Mais les hommes eux-mêmes ont inventé des moyens de guérir les maladies du corps. Quand, après avoir mené une vie trop opulente, mangé trop de mouton et bu trop de merissa (vin de palme), ils ont les intestins constipés, ils font une infusion de feuilles de senna et la boivent. Quand l'endurcissement est grand, il faut une forte dose de feuilles de senna. Le Seigneur Dieu n'a envoyé que quatre anabi.

* Léo Frobenius a publié ce récit dans son *Histoire de la civilisation africaine*, pp. 351-360, Paris, 1952. Il le tenait d'un Soudanais comme étant le sermon du schech Zacharoud Harim qui, au XVe siècle, prêchait contre le piétisme en Nubie. J'en donne un abrégé.

N'était-ce point une trop faible dose du remède ? Le Seigneur Dieu est riche. Il peut créer d'un seul coup quarante, quatre cents, quatre mille anabi et les envoyer parmi les hommes. N'est-ce point notre devoir que d'attirer l'attention du Seigneur Dieu sur la possibilité de cette tentative ? »

Quand les autres malaïka eurent entendu ce discours, ils jubilèrent et s'écrièrent : « Voilà le bon conseil ! » Et ils dépêchèrent Djiberin vers Dieu.

Le Seigneur Dieu, après avoir écouté, réfléchit un instant et dit : « O Djiberin, entreprends toi-même cette tentative, car je suis trop las et trop affligé pour avoir encore grand espoir. Dis-moi, combien d'anabi te faut-il pour adoucir le cœur des hommes ? » Djiberin en demanda quatre mille. Dieu dit : « O Djiberin, tu comptes pour trop peu la puissance de mes anabi. Garde-toi d'un trop grand nombre ! » Djiberin dit : « Alors, Dieu et Seigneur, donne-moi quatre cents anabi ! » Dieu dit : « O Djiberin, si tu connaissais le pouvoir d'un anabi, tu craindrais d'accabler les hommes sous le poids de la bonté avec quatre cents anabi. » Djiberin dit : « O Dieu et Seigneur, alors accorde-moi quarante anabi. Mais ne marchande plus. » Dieu dit en riant : « Prends tes quarante anabi. Mais tout cela est ton affaire. Dans quarante ans je te demanderai des comptes. »

Djiberin retourna avec les quarante anabi chez les malaïka. Les malaïka répandirent les anabi parmi les hommes en les répartissant judicieusement. C'était très gênant pour ceux qui n'avaient pas l'intention de passer toute leur vie dans la pénitence. Ils chargeaient leur âne et s'en allaient à la recherche d'une contrée plus agréable. Mais partout ils rencontraient un anabi ou des hommes qu'ils avaient convertis. Le peuple fut bientôt divisé en lutteurs de Dieu qui restaient dans leur village, et en voyageurs forcés qui ne pouvaient trouver la paix. A la fin, ces derniers se lassèrent de leur vie nomade et se dirent les uns aux autres : « Il n'y a pas d'autre salut pour nous que de devenir pieux à notre tour. » Et tous les hommes se soumirent aux lois des anabis. Tous les hommes étaient prêts à partager leurs richesses avec les pauvres. Tous les hommes vénéraient le nom de Dieu du matin au soir, évitaient avec le plus grand soin les voluptés du monde, s'abstenaient de fréquenter d'autres femmes que celle que le prêtre leur avait donnée.

Plus s'affaiblissait la résistance, plus les anabi enflammés de zèle augmentaient leurs exigences. Bientôt les riches ne se contentèrent plus de partager leurs richesses avec les pauvres, ils voulurent être pauvres eux-mêmes. Les dévots s'abstinrent de toute occupation. La connaissance de la femme devint le péché de la chair. Si quelqu'un voulait travailler plus qu'il n'était nécessaire pour sa propre vie, il ne trouvait personne pour lui acheter les produits de son industrie. Tous les artisans durent chômer. Les boutiques tombèrent en ruine. Les canaux s'ensablèrent. Les corps des femmes se desséchèrent. Les hommes s'en allaient par centaines et par milliers dans le désert, adorant Dieu et mourant de faim.

Quand les quarante anabi eurent enseigné et prêché de la sorte pendant trente-neuf ans, Djiberin dit aux malaïka : « Je vais aller voir comment les anabi ont amélioré les hommes. Car dans un an le Seigneur Dieu les jugera. Sans aucun doute, un grand changement s'est produit : l'affluence au paradis est prodigieuse. »

Djiberin s'en fut et, quelques heures après, revint en grande hâte, criant : « Vite, délibérons ! » Il exposa la situation. Les malaïka étaient consternés. Djiberin conclut : « Je ne sais que faire. Contre ce mal, on ne peut avoir recours aux anabi : les hommes ne sont plus endurcis. C'est terrible. »

Parmi les malaïka se trouvait Iblis (le diable). Et il ricanait. Les autres malaïka s'écrièrent : « O Iblis, tu te moques de nous ? Pourquoi ne nous aides-tu pas ? » Iblis dit : « C'est bien, je vais vous aider. Il vous a fallu quarante anabi pour anéantir presque tous les hommes. Vous ne les ressusciterez point avec quarante anabi, ni avec quatre cents ni avec quatre mille. Je n'enverrai qu'une toute petite chose aux hommes. Et en un seul jour, ils redeviendront tout à fait vivants. Allez, maintenant, le soleil est au zénith. Quand il sera là de nouveau, rassemblez-vous. »

Un gaffir (veilleur de nuit) allait de long en large au

bord du Nil, comme l'administration l'exigeait dans le temps où les hommes commettaient des méfaits. Et il se disait : « Cela a-t-il encore un sens, d'aller de long en large ? »

Des vagues se formèrent sur le Nil, et une jeune fille sortit du fleuve. Le gaffir vit au clair de lune qu'elle était très belle. Le gaffir dit : « Jamais encore une jeune fille n'est sortie du Nil à la nuit. Jamaïs encore je n'ai vu une aussi belle fille. » Il l'interpella : « O belle fille ! Veux-tu venir avec moi dans ma maison quand mon service sera terminé et partager ma couche ? » La jeune fille dit : « O Seigneur, pourquoi pas ? »

Le schech el gaffir (chef des veilleurs de nuit) parcourait les rues pour s'assurer que tous les gaffirs faisaient bien leur service. Et il se disait : « A quoi bon ? Voilà de longues années qu'il n'y a plus de désordres. » Il entendit un bruit de paroles, s'avança vers le Nil, vit le gaffir et la jeune fille et s'étonna : « Qu'est-ce que cela ? Voici qu'un gaffir parle à une jeune fille pendant son service ? » Le gaffir dit au schech : « Cette jeune fille est sortie du Nil. Elle veut bien partager ma couche. » Le schech regarda la jeune fille. Il reconnut sa beauté. Il s'écria : « O répugnant gaffir ! Que ferait cette belle jeune fille dans l'écurie puante que tu appelles ta maison ? Dis-moi, belle-fille, ne préfères-tu point partager ma couche propre ? » La jeune fille dit : « O Seigneur, pourquoi pas ? » Le schech el gaffir s'en alla avec elle.

Le mamour (chef de la police) parcourait les rues, disant : « Voici de longues années que je fais ma ronde une fois par mois. Jamais je n'ai constaté un désordre. En veillant inutilement sur les hommes, je dérobe au Seigneur une nuit de prières. » Le mamour rencontra le schech. Il dit : « Qui es-tu ? Jamais encore je n'ai vu pendant la nuit une femme accompagnée par un homme ! » Le schech el gaffir dit : « Je suis le chef des veilleurs de nuit. J'ai rencontré un gaffir en train de parler à cette jeune fille qui est sortie du Nil. Je l'emmène dans ma maison pour partager ma couche. » Le mamour vit la beauté de la jeune fille et s'écria : « O veilleurs de nuit damnés par Dieu ! Vous êtes les pires serviteurs du mal ! Quel bonheur que ma vertu m'ait donné cette charge ! O belle fille, ne préfères-tu pas être couchée avec moi sous une couverture de soie plutôt que sous la toile grossière d'un fils de paysan ? » La jeune fille dit : « O Seigneur, pourquoi pas ? » Le mamour s'en alla avec la jeune fille.

Cette nuit-là, le moudir (gouverneur de la province) parcourait les rues, se disant : « Quand j'aurai donné mes instructions au mamour qui prend son service aujourd'hui, je pourrai me consacrer de nouveau à la prière. Comme il est bien que je n'aie rien à faire et que je puisse me vouer entièrement à la piété ! » Le moudir arriva au bureau du mamour. Il vit la belle jeune fille assise sur le divan à côté du mamour et s'étonna : « O mamour, que voient mes yeux ? » Le mamour dit : « O gouverneur, cette fille est sortie du Nil et mes gaffirs allaient commettre le péché avec elle. Je vais la prendre dans ma maison et lui expliquer les doctrines de Dieu. » Le moudir vit la beauté de la jeune fille et dit : « O mamour, je ne sais si ta science des doctrines de Dieu est profonde. O belle fille, ne préfères-tu pas venir avec moi dans ma maison et apprendre de moi la prière ? » La jeune fille dit : « O Seigneur, pourquoi pas ? » Le moudir s'en alla avec la jeune fille.

Cette nuit-là, le melik (le roi) fit appeler le nasr (le ministre) pour célébrer avec lui le service de Dieu. Le ministre partit aussitôt. En chemin il se disait : « Il n'y a plus rien d'autre à faire que célébrer le service de Dieu. » Le ministre passa devant la maison du moudir, vit de la lumière et entra. Le moudir avait ouvert la dernière bouteille de la maison et buvait du vin avec la jeune fille. Le ministre s'écria : « O moudir, que voient mes yeux ? » Le moudir dit : « Cette jeune fille est sortie du Nil, elle est venue trouver la police en demandant à apprendre la prière. » Le nasr vit la beauté de la jeune fille et dit : « O moudir, n'ai-je pas été nommé par le roi pour administrer toutes les institutions pieuses ? N'est-ce pas là mon devoir suprême ? O jeune fille, ne veux-tu point boire à la source de la sagesse de Dieu ? » La jeune fille dit : « O Seigneur, pourquoi pas ? » Le nasr s'en alla avec la jeune fille.

Le melik attendit longtemps son ministre. Enfin il dit :

« Ce pieux ministre se sera endormi, fatigué par la prière. Je vais l'éveiller moi-même avec l'humilité dont tout homme doit faire preuve. » Le roi partit. En chemin il dit : « Le Seigneur Dieu m'a fait roi d'un peuple qui ne connaît plus le péché. Loué soit le Seigneur Dieu et le cortège des anabi ! » Le roi rencontra le ministre qui s'acheminait vers sa maison avec la belle fille. Il s'écria : « N'est-ce pas toi, mon nasr ? Et ne vois-je pas à tes côtés un être féminin ? Est-ce un malaïka qui t'a fait l'honneur de descendre vers toi ? » Le ministre dit : « O roi, ce n'est pas un ange ! C'est une jeune fille qui est sortie du Nil et qui m'a fait mander par la police et le moudir, afin de recevoir l'enseignement de la doctrine divine. » Le melik vit la beauté de la jeune fille et dit : « O nasr, c'est de moi que cette jeune fille apprendra la première prière. Rentre chez toi. Cette nuit je n'ai plus besoin de toi. Mais toi, belle fille, dis-moi si tu veux jouir de mon enseignement ? » La jeune fille dit : « O Seigneur, pourquoi pas ? » Le roi s'en alla dans son palais avec la jeune fille.

Cependant l'aube se leva. Quand il fit jour, le roi demanda à la belle fille du Nil : « Veux-tu m'épouser et devenir ma femme ? » La belle fille dit : « O Seigneur, pourquoi ne t'épouserais-je pas ? Maïs pourquoi ne deviendrais-je pas aussi bien la femme du ministre, du gouverneur, du chef de la police, du chef des veilleurs de nuit ou du veilleur de nuit ? Ne dois-je pas, selon votre doctrine, confier mon destin à la main de Dieu ? Il faut donc que vous tous — toi, le ministre, le gouverneur, le chef de la police, le chef des veilleurs de nuit, le veilleur de nuit — vous vous aligniez sur un rang. A quarante pas de là, je sifflerai et je me mettrai à courir. Celui qui me touchera le premier, je l'épouserai. » Le roi dit : « N'y a-t-il pas autre chose à faire ? » La belle fille dit : « Non, ô roi, il n'y a pas autre chose à faire pour que s'accomplisse mon destin. »

Le roi appela son ministre et lui donna les ordres nécessaires. Quand tous furent placés sur un rang, le roi et la belle fille quittèrent le palais. Cependant, une grande foule s'était assemblée qui regardait le roi et le ministre s'aligner avec les autres.

La belle fille du Nil s'éloigna du rang de quarante pas et dit : « O gaffir, es-tu prêt ? » Le gaffir s'écria : « O belle fille, je suis prêt ! » La belle fille dit : « O schech el gaffir, es-tu prêt ? » Le schech el gaffir s'écria : « O belle fille, je suis prêt ! » La belle fille dit : « O mamour, es-tu prêt ? » Le mamour s'écria : « O belle fille, je suis prêt ! » La belle fille dit : « O moudir, es-tu prêt ? » Le moudir s'écria : « O belle fille, je suis prêt ! » La belle fille dit : « O nasr, es-tu prêt ? » Le nasr s'écria : « O belle fille, je suis prêt ! » La belle fille dit : « O melik, es-tu prêt ? » Le melik s'écria : « O belle fille, je suis prêt ! » La belle fille siffla et se mit à courir.

Alors tous les hommes du rang se mirent à courir eux aussi, en s'efforçant d'atteindre la belle fille. Et tous les autres hommes qui étaient venus pour jouir du spectacle se mirent à courir à leur tour. Mais la belle fille courait très vite. Les hommes la poursuivaient, aucun d'eux ne réussissait à toucher la belle fille. Tous les hommes couraient, couraient, et courent encore après la belle fille.

Quand le soleil fut revenu au milieu du ciel, Iblis retourna chez les malaïka qui s'étaient rassemblés et leur dit : « Regardez la terre ! » Les malaïka regardèrent la terre au-dessous d'eux. Ils virent tous les hommes courant après la belle fille. Les malaïka fort étonnés s'écrièrent : « O Iblis, voyons-nous clair ? » Iblis dit : « O malaïka, vous voyez clair. Les hommes ont interrompu leurs prières continuelles et reconnu qu'ils n'étaient ni des anabi ni des malaïka. Ils font usage des membres que Dieu leur a donnés à la création. Ils ont retrouvé la joie de vivre. Montrez ces hommes au Seigneur Dieu, et vous verrez qu'il les reconnaîtra comme les enfants de sa création ! »

Djiberin demanda : « En es-tu sûr, ô Iblis ? » Iblis dit : « Si vous ne voulez pas me croire, demandez au Seigneur Dieu lui-même ! » Djiberin dit : « Iblis, je risquerai cela. »

Djiberin se présenta devant Dieu. Il lui dit : « O Seigneur Dieu ! Regarde les hommes et sois plein de grâce, car leur aspect est étrange. » Le Seigneur Dieu tourna sa face vers les hommes, en bas. Le Seigneur Dieu vit courir la jeune fille du Nil et derrière elle le gaffir, le schech el gaffir, le mamour, le moudir, le nasr, le melik et, par-dessus le marché, tous les autres hommes.

Quand le Seigneur Dieu vit cela, sa colère se dissipa. Le Seigneur Dieu rit à faire résonner le ciel. Et il s'écria : « Non, non, je ne les anéantirai pas, ces hommes-là ! O malaïka, les hommes doivent rester en vie pour m'avoir fait rire ainsi ! »

Voilà pourquoi les hommes ne furent pas anéantis.

Homme et auditeur, auditeur et homme, réfléchis que Dieu n'a fait de l'homme ni un malaïka ni un anabi. Quiconque prêche cela prêche une hérésie.

CHAPITRE VII

LA PAIENNE AU SOLEIL DE LA MÉDITERRANÉE

I. LA GRECQUE

Pour les Grecs, les poèmes d'Homère étaient la Bible et le Coran. Même Platon devait saluer en lui « l'instituteur de la Grèce » — en le déplorant : la robuste santé des héros homériques ne pouvait satisfaire son idéalisme.

Nous croyons connaître les Grecs : nous ne connaissons que ceux de l'âge classique. Mais avant ? De la guerre de Troie aux guerres médiques — huit siècles — l'évolution des mœurs est fâcheusement incertaine ; et plus encore si l'on remonte d'Agamemnon jusqu'à la civilisation crétoise : entre le palais de Cnossos et le Parthénon, mille années ont passé qui ne pèsent tout de même pas moins lourd que le siècle de Périclès dans la vie des Grecs. Mais je n'écris pas une histoire des mœurs, je ne fais que chercher dans chacune de nos grandes civilisations comment les hommes et les femmes se sont arrangés avec leur sexe et ses problèmes. Chaque peuple a son secret. Le temps change ses modes et ses visages, quelque chose demeure : un certain regard humain sur le mystère de la vie et de la mort, dont le sexe n'est jamais absent, qu'on le veuille ou qu'on ne le veuille pas, qu'on l'adore ou qu'on le damne.

Le sexe laïcisé

Le regard des anciens Grecs est moderne. Avec eux nous passons sur l'autre versant. Tous les peuples que nous avons vus attribuaient au sexe une valeur mystique. Indiens hindouistes ou bouddhistes, Hébreux, chrétiens, musulmans, qu'ils fussent pour ou contre, liaient le sexe à leur salut dans l'au-delà ; les Chinois se voyaient possédés par lui comme par les forces cosmiques qui gouvernent le monde ; quant aux Egyptiens, non moins spiritualistes mais plus familiers avec le surnaturel, plus bonhommes, leur lit communiquait de plain-pied avec leur tombeau. Les Grecs ont laïcisé le sexe. Et les Romains, les Européens, enfin tous les Occidentaux industrialisés iront à cette école laïque — non sans conflits, parfois, avec l'école chrétienne.

Peut-être même les anciens Grecs sont-ils d'avant-garde : ils traitent le sexe avec une parfaite décontraction ; ils n'ont pas peur de la femme, la femme n'a pas peur de l'homme, ils ne craignent ni père ni mère ; et pour tout dire, ils ont surmonté le complexe d'Œdipe avant Œdipe.

D'entrée de jeu, ils l'ont liquidé. Ils étaient nés, comme tout le monde, de la Terre-Mère, la déesse Gea. Elle avait eu un fils, Ouranos, dieu du Ciel, qu'elle avait épousé. Et Ouranos avait couché avec sa mère, comme Œdipe avec Jocaste, mais il ne s'était pas arraché les yeux pour cela. A eux deux ils avaient engendré Cronos, le Temps. Et quand le temps était venu, Cronos n'avait pas eu besoin d'aller consulter le docteur Freud : il avait coupé les testicules de son père, d'un coup de serpe. Voilà comment on devient un homme. Et qu'est-ce qu'il faut à l'homme ? La femme. Cronos jeta dans la mer les génitoires de son père, « où elles furent emportées au large, dit Hésiode ; tout autour, une blanche écume sortait du membre divin. De cette écume une fille se forma ». Comme l'écume en grec se dit *aphros,* la fille fut nommée Aphrodite, dont la beauté, depuis lors, eut un effet aphrodisiaque sur les hommes — du moins sur ceux dont les fils ne résolvaient pas leur complexe d'Œdipe à la serpe.

Ulysse et Pénélope

Les Grecs sont des adultes. S'ils sont du sexe masculin, bien sûr. Mais les femmes aussi peuvent se comporter en adultes, et l'on n'admirera jamais assez qu'une société éminemment virile, puisant son inspiration dans des poèmes guerriers, ait reconnu dans les femmes des êtres à part entière. Dans certaines femmes, il est vrai : ce sont des hommes qui parlent. Mais s'il en est une, les autres peuvent l'être. Ulysse, « le plus sage des hommes », et Pénélope, « la plus sage des femmes », proposent aux Grecs le couple selon leur cœur.

Ulysse, rusé, musclé, irrésistible, reste absent de chez lui pendant vingt ans, affrontant mille périls, dont les moins redoutables ne sont pas les femmes. Redoutables, quel Grec en douterait ? Héraklès lui-même, ce champion de la virilité, qui avait en une seule nuit ravi leur virginité à cinquante filles assurément ravies, dont Plutarque devait dire que « ce serait un travail (d'Hercule) que d'énumérer toutes ses amours tant le nombre en est grand », Omphale, la reine de Lydie, ne l'avait-elle pas réduit à l'état d'esclave, assis à ses pieds, habillé comme une femme et filant la quenouille ? La leçon ne sera pas perdue. Un Grec averti en vaut deux, et Ulysse est malin comme quatre. Il échappe aux tourbillons de la monstrueuse Charybde qui aspire ses victimes, et aux crocs de Scylla qui leur broie les os ; il résiste à l'appel des Sirènes ; il accorde impunément ses faveurs à Circé, qui change les hommes en pourceaux, et s'il reste sept ans dans la couche de Calypso, il n'y oublie pas Pénélope. Quand il a décidé de partir, c'est en vain que Calypso attire son attention sur ses charmes, très supérieurs à ceux de son épouse : « Je me flatte pourtant de n'être pas moins belle de taille ni d'allure, et je n'ai jamais vu que de femme à déesse on pût rivaliser de corps ou de visage. » A quoi Ulysse répond : « Déesse vénérée, écoute et me pardonne : je me dis tout cela ! Toute sage qu'elle est, je sais qu'auprès de toi Pénélope serait sans grandeur ni beauté ; ce n'est qu'une mortelle, et tu ne connaîtras ni l'âge ni la mort. Et pourtant le seul vœu que chaque jour je fasse est de rentrer là-bas, de voir en mon logis la journée du retour ! » Ulysse au cœur fidèle dans l'infidélité sexuelle, ne voilà-t-il pas le patron des maris ?

Pendant ce temps, Pénélope, faisant et défaisant sa tapisserie, lanterne avec constance ses prétendants. Elle est le port qui attend le navire. Et quand enfin il touche au port... « Ulysse, pris d'un plus vif besoin de sangloter, pleurait. Il tenait dans ses bras la femme de son cœur, sa fidèle compagne. » Après quoi, il lui raconte bonnement ses aventures, et elle les écoute sans sourciller.

Les bonnes manières sexuelles

Pourquoi s'en formaliserait-elle ? Pénélope connaît la vie, et elle n'ignore certainement pas ce serment que fit Agamemnon à Achille en lui rendant la captive, Briséis, qu'il lui avait enlevée : « Je n'ai pas voulu la serrer dans mes bras, ni partager son lit, comme il est normal entre homme et femme. » C'est tellement normal que je me demande si la chasteté de Pénélope pendant vingt ans n'est pas une idéalisation poétique aussi forte que les exploits d'Ulysse... Mais ce ne sont pas des choses à dire. Un Grec a beau être décontracté, il est quand même chatouilleux. Ulysse n'eût pas aimé entendre de Pénélope des confidences sur l'oreiller. Il faut du tact, qui chez la femme est le silence, et chez l'homme la constance dans l'inconstance. Agamemnon avait le droit de coucher avec la captive de son lot, Chryséis, et même avec beaucoup d'autres, mais il n'aurait jamais dû déclarer publiquement : « Je la préfère à mon épouse Clytemnestre, car elle la vaut bien pour la beauté, la taille et l'esprit et l'adresse ! » Ce manque de tact donna à Clytemnestre une bonne raison de l'égorger dans son bain — encore un manque de tact, car elle se fit aider par son amant.

Les tragédies grecques sont pleines de meurtres, et il est d'autant plus remarquable que les drames de la jalousie y soient rarissimes. Mais Hélène enlevée par Pâris n'a-t-elle pas quelques milliers de morts sur la conscience ? Elle ne fut qu'un bon prétexte à une expédition impérialiste, comme le Saint-Sépulcre : alors que le moteur des croisades était l'expansion coloniale, et celui de la guerre de Troie le contrôle des Détroits, les Achéens se promettaient de violer les Troyennes comme les Croisés de baiser la Terre Sainte.

Homme et femme accordés

Les Grecs n'ignorent pas l'amour conjugal, mais ils le goûtent mieux quand il est tempéré. Ulysse l'a défini : « Il n'est rien de meilleur ni de plus précieux que l'accord, au foyer, de tous les sentiments entre mari et femme : grand dépit des jaloux, grande joie des amis, bonheur parfait du couple ! » Et le célèbre dialogue d'Hector et d'Andromaque sur le rempart de Troie, avant le combat, en est la plus touchante peinture :

« Epoux infortuné ! ta fougue te perdra. Tu n'as nulle pitié de ton fils tout petit, ni de mon deuil à moi qui bientôt serai veuve... Hector, tu es pour moi tout à la fois un père, une mère chérie, un frère en même temps qu'un fort et jeune époux... Ne rends pas orphelin ton fils, ta femme veuve ! »

Hector, qui ne se fait pas d'illusion sur l'issue de la bataille, répond :

« Ah ! puissé-je mourir, puissé-je être enfoui sous un amas de terre avant d'ouïr tes cris, le jour où tu seras traînée en esclavage ! »

Hector tend les bras vers son fils, que tient sa nourrice.

« Mais l'enfant se détourne ; il se blottit contre le sein de sa nourrice et crie, épouvanté par l'aspect de son père : c'est l'airain qui l'effraie, et le panache aussi, fait de crins de cheval, qu'il voit se balancer, terrible, en haut du casque. Il fait rire son père et son auguste mère, et le brillant Hector, enlevant aussitôt son casque étincelant, le pose sur le sol. Il embrasse son fils, puis il place l'enfant dans les bras de sa mère. Elle, en le recevant sur son sein parfumé, pleure et rit à la fois. Son époux, à la voir, ressent grande pitié. »

Il y avait de quoi : Hector tué par Achille, Andromaque au cœur fidèle n'en sera pas moins la captive et l'épouse de Pyrrhus, fils d'Achille, qui aura d'elle des enfants, puis la répudiera et la donnera en mariage au frère d'Hector. La plus noble des femmes se refile comme du mobilier. Ce qu'elle peut faire de mieux, c'est d'aimer son vainqueur. Ainsi Briséis, captive d'Achille qui l'a faite veuve, « près de lui s'est couchée » car elle trouve qu'il est joli garçon, l'assassin de son mari.

L'héroïsme féminin

Ces femmes raisonnablement tendres, ou tendrement raisonnables, sont pourtant capables, en amour, d'un héroïsme supérieur à celui des héros, du moins dans la mythologie. Un roitelet de Thessalie, Admète, devait mourir, sauf si quelqu'un acceptait d'aller à sa place dans l'Hadès. Sa jeune et belle épouse, Alceste, donna sa vie pour lui, et il accepta le sacrifice, en gémissant, toutefois, près du lit de la mourante : « Ah ! si la voix mélodieuse d'Orphée m'était donnée pour enchanter de mes accents la fille de Déméter (Perséphone) ou son époux et t'enlever à l'Hadès, j'y descendrais... » Seulement, il n'y descend pas, et c'est Héraklès qui va chercher Alceste dans les enfers.

Orphée, lui, y va, charmant de sa musique Cerbère qui en garde les portes, et les dieux infernaux consentent à lui rendre son Eurydice à condition qu'il ne se retourne pas pour la regarder avant d'être sorti des enfers. On sait qu'impatient de la voir il se retourna et qu'Eurydice disparut définitivement dans les ténèbres.

« L'amour enseigne aux femmes elles-mêmes à braver la mort », dira Plutarque. C'est peu dire : Orphée n'avait fait que braver la mort, Alceste avait donné sa vie. Enfin, ne chicanons pas : l'un et l'autre sont allés dans l'Hadès et ils en sont revenus. Properce pourra dire : « Un grand amour franchit les rives de la mort. » Mais les Grecs d'Homère ne se soucient guère de ce mysticisme-là. Quand Properce et Plutarque écriront, les Grecs auront basculé dans la spiritualité de Platon, ils seront prêts pour les transmutations « platoniques », chrétiennes ou romantiques de l'amour. Le secret des Grecs n'est pas là.

La femme complète

Leur secret est d'avoir les pieds sur terre, du cœur au ventre, et de tant aimer la beauté physique qu'elle est à leurs yeux le signe de la beauté de l'âme — le signe du divin. Une femme solide, la gorge généreuse et pareille à un « golfe profond », la taille haute, marchant comme une déesse, ou comme les paysannes d'aujourd'hui une cruche sur la tête, un homme l'admire, l'estime, la respecte, la désire. Il peut même y avoir entre eux quelque chose qui approche du sommet de la communication humaine, ce mélange d'amitié, de tendresse et de camaraderie qui s'appelle la *philia*, dont Achille et Patrocle sont le plus parfait exemple. Il ne manque à la femme que de porter les armes — mais c'est un manque irrémédiable chez un peuple qui aime la beauté musclée. Penthésilée, la reine des Amazones, fut cette femme qui vint au secours de Troie et affronta Achille en combat singulier. Il la transperça de son épée. A cet instant, leurs regards se croisèrent, et le plus beau, le plus noble, le plus valeureux des Achéens reconnut en elle « la femme digne de lui, une égale, un être de sa race. Un amour immense et soudain l'envahit », mais « la vie abandonne ce corps qu'il serre dans ses bras », le héros « vient de tuer celle qu'il aime... Ses pleurs jaillissent, ses cris s'élèvent [24] ». Un peuple qui accepte ce mythe ne se fait pas une petite idée de la femme. (J'entends bien que, pour les viragos du Scum, du Bitch ou du Witch *, le seul mythe satisfaisant eût été celui de Penthésilée transperçant Achille, mais il ne faut pas être trop exigeant.) Le Grec d'Homère n'a pas de complexes. Il n'a pas le vertige devant le gouffre féminin. Il n'y voit pas la porte de l'enfer chrétien, ni la porte du paradis musulman. Il y voit tout simplement la

* Voir p. 430.

source de la vie : comment ne la respecterait-il pas ? L'homme et la femme sont magnifiquement d'accord avec leur destin, comme des Polynésiens. Et si l'homme commande à la femme et la protège, c'est comme les Egyptiens, parce que telle est sa fonction. Il ne se croit pas pour autant d'une essence supérieure, car plus haut que la force il place le courage, que l'adversité exalte ; toutes ses tragédies le crient, et les femmes n'y agissent pas moins noblement que les hommes. « Nous étions nés tous les deux pour une même destinée », dit Andromaque à Hector. Oui... si les dieux ne soufflaient pas dans le cœur des hommes la folie du carnage. Voilà toute la différence qui détermine la condition de la femme : Hector est mort et Andromaque est captive.

La Parisienne de Cnossos

Cette leçon d'éducation sexuelle que donnait « l'instituteur de la Grèce », les Grecs surent-ils l'entendre ? Comme les chrétiens la Bible et les anathèmes des Pères de l'Eglise, comme les musulmans le Coran et la casuistique des docteurs de la Loi : chacun y trouva ce qu'il cherchait. Il faut bien reconnaître que les Grecs y trouvèrent surtout ce qui abaissait la femme, et n'élevait pas l'homme.

La morale homérique était une morale de seigneurs. Dans quelle mesure ces seigneurs avaient-ils les mœurs de ceux pour qui chantait Homère (- VIIIe siècle) ou de ceux qu'il chantait (- XIIIe siècle) ? Le partage est difficile à faire. On admet, toutefois, que la liberté d'allure de ces femmes était venue de la Crète, via Mycènes.

Les Crétois mettaient au premier rang des divinités une déesse, Britomartis. Les prêtresses, semble-t-il, y étaient plus nombreuses que les prêtres ; et ceux-ci, après que le roi-dieu, le Minotaure, eut pris le pas sur la déesse, se déguisaient en femmes pour officier. La fille du roi Minos, Ariane, quand elle tombe amoureuse de Thésée, ne demande pas la permission de son père pour guider le héros hors du labyrinthe et trahir sa patrie. La bourgeoise crétoise n'apparaît pas moins libre. C'est une affriolante coquette. Les seins nus ou voilés d'un corsage transparent, la taille étranglée dans un corset à baleines métalliques, la jupe bouffante à l'andalouse, le nez retroussé et impertinent, les lèvres charnues, de grands yeux de fausse ingénue, la « Parisienne » ondule de la croupe et n'a pas froid aux yeux. C'est aussi une sportive. Elle chasse à courre avec les hommes, conduit des chars à deux chevaux, participe aux courses de taureaux dans l'arène.

Les maîtresses-femmes de Mycènes

Lorsque Mycènes succéda à la Crète ruinée, vers - 1450, elle en adopta les mœurs et les modes, avec moins de finesse, un peu comme des nouveaux riches copiant l'aristocratie. Mais, au temps de la guerre de Troie que chante Homère, deux siècles avaient passé, et Nausicaa ne manque certainement pas de finesse ni de sang-froid quand elle découvre au bord de la rivière où elle lave son linge avec ses suivantes ce naufragé tout nu et pas très propre. Et quel conseil lui donne-t-elle, la fine mouche ? « Demande aux Phéaciens le logis de mon père, du fier Alkinoos. Et, sitôt à couvert en ses murs et sa cour, ne perds pas un instant : traverse la grande salle et va droit à ma mère. Ses servantes sont là, assises derrière elle, tandis qu'en son fauteuil mon père à petits coups boit son vin comme un dieu. Passe sans t'arrêter et va jeter les bras aux genoux de ma mère, si tes yeux veulent voir la journée du retour. »

De toute évidence, c'est elle qui décide « sous la loi d'un époux ». Et en effet, Homère prend soin de préciser : « Alkinoos l'honore comme pas une au monde ne peut l'être aujourd'hui parmi toutes les femmes qui tiennent la maison sous la loi d'un époux. Elle eut, elle a toujours les hommages de ses enfants, du roi Alkinoos lui-même, ainsi que de ses peuples. Les yeux tournés vers elle autant que vers un dieu, on la salue d'un mot quand elle passe au bourg : elle a tant de raison, elle aussi, de noblesse ! Sa bonté, même entre hommes, arrange la querelle. »

« Comme pas une au monde ne peut l'être aujourd'hui... » C'est donc que la condition de la femme, au VIIIe siècle, n'était plus ce qu'elle avait été. A qui la faute ? Aux invasions des barbares doriens qui, au - XIe siècle, avaient submergé la Grèce continentale à l'exception de l'Attique, semant la désolation, cependant que les joyeux corsaires blonds de Mycènes s'en allaient demander asile à leurs anciens ennemis, les Troyens.

Comment les Achéennes vécurent en Ionie et les Doriennes en Grèce propre jusqu'au VIe siècle, nous n'en savons pas grand-chose. Deux poètes, toutefois, nous proposent deux images fortement contrastées : Sapho pour l'Ionie et Hésiode pour la Grèce « occupée ».

Les filles de Sapho

Les *corés* au sourire retenu, d'une grâce altière dans leur tunique à longs plis, que l'on admire dans le musée du Parthénon, je veux croire qu'elles sont le portrait de Sapho et des filles qu'elle aima, aussi bien que de Nausicaa.

Sapho dirigeait à Mytilène, dans l'île de Lesbos, un pensionnat de jeunes filles, une « maison des Muses » où les jeunes filles de bonne famille venaient recevoir une éducation qui ne ressemblait pas tout à fait à celle qu'elles auraient trouvée dans le Saint-Cyr de Mme de Maintenon. Il s'agissait plutôt d'une éducation par la pratique des arts, par la dévotion à Aphrodite, par le culte des Grâces, enfin, il s'agissait de les préparer par ce que les Anciens appelaient une érotique, une culture de l'amour, à être de délicieuses épouses, et, éventuellement, quelque chose encore.

Car la réputation de Lesbos et de Sapho n'est pas surfaite, ses poèmes ne nous laissent aucun doute à ce sujet. Que l'on en juge par l'histoire d'Atthis.

Sapho musardait dans les collines de Mytilène avec ses écolières. Quand vient l'automne, Atthis, qu'elle aime depuis le temps qu'elle n'était qu'une gauche petite gamine, s'impatiente de redescendre à la ville et fait mine de vouloir secouer le joug de la passion ; elle écrit un billet à sa maîtresse, qui en fera un poème : « Sapho, je jure que je ne veux plus t'aimer ! Oh, lève-toi pour l'amour de nous, et fais sortir du lit ton corps vigoureux tant aimé ! Dans l'eau, tel un lys immaculé au bord d'une fontaine, après avoir dépouillé ton *péplos* de Chios (ta robe de nuit) baigne-toi... et viens, charmante par ta beauté qui m'affole... »

Atthis ne croyait pas si bien tenir son serment. De retour à Mytilène, elle trouva du goût aux jeunes gens, et Sapho, torturée de jalousie, écrivit cette ode : « Il me semble l'égal des dieux cet homme qui vis-à-vis de toi s'assied et de près écoute ta douce voix et ton rire adorable ! Ah ! Voici que mon cœur dans ma poitrine en est tout transporté ! Car, dès que je te contemple, tout aussitôt la voix me manque, ma langue se brise et, sous ma peau, un impalpable feu circule, mes yeux ne voient plus rien, mes oreilles bourdonnent, la sueur m'inonde, un tremblement me saisit toute, je suis plus verte que l'herbe et, inerte, je parais, peu s'en faut, être morte. Mais il faut se résigner à tout, puisque privée... »

Injure suprême, Atthis céda à une maîtresse d'école concurrente, nommée Andromède : « Amour qui brise les membres à nouveau me transporte, monstre doux-amer, invincible ! Atthis, mon souvenir t'est devenu odieux : c'est vers Andromède que tu voles !... Quelle belle et douce vie nous menions ! De tant de couronnes mêlées de violettes et de suaves roses tu as paré tes cheveux chez moi, et de tant de colliers enlacés à ton cou délicat et composés de mille fleurs ! Etendue sur ton lit somptueux, tu te faisais servir par mes jolies esclaves tout ce que pouvait désirer l'Ionienne la plus exigeante. Il n'y avait pas de collines, de bois sacrés ni de ruisseaux que nous n'allions visiter ensemble ! Et les premiers chants réunis du printemps n'avaient pas plus tôt empli les bois du chœur des rossignols, que tu t'y promenais avec moi... Je ne reverrai jamais plus Atthis. Sans mentir, je voudrais être morte ! »

C'est le seul témoignage que nous ayons des amours saphiques. Mais comme Sapho est aussi, à notre connaissance, la seule femme de ce temps qui ait écrit, il y a là une sorte d'unanimité. On ne pouvait pas attendre des hommes qu'ils célèbrent des amours dont ils étaient exclus. Si la

Grèce avait eu autant de femmes de lettres que d'hommes de lettres, peut-être saurions-nous mieux que « l'amour grec » ne fut pas un monopole masculin. Quand, dans l'âge classique, les hommes distingués vont mener une vie de club avec leurs éphèbes, ils pourront bien s'attendre à recevoir la réponse de la bergère au berger. Et en effet, Plutarque dira : « A Sparte ce genre d'amour était tellement en honneur que les femmes les plus honnêtes s'y éprenaient elles-mêmes des jeunes filles. »

En tout cas, pour le plaisir des dames ou pour le plaisir des messieurs, les filles d'Ionie recevaient une éducation raffinée. Il n'en sera point de même dans la brillante Athènes.

La boîte de Pandore

A la noblesse d'Homère et à la finesse de Sapho réplique la misogynie d'Hésiode, comme dans notre Moyen Age les sarcasmes des fabliaux répliquent à l'épopée chevaleresque et à la poésie courtoise. Hésiode est un paysan, mieux encore, un Béotien, et les rustres doriens sont passés par là. Il écrit un siècle avant Sapho, mais il ne semble pas que les mœurs aient beaucoup changé pendant ce temps.

Il a conscience de vivre dans une rude époque. « Plût au Ciel que je fusse ou mort plus tôt ou né plus tard ! Car c'est maintenant la race de fer. »

Hésiode a pour la femme un mépris de fer, justement. Elle est, dit-il, la cause de tous nos maux. Tout est de la faute de Pandore, comme d'autres diront que c'est de la faute d'Eve. « Cette créature mauvaise vers laquelle ils (les hommes) se jettent le cœur content et dont l'étreinte va hâter leur destruction », ce « mal magnifique », ce « plaisir funeste », pourquoi, comment, Zeus l'a-t-il créée ? « Il la voulait douce avec un corps de jolie fille et un visage aussi beau que celui de l'immortelle déesse ; Athéna fut chargée de lui apprendre à coudre et à filer, Aphrodite lui donna la grâce et lui apprit l'art de se faire désirer. Zeus demanda encore à Hermès de la rendre trompeuse et impudique... Puis il nomma cette créature Pandore parce que tous les habitants de l'Olympe lui avaient donné quelque chose. » Pandore signifie, en effet, « tous les dons », et elle n'est rien d'autre que l'incarnation de la Déesse-Terre. Mais pourquoi Zeus a-t-il créé Pandore ? Il voulait punir Prométhée de s'être emparé du feu du Ciel pour le donner aux hommes. Zeus enferma tous les maux dans une jarre qu'il confia à Pandore en lui recommandant de ne jamais regarder ce qu'il y avait dedans. Naturellement, Pandore, comme Eve, ne sut pas résister à la curiosité, et les maux et les maladies se répandirent sur la terre. Dans la jarre il ne resta que l'espérance.

On observera que l'auteur du mal est bel et bien Zeus, que la femme ne fut que son instrument. Elle n'en est pas moins détestable, aux yeux d'Hésiode. Mal nécessaire, hélas ! « Ayez d'abord une maison, une femme et un bœuf de labour — une femme achetée et non pas épousée, qui puisse au besoin suivre les bœufs. » Se marier, en effet, c'est se livrer pieds et poings liés : « Qu'une femme n'aille pas avec sa croupe attifée te faire perdre le sens ; son babil flatteur n'en veut qu'à ta grange ; qui se fie à une femme se fie aux voleurs. » Et pourtant, les hommes n'y échappent pas. Alors, qu'ils prennent des précautions ! Qu'ils attendent la force et la sagesse de leur trentième année et choisissent une vierge de seize ans, docile, à qui ils puissent inculquer de bons principes. (Ce rapport des âges sera tenu pour souhaitable dans Athènes à l'époque classique.)

Rien ne permet d'affirmer que notre misogyne ait pratiqué la pédérastie qui, en bonne logique, devait lui apparaître comme une sauvegarde, et parut bien telle aux Spartiates.

Les Egales des Egaux

Une des tribus doriennes qui avaient envahi la Grèce au XIe siècle avait pris ses cantonnements en Laconie, à Sparte, dans une vallée solitaire emprisonnée par les montagnes enneigées du Taygète. Tous les Grecs ont vu dans Sparte le conservatoire des rudes traditions doriennes. Il faut bien dire cependant que des Achéens étaient restés là ; d'où un étrange gouvernement : deux rois régnaient, l'un dorien, l'autre achéen. Sans doute la situation ne fut-elle pas moins déterminante sur la race : Athènes se trouvait à un carrefour de courants maritimes alors que Sparte, exclusivement terrienne, vécut dans un isolement farouche. Les hobereaux spartiates se cramponnaient à leurs terres et n'en démordaient pas. Ils étaient quatre mille (vingt-cinq mille avec les femmes et les enfants) qui dominaient trois cent cinquante mille « âmes » de deuxième ou troisième ordre. Des ilotes, c'est-à-dire des esclaves, cultivaient pour eux leurs terres. Leur seul travail était le service militaire — et la procréation de petits soldats.

Pour atteindre cet objectif il leur fallait des génitrices de première qualité. Plutarque a décrit le principe et ses applications pratiques avec une admiration qui peut-être met l'accent sur les vertus plus que sur les défauts. « Par la volonté de Lycurgue *, les jeunes filles s'exercèrent à la course, à la lutte, au lancement du disque et du javelot. Il voulait que la semence de l'homme, fortement enracinée dans des corps robustes, poussât de plus beaux germes et qu'elles-mêmes fussent assez fortes pour supporter l'enfantement et lutter avec aisance et succès contre les douleurs de l'accouchement. Ecartant la mollesse d'une éducation casanière et efféminée, Lycurgue n'habitua pas moins les jeunes filles que les jeunes gens à paraître presque nus dans les processions, à danser et à chanter ainsi dans les cérémonies religieuses en présence et sous les yeux des garçons. Cette nudité des jeunes filles n'avait rien de déshonnête, car la pudeur l'accompagnait et tout libertinage en était absent ; elle les habituait à la simplicité, les engageait à rivaliser de vigueur et faisait goûter à leur sexe un noble sentiment de fierté, à la pensée qu'elles n'avaient pas moins de part que les hommes à la valeur et à l'honneur. Elles en arrivaient à dire ou à penser ce qu'on rapporte de Gorgô, la femme de Léonidas. Comme une étrangère lui disait :

* Lycurgue n'est qu'un nom de légende ; les lois qui lui sont attribuées expriment la détermination obstinée d'une poignée d'aristocrates.

« Vous autres, Lacédémoniennes, vous êtes les seules qui commandiez aux hommes. — C'est que, répondit-elle, nous sommes les seules qui mettions au monde des hommes. »

Elles s'y prennent d'une étrange façon. Le soir du mariage, une matrone rase la tête de la jeune mariée, l'habille en homme et la laisse dans l'obscurité. Est-ce pour flatter les goûts de son époux ? C'est une survivance du vieux tabou de la virginité, une ruse rituelle destinée à berner les puissances maléfiques que, selon les Doriens, recèle le ventre de la femme. L'époux, qui a pris son repas à la caserne, arrive à pas feutrés, se glisse comme un voleur dans la chambre et dénoue la ceinture de l'épouse. Son service conjugal accompli, il s'en retourne dormir avec ses compagnons. Ce n'est que passé la trentaine qu'il pourra avoir la permission de la nuit (mais il prendra quand même ses repas à la caserne). « Beaucoup, dit Plutarque, avaient un enfant alors qu'ils n'avaient fréquenté leur femme que la nuit, à la dérobée. »

Et le Spartiate embrigadé par l'Etat est gendarmé par son épouse. Alors que partout en Grèce la femme appelle son mari « seigneur » ou « maître », à Sparte l'homme appelle sa femme « dame » ou « maîtresse » — maîtresse sans badinage, cela va de soi. « Aussi dit-on que les Lacédémoniennes étaient trop hardies et se comportaient à l'égard de leurs maris avec une audace toute masculine ; elles avaient tout pouvoir en effet pour gouverner leur maison et, dans les affaires publiques, elles donnaient librement leur avis sur les matières les plus importantes. » (Elles ne pouvaient toutefois donner leur avis qu'à leur mari car elles n'étaient pas admises aux réunions de l'Assemblée ni du Sénat.)

Les garçons spartiates préféraient de beaucoup à la corvée du foyer la caserne où ils avaient toute liberté de faire l'exercice et l'amour entre hommes. Les filles les aguichaient de leur mieux. Elles portaient des tuniques dont les pans n'étaient pas cousus et quand elles marchaient elles découvraient leurs cuisses. Un poète peu respectueux des mœurs spartiates les appelle « montre-cuisses ». De même, « ces processions, cette nudité, ces luttes de jeunes filles sous les yeux des jeunes gens, c'était un moyen d'inciter au mariage ceux-ci, qui se sentaient entraînés, comme dit Platon, par la force contraignante de l'amour, bien différente de celle de la géométrie ». Bien différente, en effet, et, semble-t-il, moins puissante, puisque « Lycurgue attacha en outre un caractère infamant au célibat ». Les célibataires réfractaires étaient injuriés en public au moins une fois par an. « En hiver, les magistrats les obligeaient à faire tout nus le tour de la place publique en chantant une chanson composée contre eux et disant qu'ils étaient punis avec justice parce qu'ils désobéissaient aux lois. »

On ne s'étonnera pas d'apprendre que toute jalousie était bannie de ces mariages, et que les femmes soucieuses de remplir à la perfection leur devoir d'Etat étaient autorisées à requérir les services d'un étalon plus vigoureux que leur mari : les Spartiates, comme les chiens et les chevaux de race, devaient être issus de couples sélectionnés. « Après avoir mis dans les mariages tant de pudeur et d'ordre, Lycurgue n'eut pas moins de soin d'en bannir la jalousie, sentiment vain et qui n'a rien de viril. Il décida qu'il convenait d'écarter du mariage la violence et le désordre, et de permettre à ceux qui en étaient dignes d'avoir des enfants en commun. Il se moquait de ceux qui, faisant du ménage une société fermée et sans partage, veulent venger la violation de ce principe par des meurtres et des guerres. Il était permis au mari âgé d'une jeune femme d'introduire auprès d'elle un jeune homme bien né qu'il aimait et qu'il estimait et de lui permettre de s'unir à elle pour en avoir un enfant de sang généreux qu'il considérerait comme le sien propre. Il était permis même à un homme de mérite, s'il admirait une femme féconde et sage mariée à un autre homme, de la lui demander pour y semer comme dans un terrain fertile et avoir d'elle de bons enfants, nés d'un bon sang et d'une bonne race. »

Ce rationalisme sexuel n'empêchait pas quelques malfaçons. Tout nouveau-né devait être présenté au Conseil des Anciens ; s'ils le jugeaient mal venu ou difforme, ils le faisaient jeter dans le précipice des Apothètes, situé près du mont Taygète.

« Les enfants n'appartenaient pas en propre à leur père,

mais ils étaient le bien commun de la cité. » Lycurgue « ne voyait que sottise et aveuglement dans les règles établies en cette matière par les autres législateurs. Ils font, disait-il, saillir les chiennes et les juments par les meilleurs mâles, qu'ils demandent à leurs propriétaires de leur prêter par complaisance ou moyennant une somme d'argent ; quant à leurs femmes, au contraire, ils les tiennent sous clé et les surveillent. Ils veulent qu'elles n'aient d'enfants que d'eux seuls, même s'ils sont idiots, vieux ou malades... »

Si je rappelle, enfin, que les femmes inspirées par leurs maris pédérastes aimaient les filles, et que tout se passait au grand jour, sauf la nuit de noces, on appréciera pleinement la conclusion de Plutarque : « Ces usages, établis conformément aux lois de la nature et à l'intérêt de l'Etat, étaient si éloignés de la légèreté que les femmes montrèrent, dit-on, par la suite, que chez les Spartiates on ne croyait absolument pas à la possibilité de l'adultère. » Personne ne pouvait tromper personne, « et le combat cessa faute de combattants ».

Je disais que les Grecs d'Homère étaient modernes. Que dire des Spartiates ? Cette désacralisation du sexe n'est-elle pas des plus progressistes ? L'U. R. S. S., quand elle était révolutionnaire, a proclamé que la famille mettait la patrie en danger, proscrit « les sentiments bourgeois tels que l'amour entre des gens de sexe opposé, ou entre parents et enfants », légalisé l'union libre et l'avortement, et elle a voulu que les enfants soient remis à l'Etat collectiviste. Mais son programme était la libération sexuelle, et non point l'eugénisme. Le racisme hitlérien sélectionnant aryennes et aryens pour donner au Grand Reich une génération de produits garantis d'origine, et éliminant les bébés mal venus, voilà le modernisme spartiate qui fut mis au ban de l'humanité et qui pourrait bien nous revenir sous le couvert de la génétique.

Pendant que le vieux conservatoire de l'aristocratie dorienne traçait la voie du scientisme de demain, les citoyens de la glorieuse démocratie athénienne bouclaient leurs femmes dans le gynécée.

L'assortiment bourgeois : épouse, concubines, hétaïres, éphèbes

Dans l'*Economique*, Xénophon fait dialoguer Socrate avec un jeune marié athénien.

« SOCRATE. — Est-ce toi qui as formé toi-même ta femme ou, quand tu l'as reçue de son père et de sa mère, savait-elle déjà diriger les affaires qui lui reviennent ?
« ISCHOMAQUE. — Que pouvait-elle bien savoir, Socrate, quand je l'ai prise à la maison ? Elle n'avait pas encore quinze ans quand elle est venue chez moi ; jusque-là, elle vivait sous une stricte surveillance, elle devait voir le moins de choses possible. »

Et Ischomaque rapporte le discours qu'il a tenu à sa femme :

« Dis-moi, femme, as-tu compris maintenant à quelle fin je t'ai épousée et à quelle fin tes parents t'ont donnée à moi ? Nous n'étions pas embarrassés de trouver quelqu'un avec qui dormir, tu le sais bien. Mais, après avoir réfléchi, moi pour mon propre compte, et tes parents pour le tien, au meilleur associé que nous pourrions nous adjoindre pour notre maison et nos enfants, je t'ai choisie pour ma part et tes parents m'ont choisi, moi, parmi tous les partis possibles... A ces mots, Socrate, ma femme m'a répondu : « En quoi pourrais-je donc t'aider ? De quoi suis-je capable ? C'est de toi que tout dépend. Mon affaire à moi, m'a dit ma mère, c'est d'être sage. »

Ce sont donc les parents qui choisissent pour leur fille. Ils lui donnent une dot. Autrefois, c'était le fiancé qui payait pour avoir la fille, et nous savons par l'*Odyssée* que les prétendants faisaient assaut de présents, qu'ils s'affrontaient aussi dans des concours tels que le tir à l'arc. Au - VIe siècle encore, un ancêtre de Périclès avait choisi son gendre par ce moyen-là. Mais à Athènes, comme dans d'autres cités de la Grèce, ou de Chine, ou d'Europe, on a aussi recours à des entremetteuses, les « marieuses ».

La cérémonie du mariage n'est pas sans évoquer une noce villageoise d'aujourd'hui, ou d'hier. Après un banquet chez le père de la mariée, auquel elle assiste voilée, avec une couronne sur la tête, elle est conduite en cortège à sa nouvelle maison, portant un gril et un tamis, symboles de ses fonctions. A la lueur des torches, on dirait une reine. Mais quand elle entre dans la maison on jette sur sa tête des noix et des figues sèches qui lui rappellent la modestie de son état : c'est ce qu'on jette sur la tête d'un nouvel esclave. Elle est conduite à la chambre nuptiale par sa belle-mère, poussée aux épaules par les demoiselles d'honneur à qui elle fait semblant de résister. La chambre est jonchée de feuillages et de fleurs. Le jeune époux entre, verrouille la porte — mais les gens de la noce restent derrière. Son premier devoir est d'offrir à sa femme un coing, symbole de sa future douceur de langage. Après quoi il peut enlever sa robe blanche (celle de la jeune fille aussi, d'ailleurs) et consommer le fruit de son choix, cependant que les gens du cortège cognent dans la porte à coups de pied, vocifèrent leurs encouragements, et que les demoiselles d'honneur chantent, si elles le peuvent, un épithalame. Le tintamarre ne cesse que lorsque l'époux vient ouvrir la porte et annoncer que la chose est faite. Les Grecs sont si menteurs... Le cortège se retire quand même ; seules les demoiselles d'honneur restent en faction pour accompagner le refrain. La nuit suivante l'époux va coucher chez son beau-père afin de laisser sa femme se remettre de ses émotions. La troisième nuit, il agit selon son bon cœur [25].

De cette maison, elle ne sortira plus, si elle est une femme de condition. Une honnête femme doit rester chez elle. Comme dit Ménandre, « la rue est pour la femme de rien ». Les femmes de rien, il est vrai, sont nombreuses. Les honnêtes femmes, qui sont plus rares, envoient donc leur mari faire le marché sur l'agora. Toutefois, pour aller s'acheter des toilettes ou des fards, elles sortiront quand même, accompagnées d'une suivante ; de même pour aller rendre visite à une amie et dire ensemble du mal de leurs époux. Un poète comique, Philémon, ne laisse pas d'illusions à ceux-ci : « Quand une femme s'entretient en secret avec une autre femme, c'est une série de misères qui se prépare. » Et puis, il y a les fêtes religieuses, les représentations théâtrales. Le gynécée n'est pas étroitement fermé.

Sa fonction essentielle est de tenir sa maison et de donner des enfants à son mari — très peu : un fils pour perpétuer le nom et recueillir l'héritage paraît suffisant à un Grec civilisé. L'avortement et l'infanticide par l' « exposition » y mettent bon ordre.

Même dans la maternité, l'homme n'accorde à la femme qu'un rôle subalterne. Cette tirade d'Apollon dans les *Euménides* d'Eschyle consacre la victoire du pénis sur la Grande Mère : « Ce n'est pas la mère qui engendre celui qu'on nomme son enfant ; elle n'est que la nourrice du germe qu'elle a conçu. Celui qui engendre, c'est le mâle ; elle, comme une étrangère, conserve la jeune pousse, quand un dieu n'y porte atteinte. Et je vais te donner la preuve : c'est qu'on peut devenir père sans l'aide d'une femme ; témoin la déesse ici présente (Athéna), la fille de Zeus Olympien qui n'a pas été nourrie dans les ténèbres d'un sein maternel, et c'est pourtant un rejeton tel qu'aucune déesse n'en saurait enfanter. »

Les époux font chambre à part et table à part. L'épouse y trouve d'ailleurs quelques facilités pour des distractions extra-conjugales. Quant à l'époux, il va les chercher auprès des filles en fleur ou des garçons dans la fleur de l'âge. « Nous avons des épouses pour perpétuer notre nom, des concubines pour nous soigner, des courtisanes pour nous divertir », déclare un plaideur devant un tribunal. Divertir l'homme est chez la courtisane un devoir d'état. « Une hétaïre, dit le poète Amphis, n'est-elle pas plus aimable qu'une femme mariée ? L'une a pour elle la loi qui vous oblige à la garder si déplaisante qu'elle soit (en fait, un Grec peut divorcer, mais il lui faut restituer la dot) ; l'autre sait qu'elle doit s'attacher un homme à force de bons procédés ou en chercher un autre. » Aimables et belles professionnellement, elles sont pour ce peuple amoureux du corps humain des statues ambulantes. Elles inspirent les philosophes et alimentent la chronique. L'une est surnommée Clepsydre parce qu'elle accueille et congédie ses amants à l'heure de son horloge, et l'autre, Thargélie, la Mata Hari de son temps, passe pour une espionne du Roi des Perses qui prend dans ses filets les stratèges athéniens ; Théoris adoucit la vieillesse de Sophocle (pas tout entière ; à quatre-vingt-dix ans, il la remplace par une autre plus jeune). Elles atteignent leur pleine floraison au - IVe siècle, quand Phryné, que son avocat (et amant) fait acquitter par les juges sur le seul argument de sa beauté dévoilée, dédie sa statue en or au temple d'Apollon à Delphes où elle voisine avec celles d'Aphrodite et d'Eros, et invite le sculpteur, qui n'est autre que Phidias, à venir avec elle en célébrer le culte dans le sanctuaire même ; quand la spirituelle Léontion fréquente le Jardin d'Epicure et, dit-on, lui en remontre sur l'épicurisme ; quand Laïs de Corinthe éteint la flamme de Démosthène en lui annonçant son prix, mille drachmes pour une nuit, et se donne pour une obole au pauvre Diogène, qui cherchait un homme.

Le culte d'Aphrodite, c'est à Corinthe que les prostituées plus ou moins sacrées le célèbrent en grand nombre. Un pieux coucurrent des Jeux Olympiques, Xénophon de Corinthe, avait fait vœu d'offrir à Aphrodite cinquante hiérodules s'il revenait vainqueur d'Olympie, ce qu'il fit, et Pindare les salua poétiquement : « Jeunes filles très hospitalières... vous qui faites fumer sur l'autel les blondes larmes de l'encens pâle, tandis que souvent votre pensée s'envole vers la mère céleste des Amours, vers Aphrodite... cette déesse vous permet, enfants, de cueillir sans blâme sur votre aimable couche le fruit de votre tendre jeunesse. Quand la nécessité le veut, tout est bien... »

La piétaille de la prostitution attend le chaland dans les « maisons » du Pirée, signalées au public par leurs enseignes au phallus de Priape, et se donne pour une obole à des amateurs qui ne valent pas Diogène en philosophie. Et toutes, depuis Solon, qu'elles soient de grande ou de petite volée, paient l'impôt à la cité. On peut se demander sur quelles bases ? Forfaitaires sans doute, établies d'après les sondages d'un corps spécialisé de contrôleurs fiscaux — lesquels auraient dû, d'ailleurs, être polyvalents, car les courtisanes se heurtaient à la concurrence des jeunes garçons, et s'en plaignaient ; gardiennes de l'orthodoxie, elles ne cessaient de dénoncer l'immoralité des pratiques homosexuelles, scandalisées jusqu'au plus profond de leur bourse [26].

A ce propos... La pédérastie ne pouvait être qu'un accident quand les femmes s'appelaient Pénélope, Andromaque ou Nausicaa. Quand ils les eurent confinées au gynécée, réduites à l'inculture, à l'impuissance, il fallait bien que les hommes cherchent ailleurs à qui parler. Ils eurent les courtisanes, comme les Indiens du Moyen Age, ou comme les Japonais eurent leurs geishas. Et ils eurent aussi leurs éphèbes qui répondaient mieux à leur goût de la grâce athlétique : du gymnase on passait de plain-pied à l'accord parfait de la *philia*. Surtout quand le snobisme vous y poussait : l'amour entre hommes venait de Sparte, il avait un parfum aristocratique très recherché dans la démocratie athénienne ; et cette vieille pédérastie militaire chez un intellectuel faisait un mélange rare. Dans le dialogue attribué à Lucien, *Les Amours*, le défenseur de la pédérastie déclare : « Aux époques reculées on ignorait les amours masculines. Force était alors de s'unir à des femmes pour empêcher l'extinction de la race humaine... L'amour des garçons ne devait se développer qu'avec la divine philosophie... Disons-nous que les anciennes coutumes résultaient de la nécessité, mais que les inventions faites plus tard par le génie de l'homme doivent avoir plus de prix à nos yeux. » De ces snobs, Aristophane se moquait dans *Les Oiseaux* en faisant dire à l'un d'eux : « J'aimerais une vie où en m'abordant le père d'un joli garçon me ferait ce reproche d'un air offensé : « C'est du beau, flambart, tu rencontres mon fils quittant le gymnase, tout baigné, et tu ne le baises point, tu ne lui dis mot, tu ne l'attires pas contre toi, tu ne lui tâtes point les bourses, toi, un ami de la famille ! »

La femme libérée, ou mystifiée ?

On ne comprend pas, et l'on a peine à croire, que la femme qui avait si fière allure au temps d'Homère, qui paraissait fort libre en Ionie et si affranchie de toutes les conventions à

Sparte, se soit retrouvée enfermée dans le gynécée athénien, et par des démocrates, par des champions de la liberté ! Mais quoi ? Cela confirme une fois de plus qu'il vaut mieux être l'épouse d'un aristocrate que l'épouse d'un bourgeois. En France, est-ce que les femmes de l'Ancien régime n'étaient pas infiniment plus libres que ne le furent les épouses et les filles de ces bourgeois qui avaient fait la révolution ?

Dans le grand siècle classique de la Grèce, quelques femmes se risquent en éclaireurs hors du gynécée. A vrai dire, ce sont des courtisanes qui éclairent la route, et en tête, Aspasie. Elle était une distinguée hétaïre de Milet, en Ionie. Arrivée à Athènes vers - 450, Aspasie avait ouvert une école de rhétorique et de philosophie, tout comme Sapho jadis à Lesbos, mais au niveau supérieur. Son enseignement, d'ailleurs, n'était pas limité aux jeunes filles, pour lesquelles elle n'avait point un goût particulier. Aux jeunes filles et aux jeunes gens se mêlaient les femmes qui avaient le rare bonheur de se trouver mariées à un citoyen capable d'endurer que son épouse fût instruite, et des hommes parmi les plus illustres : Périclès, Euripide, Sophocle, Phidias, probablement aussi Anaxagore qui avait été le grand maître de Périclès. Socrate disait qu'il avait appris d'Aspasie l'art de parler. Etait-ce bien une école ? De mauvaises langues affirment qu'Aspasie gardait en sa maison quelques jolies filles à la disposition des auditeurs. On songe plutôt à l'un de ces salons parisiens de l'époque classique où se réunissaient les beaux esprits de l'Europe. Aspasie étendait plus loin son enseignement : elle était un exemple redoutable pour les femmes athéniennes, elle leur enseignait la liberté en marchant — en marchant avec Périclès. Comme celui-ci était marié, il en fit d'abord sa concubine. Périclès et son épouse n'avaient rien à se reprocher, et ils avaient de l'éducation. « La vie commune leur étant devenue pénible, il la passa, avec son consentement, à un autre mari, et lui-même prit Aspasie pour compagne et l'aima singulièrement. On dit en effet qu'en sortant de chez lui et en rentrant de l'agora, chaque jour, il ne manquait jamais de la saluer et de l'embrasser. »

A l'admiration de Plutarque devant ces marques de tendresse on mesurera toute l'étendue du désert qui pouvait séparer deux conjoints. Dans *l'Economique* de Xénophon, Socrate dit à Critobule : « Allons, Critobule, nous sommes ici entre amis, il faut absolument nous dire toute la vérité : y-a-t-il des gens avec qui tu aies moins de conversation qu'avec ta femme ? » Et Critobule répond : « S'il y en a, il n'y en a guère. » Naturellement, les bourgeoises « comme il faut » prenaient des airs pincés devant cette Aspasie qui avait de la conversation.

Le vent s'est levé. La femme va-t-elle retrouver une plénitude homérique ? Non : ce n'est que le souffle de l'esprit, c'est-à-dire, une fois encore, l'esprit du pénis. Le philosophe, sous le masque du libérateur, frappe au ventre. Et il en sera ainsi tant que la femme ne lui aura pas opposé l'esprit de l'utérus. Nous en sommes loin. L'homme pense pour elle. « Car, dit le chœur des femmes dans la *Médée* d'Euripide, ce n'est pas notre esprit qu'il a doté du chant inspiré de la lyre, Phoibos, le roi de la poésie. »

Euripide, féministe misogyne

Ils ont pourtant de la bonne volonté, ces libéraux athéniens.

« La nature féminine n'est en rien inférieure à celle de l'homme, sauf pour son manque de culture et de force », dit Socrate. « Identiques sont la vertu naturelle de l'homme et celle de la femme », dit son élève Antisthène. Et Agathon :

> *Si le corps de la femme est faible et sans vigueur,*
> *Il se peut qu'elle exerce un esprit vigoureux.*

Et les femmes, sur les gradins du théâtre d'Athènes, devaient faire une ovation à cette tirade de Médée :

« De tout ce qui a la vie et la pensée, nous sommes, nous autres, femmes, la créature la plus misérable. D'abord, il nous faut, en jetant plus d'argent qu'il n'en mérite, acheter un mari et donner un maître à notre corps, ce dernier mal pire encore que l'autre. Puis se pose la grande question : le choix a-t-il été bon ou mauvais ? Car il y a toujours scandale à divorcer, pour les femmes, et elles ne peuvent répudier leur mari *. Quand on entre dans des habitudes et des lois nouvelles, il faut être un devin pour tirer, sans l'avoir appris dans sa famille, le meilleur parti possible de l'homme dont on partagera le lit. Si après de longues épreuves nous y arrivons et qu'un mari vive avec nous sans porter le joug à contrecœur, notre sort est digne d'envie. Sinon, il faut mourir. Quand la vie domestique pèse à un mari, il va au-dehors guérir son cœur de son dégoût et se tourne vers un ami ou un camarade de son âge. Mais nous, il faut que nous n'ayons d'yeux que pour un seul être. Ils disent de nous que nous vivons une vie sans danger à la maison tandis qu'ils combattent avec la lance. Piètre raisonnement ! Je préférerais lutter trois fois sous un bouclier que d'accoucher une seule [27]. »

Une pareille situation ne peut pas durer toujours. Là-dessus, le chœur des femmes est plutôt encourageant :

« Notre conduite aura bon renom par un retour de l'opinion ; le jour vient où le sexe féminin sera honoré ; une renommée injurieuse ne pèsera plus sur les femmes. »

Avec cela, Euripide s'est fait à bon compte une réputation de féministe. Mais l'espérance lénifiante du chœur ne pouvait être plus mal placée : elle répondait à ce cri de Médée abandonnée par son mari, résolue à tuer un de ses enfants et sa rivale : « La nature nous a faites, nous autres femmes, absolument incapables de faire le bien, mais pour le mal les plus habiles des ouvrières. »

Et Jason, le mari, soupire :

« Ah ! il faudrait que les mortels pussent avoir des enfants par quelqu'autre moyen, sans qu'existât la gent féminine ; alors il n'y aurait plus de maux chez les hommes. »

L'idée du bébé-éprouvette paraît chère à Euripide puisqu'il y revient dans *Hippolyte*, quand ce beau jeune homme apprend qu'il inspire à sa belle-mère de coupables désirs (une mère criminelle, une belle-mère incestueuse, les

---

* La femme pouvait demander le divorce à l'archonte, mais elle s'exposait à la réprobation générale.

femmes ne sont pas gâtées dans les tragédies de ce féministe) : « Oh ! Zeus ! pourquoi donc as-tu sous la lumière du soleil établi auprès des hommes ces êtres de vice et de mensonge, les femmes ? Si tu voulais ensemencer la terre de mortels, il ne fallait pas à cette œuvre associer les femmes ; dans tes temples, les hommes, contre remise d'un poids d'or, de fer ou de cuivre, auraient dû acheter de la graine d'enfant, chacun en proportion de son offrande dûment estimée ; puis, dans leur libre demeure, ils auraient vécu, affranchis des femelles !... Cependant, le niais qui prend sous un toit la calamiteuse créature s'épanouit d'aise ; il couvre des plus belles parures cette méchante idole ; il vous fignole ce chef-d'œuvre à grand renfort d'atours, le malheureux ! Sa fortune y passe !... Le plus simple, c'est encore d'avoir chez soi la stupide, comme une momie ; — il est vrai que sa bêtise la rend dangereuse. Mais la rusée, je l'ai en horreur ; le ciel préserve mon foyer d'une femme plus intelligente qu'il ne convient à son sexe ! Le vice, c'est bien plutôt aux rusées que Cypris (Aphrodite) l'inspire ; au moins, celle qui n'a pas de moyens, son manque d'imagination la garantit de la folie des sens... Malheur à vous ! De haïr les femmes jamais je ne serai rassasié ! On peut dire que je me répète ; mais c'est qu'elles aussi sont toujours des monstres. Qu'on leur apprenne donc à maîtriser leur folie, ou qu'on me laisse, moi, les piétiner toujours [28]. »

La vie quotidienne ne va pas toujours aux extrémités de la tragédie. Voici un signe plus aimable de l'émancipation de la femme : les artistes qui ne se complaisaient qu'à des statues d'athlètes nus sculptent la beauté du corps féminin, Aphrodite fait concurrence à Apollon. Le bourgeois athénien, en dénudant la femme, la découvre.

Le mariage bourgeois selon Aristote

Et aussitôt, il se pose des questions. On n'en attendait pas moins du peuple de Socrate, de Platon, d'Aristote, d'Epicure... Socrate et ses élèves, je l'ai dit, reconnaissaient à la femme une égalité morale. Mais rien de plus : ni égalité politique, ni juridique et encore moins physique. La sensualité n'était qu'une entrave dont l'esprit devait se dégager. Donc, mieux valait éviter la femme. (Saint Paul n'était pas loin.) Socrate s'était marié, il est vrai ; mais avec l'acariâtre Xanthippe, pour atteindre à la vertu, comme le prophète musulman Jonas, « sachant bien, dit-il, que si je parvenais à la supporter, mes relations seraient faciles avec tout le reste de l'humanité ». Si la femme dépouillait sa féminité, elle devenait acceptable. La riche et noble Hipparchie, fascinée par la philosophie du Cynique Cratès de Thèbes, qui vivait dans la pauvreté de rigueur chez les Cyniques, l'épousa, et ils mendièrent et philosophèrent ensemble.

Aristote se voulait plus réaliste, et même scientifique. Ayant observé, en bon naturaliste, que dans le règne animal les mâles sont plus grands, plus forts et plus agiles, il s'étonnait que la femme prétendît s'émanciper. Mais il s'étonnait aussi que l'on pût affirmer que la femme n'est que le terrain où germe la semence de l'homme : ne produit-elle pas chaque mois une « semence à demi cuite » ? Donc, elle collabore. L'homme est le charpentier, la femme fournit le bois. C'est bien par là qu'elle est inférieure. La femme est plus froide que l'homme (dit-il) ; or, la chaleur est de l'énergie, donc, l'homme commande. Mais en respectant dans la femme une personne humaine. Les époux « se prêtent une aide mutuelle et mettent en commun les avantages propres à chacun ; c'est pourquoi dans cette sorte d'affection l'utile se trouve joint à l'agréable. Cette union pourra même être fondée sur la vertu, à condition que les deux conjoints soient honnêtes ». Les limites de la faculté de procréer, dit-il, sont fixées pour les hommes à soixante-dix ans et pour les femmes à cinquante (l'avait-il observé, ou bien avait-il entendu parler des Chinois ? Par une curieuse rencontre, ceux-ci donnaient les mêmes chiffres). En conséquence, Aristote préconise que les jeunes filles se marient vers dix-huit ans et les hommes vers trente-cinq ans. Et il demande au mari comme à la femme la fidélité conjugale : « Que l'infidélité de l'épouse ou de l'époux soit regardée comme une honte et une infamie tant que subsistent les liens du mariage. » Exiger cela d'un époux grec, Aristote n'était pas raisonnable. Pour l'épouse, il prenait ses précautions, avertissant le mari de ne pas lui révéler les plaisirs de la chair. Un bourgeois bien-pensant a parfois de ces idées.

Et mourir de plaisir au jardin d'Epicure

Epicure ne compose pas avec l'ennemi. « L'union charnelle n'a jamais profité à personne, et l'on doit déjà s'estimer heureux si elle ne nuit pas. Le sage ne se mariera pas et n'aura pas d'enfants ; il ne se livrera pas non plus à l'amour. » Est-ce déjà l'anathème des Pères de l'Eglise ? Epicure admet que le sage se marie s'il ne peut pas faire autrement. Alors, est-ce saint Paul écrivant aux Corinthiens qu' « il vaut mieux se marier que brûler » ? Pas davantage. C'est Mahomet recommandant le coït pour purifier l'esprit. A un adolescent tracassé par le désir, Epicure écrit : « Livre-toi sans scrupule à ton inclination. » La femme, donc, est comme un instrument. « Elle ne m'aime pas ? Que m'importe ? disait déjà Aristippe de Cyrène. Je ne pense pas que le vin ou le poisson aient de l'amour pour moi, et pourtant j'use avec plaisir de l'un et de l'autre. » Lucrèce, disciple latin d'Epicure, développera la théorie : « Il convient de repousser tout ce qui peut nourrir notre amour et de tourner notre esprit vers d'autres objets ; il vaut mieux jeter dans le premier corps venu la liqueur amassée en nous que de la garder pour un unique amour qui nous prend tout entier, et de nous réserver ainsi la peine et la douleur certaines... Eviter l'amour, ce n'est point se priver des jouissances de Vénus, c'est au contraire en prendre les avantages sans rançon [29]. » Non, Epicure ne compose pas avec l'ennemi : il l'extermine par le plaisir.

La femme selon Platon : un garçon manqué

Epicure s'opposait directement à Platon, que j'ai gardé pour la fin bien qu'il soit antérieur, parce que son approche du sexe est la plus antigrecque et la plus antifemme qui soit — sous les apparences d'une béatification de l'amour. Rien de plus grec que son point de départ : la beauté et la vérité ne font qu'un. Et rien de très original dans cette affirmation : « L'union de l'homme et de la femme est un enfantement ; et dans cet acte il y a quelque chose de divin ; c'est même, chez ce vivant qui est mortel, un caractère d'immortalité que la fécondité et la procréation. » Mais Platon, qui était pédéraste, plaçait infiniment plus haut la fécondité spirituelle de ses unions avec les garçons. Amoureux de la beauté du corps d'un adolescent (et de l'âme, cela va ensemble) le philosophe découvre qu'elle est sœur d'une autre beauté, il s'élève à l'idée de beauté, et ainsi, par degrés, l'amour des êtres lui inspire l'amour et la connaissance, « la vision bienheureuse et divine ». L'attachement terrestre se résout dans le détachement céleste.

Pour trouver là une défense de la femme, on conviendra qu'il fallait une forte dose d'intellectualité. Et je doute que ses rêveries de la cité idéale, quand il condescend à s'interroger sur le rôle qu'y joueraient les femmes, soit telles qu'elles doivent l'en féliciter. Il est vrai qu'une militante de la libération des femmes, lisant la *République*, applaudirait Platon de promettre la femme aux mêmes emplois que les hommes, y compris la guerre. Sa myopie « platonique » ne voit pas en quoi elle diffère — sauf qu'elle est plus faible. Bref, la femme, pour Platon, n'est qu'un garçon manqué. Lourde tare, tout de même, et c'est un féministe bien particulier qui rejette absolument l'amour d'un homme pour une femme ; qui propose — en s'inspirant de Sparte — que les meilleurs, c'est-à-dire les guerriers et les guerrières, soient accouplés par un conseil de sages en vue de l'amélioration de la race ; qu'ils ne connaissent pas leurs enfants, ni les enfants leurs parents ; que, leur service procréateur accompli, « les femmes de nos guerriers (soient) communes toutes à tous » ; enfin, dans les *Lois*, que les plus belles femmes soient mises à la disposition, pour la durée de la guerre, des héros qui s'y distinguent. Voilà bien la promotion de la femme : mieux que le repos du guerrier, elle est sa médaille militaire.

Le Cyclope enrubanné

Ces élucubrations ne changent rien à la sujétion juridique et politique de la femme. Mais elles sont le signe que les mœurs changent, par la décadence des cités, le branle-bas d'Alexandre le Grand, l'or perse répandu, l'aménité égyptienne révélée, le cosmopolitisme, enfin, tout ce remuement de la période hellénistique dont le centre est Alexandrie. Les filles vont de nouveau à l'école. Mais pour quoi faire ? Elles lisent des romans sentimentaux — bergeries dont les Précieuses françaises du XVIIe siècle feront leurs délices. Et Polyphème, le Cyclope, la brute anthropophage de l'*Odyssée,* apparaît chez Théocrite comme un galant enrubanné : « Blanche Galatée, pourquoi repousses-tu celui qui t'aime, toi plus blanche à voir que le lait caillé, plus tendre que l'agneau, plus fringante que la génisse, plus luisante que le raisin vert ? Pourquoi me fuis-tu ? Je me suis mis à t'aimer, jeune fille, du jour où tu es venue avec ta mère pour cueillir des hyacinthes dans la montagne, et que moi, je vous servais de guide. Cesser de t'aimer, cela m'est devenu tout à fait impossible. Mais toi, par Zeus, tu ne t'en soucies pas... Ah, quel malheur que ma mère ne m'ait pas mis au monde avec des branchies ! Je plongerais pour te rejoindre, je baiserais ta main, si tu ne me donnes ta bouche [30]. » Devant ce baisemain du Cyclope, Ulysse serait resté pantois.

Quand les Grecs eurent perdu la robuste santé des héros homériques, ils furent eux aussi, semble-t-il, saisis par la défiance, sinon par la peur des pouvoirs de la femme. Contre elles, ils se barricadèrent : ils tirèrent les verrous du gynécée, et s'enfermèrent à l'extérieur. Les corps lisses et fermés des garçons leur offrirent les satisfactions de la beauté accomplie, finie, défi au mystère comme leurs temples sur les acropoles. Et Platon eut le génie de trouver la seule issue de secours qui pût s'ouvrir devant les exigences de l'esprit du pénis, la sublimation des corps dans l'idée pure. Saint Platon qui inspirera l'idéalisation de l'amour dans la chrétienté médiévale...

La postérité d'Aristote et d'Epicure est plus proche. A Rome, la dignité conjugale des matrones républicaines sera conforme au programme d'Aristote, et la *dolce vita* de l'Empire pourra cueillir des références dans le Jardin d'Epicure.

2. LA ROMAINE

La Romaine suit le même chemin que la Grecque.

Aux origines, en Toscane, la femme étrusque rappelle la Crétoise délurée et la fière Mycénienne, la belle Hélène et la sage Pénélope : des femmes aux vertus diverses mais qui toutes savent tenir tête aux hommes.

Puis les hommes entreprennent de construire une belle cité, forte, ordonnée par la raison virile ; et dans l'âge d'or de la République romaine comme dans le grand siècle athénien, la femme se trouve bouclée au foyer.

Enfin, la puissance apporte l'opulence, et l'opulence le relâchement de la virilité. La Romaine de la Ville cosmopolite s'émancipe comme la Grecque des cités hellénistiques : c'est le temps de la douceur de vivre et bientôt de la décadence.

Muliebris audacia *

De la Toscane, la domination des Etrusques s'étendait vers le Nord dans la plaine du Pô jusqu'au pied des Alpes, vers le Sud jusqu'à Paestum. Leurs navires de commerce sillonnaient la Méditerranée des Dardanelles à Gibraltar, peut-être même s'aventuraient-ils dans l'Atlantique. Et les richesses du négoce s'entassaient dans des cités cerclées d'énormes murailles. Les femmes portaient des colliers, des bracelets, des boucles d'oreilles, des bagues ornées de granu-

* *L'audace féminine.*

lations d'or d'une telle finesse que les orfèvres d'aujourd'hui ne savent comment elles pouvaient être soudées. Elles collectionnaient des vases grecs, elles avaient de la vaisselle d'argent gravée à leur nom. En ce temps-là (- VIIIe siècle) Homère chantait les aventures d'Ulysse, et Rome n'était qu'une couronne de villages autour d'un pont de bois sur le Tibre qui assurait les communications étrusques entre la Toscane et la Campanie.

Les femmes étrusques ne dirigeaient pas seulement la maison mais aussi, parfois, la maison de commerce ; et même, nous le verrons tout à l'heure, il leur arrivait d'intervenir dans les affaires de l'Etat. Alors que les Grecques n'étaient pas admises aux Jeux Olympiques, en Etrurie les femmes assistaient aux jeux où se mesuraient les athlètes nus, aux combats de gladiateurs qui avaient lieu lors des grandes funérailles, aux danses, aux concerts, on en voyait même qui présidaient aux combats de boxe ou aux courses de chars. Alors que, en Grèce, l'épouse, si elle était admise à un banquet, se tenait assise près de son mari allongé, prête à le servir, les femmes étrusques, c'est horrible à dire, s'étendaient avec les hommes sur les lits des banquets. Et des auteurs graves comme Aristote, ou comiques comme Plaute, mais également scandalisés, les accuseront de s'enivrer, et de se coucher avec les hommes pour d'autres plaisirs que ceux de la gastronomie. Fortes buveuses et franches luronnes, elles n'en étaient pas moins enterrées, parfois, avec des égards qui témoignent d'une révérence sacrée. Car, enfin, ces Etrusques cosmopolites adoraient encore la toute-puissante Terre-Mère.

On n'affirmera pas pour cela qu'ils vivaient sous le régime matriarcal. Les hommes gouvernaient les cités, du moins officiellement. Mais ils se souvenaient des temps préhistoriques où la lignée s'établissait par la filiation utérine : l'enfant portait le nom de sa mère accolé à celui de son père. Il en faut davantage, il est vrai, pour établir le règne de la femme : cet usage s'est conservé chez les Espagnols d'aujourd'hui, dont on ne saurait dire qu'ils soient à la pointe du féminisme. En Etrurie comme en Espagne, ce n'était qu'un archaïsme. La filiation paternelle avait pris le pas, et la condition du mari décidait de la condition du couple, l'histoire de Tanaquil le prouve. Mais elle prouve aussi de quoi était capable une femme étrusque.

Un Grec exilé de Corinthe s'était établi dans une des plus grandes cités étrusques, Tarquinia, où il s'était marié et avait fait fortune. Un de ses fils, que Tite-Live appelle Lucumon, épousa une Etrusque de noble famille, Tanaquil. « Pour Lucumon, écrit Tite-Live, l'orgueil que lui donnaient déjà ses richesses s'accrut encore par son mariage : sa femme, Tanaquil, était de haut parage et ne pouvait admettre que son mariage la fît déchoir du rang où elle était née. Le dédain des Etrusques pour Lucumon, fils d'un exilé, d'un réfugié, était pour elle une honte insupportable ; pour voir son mari dans les honneurs, elle résolut d'abandonner Tarquinia. Rome faisait tout à fait son affaire : chez ce peuple neuf, où toute noblesse se gagnait vite et par le seul mérite, il y aurait place pour un homme brave et entreprenant. »

Ils entassent leur mobilier sur un chariot, et les voilà partis pour Rome. Arrivés au sommet du Janicule, ils s'arrêtent pour contempler le panorama. La Ville éternelle n'étant pas encore née, ils ne voient que des villages sur les sept collines, des champs, des bosquets et des pâturages. Tandis qu'ils méditent devant le théâtre de leur ambition, un aigle fonce sur Lucumon, lui enlève son bonnet pointu, décrit des cercles dans les airs, puis revient poser le bonnet sur la tête du héros pas fier du tout. Sa femme, « versée comme le sont en général les Etrusques dans l'interprétation des signes célestes », le rassure : Jupiter l'a désigné pour régner. « Elle embrasse son mari, et l'engage à concevoir de grandes et hautes espérances. » Alors Lucumon, rasséréné, se sent une âme de Rastignac s'écriant « Paris à nous deux ! ». Il descend de sa colline et va à la questure se faire inscrire sous le triple nom romain de Lucius Tarquinius Priscus, c'est-à-dire Lucius Tarquin l'*Ancien* — pour se distinguer des futurs Tarquins de sa dynastie. Si gouverner c'est prévoir, voilà un homme qui mérite de régner. Trente-sept ans plus tard, Tarquin meurt sur le trône. Et Tanaquil impose aux suffrages du peuple, non un de ses fils, mais

Servius Tullius, dont elle a au berceau deviné qu'il était marqué par le destin, dont elle a publié le brillant avenir, et dont elle a fait son gendre. On ne sait s'il faut plus admirer ses dons de magicienne ou ses machinations pour que les faits se conforment à la divination. Toujours est-il que Tanaquil a fait les deux premiers rois de Rome.

Après quoi les historiens romains s'ingénièrent à ramener cette entreprenante Etrusque à la mesure des matrones sous l'autorité du *pater familias*. Ils lui mirent dans la main non le sceptre mais la quenouille, symbole des vertus féminines, et les jeunes mariées, au moment de leur noce, invoqueront Tanaquil, « excellente fileuse ».

Ce n'est pas tout. Servius Tullius eut deux filles, Tullia l'aînée et Tullia la cadette, qu'il maria aux deux fils de Tarquin l'Ancien. Tullia l'aînée tenait de sa grand-mère : son beau-frère lui paraissant plus doué, elle fit assassiner son mari et sa sœur, épousa le beau-frère, l'incita à jeter son père à bas de son trône et, « mêlée à la foule tumultueuse », elle fut la première à le saluer du titre de roi. Troisième roi fait par une femme, et celui-là devait être Tarquin le Superbe. Ainsi, la très patriarcale Rome fut d'abord gouvernée par des rois qui devaient leur légitimité au pouvoir plus ou moins magique de la reine, comme un pharaon ou, semble-t-il, comme les chefs des hordes primitives. C'était très choquant pour des civilistes romains, et l'on comprend qu'ils se soient évertués à faire rentrer ces femmes dans le rang : d'après eux, Tarquin le Superbe renvoie superbement sa femme à la maison. Mais que ce ne soit pas moins choquant pour nous, un petit problème de traduction l'illustre.

Il est dit dans Tite-Live que Tullia l'aînée méprisait sa cadette parce que « *muliebris cessaret audacia* ». « Elle manquait d'audace féminine. » Là-dessus, les traducteurs s'ébahissent. Est-ce que Tite-Live se rendait compte de ce qu'il écrivait ? N'y aurait-il pas une erreur ? « Un éditeur anglais propose de corriger *audacia* en *ignavia* : *muliebris ignavia*, voilà qui est rassurant. « Tullia méprise sa sœur parce que, à cause de la lâcheté féminine, elle hésitait. » M. Jean Bayet suggère de lire *muliebriter cessaret audacia* :

« Parce que, comme une femme qu'elle était, elle manquait d'audace[31]. » Il faut se faire une raison : Tullia méprise sa sœur d'être dépourvue de cette audace qui seyait aux femmes quand les hommes n'y avaient pas encore mis le holà.

Le prix d'une génisse

C'est ce que font les paysans romains. En l'an - 509, ils chassent les rois étrusques, leurs femmes audacieuses et leur cosmopolitisme, et décident que Rome — comme Sparte vers le même temps — sera un conservatoire des vertus rurales, gouverné par les chefs de clans, les *patres*. Pourquoi ?

Le raz de marée de la steppe asiatique qui avait fait déferler les Aryens sur l'Inde, les Achéens puis les Doriens sur la Grèce, avait jeté les Latins sur l'Italie vers la fin du - IIe millénaire. Comme tous les Indo-européens, ils étaient hiérarchisés en castes : celle des *Ramnes*, vouée au culte et au gouvernement, celle des *Luceres*, vouée à la guerre, celle des *Tities*, à l'élevage : réplique exacte des trois castes importées par les Aryens en Inde, les brâhmanes, les *kshatriya* (guerriers), les *vaiçya* (cultivateurs et commerçants). Comme tous les Indo-européens, ils tenaient farouchement au concept aristocratique de race ; comme les Juifs aussi, et peut-être pour la même raison : parce qu'ils étaient tous des exilés, des émigrants minoritaires. Les Barbares germaniques envahissant la romanité manifesteront la même exclusive, la loi salique en témoigne ; la noblesse occidentale perpétuera l'exclusive ; les nazis l'exalteront jusqu'aux extrémités de la logique impitoyable ; et aujourd'hui encore, c'est une bonne pierre de touche politique. Ainsi va l'esprit du pénis. Seulement, ce pénis raciste qui dénie à l'utérus sa primauté n'en n'a point la tranquille assurance, il s'est condamné à l'incertitude, et il n'en peut sortir, l'infortuné, que par l'asservissement de la matrice. Ce n'est donc pas par hasard qu'aux origines de l'histoire les Romains ont placé l'enlèvement des Sabines.

Romulus ayant fondé Rome — la vraie, pas celle des Etrusques — constata qu'il manquait de génitrices pour faire de sa bourgade la Ville. Il invita à de grandes fêtes les villageois d'alentour, les Sabins et les Sabines, qui étaient, comme les Latins, des Indo-européens, et d'une tribu réputée de pure race. Pendant la course de chevaux, à un signal convenu, les Romains se ruèrent sur les filles de leurs hôtes : et ceux-ci ne purent que pousser des cris d'indignation, car ils étaient venus sans armes, conformément aux lois de l'hospitalité. Mais ils revinrent en force. La bataille s'engagea dans la plaine du Forum, où les Romains risquaient de succomber quand les Sabines, se jetant entre l'armée de leurs pères et frères et l'armée de leurs époux les supplièrent de faire la paix et de s'unir.

Le rôle de la femme romaine était tracé : génisse de pure race passant de la main du père à la main du mari (*manus* : le droit d'user et d'abuser) et servant de trait d'union entre les deux clans. La femme n'a de valeur que par cette fonction sociale. En tant que femme, que personne humaine, elle ne compte pas. Si la passion l'égare, elle mérite la mort. Une autre histoire célèbre est là pour l'édifier.

Horace, ayant terrassé un à un, en feignant de fuir, les trois Curiaces diversement blessés, rentre glorieux portant les trois dépouilles. Sa sœur, fiancée à l'un des Curiaces, vient à sa rencontre. Reconnaissant sur l'épaule de son frère le manteau qu'elle avait offert à son fiancé, elle dénoue sa chevelure et, d'une voix coupée de sanglots, appelle le mort par son nom. Indigné de voir les larmes de sa sœur offenser sa victoire, Horace dégaine et transperce la jeune fille en l'accablant de reproches. « Va-t'en avec ton amour scandaleux ! Va rejoindre ton fiancé, toi qui oublies tes frères morts, ton frère vivant, toi qui oublies ta patrie ! Périsse ainsi toute Romaine qui osera pleurer un ennemi ! »

Mais si la femme n'est pas de race, les Romains ont pour elle une indulgence à la mesure de leur dédain. La plébéienne qui n'appartient pas à un clan, l'étrangère, l'affranchie, peut disposer librement de son cœur et de son ventre, les suites n'ont aucune importance. Même une Romaine de race peut jouir de cette liberté si elle renonce publiquement à sa condition ; elle devra alors se faire inscrire sur le registre des courtisanes. La population croissant considérablement par un afflux d'étrangers et d'esclaves, et les effectifs des clans restant stables par définition, le jour viendra où la rigoureuse morale de la minorité dirigeante sera ressentie comme un anachronisme insupportable.

Le mari absolu

La matrone, ou la fille destinée à le devenir, appartient donc à un clan, la *gens*. C'est l'ensemble des familles issues d'un ancêtre commun. Elles portent toutes le même nom « gentilice ». Quand une fille se marie, elle ne prend pas le nom de son époux : elle continue de porter le nom de sa *gens*. Que l'on n'y voie pas le signe d'une quelconque indépendance : la génisse porte sa marque d'origine, voilà tout. Son existence individuelle est si peu reconnue qu'elle n'a pas de prénom par quoi se singulariser.

Le père a sur sa fille l'autorité absolue, la *manus*. Elle est sa chose, comme un objet ou un esclave. Par le mariage, il transfère à son gendre l'autorité sur sa fille et sur les biens qui la suivent, dot ou héritage : le mari reçoit son épouse « en qualité de fille ». Il a sur elle droit de vie et de mort — toutefois, la coutume veut qu'il prenne l'avis d'un conseil de famille. Il peut la répudier — mais dans trois cas seulement : si elle a commis l'adultère (c'est bien naturel) ; si elle a tenté par des moyens magiques de tuer le fruit qu'elle porte dans ses entrailles (elle a donc encore des pouvoirs magiques) ; et enfin, si elle a fait faire de fausses clés. Ce cas paraîtra peut-être moins naturel. La matrone détenait toutes les clés de la maison, sauf celles du cellier, car il lui était interdit sous peine de mort de boire du vin : le breuvage de Bacchus risquait d'exalter ses mystérieux pouvoirs, et notamment sa puissance libidineuse.

Toutefois, en - 445, la *Lex Canuleia* autorisa les mariages entre patriciens et plébéiens (de race, cela va de soi). Si une patricienne apportait sa fortune, essentiellement foncière, à un plébéien qui, lui, pouvait s'enrichir dans le commerce, la classe patricienne n'en avait plus pour longtemps. Le mariage sans transfert de la *manus* fut admis. Le père de la mariée, ou à défaut son frère, restait son tuteur légal, le mari n'avait que l'usufruit de ses biens. Ce n'était qu'une affaire de partage de l'autorité entre hommes. La femme demeurait juridiquement incapable. J'ajoute qu'elle était souvent donnée en mariage dès son enfance.

Les Romains se cantonnaient farouchement sur le terrain juridique et faisaient d'admirables efforts pour neutraliser les pouvoirs de la femme. Nous venons de le voir avec la clé du cellier. La formule du mariage en est un autre signe. En Inde, le mari disait : « Je suis le Ciel, tu es la Terre. » En Grèce, la femme disait : « Où tu es Zeus, je suis Gaia » (ou Géa), c'est-à-dire la Terre-Mère. Dans la bouche de l'épousée romaine, la formule s'était laïcisée : « *Ubi tu Gaius, ego Gaia* » c'est-à-dire : « Où tu es Gaius, je suis Gaia. » Femme sans nom elle s'identifiait à celui de son époux, elle s'engageait à n'être rien d'autre que son *alter ego*.

Et en effet, plus d'une fière Romaine saura se glorifier de la gloire de son mari, comme Alcmène, épouse d'Amphitryon et mère d'Hercule, dans l'*Amphitryon* de Plaute : « J'ai eu un instant de plaisir, dit-elle, tant qu'il m'a été donné de voir mon mari — une seule nuit, sans plus, et puis il est parti, il m'a laissée, aussitôt le jour... Mais ce qui me rend heureuse, au moins, c'est qu'il a vaincu les ennemis, qu'il est revenu à la maison chargé de gloire. Cela me console. Qu'il soit loin, pourvu qu'en rentrant il rapporte la gloire ! Je supporterai, je souffrirai jusqu'au bout son absence d'un cœur énergique et ferme, si j'ai du moins cette compensation que mon mari soit appelé vainqueur ; je croirai que c'est assez pour moi... »

La revanche des magiciennes

Toutes les matrones avaient-elles l'abnégation aussi facile ? Une histoire de poisons jette une lueur sulfureuse sur les alcôves patriciennes. Tite-Live raconte que, dans l'année - 331, les plus notables citoyens se prirent à mourir les uns après les autres, et d'étrange façon. Une servante se présenta à l'un des magistrats et lui révéla que les dames de l'aristocratie préparaient chez elle des poisons qui envoyaient *ad patres* les *patres*. Des sénateurs la suivirent dans les maisons qu'elle leur indiquait et y trouvèrent les dames en train de cuisiner de curieuses potions, qu'ils saisirent. Les suspectes ayant été rassemblées au Forum, deux d'entre elles soutinrent que ce n'étaient là que d'innocents remèdes. On leur enjoignit d'en faire la preuve en les avalant. Elles demandèrent à consulter sans témoin leurs compagnes. Ayant délibéré, toutes les dames burent leur breuvage et moururent. On poursuivit l'enquête : cent soixante-dix femmes furent reconnues coupables. Les magistrats conclurent qu'elles étaient toutes « possédées », ordonnèrent une cérémonie expiatoire, et de nouveau l'ordre régna dans les nobles foyers.

Les Romains ne sont pas rassurés. Ils ont voulu désacraliser la femme, la « civiliser » au service de la cité : elle ne se laisse pas aisément désarmer. Ou, si l'on préfère, l'homme ne se contente pas si aisément de son rationalisme viril. Dans le siècle des Lumières, Cagliostro fera fortune ; les Romains sont superstitieux et tremblent devant les signes du destin, dont la femme est toujours l'interprète favorite.

La flamme sacrée de Vesta, symbole de la vie (et vestige du temps où les Romains erraient nomades à travers la steppe asiatique), ce sont des femmes Vestales qui ont mission de veiller sur elle. Elles ont été recrutées à l'âge de six ans dans des familles patriciennes, élevées par des prêtresses, vouées à la virginité jusqu'à la fin de leur service divin, c'est-à-dire jusqu'à l'âge de trente ans, et même davantage, car elles se voient rarement proposer d'y renoncer, passé cet âge canonique. Si elles manquent à leur vœu, elles sont enterrées vives, dans une salle souterraine avec une lampe, un pain et une cruche d'eau : par ce biais la cité peut prétendre qu'elle n'est pas responsable de leur mort. Car les Vestales, gardiennes de la vie, ne doivent avoir aucun contact avec la mort : tout condamné qui en rencontre une sur le chemin de son supplice a la vie sauve ; et aux Jeux du Cirque elles ont le droit de sauver la vie d'un gladiateur. Comme la Vestale dans la Cité, la matrone dans la maison était la gardienne de la vie, la vestale du foyer ; et peut-être son citoyen-époux, comme un bourgeois victorien, rêvait-il qu'elle fût une vierge-mère.

Mais à quoi rêvaient les matrones, quand elles ne cuisinaient pas de poisons ? Au mois de février, Februus, dieu souterrain des purifications, des prêtres vêtus de pagnes en peau de chèvre faisaient en courant le tour du Palatin, agitant des lanières de cuir. S'ils rencontraient des femmes, ils les fouettaient, afin de les purifier. Et ils en rencontraient... Je me demande s'il n'y avait pas, dans l'âge d'or de la République, des matrones que leur *dignitas* ne satisfaisait pas entièrement.

Au cœur de l'hiver, toutes les femmes des maisons patriciennes, matrones et servantes, se rassemblaient dans la demeure d'un consul sous la présidence de son épouse. Le consul devait quitter les lieux, aucun homme n'était admis à cette fête, la fête de la Bona Dea, la Bonne Déesse. Les femmes chantaient, dansaient et, elles qui ne devaient pas boire de vin sous peine de mort, elles en buvaient, mais on le baptisait « lait » et il était servi dans « des vases à miel ». La légende disait que Bona Dea avait été l'épouse du dieu Faunus, lequel, l'ayant surprise à boire du vin, l'avait tellement battue qu'elle en était morte. Dès lors, elle avait les hommes en horreur ; mais pas le vin. La déesse prenait annuellement sa revanche avec ses fidèles, jetant les hommes dehors mais, prudente quand même, nommant lait le vin qui fait chanter le désir ; et le désir chantait les amours féminines. En Chine, dans la nuit du solstice d'hiver, les paysans faisaient ripaille en des orgies collectives, principe mâle (*yang*) et principe femelle (*yin*) obscurément mêlés, d'où le *yang* sortait revivifié. Il semble que la fête de la Bonne Déesse ravivait le *yin* en exclusivité.

Les femmes n'oubliaient pas pour cela leur devoir : elles sacrifiaient aussi au culte de la fécondité, qui s'incarnait dans un divin phallus — comme dans le phallus de Çiva en Inde, de Tammouz en Mésopotamie, de Dionysos en Grèce. Le culte se célébrera encore au temps de saint Augustin. « Ce membre honteux, dira-t-il, était, les jours où l'on fêtait

Liber (le Dionysos italique), placé en grande pompe sur un chariot et on le promenait d'abord à la campagne de carrefour en carrefour, puis jusque dans la ville elle-même. Dans la cité de Lavinium, un mois tout entier était consacré à Liber et, pendant ce mois, tous les jours, chacun employait le langage le plus obscène jusqu'à ce que le phallus fût porté à travers le forum en procession solennelle et déposé dans son sanctuaire. Sur ce membre honteux, une mère de famille parmi les plus honorables devait déposer publiquement une couronne. »

La femme n'a donc pas perdu sa fonction sacrée ? Tout est dans l'idée qu'on s'en fait : on observera que ces cérémonies pouvaient servir aussi les plaisirs laïques.

Les patres *dans un mauvais pas*

Les *patres* se sont mis dans des contradictions insolubles. De la servante anonyme des dieux, ils ont prétendu faire la servante anonyme de la cité ; de la magicienne, une citoyenne. Mais l'on ne peut pas désacraliser la femme et lui dénier un destin personnel : c'est l'un ou l'autre.

Ils ont proposé à la femme un idéal d'énergie en même temps qu'ils la soumettaient à la toute-puissante rigueur du *pater familias*. Ils auraient dû craindre qu'elle ne s'avisât de mettre son caractère au service de sa personne.

Affranchies des dieux, les matrones vont s'affranchir des *patres*. Elles vont déployer une énergie toute romaine à magnifier leur Moi — au risque de se perdre, s'il est vrai qu'on se perd quand on ne trouve que soi.

Vivre sa vie

Dans les deux derniers siècles de la République et les deux premiers siècles de l'Empire, entre - 200 et 200, Rome fait son plein. L'Orient, l'Afrique du Nord, l'Espagne, la Gaule jusqu'au Rhin, la Grande-Bretagne jusqu'au mur d'Hadrien, se soumettent à ses lois. Et les vertueux paysans qui avaient répudié le cosmopolitisme étrusque croulent sous l'or des rapines et des tributs qui affluent dans la Ville des villes. De quel droit et au nom de quoi retiendraient-ils les femmes de « vivre leur vie » ?

Il en est un au moins qui a cette prétention, Caton le Censeur, qui prêche l'ascétisme des anciens, affiche des manières rustiques, déclare que sa femme ne l'embrasse que lorsque le tonnerre gronde, et qu' « une femme sent bon si elle ne sent rien ». Pendant la guerre contre Hannibal, une loi somptuaire avait limité le train de vie des matrones. Carthage vaincue, elles manifestent sur la voie publique, en - 195, exigeant l'abrogation de cette loi. Caton en se rendant au Sénat est pris à partie. Il y prononce un discours où il met en accusation la vanité des femmes, leur goût de la parure, leurs passions, leur impulsivité, bref, l'irrémédiable *impotentia muliebris* ; et dans le même mouvement il met en garde les sénateurs contre les périls qui menacent la République quand ces impuissantes s'associent. A quoi un tribun du peuple, L. Valerius, réplique : Convient-il que nos femmes soient les seules à vivre chichement, quand celles de nos alliés ont droit à l'opulence ? Est-il céans que les maîtres du monde dénient à leurs épouses la liberté de plaire ? Les matrones remportèrent la victoire. Et Caton resta seul clamant sa haine de la joie de vivre.

Le mariage *sine manu*, sans communauté de biens, est maintenant le plus répandu. Théoriquement, la femme sous ce régime demeurait soumise à l'autorité de son père. Mais de plus en plus souvent il l'émancipait, déléguant son autorité à un tuteur qui n'était qu'une fiction juridique. La femme mariée était donc maîtresse de ses biens. Comme elle n'avait pas à supporter les dépenses d'une carrière publique — entretenir une troupe de « clients », offrir des jeux au peuple — ni à participer à l'entretien de la maison, à l'éducation et à l'établissement des enfants (seul le père en avait la charge et la garde), il arrivait qu'elle amassât une fortune considérable. Etait-elle une des rares patriciennes encore mariées sous le régime de la *manus*, elle pouvait y trouver encore son avantage si elle héritait de son mari ; ce qui ne manquait pas d'arriver puisqu'elle était toujours beaucoup plus jeune que lui. Ainsi les femmes devinrent-elles des « valeurs » très recherchées. Pour que leur valeur fût négociable, il ne leur manquait plus que le droit de divorcer.

Or, dans le mariage *sine manu*, le père n'avait qu'un mot à dire pour reprendre sa fille. Dès l'instant où l'autorité était dévolue à un tuteur complaisant, sa pupille lui passait le mot, et le mariage était rompu. Si bien qu'au temps d'Auguste le divorce par consentement mutuel était devenu monnaie courante. Il le légalisa.

Quant à l'adultère... Quel mari aurait eu le ridicule de condamner à mort une épouse qui pouvait le répudier ? Mais alors, la pureté de la race ? Auguste jugea que l'Etat devait suppléer à la carence des maris. Il fit de l'adultère un délit public. A l'intention des maris qui fermaient les yeux, des peines furent édictées, et des avantages pour ceux qui porteraient plainte : l'attribution d'une partie de la fortune de leur épouse pour prix de leur infortune. Une partie des biens de l'amant serait également confisquée, et les deux complices relégués dans une île — mais chacun dans une île différente. Cette loi fut très peu appliquée ; à la fin du premier siècle de l'Empire, elle était oubliée.

Depuis la fondation de la République, les matrones ont fait du chemin. On ne voit pas ce qui aurait pu les arrêter.

En mémoire des glorieuses épouses

Originellement, le mariage romain était l'alliance de *gentes* pour perpétuer la race. L'amour n'était pas partie prenante au contrat, mais la dévotion au mari, jusqu'à sa mort, pour l'honneur. Sans doute, cet idéal d'une austère grandeur recrute encore quelques fidèles. J'ai déjà cité Pauline s'ouvrant les veines pour ne pas survivre à Sénèque condamné au suicide par Néron. On ne peut éviter de citer aussi Arria l'aînée, dont le mari, le sénateur Caecina Paetus, impliqué dans un complot contre Claude, fut également condamné à se suicider. Elle tira un poignard de sa robe, l'enfonça dans son sein puis le tendit à son mari en disant : « Paetus, cela ne fait pas mal. » Mais devant cette image d'Epinal plus d'une épouse devait dire : « Souffrez que je l'admire et ne l'imite point. »

Le foyer où l'on s'ennuie

Le modèle plus accessible est une édifiante union bourgeoise. Pline le Jeune nage dans la félicité avec sa troisième et très jeune épouse, Calpurnia. Il loue sa finesse, sa retenue, son amour, gage de sa fidélité, et le goût des lettres que lui a inspiré son admiration pour son époux. « Elle ne se lasse point de le lire, de le relire, de l'apprendre par cœur. Quand il donne une lecture publique, elle y assiste derrière un rideau, épiant d'une oreille avide les approbations qu'il recueille. » C'est lui-même qui le dit. Un homme de lettres pourrait-il rêver plus parfaite compagne ? « A l'un comme à l'autre, écrit J. Carcopino [32], la plus brève des séparations a l'air d'infliger une véritable souffrance. Quand Pline est contraint de s'éloigner, Calpurnia le cherche dans ses ouvrages qu'elle caresse et qu'elle place aux endroits où elle était accoutumée de le voir. Et Pline, de son côté, quand sa femme est absente, prend et reprend en main les lettres de Calpurnia comme si elles venaient d'arriver. La nuit, il se représente tout éveillé sa chère image ; et le jour, aux heures où il était habitué à la voir, « ses pieds le portent d'eux-mêmes » vers la pièce où elle se tenait d'ordinaire, et c'est le cœur triste, « comme si elle lui en avait fermé la porte, qu'il revient de cette chambre vide ». Mais, « ce qu'il semble le plus avoir aimé dans Calpurnia, c'est l'admiration qu'elle vouait à ses écrits, et on a vite l'impression, quoiqu'il prétende le contraire, qu'il s'est aisément consolé des absences dont il s'est plaint avec le plaisir de limer les pages où il les déplore si joliment ».

Cette affection conjugale semble quelque peu apprêtée, on y voit mieux la convention que la chaleur humaine. Que penser de cette lettre au grand-père de Calpurnia ? « Votre petite-fille a fait une fausse couche. Ignorante de sa grossesse par défaut d'expérience, Calpurnia a omis ce qui doit se faire en pareil cas, et fait au contraire ce qui se doit omettre. Elle a payé cette erreur d'une manière fort propre à l'instruire, car elle s'est trouvée aux portes de la mort. » On aurait aimé lire, en contrepoint des témoignages d'autosatisfaction de Pline, le journal intime de sa femme ; sans doute y aurions-nous appris que les enfants naissaient dans les choux.

D'évidence, ce barbon si soucieux d'élever l'esprit de sa charmante oie blanche répugnait à s'abaisser jusqu'à son sexe. On retrouve ici la défiance rustique devant le chaudron de la sorcière où se fait l'horrible cuisine de la vie. Le Romain distingué de la Ville a sa chambre à part ; la nuit de noces, et sans doute les autres s'il faut qu'il y en ait pour la génération, se passent dans l'obscurité ; le respect que son époux lui témoigne doit suffire à combler la femme. Plutarque, qui s'étonne de cette pudibonderie, l'explique en disant qu'un Romain ne voulait pas traiter sa femme comme une courtisane. Ainsi les messieurs de la bourgeoisie absolue iront chercher la joie de vivre avec des cocottes.

Homo sum *

Toutes les Romaines n'étaient pas des oies blanches comme Calpurnia ni des héroïnes comme Arria ou Pauline. Les filles des classes aisées — de plus en plus nombreuses — recevaient la même éducation que les garçons, une éducation exclusivement littéraire et philosophique, fondée sur l'étude des auteurs grecs, le plus souvent en grec et sous la direction de maîtres grecs, ces pernicieux *Graeculi* que Caton aurait voulu exiler — avec raison, de son point de vue : car si les Grecs pouvaient jouer impunément avec les idées subversives sans cesser de se comporter en maris réactionnaires, les Romains n'étaient pas vaccinés, ces lourdauds

* « Je suis homme. »

incubaient tout bonnement le virus. Et l'héroïsme d'une Arria ou d'une Pauline, la convention traditionaliste d'un mariage à la Pline, n'apparaissaient plus comme des exemples vécus ni à vivre.

Les femmes avaient de l'instruction. Elles avaient du caractère. Elles étaient souvent très riches. Et elles n'avaient rien à faire, puisque des affranchis dirigeaient à la place de la maîtresse de maison les troupeaux d'esclaves. Il n'était si pauvre plébéienne qui n'eût à sa disposition un ou deux esclaves pour lui épargner les « travaux serviles ». Elles n'avaient jamais eu la charge d'élever les enfants, c'était l'affaire du père. Il ne leur restait que la procréation. C'était encore trop : Pline, de ses trois mariages, n'eut pas d'héritiers.

Auguste a vainement appâté les géniteurs en décrétant qu'un père de trois enfants serait exempté d'impôts et la mère affranchie de l'autorité maritale. Lui-même n'a eu qu'une fille, Julie, et elle a été la parfaite antithèse des vertus que prônait son père Auguste. Il l'a mariée à quatorze ans, sans lui demander son avis, au fils de sa sœur, Marcellus, en qui il voyait son successeur. Veuve à seize ans, il l'a aussitôt remariée avec Agrippa, nouveau successeur. Et Julie en a eu cinq enfants ! Admirable vertu romaine ressuscitée dans la famille du plus noble des hommes ! Une matrone, Claudia Rufina, n'en aura pas fait plus pour être deux fois honorée aux Jeux de 47 et de 88. Pour Julie, le plus admirable est que tous ses enfants ressemblaient à leur père, car elle le trompait copieusement. Et comme ses compagnons de plaisir, un jour, s'étonnaient de ces ressemblances, elle leur a répliqué : « *Nunquam est nisi nave plena tollo vectorem* — c'est que je n'embarque jamais personne que sur un navire plein. » Spirituelle et cynique, la réplique était bien d'une femme dans « le vent », le vent dans les voiles d'une hardie navigatrice. Mais cette méthode anticonceptionnelle était plutôt digne de Gribouille. Les Romaines connaissaient certainement de meilleurs moyens : des milliers d'épitaphes où le défunt est pleuré par ses affranchis témoignent pour autant de Romains morts sans héritiers.

La stérilité n'est pas imputable qu'aux femmes. Les maris

se font rares. Le célibat offre aux Romains des voluptés faciles avec les esclaves, les concubines, les prostitués mondains pour ceux qui sont de ce goût-là ; les lupanars, enfin, sont ouverts à tous, les « repaires de louves », mais ces louves ont les dents moins longues que les filles de famille. Les Romains ont pris *cum grano salis* cette exhortation d'Auguste citant le censeur Metellus : « Citoyens, si l'on pouvait vivre sans femme nous nous passerions tous de cet embarras. Mais comme la nature a voulu qu'il fût aussi difficile de s'en passer qu'il est désagréable de vivre avec elles, sachons tous sacrifier les agréments d'une vie si courte aux intérêts de la République qui doit durer toujours. » La République est morte sous Auguste et les citoyens ne sacrifient plus les agréments d'une vie si courte.

Sur les divans profonds, devant l'argenterie ornée de pierres précieuses, les convives s'accoudent pour la cérémonie de la ripaille. Les femmes allongées près des hommes, comme jadis les scandaleuses Etrusques, manient l'éventail, faisant tinter des masses de pendants d'oreilles. Une Romaine aujourd'hui sait s'enivrer comme un homme. Il est loin, le temps où le vin lui était interdit sous peine de mort. Des moralistes s'en indignent et peut-être poussent-ils la satire jusqu'à la caricature. Pétrone fustige Fortunata, l'épaisse compagne de Trimalchion, la langue pâteuse et les regards noyés dans l'ivresse. Une autre, dans la VIe satire de Juvénal, engloutit d'énormes huîtres tandis qu'elle croit voir le plafond tournoyer sur sa tête et le nombre des flambeaux doubler dans la salle. Sur l'étiquette des amphores, comme sur les actes officiels, les noms des deux consuls en exercice marquent le millésime. Mais des Romaines libérées comptent les années d'une autre manière, « non plus par les noms des consuls mais par ceux de leurs maris, dit Sénèque. Elles divorcent pour se marier. Elles se marient pour divorcer. » Juvénal nous en montre une qui a collectionné huit époux en l'espace de cinq automnes.

En vérité, n'est-ce pas la tradition elle-même qui a conduit les femmes à ce mépris du mariage ? Caton, descendant du vieux censeur, et non moins affectionné à la vertu républicaine que l'était son ancêtre puisqu'il se plongea son glaive dans le ventre, à Utique, plutôt que de survivre à la victoire de César, Caton d'Utique, donc, avait épousé Marcia, une fille élevée dans les « saines traditions ». Un vieux richard, Hortensius, qui se trouvait veuf et qui admirait la vertu de Caton, lui demanda sa fille, Porcia, en mariage : elle aurait l'héritage. Porcia, il est vrai, avait déjà été donnée à un mari beaucoup plus jeune. Mais la *patria potestas,* dans une famille de tradition, pouvait la reprendre. Caton d'Utique, par une étrange tendresse paternelle, se refusa à user de son pouvoir contre les sentiments de sa fille. Alors Hortensius, qui l'admirait de plus en plus, lui demanda de lui céder sa femme. Caton délibéra avec elle et ils y consentirent. Hortensius ne tarda pas à mourir, Marcia hérita, et rapporta l'héritage à Caton en l'épousant de nouveau. Voilà qui était beau comme l'antique et froid comme le marbre. Qu'est-ce que l'amour conjugal serait allé faire dans cette galère ? Marcia avait donné à Caton une postérité ; son devoir accompli, elle avait encore eu l'élégance d'en assurer la prospérité. La famille avant tout.

Ce que Marcia a fait par devoir, d'autres peuvent le faire pour leur plaisir. Que les maris entendent cette déclaration d'indépendance :

> *Ut faceres tu quod velles nec non ego possem*
> *Indulgere mihi. Clames licet et mare caelo*
> *Confundas ! Homo sum* [33] !

« Il avait été autrefois convenu que tu ferais ce que tu voudrais et que de mon côté je me passerais toutes mes fantaisies. Tu as beau crier et remuer ciel et terre, je suis homme ! »

L'émancipation de la femme, est-ce bien cela ? La question peut se poser aujourd'hui aux Etats-Unis et en Europe occidentale. Si c'est cela que nous voulons, il faut en accepter les conséquences romaines : la stérilité, la démoralisation par la perte d'un objectif qui nous dépasse, la vie sans projet, sinon de jouir et de posséder, la satiété, le dégoût, et l'invasion des Barbares.

CHAPITRE VIII

LA RÉINCARNATION DE LA VIERGE : DE L'AMOUR COURTOIS AUX LIAISONS DANGEREUSES

La décadence s'était donc résolue dans « le triomphe de la barbarie et de la religion », comme dit fortement Gibbon. Triomphe des Barbares germaniques (ou francs) qui manifestaient, hommes et femmes, de robustes appétits sexuels ; et du christianisme qui faisait de la chasteté la condition du salut.

Chez tous les peuples conquis par le christianisme, et chez eux seuls, le sexe était un problème ; mais dans l'Occident la contradiction était plus dramatique, par la violence des tempéraments, une ingénuité d'esprit, une imagination papillonnante, enfin, une sorte de jeunesse. Paillards, mais dans la mauvaise conscience, ils s'en tiraient par des pénitences à la mesure de leur orgueil : Geoffroi Martel, comte d'Anjou, fondait une abbaye chaque fois qu'il prenait une concubine. Les flammes de l'Enfer étaient redoutées, mais le feu du désir était plus actuel ; et la barrière entre le sexe et le sacré flambait même dans la maison de Dieu. Un synode de Rouen, en 1231, supprimera les vigiles dans les églises, et un autre en dira la raison : afin de mettre les pieuses brebis à l'abri des « loups » qui profitaient de l'occasion pour venir les « solliciter ». Il y avait des loups mitrés : l'abbé d'Evesham faisait élever dix-huit de ses bâtards autour de son abbaye ; et les brebis n'étaient pas toujours aussi pieuses qu'elles auraient dû l'être : les nonnes du couvent de Saint-Faran se livraient à la prostitution, Innocent III décrira le couvent de Sainte-Agathe comme un bordel.

Pendant ce temps, l'Eglise s'évertuait à sanctifier le mariage, stigmatisant ces pères féodaux, ces princes et ces rois qui vendaient leurs filles avec les fiefs, et ces maris qui les bradaient comme denrées périssables. Dur labeur ! Aliénor d'Aquitaine, entre son divorce d'avec le roi de France Louis VII et son remariage avec Henri Plantagenêt, futur roi d'Angleterre, échappa à deux tentatives d'enlèvement par Thibaut V de Blois et par Geoffroi, frère d'Henri, qui convoitaient le duché d'Aquitaine autant que le cœur en or de la belle Eléonore. Son grand-père, Guillaume IX, épousa Ermengarde d'Anjou, puis, l'ayant répudiée, Philippa, unique héritière du comté de Toulouse, qu'il désirait fort (le comté). Le mariage n'était pas tellement saint, et le plaisir était ailleurs. Guillaume tenait sans vergogne dans son château de Poitiers l'épouse de son vassal, le vicomte de Châtellerault, qui portait le beau prénom de Dangereuse ; sommé par le pape de renvoyer sa maîtresse, il répliquait au légat venu lui signifier l'excommunication, et qui était chauve : « Le peigne te frisera la tête avant que j'abandonne la vicomtesse ! » Il l'abandonna, cependant, mais pour d'autres plaisirs, car il était « un des plus grands trompeurs de dames, riche en aventures galantes ».

Cet homme d'expérience jugeait les femmes non moins trompeuses et non moins ardentes au déduit. De ses aventures il faisait des chansons. Un jour, il se présente incognito dans un château d'Auvergne où deux nobles dames, Agnès et Ermessen, se trouvaient esseulées. Il prétend être muet. Les deux dames s'en assurent en le faisant griffer par un chat. Il ne dit mot. Voilà un homme qui ne les trahira pas. Et pendant huit jours à leur service.

Tant les fotei com auziretz :
Cen e quatre vint et ueit vetz
Qu'a pauc no'i rompei mes coretz
E mes arnes !

Tant les foutai comme entendrez :
Oui, bien cent quatre vingt huit fois
A m'en rompre courroies
Et harnais !

Et voilà que cet homme tombe à genoux :

Si ma Dame me veut son amour donner
Je suis tout prêt à recevoir et rendre grâces,
A tout cacher, à la servir,
Tout dire et faire à son plaisir.

Il sera le gardien du secret de leurs âmes, source de la joie ineffable :

Toute la joie du monde est à nous
O Dame, si nous nous aimons.

Joie essentielle, ravissante, qui l'a ravi à lui-même :

Car sans Elle je ne puis vivre,
Tant j'ai pris de son amour grand-faim.

« L'amour ? Une invention du XIIe siècle », a dit Seignobos. Et Gustave Cohen : « L'amour est une grande découverte du Moyen Age, et en particulier du XIIe siècle français. » C'est Guillaume IX, le plus grand trompeur de dames d'Occitanie, qui vient d'inventer l'amour. Lui tout seul ? Que s'est-il passé ?

Les sources de l'amour

On en a discuté à perte de vue. Je me bornerai ici à esquisser quelques traits de ce temps, dont chacun à lui seul n'explique rien, qui ensemble n'expliquent pas tout, mais qui au moins situent la découverte dans le paysage.

L'Occident se réveille des cauchemars carolingiens. Les peuples s'ébrouent, s'ébattent et prolifèrent. Combien sont-ils ? Seuls les Normands, recensant leur conquête en 1086, nous fournissent un chiffre précis : l'Angleterre compte 1 100 000 habitants. La France en avait quelque vingt millions au temps de la paix de Charlemagne ; les guerres et les famines ont dû réduire ce nombre, mais elle est, dirons-nous, le supergrand du monde occidental. Et les Français croissent et entreprennent. Des cadets de familles nobles trop nombreuses s'en vont défricher des terres, abattre des forêts, assécher des marais, engageant comme fermiers des serfs en rupture de ban. L'invention du collier d'épaules permet de faire tirer au cheval de lourdes charges, on l'attelle à la charrue à soc de fer, et il transporte le blé au moulin à eau, bientôt au moulin à vent, autre nouveauté très nécessaire aux grandes plaines à céréales sans rivières. Des « villes neuves » et des « villes franches » sont créées, où accourent les marchands : il y a du blé pour nourrir les citadins. Les seigneurs dépensent leur trop-plein d'énergie en des expéditions coloniales ou religieuses, ou les deux à la fois — conquête de la Sicile et de l'Angleterre, Reconquista de l'Espagne sur l'Islam, délivrance de la Terre Sainte — cependant que les dames restées au château tiennent le fief. Et la vieille terreur et la jeune espérance élèvent les blanches églises romanes aux tympans barbouillés du bleu de la nuit et du rouge du sang, foisonnants d'anges, de démons, de monstres, de femmes luxurieuses que le serpent enlace et de vierges ambiguës.

Mais les érudits veulent trouver des sources plus intellectuelles.

Les uns disent : des poètes arabes avaient déjà idéalisé la femme. Il est vrai que dans le temps de la confusion carolingienne, au IXe siècle, à Bagdad, des poètes chantaient des sentiments éthérés jusqu'à l'évanescence. Ils en attribuaient l'invention à une tribu mythique, celle des Banou (al) 'Odrah — les « Fils de la Virginité » — qui auraient trouvé dans le désert, lieu d'élection de l'idée pure, que « mourir d'amour est une douce et noble chose ». Ibn Dawûd, théologien, poète, « délicat, frêle, efféminé », dit L. Massignon, et homosexuel, exposait dans un subtil traité, le *Livre de la Fleur*, dédié à un tendre ami, que c'est « le devoir de chacun de rester chaste, afin d'éterniser le désir qui le possède avec le désir qui l'inspire ». Il y a là une économie érotique que les amants courtois sauront pratiquer — mais aussi, hélas ! cette impuissance très peu courtoise qui fera des ravages parmi les âmes pleurnichardes, du roman breton au romantisme allemand :

J'aime mieux en me privant de toi
Garder mon cœur navré, garder mes yeux noyés...

A l'autre extrémité de l'Islam, dans l'Andalousie musulmane, des poètes hispano-arabes chantaient l'humilité de l'amant devant sa maîtresse. Ainsi, Ibn Zaidûn de Cordoue :

Sois fière, j'accepterai ; temporise, je patienterai ;
orgueilleuse, je me ferai petit ; fuis, j'avancerai ;
parle, j'écouterai ; ordonne, j'obéirai !

Le calife Sulaimân al Musta'în célébrait, avant les troubadours, la vertu ennoblissante de l'amour :

Ne blâmez pas un roi de s'abaisser ainsi devant l'amour car l'humiliation de l'amour est une puissance et une seconde royauté.

Mais ces suavités, quand elles n'étaient pas, comme chez Ibn Dawûd, le masque d'amours pédérastiques ou le culte masochique du désir refoulé, n'étaient qu'un collier de perles au cou d'une concubine, d'une esclave du harem, une offrande à l'objet du plaisir d'un seigneur raffiné, non le don de soi à la libre souveraine de l'amour courtois.

Toujours est-il que les expéditions de la Reconquista et de la première croisade permirent aux chevaliers de France, et notamment à Guillaume IX, d'entendre ces chansons-là.

D'autres disent : les troubadours nageaient dans le courant de la renaissance humaniste du XIIe. Plus d'un se réfère expressément à l'*Art d'aimer* d'Ovide. Mais pour prendre à contrepied sa grivoiserie. Ovide tant qu'on voudra, mais alors, comme le dit C.S. Lewis : « *Ovid misunderstood* », Ovide travesti, et dans le travesti du sacré. Le néo-platonisme était très en vogue : les troubadours en furent imprégnés. Il est vrai que Platon * s'élève de l'émotion charnelle au firmament de l'Idée pure ; et qu'il y a aussi élévation dans l'amour courtois. Mais, quoi qu'on en ait dit, l'amour courtois, si haut qu'il monte, ne perd pas en route la joie de l'union des corps.

Dans un livre qui fit beaucoup de bruit et répandit

---

* Voir p. 240.

quelques idées fausses, *L'amour et l'Occident*, Denis de Rougemont défendit une thèse qui avait déjà ses partisans, mais moins brillants que lui : la clé de l'énigme, c'étaient les cathares (du grec *catharoi*, les purs). On sait quel succès connut cette hérésie dans la France du Midi, singulièrement dans le comté de Toulouse, au moment où naissait l'amour courtois. Que croyaient-ils, les cathares ? Que Dieu, Esprit pur, ne pouvait avoir créé la matière, fondamentalement mauvaise : Satan en était l'auteur, qui avait réussi à enfermer dans le corps l'esprit. Chaque fois que naissait un enfant, Satan se réjouissait : il avait fait tomber dans son domaine un ange. En conséquence, les cathares pensaient que Jésus ne pouvait avoir pris que l'apparence de la chair ; donc, pas d'Incarnation ni de Rédemption. C'était l'hérésie majeure, mais elle n'est pas de mon sujet. Ce qui en est, c'est que les cathares refusaient l'œuvre de chair par amour de l'esprit. Ils étaient la pointe la plus avancée de l'agression du pénis contre l'utérus. Là-dessus, Rougemont sollicite les textes des troubadours pour y trouver un sens ésotérique ; et il affirme qu'ils étaient des cathares camouflés, sans s'attarder aux faits que la plupart n'étaient point du pays cathare mais du Limousin, du Poitou, de l'Auvergne, et qu'un tiers d'entre eux finirent moines. Enfin, il formule cette proposition, qu'il qualifie de « thèse minima » : « Si la Dame n'est pas simplement l'Eglise d'Amour des cathares... ne serait-elle pas l'*Anima* ou plus précisément encore : la part *spirituelle* de l'homme, celle que son âme emprisonnée dans le corps appelle d'un amour nostalgique que la mort seule pourra combler ? » Croire que l'homme aime une femme, quelle vulgarité ! C'est donc son propre et pur esprit qu'il aime... La preuve : l'élu, dans l'ésotérisme manichéen, « au moment de sa mort, la *femme de Lumière*, qui est son esprit, lui apparaît et le console par un *baiser* ; son ange lui tend la main droite et le salue également d'un baiser d'amour ; enfin l'élu vénère sa *propre forme de lumière* *, sa salvatrice. Or, qu'attendait de la « Dame de ses

---

* Souligné par l'auteur.

pensées », inaccessible par essence, toujours placée « en trop haut lieu » pour lui, le troubadour souffrant de l'amour vrai ? Un seul baiser, un seul regard, un seul salut [34] ». Tout cela est fort ingénieux. Malheureusement pour la thèse de Rougemont, le troubadour attendait de la « Dame de ses pensées » qu'elle lui ouvre son lit, nous le verrons tout à l'heure.

Reste une autre thèse également ingénieuse, due à M. Bezzola, qui a le mérite d'être plus précise et le défaut de l'être trop. Quand Guillaume (1071-1127) courait le guilledou, un terrible ascète, Robert d'Arbrissel (1050-1117) promettait aux femmes libertines l'enfer, et aux femmes de haute vertu la première place sur la terre comme au ciel. En 1096 — l'année où la plupart des seigneurs de France partaient pour la première croisade — il fondait l'abbaye de Fontevrault sur les terres du comte de Poitiers, en confiait le gouvernement à une abbesse avec autorité sur les moines aussi bien que sur les nonnes, et quantité de prostituées et de nobles dames repenties y accouraient. Les deux femmes de Guillaume et sa fille y prirent le voile ; sans doute aussi un grand nombre de ses maîtresses ; et combien d'autres qui demeurèrent dans le monde en profitèrent pour mettre leur vertu à haut prix ? Le libertin se vit vaincu par Dieu. Qu'à cela ne tienne, il va le combattre sur son terrain. Les dames opposent à ses gaillardises un idéal mystique, aux vulgaires plaisirs du déduit la joie de l'effusion des âmes, à l'orgasme l'extase ? Fort bien. Guillaume se prosterne devant la femme comme devant le saint sacrement, exaltant les vertus chrétiennes qu'elle lui inspire, l'humilité, la discrétion, le respect, l'endurance, la chasteté, la foi, et l'espérance qu'elle lui fera la charité d'aimer celui qui l'adore.

A vrai dire, les esprits de ce temps n'étaient pas si tranchés ; ils ignoraient assez bien le principe de contradiction, et il est probable que la volte-face de Guillaume fut *aussi* une conversion. Il ne pouvait pas renoncer à l'amour physique, mais cet amour pouvait s'enchanter d'esprit. Et pourquoi, en effet, le corps n'eût-il pas été l'incarnation de la spiritualité, et la spiritualité l'ennoblissement du corps ?

Enfin, cette exaltation de la Dame est contemporaine de la dévotion à la Vierge. Dévotion qui vient de loin : souvenons-nous du Concile d'Ephèse la proclamant Mère de dieu en 431, là où les païens adoraient la Grande Mère *. On a objecté que cette dévotion ne prend son plein essor que vers 1100. Eh bien ! n'est-ce pas le temps où les Croisés (dont Guillaume fut, en 1101) découvrent à Constantinople tout à la fois la préciosité des Byzantines et la quasi-idolâtrie de Notre-Dame des Blachernes, protectrice de la cité aussi vénérée que jadis Athéna ? La dévotion à la Vierge va jusqu'à vouloir qu'elle ait été conçue sans péché : en 1140, à Lyon, est instituée une fête de l'Immaculée-Conception, dont l'Eglise ne fera un dogme qu'en 1854 et contre laquelle saint Bernard s'élève, « cette fête qui introduit la nouveauté, sœur de la superstition, fille de l'inconstance ».

Aucune des sources que j'ai décrites ne peut être la seule source d'où naquit l'amour courtois. Je n'ai voulu que dire le temps qu'il faisait le jour de sa naissance. Mais il reste tout de même une étrange rencontre, où je vois un de ces signes qui parfois s'élèvent au-dessus des brumes du fleuve : dans les années 1100, l'homme qui le premier chanta l'amour courtois fut Guillaume IX, comte de Poitiers, Poitiers où Fortunat et Radegonde vêtaient de lin candide un amour humaniste **, où Robert d'Arbrissel prêchait la rédemption de la femme, où allait s'élever la plus belle église romane des innombrables églises dédiées à la Vierge, Notre-Dame la Grande, et où la vague musulmane était venue mourir contre les boucliers des Barbares, ces Francs et ces Celtes dont les femmes avaient si fière allure.

Et s'il m'était permis de rêver un peu, je dirais que l'Aquitaine où la louange des houris et la dévotion à la Vierge, venues de l'Orient par les deux rives de la Méditerranée, confluèrent au sortir de la nuit millénaire et se mêlèrent à la liberté barbare dans la « joie » de l'incroyable réconciliation sexuelle, est aussi le lieu où l'homme émergea

---

* Voir p. 178.
** Voir p. 180.

de la préhistoire, chantant la joie de la création aux parois des grottes de Lascaux. Que l'on me pardonne cette hardiesse cocardière : c'est que je suis né sur les terres de Guillaume, entre Cro-Magnon et Poitiers.

L'amour courtois

Qu'est-il donc, cet amour courtois ? Ce n'est pas un ésotérisme d'hérétiques mondains, ni une rhétorique de poètes érudits, ni un gentil sujet pour les dessus de pendule de nos grand-mères. Plus tard, beaucoup plus tard (cent cinquante ans) il dégénérera en une spiritualité éthérée et conventionnelle. Dans la jeunesse du XIIe siècle, c'est une enivrante découverte, et les hommes et les femmes assez fortunés pour en entendre la chanson vivent la vie d'amour courtois.

C'est plus qu'une invention, c'est une révolution dans la connaissance de la femme. N'ayons pas peur des mots : c'est la première révolution française. Il faut bien voir que le flot de bile des Pères de l'Eglise n'avait pas cessé de se déverser sur la femme — et ne cessera pas pour cela, d'ailleurs. Au temps de Guillaume, Marbode, évêque de Rennes, répétait la diatribe sans la renouveler : « Parmi les innombrables pièges que notre ennemi rusé a tendus à travers toutes les collines et les plaines du monde, le pire et celui que personne ne peut éviter, c'est la femme, funeste cep, souche de malheur, bouture de toutes les vies, qui a engendré sur le monde entier les plus nombreux scandales. » Et c'est à l'éminent abbé de Cluny, Odon, que nous devons ce cri de révolte du pénis pris au piège de la matrice : « La beauté physique n'est pas au-delà de la peau. Si les hommes voyaient ce qu'il y a sous la peau, la vue des femmes leur soulèverait le cœur... Quand nous ne pouvons toucher du bout du doigt un crachat ou de la crotte, comment pouvons-nous désirer embrasser un sac de fiente ? »

Eh bien ! Il se trouve maintenant des hommes pour qui ce « sac de fiente » est la fontaine de toutes les vertus. Rigaud de Barbezieux :

Tout ainsi que la clarté du jour
L'emporte sur toute autre clarté
Pareillement l'emportent votre beauté,
Votre valeur, mérite, courtoisie,
Me semble-t-il, sur toutes celles du monde.

Beauté, vertu, vont de pair avec une noble naissance. Comment l'amant osera-t-il espérer ? Guy d'Ussel :

Quand je regarde son corps gentil,
Et sais qu'il ne convient pas qu'elle me donne
Son amour, à moi ni à mon égal,
Tant elle est de haute et noble condition
— Et aucune autre tant ne me plaît —
Ce vouloir m'accable
— Car je n'ai pas
Tant de hardiesse pour que j'ose lui dire
De quel cœur je l'aime et la désire.

Que l'on n'aille pas là-dessus imaginer — cela a été fait — une explication marxiste de troubadours prolétaires désespérément amoureux de la châtelaine : un duc d'Aquitaine ou un comte de Champagne ne s'exprimaient pas autrement que Bernard de Ventadour, né à l'office du château. Que serait l'amour si l'amant ne mettait sa Dame à haut prix ? C'est la loi du genre, et c'est aussi une école : l'idée que l'amant se fait de la femme aimée l'élève à être ce qu'elle paraît être, dans le cas où, allergique au progrès, elle serait encore ce qu'un autre troubadour, Marcabrun, stigmatise : « la pute semblable au serpent » qui :

Tant sait de tricheries
La pécheresse,
Que celui qui s'y fie
En sort marri.

Ecole pour l'amant plus encore que pour la Dame. Il lui inspire de se rendre digne d'elle, il lui souffle au cœur la prouesse chevaleresque, la sagesse, le respect, la largesse, la valeur, « *senz e pretz e larguez' e valors* ». Ce que le mystique accomplit pour Dieu, l'amant l'accomplit pour sa Dame, par sa Dame. Arnaud de Mareuil :

C'est de vous, Dame, je le sais, que me vient
Tout ce que je dis ou fais de bien.

Cet amour qui se nourrit d'admiration et, mieux encore, d'estime mutuelle, cet amour d'élection ne se soumet qu'à ses propres contraintes. C'est dire que les « tricheries » dont parlait Marcabrun ne sauraient se situer dans le mariage, puisque l'amour n'y a rien à faire. Ce jugement de la « cour d'amour » tenue sous la présidence de la comtesse de Champagne, fille d'Aliénor d'Aquitaine, par soixante dames ironiques devant un public de seigneurs consentants, tranche net : « L'amour ne peut étendre ses droits sur deux personnes mariées » parce qu'elles sont tenues « par devoir de subir réciproquement leurs volontés ». Amour est liberté.

Mais est-il égalité ? S'il l'est, l'hommage de vassalité, forme sentimentale du service féodal, n'est donc qu'un faux-semblant ? Marie de Vendatour en dispute avec Guy d'Ussel :

... Chacun dlt quand il va faire sa oour
Mains jointes et à genoux :
« Dame, veuillez que je vous serve franchement
Comme votre sujet » et elle le prend ainsi ;
Aussi je le juge à bon droit traître
S'il se rend son égal, celui qui s'est donné pour
[serviteur.

Guy réplique :

Dame, c'est plaidoyer honteux
De la part d'une dame, de soutenir
Qu'elle ne doit pas tenir pour égal
Celui avec qui, de deux cœurs, elle n'a fait qu'un
[seul ;
Ou vous direz, et ce ne sera pas bien de votre part,
Que l'amant la doit aimer plus fidèlement,
Ou vous direz qu'ils sont égaux entre eux.
Car l'amant ne doit rien si ce n'est par amour.

Et par amour il doit tout. Car, dit Guillaume de Montagnac,

L'amour n'est pas un péché
Mais une vertu qui rend bon les méchants
Et les bons meilleurs,
Et met tout homme en voie
De bien faire tout jour ;
Et d'amour vient chasteté
Car qui en amour s'entend
Ne peut plus mal agir.

« D'amour vient chasteté... » C'est sur ce seul vers que quelques amateurs de quintessence ont échafaudé la théorie d'un amour purement mystique. Denis de Rougemont tient ferme sur le « refus de l'amour physique », et s'interroge : « D'où vient cette conception nouvelle de l'amour « perpétuellement insatisfait », et cette louange enthousiaste et plaintive d'une belle qui toujours dit non [35] ? » Rougemont aurait pu s'épargner l'interrogation. D'abord, cette « conception nouvelle » est plutôt tardive : Montagnac écrit entre 1230 et 1250, l'amour courtois a déjà près de cent cinquante ans. Ensuite, André le Chapelain, auteur d'un pédant traité *De amore*, n'entend par chasteté rien de plus que fidélité : « L'amour rend chaste, dit-il, c'est à peine s'il permet à l'amant de concevoir l'idée d'une étreinte avec une autre Belle. »

Mais avec sa Belle, il la conçoit fort bien. « Un bon et docte religieux basilien, écrit Henri Davenson [36], a compilé un jour, références à l'appui, le catalogue des vœux qu'exprime, en ses chansons, Bernard de Ventadour : il demande à la bien-aimée qu'il aime si « purement » de l'aider à se déshabiller, ou d'assister à son déshabillage, de contempler son beau corps au lit, de se coucher à côté d'elle, d'en obtenir un baiser, de la prendre et de la serrer dans ses bras, la couvrir de caresses et l'attirer à soi. La série ne va pas plus loin, mais il faut toute la naïveté de notre érudit pour conclure : « Il n'y a pas de raison pour penser qu'il désirait rien de plus... »

Trêve de quintessences : cet amour est spirituel et charnel — total.

J'y mets tout, cœur et corps et désir,
Sens et savoir, ne sais si fais folie,

chante le châtelain de Coucy. Et Guillaume :

Que Dieu me laisse vivre tant
Que j'aie mes mains sous son manteau.

Ou Bernard de Ventadour :

Et baiserais sa bouche en mille manières
Tant que d'un mois n'en disparaîtrait la trace.

Un amant fidèle doit « souffrir gentiment les épreuves pour gagner », dit Guillaume de Cabestan. Mais la vertu de la dame ne doit pas passer la mesure. Sinon... Bernard de Ventadour la prévient :

On devrait bien la dame blâmer
Qui veut trop son ami lanterner.
Qui trop laisse son ami en prière
Il est juste que cet ami lui échappe.

La comtesse de Die en sait quelque chose qui, « pour ne lui point donner d'amour », fut avec son amant « au lit comme toute vêtue ». Il est parti, et elle l'appelle :

Comme voudrais mon chevalier
Tenir un soir en mes bras nus,
Il en serait comblé de joie
Si lui servais de doux coussin,
Car plus en suis enamourée
Qu'un jour Flore de Blanchefleur,
Mon cœur lui donne, et mon amour,
Mon âme, mes yeux et ma vie.
Bel ami charmant et plaisant,
Qu'un jour vous aie en mon pouvoir,
Et que couche avec vous un soir
En vous donnant baisers d'amour !

Sachez quel grand plaisir j'aurais
De vous en place de mari
Pourvu que me donniez promesse
De tout faire à mon bon vouloir.

Quel homme a jamais refusé d'échanger cette promesse contre la promesse « de jouir en verger ou en chambre », contre la promesse du moment attendu par Arnaud Daniel

Où, baisant son beau corps, souriant le découvre,
Et le contemple à la clarté des lampes.

Béatrice de Die ne jouera plus les coquettes. Et même, elle saura prendre l'initiative :

Mais je vous aime plus que Seguin n'aime Valence,
Et il me plaît fort que d'amour je vous vainque
O mon ami, car êtes le plus valant !

J'ai assez établi, me semble-t-il, qu'affirmer que l'amour courtois « refuse l'amour physique », c'est ne pas voir le soleil en plein midi. Mais Denis de Rougemont ne pouvait pas le voir, ayant décidé que la Dame n'était pas une femme mais l'Eglise d'Amour des cathares, ou à tout le moins « la part *spirituelle* de l'homme, celle que son âme emprisonnée dans le corps appelle d'un amour nostalgique que la mort seule pourra combler ». La mort ? La nostalgie ? Les contresens s'enchaînent.

La mort, où ça ? Quand Guillaume soupire : « Malade suis et me crois mourir » ? Ou Bernard de Ventadour : « Hélas, comme je meurs de souci... » ? A ce compte, quand il déclare : « Belle marquise, vos beaux yeux me font mourir d'amour », M. Jourdain est donc cathare ?

Quant à la nostalgie... Allez parler de nostalgie à Arnaud de Mareuil :

Comme la vie des poissons est dans l'eau, moi
Je l'ai en la joie et tout le temps l'y aurai.

à Béatrice de Die :

De joie et jeunesse me repais,
Joie et jeunesse me repaissent
Car mon ami est le plus gai :
J'en suis gracieuse et gaie,
Et puisqu'à lui suis fidèle...

Amants et amantes du bel amour courtois, tous ils chantent la joie du premier matin de leur jeunesse, comme l'alouette de Ventadour « que la joie fait battre des ailes face aux rayons du soleil ».

Cette joie est charnelle, mais elle est *aussi* quelque chose d'infiniment plus haut : elle est un état de grâce, très voisin de celui du mystique dans l'amour de Dieu. Certes, quand les troubadours emploient le langage mystique, on pourrait observer qu'ils ne font que transposer le vocabulaire de leur temps — comme ils emploient les signes du service féodal, à genoux, mains jointes, pour jurer leur foi au seigneur féminin. Mais ces formes sont bel et bien l'expression de leur cœur : l'homme s'est *voué* à la femme.

C'est-à-dire que voilà Eve réhabilitée. Les anathèmes de saint Paul, des Pères de l'Eglise et des générations de clercs misogynes contre « la plus nuisante des bêtes sauvages », l'amour courtois les ignore superbement, le troubadour regarde l'œuvre de Dieu et il pense, comme le Créateur, que tout cela est très bon.

Bernard de Ventadour loue la créature comme le ferait saint François d'Assise, mais un saint François érotique :

Ah, bon amour convoité,
Corps bien fait, si tendre et lisse,
Visage aux fraîches couleurs,
Que Dieu créa de ses mains !
Toujours vous ai désirée
Et nulle autre ne m'attire,
D'autre amour je n'attends rien.

Et il n'y a pas de raison pour que Dieu ne l'aide pas à en jouir :

O Douce, bien avisée,
Celui qui vous fit si belle
M'accorde joie que j'attends !

Je veux bien croire que le comte de Poitiers entendit sur le chemin de Fontevrault la voix céleste d'une maîtresse convertie lui dire : « Guillaume, pourquoi me persécutes-tu ? » et tomba à genoux, puisque tous les troubadours ont entendu la voix et, à la suite de Guillaume, ont vu briller la seule issue de secours dans les ténèbres du sexe maudit : l'élever jusqu'au sacré, et en retour érotiser la mystique.

Blasphème ? Peut-être Jésus n'aurait-il pas condamné sans appel ces amants, lui qui avait élu la Samaritaine et Marie-Madeleine. Tout est Amour, et il a assez dit que l'amour de la création conduit à l'amour de Dieu. A condition qu'il ne s'arrête pas en route... La Dame des troubadours occupait tout le ciel, et il faut reconnaître que l'amour courtois n'était pas seulement antipuritain, il était antichrétien. J'ai dit qu'un tiers des troubadours connus se repentirent et finirent leurs jours dans des couvents. Le 7 mars 1277, l'évêque de Paris interdit de lire, sous peine d'excommunication, le traité d'amour d'André le Chapelain.

L'amour courtois avait alors séduit les dames de la France du Nord, celles d'Angleterre dont Aliénor était devenue reine, et celles d'Italie, de la Catalogne, d'Espagne, du Portugal, de Flandre, d'Allemagne avec les Minnesänger ; jusqu'au fond des fjords de Suède et de Norvège il plaisait aux blondes Elsa de s'entendre aduler comme leurs sœurs de France. Mais il avait perdu l'ingénuité, la force, l'allégresse de son adolescence, il n'était plus qu'un maniérisme précieux. Par épuisement, et peut-être par crainte des foudres de l'Eglise, il s'affadissait en des litanies à Notre Dame. Laure inaccessible inspirait à Pétrarque des plaintes harmonieuses, Dante hissait sa Béatrice jusqu'au *Paradisio* en une allégorie de la béatitude sublime et aseptisée.

Il reste que cette rédemption de la femme, et cette volonté claire de bonheur dans une estime mutuelle, ont profondément marqué notre sensibilité. Si les Français aujourd'hui peuvent considérer avec un certain sourire la dramaturgie de la « libération des femmes », c'est parce qu'ils inventèrent, voilà plus de huit cents ans, le « fin amour ».

Malheureusement, une autre invention suivit de près, qui allait faire des ravages. Voici la femme fatale, la passion dévorante et le goût de la mort.

Tristan et Iseut, ou l'ivrognerie mortelle

Guillaume IX avait marié son fils avec la fille de sa maîtresse, Dangereuse. Aliénor, née de cette union, avait donc de qui tenir un « cœur en or », et l'on ne s'étonnera pas qu'elle ait, en épousant Louis VII, propagé dans la France de langue d'oil la poésie de langue d'oc. Ses filles, Aélis de Blois, Marie de Champagne, furent elles aussi des agents de publicité de l'amour courtois ; et autour d'elles les trouvères du Nord exploitaient la trouvaille des troubadours du Midi.

Cependant, le Nord se plaisait davantage à un autre genre, le roman d'amour et d'aventures. Les clercs furent les premiers « romanciers », parce qu'ils savaient le latin : leurs « romans antiques » adaptaient au goût du jour les exploits des héros d'Homère et de Virgile, où l'on voyait Achille, Enée, Alexandre transformés en chevaliers plus ou moins courtois. Lorsque, en 1154, le second époux d'Aliénor, Henri Plantagenêt, devint roi d'Angleterre, elle, et les troubadours et trouvères qui l'accompagnaient, découvrirent les légendes bretonnes. La « matière de Bretagne » leur parut autrement riche de poésie que la littérature classique, et assez obscure pour qu'ils puissent librement l'interpréter : la figure d'Alexandre opposait quelque résistance au travesti, mais le roi Arthur et ses chevaliers de la Table Ronde, qui aurait pu jurer qu'ils n'avaient pas vécu l'amour courtois ? Le roman courtois à la sauce bretonne fit fureur. Je n'en citerai qu'un, *Lancelot ou le Chevalier de la Charete*, écrit par Chrétien de Troyes à la demande de Marie de Champagne, où le chevalier accomplit les plus hauts exploits et, mieux encore, subit les pires avanies pour l'amour de sa dame, Guenièvre, épouse du roi Arthur. Elle a été enlevée, Lancelot part à sa recherche, poussé par une force mystérieuse, comme un somnambule : il va jusqu'à monter dans une charrette, un véhicule d'ignominie qui dessert le pilori (à cette humiliation on mesure la hauteur de sa passion). Malgré cela, quand il retrouve Guenièvre, elle n'a pour lui que dédain. Il faudra qu'on lui annonce, faussement, que Lancelot est mort, pour que son cœur s'ouvre.

Dans ce romanesque-là, les brumes de la « matière de Bretagne » se dissipent sur la route ensoleillée : des péripéties, des obstacles, des épreuves, bien sûr, sinon il n'y aurait pas de roman, mais une *happy end*. Ils s'aimèrent et vécurent dans la joie. (On ne précise pas combien de temps, et ils n'eurent pas d'enfants, puisque l'amour courtois est l'ennemi du mariage.)

Avec Tristan, tout chavire dans la nuit. Le thème a été repris cent fois, depuis Béroul et Thomas jusqu'à l'opéra de Wagner et à la savante reconstitution de Joseph Bédier. Et il préexistait dans les consciences celtiques longtemps avant que les Français, vers 1170, le lancent dans la carrière romantique. Car Tristan, sous le costume médiéval, est de tous les temps, comme la mort.

Tristan est l'anticourtois. Par son nom même, le « triste », il s'oppose à la « joie » comme à la sagesse le vertige, à la vie vécue l'infini rêvé, à la liberté de l'amour la fatalité de la passion. Il est bien permis de le définir d'abord par ce qu'il n'est pas, puisqu'il est la négation de tout et ne trouve que dans le néant l'affirmation de soi.

Tristan est né sous le signe du malheur. Sa mère, Blanchefleur, mourut en lui donnant le jour. Adolescent, sa bravoure et son habileté à jouer de la harpe font l'admiration de la cour de son oncle, le roi Marc de Cornouailles. Il tue un méchant géant, Morholt, frère de la reine d'Irlande, mais il en a reçu un coup de lance empoisonnée. Il est perdu. On l'abandonne sur une barque qui s'en va au gré des vents — et le débarque à la cour de la reine d'Irlande qui le guérit magiquement, sans savoir qu'il est le meurtrier de son frère, et lui confie l'éducation musicale de sa fille, Iseut la Blonde, plus blonde que l'or, plus belle que toutes les belles. Voilà qui pourrait être le prélude d'un « fin amour ». Que non : ils se regardent, mais ils ne se voient point. Tristan repart pour la Cornouailles.

Quelques années passent. Le roi Marc se met en tête d'épouser la jeune fille à qui appartient un cheveu d'or qu'une hirondelle a laissé tomber à ses pieds, et envoie Tristan à sa « quête ». Le souvenir d'Iseut le guiderait, si seulement il se souvenait d'elle ; mais c'est la tempête de la fatalité qui le ramène à la cour d'Irlande, où il abat un dragon avant de demander la main d'Iseut pour le roi. Encore blessé au combat, elle le soigne, toujours sans émoi, sinon de fureur quand elle découvre qu'un éclat qui manque à l'épée de Tristan est celui qui était resté dans le crâne de son oncle Morholt : saisissant l'épée, elle allait occire ce vaillant garçon dans son bain si sa mère ne l'avait arrêtée ; Iseut convient qu'il est noble de pardonner et que le roi de Cornouailles est un beau parti. Sa mère lui remet un philtre qui l'unira d'amour à son époux.

Les voilà en mer, Tristan, Iseut et sa servante Brangien. Ils ont soif. Brangien se trompe de bouteille et leur verse à boire le vin magique. Alors les écailles tombèrent de leurs yeux, leurs âmes se reconnurent, leur sublime s'amalgama. On en connaît qui auraient été contents. Pas eux : « Ils ont bu leur destruction et leur mort. »

Obéissant serviteur de l'ordre féodal, Tristan n'en conduit pas moins Iseut jusqu'à la couche du roi — où Brangien, sacrifiant sa virginité en expiation de son erreur et sauvant l'honneur de sa maîtresse, se substitue à Iseut dans la nuit de noces. Mais, obéissant aussi à l'ordre de l'amour qui fait fi du mariage (c'est, dans cette histoire, la seule trace du code de la « courtoisie »), Tristan et Iseut se donnent des rendez-vous secrets. Dénoncés par des « félons » (est félon, en courtoisie, qui contrarie l'amour), ils persuadent Marc de leur innocence. Le nain Frocine, petit félon, répand de la farine autour du lit d'Iseut. Tristan voit le piège, franchit d'un bond l'espace qui le sépare du lit ; mais une blessure dans l'effort s'est rouverte, le sang trahit l'adultère. Condamnés, Iseut à vivre avec des lépreux (la volupté, une lèpre : perspective chrétienne), et Tristan à être brûlé, il s'évade, enlève Iseut, et ils se réfugient dans une forêt où ils s'abandonnent au feu de leur passion durant trois ans.

Jusqu'ici, rien de très neuf : femme fatale et fatalité de la passion, Hélène en avait déjà fourni aux Grecs le modèle. Le philtre se nommait Aphrodite : « Aphrodite m'a rendue folle lorsque j'ai quitté ma patrie, ma famille et mon époux », disait-elle en manière d'excuse pour le branle-bas qui s'ensuivit. Mais la guerre de Troie n'était que bagatelles pour un massacre en regard des dégâts qu'allait causer l'invention que voici.

Un jour, le roi Marc les découvre endormis. C'est la fameuse image symbolique : entre eux Tristan a placé son épée nue. Pourquoi ? Pas un seul des nombreux auteurs ne semble s'être posé la question. C'est ainsi, voilà tout. Il n'y a qu'une explication, que Denis de Rougemont a bien vue — j'ai assez contredit sa conception de l'amour courtois pour souligner ici la justesse de l'observation : l'épée de Tristan est sa volonté de créer un obstacle. Quand c'était la société — le mariage, la foi jurée à son seigneur — qui s'opposait à sa passion, Tristan franchissait l'obstacle comme une rivière de farine. Mais l'épée est un obstacle infranchissable, parce qu'il est en lui. Parce que vivre l'amour est une platitude et qu'il est grand de mourir d'amour, quand on a le goût de la mort. Et il l'a.

On comprend maintenant pourquoi ils ne s'étaient pas aimés, elle si belle, lui si vaillant, quand ils avaient la liberté de se choisir : ils couraient le risque affreux du bonheur. L'amour leur a été imposé par le destin — le philtre — comme la croix de la passion, et seule l'épée en croix de l'âme de Tristan peut combattre le destin — ou le sublimer. Si le roi Marc avait planté cette épée dans la poitrine de Tristan et d'Iseut, c'eût été une fin très satisfaisante, quoiqu'un peu abrupte pour l'enchantement de l'auditeur. Mais le roi, ému par ce qu'il croit être le signe de leur chasteté, substitue son épée à celle de Tristan, laissant ainsi la trace de son passage et l'espoir de son pardon. Le pauvre Marc n'a rien compris : son épée royale n'est qu'un obstacle extérieur, autant dire une provocation.

Ils allaient en finir avec leur amour, les voilà contraints de le vivre encore. Car, en fait, ils ne s'aiment pas, ils le savent, ils l'ont dit à un ermite de la forêt, Ogrin :

TRISTAN :

Qu'el m'aime, c'est par la poison.

ISEUT :

Il ne m'aime pas, ni je lui,
Fors par un herbé dont je bui
Et il en but : ce fu pechiez.

Et l'ermite :

Amors par force vos demeine !

Ils n'agissent pas, ils sont agis. Tous leurs actes, embrassements, prouesses et tromperies, sont comme en dehors du sujet, en dehors d'eux, sujets du destin, des hors-d'œuvre dans l'attente de la communion mortelle.

Mais j'ai grand tort d'employer le pluriel : si Iseut endure comme Tristan leur passion, Tristan seul crée les obstacles qui transcenderont dans la mort l'amour. L'épée, c'était lui, pas elle. Rentrant à la cour avec le pardon du roi, c'est elle qui déclare qu'elle le rejoindra au premier signal. Et elle le rejoint dans la cabane d'un forestier. Encore dénoncés par des barons « félons », elle a l'audace de demander à subir un « jugement de Dieu » pour prouver son innocence : saisir dans sa main un fer rouge, il ne la brûlera pas si elle dit vrai. Iseut jure qu'aucun homme ne l'a jamais tenue dans ses bras, hormis son époux et le manant qui vient de la porter pour descendre de la barque. Le manant n'est autre que Tristan sous un déguisement. Et le fer ne brûle pas la main d'Iseut : elle est allée jusqu'à contraindre Dieu de se faire le complice de sa passion. Mais Tristan, lui, s'exile en Bretagne. Il s'y persuade qu'Iseut s'est délivrée de leur passion. Le croit-il vraiment ? Lui, il ne peut s'en défaire. Et voici le dernier obstacle qu'il imagine : il épouse une autre Iseut, Iseut « aux blanches mains », et d'un mariage blanc. Il fallait y penser ! D'un seul coup, il pose trois refus : le refus de l'amour, le refus du sexe, le refus du mariage. Après ça, il reçoit une nouvelle blessure empoisonnée, il appelle Iseut la blonde qui seule peut le guérir, elle vogue vers lui, son navire portant la voile blanche annonciatrice de son arrivée, l'épouse jalouse dit à Tristan que la voile est noire, il meurt, Iseut la blonde se jette sur le corps de son amant et meurt. Enfin Tristan peut être content.

Et les âmes romantiques sont comblées d'aise. Tout a été nié : la liberté par le philtre, la personne par la fatalité, l'amour par la passion, la joie par l'épée, le bonheur par la nostalgie d'un « ailleurs », le goût de la vie par l'instinct de mort, le sacré par l'ordalie blasphématoire.

Il est bien vrai qu'ils ne pouvaient s'unir qu'en s'abolissant, parce qu'il y avait entre Tristan et Iseut un malentendu essentiel. « Il ne m'aime pas, ni je lui » : nous sommes victimes de la passion. Mais Iseut consentait à la passion, mieux : elle la désirait véhémentement. Tristan la refusait. Non pour sa liberté : pour l'honneur d'une souffrance plus haute, pour l'ivresse de l'esprit du pénis plus fort que le destin biologique. Iseut aimait souffrir avec Tristan sur la terre, Tristan aimait lui-même souffrant sur le théâtre du ciel, Narcisse crucifié.

C'est l'histoire d'Eve croquant la pomme et d'Adam qui la trouve trop verte et bonne pour les goujates. Et dire que les femmes du Moyen Age, et après elles les bourgeoises du premier âge industriel, verront en Iseut la plus aimée des femmes ! Le roman de Tristan et Iseut est la forme romantique des anathèmes de l'Eglise contre Eve, et ce n'est pas par hasard que Wagner orchestrera le mythe devant un parterre de puritains en pleurs. « Pour quel destin suis-je né ? Pour quel destin ? La vieille mélodie me répète : Pour désirer et pour mourir. » Mais oui, nous le savons. Seulement, entre le désir et la mort, il y a le passage de la joie « quand même », le défi des amants « courtois », qu'ils fussent de France, de Grèce ou d'Egypte, pour l'honneur commun de l'homme et de la femme.

Des héros de l'amour conjugal

Mais ce défi, tout de même, est-ce qu'il ne pourrait pas être un mariage heureux ? L'amour courtois et l'amour passion ont attaqué le conjugal sur deux fronts. Pourtant, l'amour de toute la vie ne serait-il pas la plus haute prouesse ? C'est ce que pense Chrétien de Troyes en écrivant l'histoire d'Erec et Enide. Fille d'un pauvre chevalier, Enide est d'une beauté qui n'a d'égale que sa vertu. Erec, fils de roi, qui passait par là, demande l'hospitalité au manoir ; et le prince charmant demande aussi la main de la fille. Il l'emmène à la cour du roi Arthur ; cheminant à cheval, les yeux dans les yeux, ils s'étonnent de se trouver si beaux et leurs cœurs s'entrelacent d'amour. Noces mirifiques, nuits d'extase, lune de miel, le roman serait terminé avant d'avoir commencé si dans la prairie du bonheur n'était caché un serpent. Car Erec y oublie le métier des armes, ses compagnons méprisent sa lâcheté, il est le seul à ne pas le savoir mais Enide en souffre tant pour lui qu'enfin elle lui révèle l'état où leur bonheur l'a réduit. Qui l'eût cru... Eh bien ! il va accomplir des prouesses. Le voilà parti. Mais, par une rare audace de l'auteur, sa femme l'accompagne. Les terribles périls auxquels il s'expose, il en triomphe *avec sa femme*. Et à travers tant d'épreuves affrontées ensemble leur amour s'enrichit d'une profonde estime. Alors, alors seulement, Erec peut saluer en Enide sa « Dame ». C'est l'amour courtois marié, fortifié par l'action et triomphant du temps. Ils vécurent heureux, ils eurent beaucoup d'enfants et gagnèrent ensemble le Paradis... En somme, Chrétien de Troyes proposait le modèle du mariage d'amour chrétien tel que la sensibilité médiévale pouvait le vivre. Le fut-il ? Pourquoi pas ? Il faut de tout pour faire un monde, même des couples parfaits. Mais peut-être les parfaits époux rêvaient-ils, eux aussi ? *Erec et Emile* tomba à plat, et la comtesse de Champagne, dont la « cour » jugeait que « le véritable amour ne peut exister entre époux », pria Chrétien de Troyes d'écrire des aventures extra-conjugales, telles que celles de Lancelot et de Guenièvre, qui convenaient mieux au goût du jour, ou de toujours.

Les philosophes chevauchés par les femmes

Si l'on veut bien pardonner à la valeureuse Enide son état

conjugal, accordons-lui qu'elle apportait sa pierre à l'élévation de la femme. Mais qu'est-ce qui n'élèverait pas la femme, en ce XIIe siècle ? On pourrait dire d'elle ce que Charles Quint dira de la France de la Renaissance : quelque faute qu'elle commette, tout lui tourne à profit. Un courant d'air ascendant la porte, alouette dans le clair matin de l'amour courtois, vamp dans la nuit de Tristan, compagnonne de paladin, Vierge Reine du Ciel... Il ne lui manque plus que d'être une intellectuelle. Héloïse s'en charge.

A l'université de Paris enseignait un beau chanoine nommé Abélard. Elégant, poète, musicien, dialecticien hors pair et rationaliste dans le temps de saint Bernard, des étudiants de tous les pays d'Europe accouraient pour l'entendre, et des filles se mêlaient aux garçons. Héloïse était une jolie fille de seize ans très douée pour la philosophie, qui vivait chez son oncle, le chanoine Fulbert, où Abélard vint loger. Il lui donna des leçons particulières, d'où naquit un enfant, qu'ils nommèrent Astrolabe : apparemment, cet enfant était destiné à mesurer la hauteur des astres paternels au-dessus de l'horizon commun. Et en effet, il eut à mesurer des choses peu communes. Le séducteur offrit d'épouser. La fille séduite refusa, en s'appuyant sur saint Paul qui était contre le mariage, et sur Théophraste qui, dans son *De nuptiis,* n'était pas pour. La raison ? Parce qu'une femme empêche de vaquer à la philosophie et qu'il est impossible de servir à la fois deux maîtres : sa femme et ses livres. Les femmes ont toujours envie de quelque chose. Tant qu'elles ne l'ont pas, elles passent les nuits en d'interminables réclamations : « Pourquoi as-tu regardé la voisine ? Qu'est-ce que tu racontais à la petite bonne ? » Nourrir une femme pauvre est un fardeau, et quel tourment que d'entretenir une femme riche ! Si elle est belle, tous les hommes courent après elle. Si elle est laide, c'est elle qui court après les hommes. On a la tâche de conserver ce que tout le monde désire, ou l'ennui de garder quelque chose qui ne fait envie à personne. Voilà comment nous sommes, disait Héloïse, et voici ma conclusion : soyez philosophe et célibataire, de peur que je ne fasse du grand Abélard un âne domestique.

Tu raisonnes bien, répondait le philosophe, mais je t'épouserai quand même. Il allait maintenant sur sa quarantaine, un âge où l'on découvre parfois qu'il est avec la philosophie des accommodements, quand on est amoureux d'une jeune personne à la tête bien faite, et à la taille de même.

Héloïse attaquait alors son deuxième raisonnement, sur la fornication qui trouble les idées. Mais le philosophe n'y tenait pas moins qu'au mariage. Alors l'amour d'Héloïse se hissa au sublime. Puisque son héros ne pouvait se passer d'elle, eh bien ! qu'il use de son corps et qu'il en abuse, mais sans l'épouser, afin qu'un jour, fatigué d'elle, il retourne à son haut destin de clerc. « Je jugerais plus doux et plus digne d'être la courtisane d'Abélard que l'impératrice d'Auguste. » Peut-être était-elle absolument désintéressée, sauf de la gloire de s'humilier. Elle finit par consentir au mariage : « Il ne reste donc plus qu'à nous perdre l'un et l'autre et à souffrir autant que nous avons aimé. »

Chacun sait que l'oncle Fulbert coupa court aux désirs peu rationalistes d'Abélard : « Dieu, dira celui-ci, m'affranchit de la sensualité en me privant de ce par quoi je la satisfaisais. » Du coup, dissipé l'enchantement, évanoui l'amour, Abélard prêcha la chasteté aux moines bretons dont il devint l'abbé, il la prêcha encore aux nonnes du monastère du Paraclet, qu'il avait fondé et dont Héloïse était l'abbesse, il la prêcha à Héloïse... Elle l'éclaira : « Le désir plutôt que l'affection t'avait uni à moi, l'ardeur de la luxure plutôt que l'amour. Et par conséquent, lorsque l'on mit fin à ton désir, les apparences d'amour que tu avais l'habitude de montrer dans ton intérêt s'évanouirent en même temps. » Elle l'éclaira aussi sur elle-même. « Tu sais bien, ô mon très cher, et personne ne l'ignore, ce que j'ai perdu en te perdant... Par ton ordre, en prenant cet habit, j'ai changé de cœur aussitôt pour te faire voir que tu étais le possesseur de mon cœur autant que de mon corps. »

Héloïse et Abélard avaient connu l'amour passion, mais aussi l'amour estime et l'amour intelligent ; peut-être nous auraient-ils légué un modèle de plénitude si le couteau des sbires de Fulbert n'avait tranché cet amour plus radicalement que l'épée de Tristan. Il n'en est resté que la force d'âme d'une femme et la fragilité de la philosophie.

Ascension de la femme, humiliation des clercs, c'est ce qu'illustre aussi, dans le ton sarcastique, un conte, le *Lai d'Aristote*. Comme Aristote était le patron vénéré de tous les gros bonnets pensants, le ridiculiser, c'était frapper au sommet. Aristote, donc, était le précepteur d'Alexandre ; et Alexandre était follement amoureux d'une capiteuse beauté importée d'Orient qu'il tenait à l'abri des regards de tous, même de ceux d'Aristote. Le précepteur démontra à l'élève qu'il n'était pas raisonnable. Alexandre cessa de visiter sa maîtresse, et puis il n'y put tenir. Comme elle l'accueillait avec de tendres reproches, il s'excusa sur les raisonnements d'Aristote. « Ha ! ha ! dit la demoiselle, attends un peu, j'en fais mon affaire. » Le lendemain matin, elle alla cueillir des fleurs sous les fenêtres d'Aristote, vêtue d'un « négligé » qui révélait assez de ses charmes pour en laisser beaucoup à désirer. Aristote l'accoste, lui fait des propositions enflammées et précises. « J'y consentirai, dit-elle, si tu me promènes sur ton dos. » C'est ainsi que le précepteur à quatre pattes, sellé, bridé, chevauché par la belle, donna à son élève une leçon de choses.

Femmes d'action

Mais ces triomphes, la femme ne les doit qu'aux armes que l'homme ne peut pas lui enlever. Il y a bien les hauts faits d'une Enide, mais sous la capitainerie d'Erec ; la maîtrise intellectuelle d'Héloïse, mais elle l'a payée du couvent à perpétuité. Où sont les femmes libres d'agir à leur propre commandement ?

Eh bien, elles ne manquent pas. Et même, à l'échelon supérieur, elles commandent aux hommes et les mènent à la bataille, telle une Ermengarde, vicomtesse de Narbonne, qui gouverne son fief pendant cinquante ans, ou les deux comtesses de Champagne, Marie et Blanche, pendant plus de quarante ans, ou Aliénor qui fait et défait la politique de la

France puis de l'Angleterre jusqu'à l'âge de quatre-vingt-deux ans. Si l'on regarde jusqu'à la fin du Moyen Age, Blanche de Castille, Isabeau de Bavière, Yolande d'Aragon (et Agnès Sorel), Anne de Beaujeu, régente du royaume de France, Anne de Bretagne, parlent assez haut pour les capacités politiques du sexe féminin, quand il se trouve en situation de les exercer. Un siècle avant Jeanne d'Arc, quatre guerrières, qui toutes quatre s'appellent Jeanne, mènent dans le même temps quatre armées à la bataille : Jeanne de Penthièvre, Jeanne de Belleville, Jeanne de Flandre, dite Jeanne la Flamme, Jeanne de Montfort dont Froissart écrit qu'elle avait « un courage d'homme et un cœur de lion ». A un échelon plus modeste, les femmes de Toulouse assiégée en 1218 servent si bien les bombardes qu'elles tuent le chef de la croisade des Albigeois, Simon de Montfort. Et Jeanne d'Arc est demeurée dans la foi populaire comme l'image miraculeuse mais, somme toute, naturelle, de l'énergie et du bon sens qui pouvaient animer les paysannes de ce temps.

Cependant, si réconfortantes qu'elles soient, je ne porterai pas ces femmes d'action au crédit de l'émancipation médiévale : j'aurais pu en montrer autant dans la nuit mérovingienne, et j'ai dit combien les femmes, chez les Germains et chez les Celtes, étaient redoutables au combat et entendues dans les conseils. Dans les temps où la sensibilité domine, les hommes ont beau vitupérer les femmes, les battre, les violer, ils n'ont pour se défendre d'elles que leur force, qui parfois tourne en faiblesse. Les Germaines et les Celtes n'avaient été soumises que par la raison romaine, provisoirement. Les femmes du Moyen Age ne baisseront pavillon que devant le rationalisme — provisoirement encore, j'espère, si elles ne succombent pas à la tentation de s'en contenter.

L'homme écartelé

L'ascension de la femme, une part de l'homme s'en délecte dans la joie courtoise, l'autre se rebelle dans la transcendance tristanesque, ou dans la misogynie cléricale, ou dans la paillardise — autant de visages de la vieille peur du mâle devant la Grande Mère.

Il se trouve, par une rencontre peu ordinaire, que les deux parts composent les deux parties du *Roman de la Rose*. Mais il faut croire que la réconciliation des deux sexes est une entreprise surhumaine, à voir ce qu'y devient, dans la première partie, l'amour courtois.

Guillaume de Lorris, vers 1230, prétend écrire un *Art d'aimer* :

Ci est le Roman de la Rose
Ou l'art d'amour est toute enclose.

C'est un songe, le songe d'un poète qui erre dans le jardin d'amour où une rose le séduit mais dont toujours l'éloignent les méandres du cœur sur cette première « carte du Tendre »... L'élan créateur n'est plus qu'une allégorie mondaine, et la femme, la rose qu'un amant sophistiqué ne saurait cueillir. Extrême distinction qui est peut-être la forme la plus subtile de l'agression masculine.

Quarante ans plus tard, Jean de Meung écrit la suite. Et quelle suite ! Ce coup-là, elle est cueillie, la rose, je dirai même : déflorée. L'amour n'est que désir (Abélard n'a-t-il pas dit : « Tout mon amour n'était que cela » ?) et les beaux esprits sont de grands bêtas. La Nature commande, obéissons-lui sans vergogne, car les femmes sont encore plus lubriques que les hommes :

Toutes êtes, serez et fûtes
De fait ou de volonté putes.

Ce paillard parle comme un moine.

Le double *Roman de la Rose* eut encore plus de succès que Tristan. Jusqu'à la fin du Moyen Age, et au-delà, chacun y reconnut son double visage. De sorte que je pourrais me dispenser d'un portrait de l'homme et de la femme dans les XIVᵉ et XVᵉ siècles : il est tout entier là.

Il faut dire quand même que les guerres, les pestes, les famines, la Danse Macabre, le temps « de vent, de froidure et de pluie », comme dit Charles d'Orléans, aggravèrent l'écartèlement et l'étendirent aux classes sociales : les seigneurs se barricadèrent dans leurs châteaux forts, oasis d'opulence au milieu du plat pays où la mort rôdait, laissant aux bourgeois ou vilains les larmes, les sarcasmes et les consolations gratuites de la chair.

Les uns cherchent refuge dans un code d'initiés, dans une fiction docile à leur manie. Charles VI crée une cour d'amour, non plus un badinage de société mais une singerie, avec ses officiers, ses charges, son étiquette, ses statuts, « à l'honneur, louange, recommandation et service de toutes dames et demoiselles ». Charles VI mourut fou. Mais les six cents courtisans qui en vingt ans officièrent à sa cour d'amour, étaient-ils beaucoup moins fous que lui ? Etiquette d'autant plus tatillonne, peut-être, que les mœurs étaient moins assurées. Philippe le Bon, duc de Bourgogne, dont le faste éclipsait toutes les cours d'Occident, avait disposé dans la galerie de son château de Hesdin, parmi d'autres farces et attrapes, « huit conduiz pour moullier les dames par dessoubz ».

Les autres se vengent sur la femme, à la suite du second *Roman de la Rose*, à la suite des générations et des générations d'hommes qui ne se fatiguent pas de crier « au loup ! » ou plutôt « à la louve ! » Cela ne vaut même pas la peine d'en parler. Toutefois, quand la vieille vengeance s'exprime dans des plaisanteries parfois « hénaurmes », ces joyeusetés me paraissent un signe de santé rustique, comme les conduits du duc pour mouiller les dames par-dessous ; peut-être aussi le signe d'une complicité avec ces dames — une sorte d'hommage au second degré. Ainsi les *Quinze joyes de mariage*... Le jeune homme « frais, net et plaisant » s'est jeté dans la nasse. « Dompté du travail et tourment de mesnage », il s'y endurcit « comme un vieil asne qui par accoutumance endure l'aiguillon ». Et ce vieil âne, il est juste qu'il soit cocu. C'est la cinquième joie. « Sa femme va souvent où elle scet qu'elle pourra voir son amy, qui est frais et joli... Et sachez qu'elle fait à son amy cent chouses, et monstre des secrets d'amours et fait plusieurs petites merencolies qu'elle n'ouseroit faire ne montrer à son mary ; et aussi son amy lui fera tous les plaisirs qu'il pourra et lui fera moult petites bichotteries où el prendra grant plesir, que nul mary ne sçauroit faire... Après lesquelz plesirs, la dame prant autant de plesirs en l'esbat de son mary comme un tasteur de vins d'un petit rippopé après ung bon hypocras ou pineau. » L'auteur pouvait bien en rire : c'était un moine. Comme rien ne nous autorise à le soupçonner de paillardise, il faut supposer que sa science lui avait été apportée par des épouses en confession. A moins qu'il n'ait fait que puiser au fonds de son prédécesseur, Eustache Deschamps, lequel en son *Miroir de mariage* avait pillé Matheolus, lequel n'avait fait qu'exploiter la vieille verve gauloise. Ne vaut-il pas mieux s'ébattre avec cent femmes que d'en prendre une en mariage ? demandait Matheolus. Et il interpellait Dieu le Père : Pourquoi, si le mariage est chose si bonne, ne vous êtes-vous pas marié pour suivre votre loi ? Pourquoi permettez-vous que la femme règne sur l'homme ? C'est pourtant Eve qui a introduit le péché dans un monde innocent, et le Christ ne serait pas mort sans cette histoire de pomme croquée. En conséquence, Matheolus suggérait à Dieu que les hommes fussent tous sauvés, et toutes les femmes damnées. Dieu lui répondait, en neuf cent trente-trois vers, qu'il était d'accord et que le mariage est une institution excellente pour la raison qu'il fait les maris martyrs et béatifiables.

Pendant ce temps-là, une femme de lettres professionnelle, seule de son espèce, ne plaisantait pas sur l'honneur de ses sœurs outragées et déclarait avec une tranquille audace : « Si la coutume était de mettre les filles à l'école, elles entendraient subtilités d'art et de science comme ils font. »

Fille d'un astrologue de Bologne, Thomas Pisani, venu exercer son art à la cour de Charles V, Christine de Pisan est-elle l'hirondelle italienne qui annonce un nouveau printemps de la femme ?

La Renaissance : libération ou réaction ?

Quand on prononce le mot « Renaissance », on imagine les sources jaillissantes du paganisme retrouvé, la libération des corps et des esprits, l'émancipation de la femme, bref, la lumière au bout du tunnel du Moyen Age.

Pour ce qui est de la femme... « On doit accorder une importance essentielle, a écrit J. Burckhardt, au fait que la femme jouissait d'une situation égale en tout à celle de l'homme. » Il limite ce « fait », il est vrai, aux couches supérieures de la société italienne, où la Renaissance a commencé dès le milieu du XIVe siècle. Il faut quand même d'étranges lunettes pour le voir. Nous avons déjà rencontré la même erreur au sujet de l'Egyptienne. Ne serait-ce pas que ces auteurs confondent l'égalité avec la liberté — avec une certaine liberté de mœurs ? Ou qu'ils se contentent de quelques mouvements oratoires ? Les femmes ne se paient pas de mots aussi facilement que les hommes. Celles de la Renaissance savent très bien qu'elles ne sont pas « égales ». Mais elles ont parfois d'autres sujets de contentement.

Leur beauté mise à très haut prix en est un. Mieux encore : cette beauté, où d'aucuns voyaient la porte de l'enfer, ouvre sur le ciel. On retrouve l'équation chère aux Grecs et aux troubadours : beauté égale bonté. « Je vous dis que la beauté naît de Dieu, comme un cercle dont la bonté est le centre, écrit Castiglione dans son *Courtisan*. De même qu'il ne peut exister de cercle n'ayant pas de centre, il ne peut exister de beauté sans bonté, si bien qu'une âme mauvaise habite rarement dans un beau corps et que la beauté extérieure est le vrai signe de la bonté intérieure. Les gens laids sont donc le plus souvent mauvais et ceux qui sont beaux sont bons aussi. On peut dire que la beauté est le visage aimable, joyeux, attirant et désirable du bien et que la laideur est le visage sombre, repoussant, détestable et sinistre du mal. » C'est bien pratique.

Hélas ! Par quelle ironie cruelle faut-il que cette Renaissance soit aussi le temps où la syphilis apparaît et répand ses ravages ? La damnation spirituelle s'estompait, voici la damnation physique. Cet enfer ne prévaudra pas plus que l'autre contre la puissance du désir. La vérole est dans le fruit, mais les hommes ne veulent pas le savoir, ce fruit est beau, ce fruit est bon.

Il convient que la bonté soit manifestée : les artistes la

peignent toute nue. Mais les signes en changent avec les générations. Botticelli, le Pérugin, la voulaient svelte, flexible. Giorgione, le Titien, le Corrège, sont plutôt du sentiment de Boccace, de l'Arioste, sinon de la plupart des hommes, qui la préfèrent « charnue et succulente », une « poitrine ample et proéminente, bien fournie de chair partout, avec des seins fermes », et ne sauraient aimer une vertu « sans fesses ». « O quelle joie de les tâter ! O quel apaisement ! » s'écrie un poète florentin.

L'amant « rationnel » est à la mode. Mais il y a loin de la raison à la réalité. « Je veux prouver par une multitude de raisons et par une infinité d'exemples que les femmes peuvent discourir et juger, conseiller et décider en toute affaire d'importance aussi bien que les hommes », dit Piccolomini. Et Firenzuola : « J'affirme... que vous, les femmes, vous êtes aussi nobles que nous, les hommes, aussi sages que nous, aussi aptes que nous aux activités intellectuelles, morales et spéculatives ou aux actions et connaissances mécaniques, et que votre âme contient les mêmes puissances et les mêmes virtualités que la nôtre. » Ouais... L'opinion générale tient ferme, avec Boccace, que la femme est inférieure à l'homme « en force, en talent et en vertu ». Et quelques brillantes exceptions — des religieuses comme sainte Catherine de Sienne, des princesses comme Isabelle d'Este, des courtisanes comme la Camilla Pisana de l'Arétin professionnellement cultivées pour la délectation de leurs clients, quelques femmes savantes qui écrivent des poésies — ne prévalent pas contre le fait que les filles ne recevaient aucune instruction utilisable, sinon pour savoir compter l'argent du ménage, aucune culture, sinon celle d'un amateur éclairé, et qu'aucune ne s'est illustrée ni dans les sciences, ni dans la musique, ni dans la peinture quand les Italiens naissaient un pinceau à la main. Ce qui n'empêchait pas l'Arioste d'écrire :

Les femmes sont parvenues à exceller
Dans tous les arts auxquels elles se sont consacrées.

Mais — ceci est plus nouveau — quelques hommes

s'interrogent: si les femmes ne créent rien, la faute n'en est-elle pas à l'oppression masculine qui les veut ignorantes et impotentes ? Voilà une question raisonnable. Malheureusement, la meilleure volonté du monde ne peut faire que l'esprit ne s'affirme aux dépens de la nature. La pagaille féodale pouvait s'accommoder de quelques audaces féminines... Mais l'ordre nouveau ? Ces rationalistes ont bonne mine : ils ne comprennent pas que c'est leur raison même, celle de leurs ancêtres romains, qui exige l'*impotentia muliebris*. Le grand maître à penser de la Renaissance, Erasme, balaie d'un mot les calembredaines enrubannées : « La femme est un animal inepte et ridicule. »

Alors ? « Sois belle et tais-toi » ? Non, tout de même pas. D'abord, l'homme qui fera taire une Italienne (ou une Française) n'est pas encore né. Et puis, on apprécie les grâces de l'esprit presque autant que celles du corps. Une femme doit se garder de prétendre rivaliser avec un homme dans les activités qui lui sont réservées — les affaires, la politique, la guerre, les tournois, la chasse, les arts, enfin, tout — mais elle doit s'y entendre assez pour admirer le gentilhomme, se moquer de ses rivaux, juger un coup de lance ou un sonnet, donner discrètement un avis, débattre des choses du cœur, charmer par sa conversation le monde et le demi-monde — puisque, dans cette activité, les courtisanes excellent autant que les dames qui entourent une Marguerite de Navarre. Donc : « Sois belle et cause bien. »

Au chapitre des mœurs, les amants « rationnels » dénoncent l'iniquité masculine. Un homme fait la cour à une femme : si elle lui résiste, c'est une abominable prude ; si elle lui cède, c'est une putain. Mais, demande Piccolomini, « si vous ne lui plaisez pas, pour quelle raison est-elle obligée de vous aimer malgré elle ? » Et si vous lui plaisez, dit un autre, pourquoi faut-il qu'elle en soit couverte d'infamie, alors que vous en tirerez gloire et honneur ? « Pourquoi la loi doit-elle être partiale et pourquoi une licence identique n'est-elle pas accordée aux femmes ? C'est parce que, sans qu'il faille chercher plus loin une réponse, les hommes sont des tyrans qui, pour ne dépendre sur ce point d'aucune loi, suivent, en guise de raison, leur propre volonté. » Quel homme, s'il était sollicité comme le sont les femmes, résisterait ? Or, la femme n'a pas moins d'appétit que l'homme. « Je ne vois pas pourquoi la copulation doit être réellement condamnée puisque la nature, qui ne fait rien sans raison, a donné à tous les êtres cet appétit », écrit encore notre Piccolomini. Hélas ! cet imperturbable logicien ne fit pas autorité en la matière, bien qu'il devînt pape sous le nom de Pie II.

Au Moyen Age, les jeunes gens pouvaient se marier sans l'autorisation de leurs parents, par consentement mutuel, presque clandestinement. La « raison » y met bon ordre. Dans ce temps d' « émancipation féminine » et d' « égalité », la fille est élevée pour être livrée, sitôt femme, à un homme toujours plus âgé, souvent à un barbon, qui lui fera dix ou vingt enfants, à qui elle apporte une dot dont il aura seul la gestion, qu'elle ne pourra jamais quitter, en droit ni en fait, car de quoi vivrait-elle ? En 1563, le Concile de Trente, en exigeant la publication des bans et le mariage devant le curé, protégera les parents plus que les donzelles. La renaissance du droit romain aux dépens de la coutume féodale renforce l'autorité maritale, enlève à l'épouse l'administration du fief et les droits de justice qui y étaient attachés, réserve aux fils le plus clair de l'héritage ; et celles qui travaillent se voient peu à peu refoulées par les corporations. Quand enfin la femme est veuve, il est fréquent qu'elle n'hérite que sous la stipulation qu'elle ne se remarie pas : son mari entend la posséder jusque dans le tombeau.

La femme, heureusement pour elle, sait inventer des accommodements. Un plaisant dicton affirme qu'on ne doit laisser sortir les femmes que trois fois, l'une pour les baptiser, la seconde pour les marier, la troisième pour les enterrer. En fait, les occasions d'échapper à la geôle maritale ne manquent pas, à commencer par les offices religieux : les églises sont toujours le lieu de rencontre idéal des tendres brebis et des méchants loups. Et il se trouve plus d'un mari compréhensif, tel ce bourgeois de Modène qui déclare : « Nous autres, à Modène, ne pensons jamais mal de nos femmes ; qu'elles soient avec les hommes autant qu'elles veulent, pourvu que nous ne les voyions pas dans le lit avec les mâles car alors nous soupçonnerions un peu qu'il y a faute. »

Mais il se trouve aussi des maris qui ne badinent pas avec leur honneur. Un chevalier napolitain apprend que sa femme s'est donnée pour mille florins ; il la contraint à rendre la somme, sauf un florin qu'il lui laisse, juste prix, dit-il, pour la nuit d'une « bagasse ». Après quoi, « avec du poison, il lui fait faire son dernier dîner ». Parfois, un mari trompé sait se venger avec raffinement. A Rome, Lisabetta, femme de Francesco Orsino, a un amant, Rinaldo, et tous deux échangent des propos joyeux : « A qui est cette petite bouche ? dit l'amant. — A toi. — Et ces yeux coquins ? — A toi. — Et ces joues, et cette jolie poitrine ? » Et Rinaldo touchait, et Lisabetta répondait : « C'est à toi. » Mais quand il passa au verso, Lisabetta dit : « Ça, c'est pour mon mari », et de rire... Hélas ! Francesco a surpris le dialogue. Il invite Rinaldo à souper, le tue au dessert à coups de bâton, le fait mettre en croix dans une chambre et ligote Lisabetta au cadavre de son amant ; le jour, on la détache, on lui donne deux tranches de pain et un verre d'eau afin qu'elle retrouve des forces pour de nouvelles nuits d'embrassements glacés. Elle finit par en mourir, repentante. Pour mettre en pratique cette égalité sexuelle que prônaient les beaux esprits, il fallait parfois de l'héroïsme.

Le goût du bonheur

La renaissance de la raison n'allait donc pas sans contradictions. Des idées étaient lancées, qui n'étaient vécues que par une aristocratie libérale, mais qui feront leur chemin. Dans le train de la vie pratique, cette raison-là se traduisait par un renforcement de la famille et de son chef viril. Restait une certaine idée du bonheur, qui n'était peut-être pas tellement neuve.

Pour une femme, entendre proclamer que la beauté de son corps était le signe de la bonté de son âme, ce n'était pas rien, et cela nourrissait quelques rêves de liberté.

On s'apitoie sur les filles contraintes d'entrer au couvent par un père trop pauvre pour les doter toutes, ou par un père riche qui, réservant la grosse dot à une ou deux filles, se débarrassait de la progéniture femelle en surnombre. Ces nonnes malgré elles ne vivaient pas toujours la règle rigoureuse voulue par Catherine de Sienne et d'autres réformatrices. Elles découvraient vite l'inestimable privilège d'avoir échappé à la tyrannie conjugale. Leurs parloirs étaient des salons fort bien achalandés en gentilshommes. A Venise, elles donnaient des bals où l'on dansait toute la nuit. A Gênes, un corps de magistrats avait été créé, en 1462, pour « réfréner l'impudicité des nonnes ». Accouchements et avortements se faisaient dans le couvent. L'évêque de Vérone écrivait, en 1565 : « On perd la tête quand on les voit sortir dans le monde proprement habillées et parler de leurs enfants, de leurs nourrices, de leurs cuisinières et de bien d'autres choses encore. » Les Italiens appelaient sans façon ces couvents *bordelli publici.*

Entendre dire que l'amour que l'on inspire aux hommes éveille leur intelligence, anime leur courage, les élève au-dessus de leur rudesse naturelle, ce n'était pas désagréable. « Qui ignore que sans les femmes... cette vie serait grossière, privée de toute douceur et plus âpre que celle des bêtes sauvages ? » demande Castiglione dans *Le courtisan.* Très bien. Mais tout cela vient de l'amour courtois. On le retrouve dans le cercle de Marguerite de Navarre, résurrection des « cours » du temps d'Aliénor, où hommes et femmes disputent d'amour dans un esprit d'équité et d'émulation, dans les nouvelles de l'*Heptaméron* où l'amour conçu comme un libre choix réciproque s'oppose à la passion, à la potion fatale de Tristan. Rabelais propose le rêve très peu rabelaisien d'une abbaye de Thélème où les hommes délivrés de leurs fantasmes, et les femmes de la servitude, vivraient enfin réconciliés.

Les hommes fortunés qui parviennent à surmonter la funeste dialectique « révérence-agression » découvrent qu'il y a plus d'une façon de s'accorder. Il y a la gaieté champêtre des faunes courant les nymphes dans la forêt de Fontainebleau ou lutinant les bergères dans les bosquets du val de

Loire. Il y a la formidable santé des joyeuses commères de Windsor et autres lieux dans la *merry England*. Il y a l'optimisme à tout crin de Roméo et de Juliette qui se croient assez forts pour effacer la haine de leurs deux familles, ce qui n'est déjà pas mal, mais assez forts aussi pour défier l'usage et l'usure du mariage : quelle audace ! et quel dommage que la loi de la tragédie ait exigé la péripétie fatale ! Le bonheur conjugal de Roméo et Juliette eût été la plus grande révolution morale de tous les temps. Le bonheur... On y pense, au XVIe siècle, on le veut, il est possible... quand l'homme accepte l'image d'une femme qui n'est ni un démon ni un ange, mais une personne. C'est-à-dire un être de liberté ; pas encore — on en est loin — de la liberté extérieure, qui ne se conçoit pas sans l'égalité économique et juridique, mais de la liberté intérieure, de la liberté de sentir et d'exprimer cette liberté. Louise Labé l'a chantée par-delà l'infamie et la gloire, dans la plus parfaite simplicité charnelle, dans le consentement à la nature qui était la vertu de la comtesse de Die ou de Marie de France comme il sera la vertu de Colette :

Oh si j'étais en ce beau sein ravie
De celui-là pour lequel vais mourant :
Si avec lui vivre le demeurant
De mes courts jours ne m'empêchait envie,

Si m'accolant me disait : chère Amie
Contentons-nous l'un l'autre, s'assurant
Que jà tempête, Euripe ni Courant *
Ne nous pourra disjoindre en notre vie :

Si de mes bras le tenant accolé
Comme du lierre est l'arbre encercelé
La mort venait, de mon aise envieuse :

* L'Euripe était un détroit trés resserré qui séparait l'île d'Eubée de la Béotie; des courants violents et changeants le rendaient dangereux. Une tradition veut qu'Aristote s'y soit noyé.

Lors que souef plus il me baiserait
Et mon esprit sur ses lèvres fuirait,
Bien je mourrais, plus que vivante, heureuse.

Contentons-nous l'un l'autre... Là est la source du respect de l'autre, et sa récompense. C'est tout simple, mais ce doit être très difficile puisque des milliers d'hommes et de femmes interrogés par le Docteur Kinsey n'auront pas trouvé ça. Et les thérapeutiques sexuelles des Docteurs Masters et Johnson seraient inutiles si tous les amants du monde savaient par cœur — et par corps — ce sonnet de Baïf :

O doux plaisir plein de doux pensement,
Quand la douceur de la douce mêlée
Etreint et joint l'âme en l'âme mêlée,
Le corps au corps accouplé doucement.

O douce vie, ô doux trépassement,
Mon âme alors de grande joie troublée,
De moi dans toi s'écoulant à l'emblée,
Puis haut, puis bas, quiert son ravissement

Quand nous ardents, Méline, d'amour forte,
Moi d'être en toi, toi d'en toi tout me prendre,
Par cela mien, qui dans toi entre plus,

Tu le reçois, me laissant masse morte,
Puis vient ta bouche en ma bouche le rendre,
Me ranimant tous mes membres perclus.

Misogynie pas morte

Si l'on ajoute à ces amoureuses plénières des épouses, maîtresses femmes du foyer, que l'on peut deviner à travers quelques « livres de raison », et ces illustres accomplissements de la féminité régnante qu'incarnent une Diane de Poitiers ou une Elizabeth d'Angleterre, on croirait la partie gagnée. Ce serait sous-estimer l'inquiétude virile. John Knox sonne l'alerte avec le *Premier coup de trompette contre le monstrueux gouvernement des femmes.* « Rien ne répugne plus à la Nature que de voir une femme dominer ou gouverner les hommes », proclame-t-il dans son pamphlet. Quelle Nature ? Celle de la Bible, bien sûr. « La plus parfaite des femmes fut créée pour servir l'homme et pour lui obéir. » Même avant sa faute. Après, la malédiction de Dieu ne fit qu'aggraver la situation. John Knox, pour un protestant, aurait dû mieux lire la Bible. Mais enfin, il n'était pas le seul, et il avait l'excuse de se venger d'une reine catholique, Marie Tudor, qui l'avait chassé d'Angleterre. Seulement, l'année suivante, en 1559, quand la protestante Elizabeth monta sur le trône, s'il l'en félicita, ce fut à titre exceptionnel et en d'étranges termes : « Je ne crains pas de dire que donner à une femme l'autorité suprême dans un royaume revient à polluer et profaner le trône royal, le siège de la justice. » Certes, John Aylmer répliqua que « la Nature n'est rien d'autre que Dieu lui-même », qu'elle est dans la femme aussi bien que dans l'homme, qu' « il y a chez la femme raison et compréhension et, comme le dit Aristote, les mêmes vertus que chez l'homme ». Oui, oui... On verra beaucoup d'autres reines par le hasard des successions, mais on n'a pas encore vu beaucoup de femmes à la tête des Etats par le choix des peuples. Serait-ce que nous pensons comme John Knox ?

La réaction me paraît plus grave quand elle vient d'un esprit entre tous tempéré, et qu'elle s'exprime avec bonhomie. Montaigne se soucie de l'éducation des filles ; et c'est sa fille spirituelle, auteur de deux essais sur l'*Egalité des hommes et des femmes* et sur le *Grief des dames,* Mlle de Gournay, qui écrit : « Bienheureux es-tu, lecteur, si tu n'es point de ce sexe qu'on interdit de tous les biens, l'interdisant de liberté... afin de lui constituer pour seule félicité, pour vertu souveraine : ignorer, faire le sot et servir. » Il comprend que les femmes se rebellent contre la sujétion où les hommes les tiennent : « Les femmes n'ont pas tort du tout quand elles refusent les reigles de vie qui sont introduites au monde, d'autant que ce sont les hommes qui les ont faites sans elles. Il y a naturellement de la brigue et riotte entre elles et nous ; le plus estroit consentement que nous ayons avec elles, encores est-il tumultuaire et tempestueux. » Hélas ! elles ont un sexe, et il est insatiable. Le devin Tirésias, qui eut le rare privilège d'être changé en femme, et la chance de redevenir homme, ne témoignait-il pas que la puissance sexuelle de la femme est neuf fois plus grande que celle de l'homme ? Eh bien ! cela ne leur suffit pas. « La Royne d'Aragon... pour donner reigle et exemple à tout temps de la modération et modestie requise en un juste mariage, ordonna pour bornes légitimes et nécessaires le nombre de six par jour ; relâchant et quittant beaucoup du besoin et désir de son sexe, pour establir, disoit-elle, une forme aysée et par conséquent permanente et immuable. En quoy s'escrient les docteurs : quel doit estre l'appétit et la concupiscence féminine, puisque leur raison, leur réformation et leur vertu se taillent à ce prix ? » Sur quoi Montaigne s'apitoie : « Après avoir creu et presché cela, nous sommes allez leur donner la continence peculièrement en partage, et sur peines dernières et extrêmes. » Suivons la logique de Montaigne : il va donc servir six fois son épouse qui éprouvera neuf fois plus de voluptés que lui, ce qui portera Mme Montaigne cinquante-quatre fois par jour au septième ciel. Ne voilà-t-il pas un mari comme on en fait peu ? Nous sommes loin de compte. Car sa compréhension ne passe pas aux actes, et même, il y répugne. Trêve de plaisanteries : « C'est une espèce d'inceste d'aller employer à un parentage vénérable et sacré les efforts et les extravagances de la licence amoureuse. » On croirait entendre un bourgeois de la reine Victoria. Il l'a dit avec humour, mais il l'a dit quand même : la femme est une louve, aucun homme ne saurait la contenter ; le sage la vénérera donc comme une vierge-mère, et ce sera beaucoup mieux pour elle. Le sceptique Montaigne n'est pas si loin d'approuver cette condamnation paulinienne de la femme par le Concile de Trente, en 1563 : « Quiconque prétend que le mariage est supérieur à la virginité et au célibat, qui nie qu'il soit ni mieux ni plus saint de rester vierge ou célibataire, et affirme qu'il vaut mieux se marier, celui-là sera excommunié. » Alors, l'éducation des filles... « La plus utile et plus honorable science et occupation d'une femme, c'est la science du mariage. » Les choses étant ce qu'elles sont, ce n'est pas une petite science.

Montaigne était curieux de tout. Pourquoi n'aurait-il pas compris les femmes ? Il aurait compris un Martien. Mais il interdisait à ces êtres-là l'entrée de son « arrière-boutique ». Il y en a d'autres qui les brûlent.

Le retour des sorcières

La peur préhistorique de l'homme devant la Déesse-Terre était toujours là, dans la méfiance, dans la haine d'Eve. La femme avait partie liée avec la nature, et l'orgueil humilié du pénis refusait la nature, il fallait que la femme fût diabolique — ou vierge.

L'Italienne, puis la Française, avaient voulu apprivoiser la raison, ou la déraison, de l'homme. La réconciliation des sexes, c'était la réconciliation de la raison avec la nature, c'était la découverte que la nature est naturelle.

L'homme ne pouvait se contenter d'une idée si simple. Ses fantasmes rôdaient toujours, et Marguerite de Navarre n'était pas psychanalyste. Il eut un sursaut — une rechute — de virilité. Luther renvoya la femme à ses fourneaux *. Le Concile de Trente la renvoya en Enfer. L'esprit antinature revigoré se précipita dans les guerres de religion, activité éminemment virile — et dans la chasse aux sorcières, sataniques prêtresses de la nature.

Bien sûr, les hommes du Moyen Age croyaient aux sorcières (Jeanne d'Arc avait été brûlée comme telle). Les Romains aussi. Et les Chinois. Et les Dobuans. Quel peuple n'a pas cru aux sorcières ? Mais le fait est là, inquiétant :

---

* Dans un texte très connu, qui est une paraphrase de l'« Éloge de la femme parfaite » des *Proverbes* de Salomon (voir page 168), Luther écrit : « Elle travaille le lin et la laine, et aime se servir de ses mains, elle gagne sa vie à la maison... Elle se lève tôt le matin... Ce qui ne la regarde pas, elle ne s'en occupe... La nuit n'éteint pas ses facultés. Elle tend sa main vers la quenouille et ses doigts s'emparent du fuseau. » Il a dit aussi : « On peut aimer une fille. Mais sa femme légitime... »

c'est au moment où la raison s'affirme que les sorcières pullulent. Parce que la raison est assez forte pour ébranler la foi, mais elle est incapable de la remplacer : son besoin de croire, l'homme le transfère à la magie. C'est en pleine Renaissance italienne, en 1484, qu'une bulle du pape Innocent III a dénoncé des relations amoureuses entre les sorcières et le diable ; et trois ans plus tard que deux inquisiteurs pontificaux ont publié un guide du parfait chasseur de sorcières, *Malleus maleficarum*, où l'on apprend comment les sorcières s'y prennent pour attirer la grêle, tarir le lait des vaches ou rendre les hommes impuissants, et pourquoi c'est une spécialité féminine : parce que la femme est « une tentation naturelle, un malheur désirable, un danger familier, une vermine attirante, un fléau de la nature peint de belles couleurs ». Et voilà pourquoi votre fille est muette...

La chasse est ouverte, elle fera des victimes jusqu'au milieu du siècle des Lumières : pendant plus de deux cents ans, aucune femme ne sera à l'abri d'une accusation de sorcellerie. Pour l'Allemagne seule qui, il est vrai, se distingue, on estime à cent mille les procès de sorcellerie. Ils n'ont que deux conclusions : ou bien l'accusée, « torturée jusqu'à ce qu'on voie le soleil luire au travers » de son corps, avoue tout ce qu'on veut, et on lui fera la grâce de l'étrangler avant de la brûler ; ou bien elle a la force de clamer son innocence, et elle sera brûlée vive. En un an, à Osnabruck, on en brûle quatre-vingts ; à Offenburg, soixante-dix-neuf ; dans l'évêché de Salzbourg, quatre-vingt-dix-sept... Tant de femmes convaincues de sorcellerie convainquent le peuple qu'il y en a partout ; et plus on en brûle, plus il en trouve.

Naturellement — si l'on peut dire — le grand chef d'accusation est la sexualité. Les sorcières castrent les hommes. Le complexe aujourd'hui bien connu de l'enfant amoureux de sa mère et angoissé par l'insuffisance de son pénis, à combien de femmes aura-t-il coûté la vie ! Le *Malleus maleficarum* l'a dit : des femmes trompent leur mari avec des incubes qui leur donnent plus de plaisir « que n'importe quel homme de condition mortelle ». Il y a de quoi en devenir impuissant. En Angleterre, dit Reginald Scot, quand un homme va se plaindre à un prêtre de ce qu'une sorcière lui a volé ses organes sexuels, celui-ci ne peut que lui conseiller « d'aller chez la sorcière... et au moyen de mots cajoleurs, la supplier qu'elle veuille bien les lui restituer ». On avisera ensuite à la faire brûler. Reginald Scot raconte qu'un jeune homme affligé de la perte de son pénis alla le demander à la sorcière. Elle « l'amena au pied d'un grand arbre, lui montra un nid et lui dit de grimper à l'arbre et de reprendre son bien. Arrivé au sommet, il en prit un dans le nid, qui était particulièrement grand et, le montrant à la sorcière, lui demanda s'il ne pourrait pas avoir celui-là. Non, dit-elle, car cet instrument-là est celui du curé de notre paroisse. Mais prends celui que tu veux parmi les autres. Et l'on dit... que certains en ont trouvé vingt, et d'autres trente dans un même nid, protégés par de la paille [37] ».

Voilà le genre de choses que des hommes croiront pendant que la raison de la Renaissance fraiera son chemin jusqu'à la liberté du XVIIIe siècle.

Une nouvelle jeunesse

Ce chemin, il faut le suivre en France. Dans le XVe siècle, l'Italie a inventé et, dans le XVIe siècle, elle fut imitée. Au XVIIe siècle, la France redevient ce qu'elle était avant la guerre de Cent Ans et les guerres de religion, la nation la plus puissante, la plus riche et la plus homogène d'Europe. Et de même qu'elle inventa pour tous les Européens l'amour courtois et les cathédrales de lumière dans le plein de l'âge féodal, c'est elle qui invente dans le grand ordre royal un nouvel art d'aimer et d'être femme.

Cela commence par des bouillonnements qui ne sont point trop polis. Mais quelle santé ! On se croirait dans une kermesse flamande imaginée par Rabelais et peinte par Rubens — gorges opulentes, faces hilares, fesses radieuses, on bâfre, on se saoule d'odeurs fortes dans la nature en rut. L'excès en tout n'est pas un défaut ; le théâtre, jusqu'à

Corneille, s'enivre de matamores, de bouffons, de rapts, de viols ; et l'on aime que la vie soit théâtrale, tragique et bouffonne, baroque. Tous les coups sont permis. Après tant de tueries, les Français reverdissent, de ce vert-galant qui serait plutôt vert gaulois. Le beau maréchal de Bassompierre, qui vole de victoires en victoires dans les alcôves, à un grand seigneur qui lui dit, au sujet d'une querelle : « Vous serez sans doute du parti de M. de Guise, car vous baisez sa sœur ? » — « Cela n'y fait rien, répond-il, j'ai baisé toutes vos tantes, et je ne vous aime pas plus pour cela. » Le même, embastillé par Richelieu, en sort après la mort du cardinal, fort vieilli. Une dame lui fait des compliments sur sa liberté, puis : « Mais vous voilà bien blanchi, Monsieur le maréchal ! — Madame, je suis comme les poireaux, la tête blanche et la queue verte. » Le médecin de Louis XIII enfant, Héroard, le taquine sur sa « guillery » ; l'enfant la montre à qui veut la voir et, un soir, au dîner d'Henri IV, la présente à baiser aux gentilshommes qui sont là. Il n'en sera pas plus gaillard. Comme il ne s'aventure pas dans le lit de son épouse, la duchesse de Luynes, seize ans, entreprend de le déniaiser. Il s'excuse en disant qu'il n'aime les femmes qu'au-dessus de la ceinture. « Elles se ceindront donc comme Gros-Guillaume, au milieu des cuisses », réplique-t-elle. Les femmes sont d'une franchise admirable, un personnage de comédie le dit :

On n'a plus le tourment de les aller prier,
Elles-mêmes d'amour viennent vous supplier.

C'est à peu près ce qu'avaient dit Montaigne et les Pères conciliaires, mais il ne semble pas que les hommes s'en plaignent. Le comte de Poitiers ne s'en plaignait pas non plus, avant de se convertir en amant courtois. Ainsi nos paillards, qui vont se découvrir précieux.

Les hommes font la loi

Avec la Renaissance, la situation juridique de la femme a donc régressé vers celle de la Romaine sous l'autorité du *pater familias*, c'est-à-dire d'un enfant éternellement mineur.

Le duc de Saint-Simon demande au duc de Beauvilliers une de ses filles en mariage. N'importe laquelle : « C'est vous qui m'avez charmé, dit-il au duc, et que je veux épouser avec Mme de Beauvilliers. » Notre Caton de Cour, comme Caton le Censeur, ne recherche qu'une alliance pour sa *gens*.

Il aurait pu ne chercher que l'argent : il en faut à un noble pour soutenir son état, à un officier pour acheter une charge. Tout se paie, au Grand Siècle. Furetière s'amuse à publier un « Tariffe ou évaluation des partis sortables ». Avec une dot de 2 000 à 6 000 livres, une fille peut trouver « un marchand du palais, ou un petit commis, sergent ou solliciteur de procès ». De 6 000 à 12 000 livres, c'est le prix d'un procureur du Châtelet. Un procureur du Parlement, un notaire, sont plus chers : de 12 000 à 20 000 livres. Et ainsi de suite... « Un président au mortier, vrai marquis, surintendant, duc et pair », ne s'épousent pas à moins de 300 000 à 500 000 livres. « Au-delà, dit Furetière, ce sont des filles de financiers, ou des gens d'affaires qui sont venus de la lie du peuple... Elles ne sont pas vendues à l'enchère, comme les autres, mais délivrées au rabais. » La Bruyère n'est pas de son avis : « Si le financier manque son coup, les courtisans disent de lui : c'est un bourgeois, un homme de rien, un malotru. S'il réussit, ils lui demandent sa fille. »

Un père soucieux d' « élever » sa famille ne pratique pas l'infanticide romain : il enferme au couvent les filles en surnombre. « L'établissement de cette fille coûterait, dit Bourdaloue à la fin du siècle ; sans autre motif, c'est assez pour la dévouer à la religion... On conduit cette victime dans le temple, les pieds et les mains liés, la bouche muette par la crainte et le respect d'un père qu'elle a toujours honoré. » Des couvents, il est vrai, exigent une dot. Si, comme le dit La Bruyère, « elle n'est pas assez riche pour faire dans une riche abbaye vœu de pauvreté », elle sera une sœur converse astreinte aux travaux manuels avec les vrais pauvres. Il se trouve toujours des nonnes à qui le libertinage offre des consolations. Et de bons esprits estiment que Dieu ne saurait s'en formaliser. Un soir, Henri de Guise rend visite à sa sœur, abbesse de Saint-Pierre de Reims (ville dont il a été l'archevêque, soit dit en passant). Il soupe avec les nonnes, s'échauffe, en serre une de très près. « Mon frère, s'écrie l'abbesse, vous moquez-vous ? Des épouses de Jésus-Christ ! — Ah ! ma sœur, Dieu est trop honnête homme pour craindre d'être cocu. »

Couvent ou mariage, la fille n'a qu'à obéir. « Je suis contente d'avoir fait ce mariage sans vous. C'est ainsi que se gouvernent les sages. » Et même les saintes puisque c'est Jeanne de Chantal qui parle ainsi à sa fille. Mme de Maintenon veut que l'on ne dore pas la pilule aux demoiselles de Saint-Cyr. « Quand vos demoiselles auront passé par le mariage, elles verront qu'il n'y a pas de quoi rire. Il faut s'accoutumer à en parler sérieusement, chrétiennement et même tristement. C'est l'état où l'on éprouve le plus de tribulations, même dans les meilleurs, et plus des trois quarts sont malheureux. » Mme de Maintenon était bonne chrétienne : elle se fit tristement épouser par Louis XIV. Au XVIIIe, la gaieté sera à la mode : il conviendra donc que le mariage forcé soit une plaisante chose. Sébastien Mercier rapporte ce propos d'un père affectionné : « Je vous ordonne d'être riante... Crois-moi, ma chère enfant, je ne vois dans le monde de mauvais mariages que les mariages d'inclination. Allons, ma fille, de la résolution, du courage, de la gaieté, tout ira bien [38]. » Jusqu'où ?

Les femmes font les mœurs

« L'amour peut aller au-delà du tombeau, mais elle ne va guère au-delà du mariage », dit Mlle de Scudéry dans *Le Grand Cyrus*. « Sacrifiée comme l'esclave, liée, garrottée... on m'enterre, ou plutôt on m'ensevelit toute vive dans le lit du fils d'Evandre », dit une Précieuse. Et une autre : « Vouloir être mari, c'est vouloir être haï. »

La Rochefoucauld affûte sa maxime : « Il y a de bons mariages, il n'y en a point de délicieux. » Un bon mariage, c'est celui que fit Racine, dont son fils le loue : « L'amour ni l'intérêt n'eurent aucune part à son choix. » Et si, par un extraordinaire hasard, il était délicieux ? Un jour, le comte de Guiche, un des plus galants hommes de la cour de Louis XIII, se rendit chez la comtesse d'Olonne. Il entendit du bruit dans sa chambre, mais un bruit de telle nature qu'il mit son œil au trou de la serrure, avec la délicatesse de son temps. « Devinez ce que je vis ?... Je vais vous le dire, parce que ce sont de ces choses qu'on ne peut jamais deviner : je vis donc Mme d'Olonne caressant son mari et lui prodiguant tout ce qu'on accorde à un amant... Un mari ! Bon Dieu ! Un rival domestique, un soupirant par contrat... en plein jour ! Je vous demande s'il y avait moyen d'y tenir ? Je suis sorti de chez la comtesse pénétré d'indignation, de mépris. » Et le comte de Guiche s'en allait répétant : « Un amour conjugal ! C'est une femme déshonorée. »

Les épouses de ce temps s'exposent rarement à un pareil déshonneur. « Ensevelies toutes vives » dans le lit conjugal, elles font face avec une vivacité admirable. Et avec courage, car il en faut pour tenir tête à ce despote qui a la loi pour lui, Arnolphe en avertit Agnès :

Bien qu'on soit deux moitiés de la société,
Ces deux moitiés pourtant n'ont point d'égalité :
L'une est moitié suprême, et l'autre subalterne.

Mais déjà les rieurs à *L'école des femmes* sont du côté d'Agnès contre le côté de la barbe et sa toute-puissance. Bientôt, comme Figaro disant son fait au comte Almaviva, la servante narguera son maître qui ne s'est donné que la peine de naître homme. Jamais peut-être le mot du prince de Ligne n'aura été plus juste : « Les hommes font les lois ; les femmes font les mœurs. »

A l'école des femmes

« On n'est jamais tout à fait honnête homme, ou du moins galant homme, que les dames ne s'en soient mêlées », dit le chevalier de Méré. Et Honoré d'Urfé, dans *L'Astrée*, développe un raisonnement impeccable : « L'amant ne désire rien davantage que d'être aimé ; pour être aimé, il faut qu'il se rende aimable, et ce qui rend aimable est cela même qui rend honnête homme. » Castiglione, dans son *Courtisan*, ne parlait pas autrement. Et que disait donc le troubadour Arnaud de Mareuil ?

C'est de vous, Dame, je le sais, que me vient
Tout ce que je dis ou fais de bien.

Le piquant, c'est que la religion s'en mêle. « Je vous dis que la beauté naît de Dieu, comme un cercle dont la bonté est le centre », disait Castiglione. Et d'Urfé : « Toute beauté procède de cette souveraine bonté que nous appelons Dieu, et c'est un rayon qui s'élance de lui sur toutes choses créées. » De là découle pour les amants une heureuse conséquence : « Désirer la beauté, c'est désirer la bonté, et désirer la bonté, c'est désirer Dieu. » Vive Dieu ! Après les troubadours français, les « courtisans » italiens et les pensionnaires de l'abbaye de Thélème, voilà les sexes encore une fois raccommodés, et dans un amour qui ne sent plus le fagot, un saint s'en porte garant, François de Sales : « L'amour... n'est autre chose que le mouvement, écoulement et avancement du cœur envers le bien. »

On soupçonne un peu que tout le monde n'a pas le même amour en tête. C'était déjà l'ambiguïté de l'amour courtois. La frontière n'est pas facile à tracer entre ces laïcs qui élèvent le sexe jusqu'au ciel et ce saint qui faufile Dieu dans les ciels de lit.

François de Sales veut rendre la vertu aimable. Ecrivant pour une femme du monde, il ne lui interdit pas les bals et les plaisirs, mais l'avise de ne s'y pas attacher plus que de raison. Il proscrit cette vertu ostentatoire (qui sera celle de Tartuffe) qui affectionne les « humeurs mélancoliques et insupportables » : cela n'est pas honnête. Une honnête femme est celle qui est aimable, qui aime son mari, et qui est gaie : le cher François a des exigences considérables — dont la plus ardue est peut-être celle-ci : « N'aimez rien de trop, non pas même les vertus que l'on perd quelquefois en les outrepassant. »

L'Introduction à la vie dévote eut un immense succès pendant la première moitié du siècle. Son mérite était grand, d'enseigner la mesure, la tolérance, le sourire aux fauves déchaînés. Mais l'on ne se hasardera pas à dire combien d'époux s'en trouvèrent persuadés de s'aimer toute la vie, et combien y apprirent l'art de s'accommoder aimablement d'une déplaisante condition. La romance et la volupté prennent parfois des chemins qu'un saint ne peut prévoir.

L'Astrée (1607) parut en même temps que *L'Introduction à la vie dévote* (1609), et ce n'est rien d'autre qu'une introduction à la dévotion amoureuse. Son succès ne fut pas moins grand, ni moins durable. Jusqu'au milieu du siècle, les jeunes filles firent leurs classes sentimentales avec Céladon, cet amant idéal, je veux dire : idéalisé, qui aime sans désirer posséder, de « pure amitié », qui aime l'autre non pour soi mais pour elle : aimer, c'est « mourir en soi pour revivre en autrui ». Loin des yeux, proche du cœur, il aime en elle un reflet du ciel. Platon, l'amant transi du premier *Roman de la Rose,* Dante avec sa Béatrice béatifiée, Pétrarque avec sa Laure impalpable et défunte se seraient trouvés en pays de connaissance dans les bergeries de *L'Astrée.*

Quand la beauté est le signe de la bonté, un beau plumage habille une belle âme (Dieu sait si ce temps aime les plumes !) et un beau ramage fait les beaux sentiments. L'école des femmes est d'abord une école de langage. La marquise de Rambouillet donne le ton. Dans sa Chambre bleue, elle ne reçoit pas seulement la noblesse mais aussi des bourgeois, s'ils savent se conduire selon le code du « bel air ». Voiture, fils d'un riche marchand de vins, et poète mondain, est ici l'intendant de l'élégance, du badinage, de la galanterie. On a encore des gaietés de jeunesse : Julie d'Angennes, fille aînée de la marquise, se réjouit beaucoup à faire basculer, du chambranle d'une porte, une aiguière pleine d'eau sur la tête de Voiture. Il convient que la galanterie soit honnête, mais le langage n'a pas encore perdu sa verdeur, et voici en quels termes des habitués trop hardis se font rappeler à l'ordre :

Leur plus grand vice est copulation,
Ils n'ont d'amour que pour un mot en on
Qu'en mon jeune âge ai lu dans le grimoire...

Fi donc ! le bon ton veut qu'on escamote la rime ; et ce refrain d'un rondeau, écrit par Voiture à la louange des charmes de sa maîtresse, devait paraître furieusement délicat :

> *Mais laissez-moi vous toucher seulement*
> *Où vous savez.*

Je dois dire, toutefois, que ces délicatesses ne faisaient pas l'unanimité. Tallemant déplorait que la marquise interdît le mot « cul » dans son salon. « Cela va dans l'excès, disait-il, surtout quand on est en liberté. » Le ton juste est fait d'approximations successives... Et finalement, il est celui que les oreilles féminines tolèrent. Leur censure est décisive quand les hommes et les femmes se rencontrent tous les jours « en liberté » dans le monde. Ils ont eu cette chance dans les cours italiennes du Quattrocento, mais en Angleterre, en Allemagne, en Espagne, et même en Italie les femmes sont désormais recluses. En France, à la Cour et à la ville, elles côtoient les hommes. Point de grilles, ni de duègnes : il faut qu'elles se défendent seules, si elles veulent. On n'enlève pas d'assaut une place ouverte : on la réduit par de beaux discours. La conversation est l'école universelle. On n'y apprend pas seulement à parler, mais aussi à aimer, à être un honnête homme et une femme honnête, ou déshonnête avec décence. Et *sans affectation* : c'est la règle d'or de Mme de Rambouillet comme de saint François de Sales ou de Molière. Tout ce qu'il y aura de bien dans le siècle haïra l'affectation. Malheureusement, il suffit d'un rien de trop dans la délicatesse pour que l'on y tombe, et la Chambre bleue de la marquise aura été l'antichambre des Précieuses.

Un féminisme : la préciosité

Oublions un instant leurs ridicules : les Précieuses furent d'abord des femmes qui refusaient la sujétion où les hommes les tenaient et voulaient, pour en sortir, changer les mœurs — voire, même, changer les lois. Les féministes d'aujourd'hui n'ont pas plus d'audace que n'en eurent certaines Précieuses.

Vers 1650, deux générations avaient rêvé aux bergeries de *L'Astrée*. Des bourgeoises, des provinciales, se demandaient pourquoi elles n'auraient pas le droit de vivre ce rêve. La jeunesse du siècle avait fini de jeter sa gourme dans les aventures politico-amoureuses de la Fronde, et si les loups — et les louves — ne se métamorphosaient pas en moutons, du moins en prenaient-ils la mine. Et les femmes se sentaient tout excitées par le pouvoir que leur conférait la politesse des hommes. Alors, comme autrefois chez la comtesse de Champagne, ou naguère chez Marguerite de Navarre, on discutait des « questions d'amour » dans les salons, dont le plus fameux était celui de Madeleine de Scudéry. L'amour peut-il naître chez un honnête homme sans l'appât de la beauté ? (Mlle de Scudéry était franchement laide.) Peut-on séparer amant et amour ? (Sans doute. Voiture disait de Mme de Rambouillet : « Personne n'aura mieux qu'elle entendu la galanterie, et si peu les galants. ») Et surtout, la question des questions : amour et mariage sont-ils compatibles ? A quoi la réponse était « non » depuis cinq cents ans, et peut-être davantage.

Mais alors, cette contradiction entre la vie imposée aux femmes et la vie qu'elles désirent, comment en sortir ? Quand on a perdu le secret des alchimistes de l'amour courtois, la raison ne voit que deux issues : par en bas, dans l'animalité, ou par en haut, dans l'angélisme. *L'Astrée* a montré le chemin du haut, *Le Grand Cyrus* de Madeleine de Scudéry lui emboîte le pas, la *Carte du Tendre* en marque les étapes, de Nouvelle-Amitié à Tendre par les villes de Tendre-sur-Inclination, Tendre-sur-Estime, Tendre-sur-Reconnaissance, il en marque aussi les embûches, le lac d'Indifférence, la mer d'Inimitié où risquent de se perdre les méandres du cœur. La vertu, elle, ne risque rien : il est décidé que les cœurs les plus tendres sont les plus vertueux. La vieille quintessence se porte toujours bien. Les Précieuses, pour libérer leur sexe, le nient. Amoureuses de la transcendance, elles ont épousé, contre leur propre sexe, la défiance monacale. « Ces fausses délicates ont ôté à l'amour ce qu'il a de plus naturel, pensant lui donner quelque chose de plus précieux, dit Saint-Evremond.

Elles ont tiré une passion toute sensible du cœur à l'esprit et converti les mouvements en idées. » L'amour est pour elles « une sorte de religion » ; et Ninon de Lenclos, qui aime fort « ce qu'il y a de plus naturel », appelle les Précieuses des « jansénistes de l'amour ». Mais celles-là, personne ne les persécutera. Personne ne les sollicitera de reconvertir leurs idées en mouvements. Car, dit Tallemant, assommé par leur manie de « pousser les sentiments » :

Pour elles on a le cœur tendre
Et jamais on n'eut rien de dur.

Les Précieuses, à en croire l'abbé de Pure, poussèrent aussi fort loin dans la contestation de la société. Et pourquoi ne le croirait-on pas ? Quand la raison cartésienne faisait table rase de toutes les idées reçues, pourquoi une femme mariée à quinze ans, contrainte « de recevoir dans son sein glacé les ardeurs de son mari », et de subir dix ou vingt grossesses, n'aurait-elle pas tenté de changer le système ? *La Prétieuse* de l'abbé de Pure lance des idées qui, sans doute, paraissent comiques, mais enfin, elles sont lancées.

Elle admet que la grossesse, cette « hydropisie amoureuse » — saint Jérôme disait cette « tuméfaction de l'utérus », on voit la différence entre un Père de l'Eglise et une Précieuse — que cette hydropisie, donc, ou cette tuméfaction, est nécessaire à la perpétuation de l'espèce ; mais que ce service se traduise en asservissement de la femme, elle n'en voit pas du tout la nécessité. Le mariage pourrait être rompu après la naissance du premier enfant, que le père garderait, puisqu'il y tient tellement, et il donnerait à la mère une prime : « Ainsi la fécondité aurait son prix et sa récompense. »

Elle ne repousse pas catégoriquement l'idée qu'une femme puisse avoir du plaisir à vivre avec un homme. Mais il y faut des sauvegardes. Il convient que les fiancés aient la liberté de s'éprouver dans un mariage à l'essai. Si, après cet examen, la femme se résout à accepter le collier, qu'il soit bien entendu qu'elle conservera entière liberté de sa personne, cœur et corps, et que tout se passera dans l'égalité des droits et des devoirs. Comme il est à craindre que la nature humaine, spécialement la masculine, ait des difficultés à respecter la personnalité du conjoint, on aurait une répartition équitable de l'iniquité si l'homme et la femme détenaient tour à tour l'autorité, par roulement annuel. Notre Précieuse eût été choquée d'apprendre que les sauvages Dobuans de la Mélanésie, qui avaient eux aussi à se plaindre de la nature, pratiquaient cette alternance *.

Les femmes savantes

Mlle de Gournay avait déjà plaidé pour « l'égalité des hommes et des femmes » ; et pour l'instruction des femmes, sans se dissimuler que cela était mal vu : si elle a quelque savoir, « on compose d'elle une fricassée d'extravagances et de chimères ». (Férue d'alchimie, entourée de cornues, Mlle de Gournay composait bien un peu cette fricassée.) Le Père du Bosc, dans un traité sur *L'honnête femme* (1632), avait retourné l'accusation : « Dire que les sciences sont trop obscures pour les dames est une opinion bien extravagante. » Trois siècles avaient passé depuis que Christine de Pisan avait dit la même chose, et trois siècles encore passeront avant que les femmes fassent la preuve qu'elles peuvent entendre « subtilités de science » comme les hommes.

Cependant, « l'entendement » est la grande entreprise du siècle, et les femmes ne peuvent y rester tout à fait étrangères. On en parle dans les salons ; des pédagogues mondains écrivent des ouvrages où « la plus fine philosophie est accommodée à l'intelligence des dames » ; et un original bourru, Poulain de la Barre, rompt des lances pour « l'égalité des sexes » et « l'éducation des dames ». L'idée que le sexe féminin est inférieur n'est pas fondée sur la nature, dit-il, elle ne repose que sur la coutume imposée par les hommes ; non qu'ils soient plus méchants que les femmes, mais parce qu'ils se sont trouvés en situation de dominer : « ils ont favorisé leur sexe comme les femmes auraient peut-être fait si elles avaient été à leur place ». Mais pourquoi les

* Voir p. 77.

femmes ne se trouvent-elles pas à la place des hommes, c'est une question, *la* question fondamentale, qui n'est pas posée. Au moins a-t-il le mérite de laisser choir l'argument de « l'os surnuméraire », quand Bossuet ne rougit pas d'y avoir recours. Pour Poulain de la Barre, « le cerveau, unique organe de la pensée, est entièrement semblable ». Qu'elles reçoivent donc une éducation semblable à celle des hommes, et l'on verra de quoi elles sont capables. Il les voit très bien, lui, dans les Conseils politiques, la justice, la diplomatie, et pourquoi ne seraient-elles par archevêques ou grands capitaines ? Pourquoi pas, en effet ? Jeanne d'Arc le fut, il y eut une papesse Jeanne, Platon avait déjà promis aux femmes les monopoles masculins *, et c'est ce que des femmes aujourd'hui revendiquent — y compris les fonctions ecclésiastiques.

Pratiquement, on en est loin. Un réformateur comme Fénelon estime que « la science des femmes comme celle des hommes doit se borner à s'instruire par rapport à leurs fonctions ». Leur fonction étant encore, quoiqu'il le déplore, d' « obéir à leur mari sans raisonner », on ne permettra l'étude du latin qu'aux filles « d'un jugement ferme et d'un esprit modeste ». Mme de Maintenon était d'abord plus libérale pour ses demoiselles de Saint-Cyr ; mais quand son royal époux sur le retour découvre les beautés de la dévotion, elle change de cap : « N'en faites pas des rhétoriciennes ; ne leur inspirez pas le goût de la conversation ; ne leur montrez plus de vers ; tout cela élève l'esprit. » Molière n'avait pas attendu ce rappel à l'ordre pour se moquer des « femmes savantes ». Mais attention : leur ridicule était moins d'être savantes que de prétendre le paraître : faute inexpiable parce que faute de goût dans une société qui pardonnait beaucoup de choses mais jamais le pédantisme. « Il ne faut pas imaginer que l'on puisse extrêmement plaire sur des sujets qui sentent l'instruction », dit le chevalier de Méré. C'est que la noblesse donne encore le ton, et que pendant des siècles — disons, depuis la chute de l'Empire

* Voir p. 240.

romain — elle n'a eu, sur ce point, d'autre souci que de paraître ce qu'elle était : d'une ignorance insondable. Alors, si maintenant elle consent, parfois, que l'on s'instruise, de là à supporter que l'on « ramène sa science », non, cela n'est pas poli. (Et aujourd'hui, est-ce que c'est poli ? Pourvu que ce livre ne paraisse pas savant !) « Le vrai honnête homme, dit La Rochefoucauld, est celui qui ne se pique de rien. » A plus forte raison si cet honnête homme est une femme.

Une femme libre

Pourtant, il y eut des femmes de la plus fine culture, et qui surent être profondes sans cesser d'être aimables. Mme de Sévigné voile d'une feinte innocence un regard terriblement lucide. Son amie Mme de La Fayette trouve le moyen d'être tout à la fois une bonne latiniste, une redoutable femme d'affaires, un agent de la diplomatie royale, une amoureuse (de La Rochefoucauld), la douce régente d'un salon, et l'auteur d'un des chefs-d'œuvre du roman français. Mais le chef-d'œuvre du roman vécu, c'est Ninon de Lenclos.

Elle n'avait pas la chance d'être « née », mais elle avait le charme, la grâce, et une souveraine aisance dans la liberté. Toutes les lois étaient faites pour les hommes : elle les brava avec le sourire. Son éclatante réussite, elle ne la dut qu'à ses talents. Et l'on vit dans ce siècle de grands requins une femme vivre seule, selon les fantaisies de son tempérament, qu'elle avait généreux, et dans le respect de tous. Elle avait d'ailleurs de la méthode et ne faisait pas mystère de son organisation ; parmi ses innombrables « mourants » elle avait distribué les rôles : il y avait les « payeurs » à qui elle n'accordait rien, les « favoris » qui avaient tout sans bourse délier, et les « martyrs » qui, n'ayant ni la fortune, ni le bonheur de lui plaire, avaient le droit de soupirer gratuitement. Ce fut la révolution de Ninon que de demeurer respectable et respectée dans l'indépendance de ses mœurs. Sans rien perdre de sa féminité, elle sut envelopper d'amitié l'amour, par l'égalité de son humeur et la supériorité de son caractère. Chacun trouvait en elle cette vertu si rare chez la femme et pourtant si féminine, la sûreté ; et, rarissime alliance, la sûreté dans la passion. Nulle mieux qu'elle n'avait le droit de dire : « Il faut cent fois plus d'esprit pour faire l'amour que pour commander des armées. »

Elle avait le sens du comique, le don du mot juste, l'intelligence de l'expérience. Louis XIV lui-même se tenait informé de ses jugements à l'emporte-pièce. Enfin, voici le signe le plus éclatant de sa souveraineté et de son tact : les femmes du monde ne lui tenaient pas rigueur de ses succès et recherchaient sa compagnie. Pour tout dire, Ninon de Lenclos incarne parfaitement, dans sa féminité triomphante, l'honnête homme du XVIIe. « Il n'y a point de plus honnête homme que Mlle de Lenclos », disait la duchesse d'Orléans ; et La Bruyère, parlant de Ninon : « Une belle femme qui a les qualités d'un honnête homme est ce qu'il y a au monde de plus délicieux [39]. »

Sur le fil du rasoir

Ninon a vécu dans le subtil équilibre de l'épicurien dont son ami Saint-Evremond lui avait tracé le portrait : « Indulgent aux mouvements de la nature, contraire aux efforts, ne comptant pas toujours la chasteté pour une vertu, mais toujours la luxure pour un vice, il voulait que la sobriété fût une économie de l'appétit, et que le repas qu'on faisait ne pût jamais nuire à celui qu'on devait faire... Il dégageait les voluptés de l'inquiétude qui les précède et du dégoût qui les suit... On ne saurait donc avoir trop d'adresse à ménager ses plaisirs : encore les plus entendus ont-ils de la peine à les bien goûter. »

Le libertinage ainsi compris repose sur le libre choix, sur la liberté des deux sexes, laquelle n'est pas concevable sans l'égalité morale ; ou, si l'on préfère, sur un égal respect des différences. Mais il suppose aussi quelque indifférence, dont la femme se satisfait moins aisément que l'homme. Saint-Evremond prétendait qu'en France l'amour n'a « rien de fort extravagant... ni dans la manière dont on le fait, ni dans les événements ordinaires qu'il y produit. Ce qu'on appelle une belle passion a de la peine même à se sauver du ridicule ; car les honnêtes gens partagés à divers soins ne s'y abandonnent pas ». A Paris, peut-être, dans le cercle étroit de Saint-Evremond. Et même dans ce cercle... S'il ne connut jamais le « combat intérieur de la passion et de la raison », Ninon le connut, elle, et n'hésita jamais à laisser la passion vaincre sa raison — le temps qu'elle s'exténuât de ses propres excès. Après quoi, elle reprenait bravement le collier des plaisirs.

A Londres, Saint-Evremond avait une autre élève en épicurisme, la duchesse Mazarin (Hortense Mancini, nièce du cardinal), favorite officielle du roi Charles II. Fuyant les rigueurs dévotes de Louis XIV, il finit ses jours près d'elle, dans « la plus grande liberté du monde ». Là, comme chez Ninon, « l'abstinence des plaisirs était un grand péché ». Tout y était parfait. « Il n'y a rien de si bien réglé que cette maison, mais Mme Mazarin répand sur tout je ne sais quel air aisé, je ne sais quoi de libre et de naturel qui cache la règle : on dirait que les choses vont d'elles-mêmes, tant l'ordre est secret et difficilement aperçu. »

Mais comment faire pour que l'ordre secret prévale jusqu'au bout contre ces désordres que sont la vieillesse et la mort ? Là non plus, la partie ne semble pas égale. Plus vulnérable à la passion, la femme ressent aussi plus que l'homme les atteintes à sa séduction. « L'enfer des femmes, c'est la vieillesse », a dit La Rochefoucauld. La duchesse Mazarin, « si bien réglée », se dérègle dans l'alcoolisme jusqu'à en mourir. « Qui m'aurait proposé une telle vie, je me serais pendue », écrit Ninon dans son grand âge. Toutefois, elle a le courage de vivre jusqu'à quatre-vingt-cinq ans. Et lorsqu'elle meurt, en 1705, elle lègue mille francs au fils de son notaire, un enfant de douze ans qui ne s'appelle pas encore Voltaire ; un vrai héritier de Ninon, qui dira : « Le paradis est où je suis » et : « Je mourrai, si je puis, en riant ». C'est le programme du siècle des Lumières.

Ne nous fions pas aux apparences : l'équilibre au bord du gouffre ne s'obtient que par une dure discipline, et l'impertinence devant notre destin n'est rien d'autre qu'un désespoir poli. Peu d'âmes, dans l'un ou l'autre sexe, ont la force de soutenir ce rôle. La tentation de la facilité est toujours là, d'un côté la passion et la mort romantique de Tristan, de l'autre la luxure, le sadisme, le crime. Au temps de Ninon, l'affaire des Poisons révèle que de très grandes dames — et beaucoup de femmes de moins haute volée — ne craignaient pas de se procurer des « poudres de succession » pour venir à bout de vieux parents obstinés à vivre ou de maris encombrants, tout comme l'avaient fait les matrones impatientes de la *patria potestas* * ; qu'une marquise de Montespan, et tant d'autres, utilisaient des philtres et la magie pour capter les sens d'un amant pas toujours royal, et croyaient assez en Belzébuth pour faire dire des messes noires sur le ventre d'une femme nue, avec consécration du sang d'un enfant égorgé.

Que la femme ait des diplômes, un métier, un salaire, des droits civiques, bref, l'indépendance extérieure, c'est très important, oui. Mais tout cela restera bien fragile si elle n'a pas la liberté intérieure. Je ne dis pas qu'elle en est incapable. Je constate que cela lui est plus difficile qu'à l'homme. Sans doute, pendant des siècles, l'homme l'a tenue dans la sujétion. On y prend de mauvaises habitudes. Ne serait-ce pas aussi qu'elle rêve à quelque chose de plus haut, ou de plus profond, que la liberté ? C'est pourtant elle qui a montré le chemin à l'homme ; c'est bien elle qui va donner le ton au siècle de la lucidité. Pourquoi faudra-t-il qu'elle se jette dans les embrasements de la passion romantique et du sadisme ?

L'objet de toutes les délices

La beauté majestueuse ne se porte plus. On aime le mouvement, le nez retroussé, le regard faussement ingénu, les cheveux courts, bouclés, poudrés, les fossettes coquines, les gorges pigeonnantes, les froufrous soyeux, les mousselines, les gazes, les accords subtils des tons pastel, bleus, gris, roses, et le blanc, surtout le blanc de l'innocence... Car ce temps qui porte à un degré jamais atteint le plaisir de l'intelligence et l'intelligence du plaisir adore l'ambiguïté, le

---

* Voir p. 250.

sous-entendu, la litote, le double jeu des miroirs. Le balourd qui n'a pas la clé du langage croirait vivre dans une société d'angelots : il n'entendra louer qu'une taille de nymphe, un visage semblable à un lys, un teint (pas une peau) d'une finesse qui laisse transparaître l'âme. Une femme n'a pas de belles fesses : elle a de la grâce. Il est grossier de parler d'elle comme d'un corps ; mais il serait insultant de n'y pas penser ; et si l'homme était distrait, elle saurait le conduire jusqu'à l'alcôve où l'on goûte « les inépuisables douceurs des plaisirs qui viennent de l'âme [40] »

Le désir de la vie s'ordonne autour de la femme. La grandeur cède devant le charme, le délicat, l'intime — salons ornés de boiseries aux lignes brisées, contournées, trumeaux à pastorales, rocailles, « petits appartements », boudoirs. Les meubles se font plus hospitaliers, bergères, sofas, ottomanes, chaises longues dites « péchés mortels ». Les châteaux deviennent des hôtels à la campagne, où chacun apporte avec soi l'air de Paris, et où il est si facile de se tromper de porte. Les roués — et les rouées — ont leurs « petites maisons ».

L'air de Paris, tous les étrangers distingués viennent le respirer. *Paris, le modèle des nations étrangères, ou l'Europe française* : c'est le titre d'un petit ouvrage anonyme paru en 1777 mais dont chacun savait qu'il était l'œuvre du pape Clément XIV. « On reconnaît toujours une nation dominante, écrivait le pape. Jadis, tout était romain, aujourd'hui, tout est français. » Casanova, qui pourtant connaissait les plaisirs de Venise : « On ne vit qu'à Paris et on végète ailleurs. » Le prince Henri de Prusse, frère de Frédéric : « J'ai passé la moitié de ma vie à désirer voir Paris, je passerai l'autre moitié de ma vie à le regretter. » Un Suédois, le baron de Scheffer : « Je regrette la France comme le jour même où j'en suis parti. » L'abbé Galiani, partant pour la Sicile : « Pleurez-moi pour mort si je ne reviens pas, la seule faute que j'aie commise, c'est de naître Napolitain. » Et Talleyrand dira : « Qui n'a pas vécu avant 1789 ne connaît pas la douceur de vivre. »

Cette douceur de vivre n'est certes pas à la portée de toutes les classes sociales. Mais cet art de vivre n'est pas limité à l'aristocratie, ni à la haute bourgeoisie, ni aux beaux esprits. Des « maîtres à cachet » viennent dans les couvents apprendre aux filles de la petite-bourgeoisie le clavecin, le bel canto, la révérence, la gigue, la courante et la sarabande ; pour la conversation et le bon usage des hommes, elles n'ont qu'à ouvrir les oreilles et les yeux dans le monde, où elles entrent très jeunes : c'est la meilleure école pour les filles. Et cette école est partout. Il y a un « ton XVIIIe » inimitable que chacun imite à la perfection. « On s'aperçoit aujourd'hui jusque dans le fond des boutiques, dit Voltaire, que la politesse a gagné toutes les conditions. » Dans politesse, il y a *polis*, la ville, qui ne peut être que la ville-lumière. Les soubrettes de Marivaux ne sont pas moins fines que leurs maîtresses, et si tous les valets n'ont pas le boniment philosophique aussi délié que Jacques le Fataliste, personne cependant ne juge invraisemblable les propos que Diderot lui prête. L'esprit et la galanterie mènent à tout. Des Manon traversent les couches sociales avec la plus grande aisance, et la « paysanne pervertie » est un lieu commun. D'où l'on induirait, a contrario, que la paysannerie et, plus généralement, la province française, sont toujours le conservatoire des vertus domestiques. Sans doute en est-il bien ainsi, mais cette société-là, quoique majoritaire, ne m'intéresse pas ici. Non point parce qu'elle est vertueuse, mais parce qu'elle est immuable, et restera telle jusqu'au XXe siècle. Les couches supérieures de la classe moyenne sont encore le laboratoire des mœurs, et seules nous requièrent les figures nouvelles du jeu des sexes, elles seules peuvent nous aider à inventer pour demain d'autres règles du jeu.

La jeune fille ne peut entrer dans ce jeu que par le mariage. Nous avons vu * que c'est toujours le père qui choisit l'époux de sa fille. Mais elle sait que ce « joug », selon Diderot, cet « éteignoir », selon Mlle de Lespinasse (grave grief, pourtant, au siècle des Lumières), peut être aussi, quand on a de l'esprit, l'ouverture de la vie brillante. « Pour avoir la berline et les diamants, mettre du rouge et

---

* p. 302.

des mules, j'aurais épousé », dit Mme de Puisieux. Point de position dans le monde si un mari ne vous y porte. « Il faut un cheval à un dragon pour vivre, et un mari à une jeune fille », dira Stendhal. Qu'il vous porte, mais qu'il soit supportable : alors la femme pourra éprouver pour lui « le sentiment durable d'une solide amitié ».

Et qu'est-ce qui fait un mari supportable, dans un « mariage XVIIIe » ? La complaisance. Un bourgeois qui se pique de vivre aristocratiquement se gardera d'être, et surtout de paraître, jaloux. « La jalousie n'est plus qu'un ridicule bourgeois, et l'on trouve des bourgeois assez policés ou assez fats pour n'être pas jaloux [41]. » On n'est pas cocu : on est galant. Un financier qui s'est offert une épouse de luxe que tout le monde lui envie ne trouvera pas mauvais qu'elle ajoute à sa fortune la gloire d'un amant à la mode. Et si le mari n'est pas supportable ? Il sera puni d'une indifférence cinglante que ce billet de Mme de Maugiron à son mari exprime à la vitesse d'une paire de gifles : « Je vous écris parce que je ne sais que faire et je termine parce que je ne sais que dire. » A ce compte, le meilleur mari est un mari mort : dans la littérature de ce temps, il n'est rien de plus libéré, de plus charmant, de plus gai qu'une veuve.

Cependant, la partie n'est pas égale. Dans une société qui vit en représentation, le rôle des sexes sur le théâtre ne se soutient que par les applaudissements et s'effondre sous les sifflets. Celui des hommes est d'une facilité vulgaire : le succès se mesure à la quantité. Le record n'appartient peut-être pas à Casanova mais au duc de Richelieu, dont il est vrai que le temps travaillait pour lui : sa carrière amoureuse commencée sous le règne de Louis XIV ne s'acheva, sous Louis XVI, qu'avec sa mort à quatre-vingt-douze ans. Gouverneur de Bordeaux, il avait soixante ans passés lorsqu'il réunit autour de sa table vingt-neuf femmes et leur révéla au dessert qu'elles étaient toutes ses maîtresses. Si une femme aurait peut-être pu inviter de la sorte vingt-neuf hommes, elle n'aurait pu sans scandale leur offrir la révélation du dessert, bien que Rousseau nous dise dans ses *Confessions* que Mme de Warens « eût couché tous les jours avec vingt hommes en repos de conscience ». La morale n'autorise une femme à avouer que des amants avouables. Et même si son choix est irréprochable, la société lui saura gré d'en goûter l'ivresse, sinon dans le secret, au moins dans la discrétion qui sied à la « pudeur » de son sexe. Le prince de Guéméné était l'amant en titre de la comtesse Dillon. L'oncle de celle-ci, archevêque de Narbonne, les invitait ensemble dans son château de Hautefontaine. Et un autre invité disait : « En arrivant à Hautefontaine, on était sûr que Mme Dillon était la maîtresse du prince, et lorsqu'on y était resté six semaines, on en doutait. »

L'inégalité, déjà assez forte dans l'accomplissement, peut être dramatique si la conclusion survient dans l'avant-propos virginal. Cette société désentravée est étrangement révérente devant la virginité. En d'autres termes, une fille perd l'honneur avec son pucelage. Or, elles sont sexuées dans un âge fort tendre, si nous en croyons les romans. « A douze ans, dit Pierre Fauchery *, la Rivella de Mrs. Manley éprouve pour Lovemore un amour fort bien constitué ; à douze ans aussi, Sally Sable est déjà traquée par les hommes ; à treize ans, la Lady of Quality fait des ravages à Bath ; c'est à treize ans qu'Harriet Stuart rencontre sur le bateau l'homme qu'elle aimera. Toutes les femmes « tendres » de Prévost se révèlent très vite (et sans ombre de perversité) toutes formées pour l'amour : Fanny à dix ans est déjà femme. Dans *Faublas*, Sophie de Pontis, c'est « Vénus à quatorze ans ». Les héroïnes allemandes paraissent à peine moins précoces ; et c'est une bizarrerie dont s'excuse la Comtesse Suédoise, de n'avoir pas eu à seize ans au moins une douzaine d'affaires d'amour. » Les adolescentes perverses fleurissent et se déflorent en série dans *Monsieur Nicolas* de Restif. Celles-ci feront carrière dans la galanterie. Mais les filles « de famille » ? Clarisse Harlowe, sa vertu surprise sous l'empire de la drogue par l'infâme Lovelace, en meurt de chagrin — et l'on sait quels flots de larmes coulèrent des

---

* Pierre Fauchery, *La destinée féminine dans le roman européen du XVIIIe siècle*, Paris, 1972, très remarquable thèse de doctorat dont l'auteur a eu l'extrême obligeance de me communiquer le manuscrit. Je lui dois beaucoup et lui en exprime ici ma gratitude.

yeux des libertins sur cette touchante jeune fille. On flaire ici quelque chose de suspect. Mais attendons. Sade n'a pas encore arraché le masque. Et d'où vient cette valeur sociale attachée à l'hymen dans le temps de la licence ? Ni dans le Grand Siècle, ni dans l'exubérance élisabéthaine, ni dans le Quattrocento, ni même dans le plein de la chrétienté médiévale on n'en faisait tant d'histoires. Pourquoi des athées sacralisent-ils la virginité ? Pourquoi les plus urbains des hommes y voient-ils une sorte de nature surnaturelle, scellée, dont la fille n'est que la dépositaire, dont elle ne peut elle-même disposer, mais le père au bénéfice du mari à qui il confie ce trésor ? Parce que c'est un trésor, une marchandise, qui ne peut être vendue qu'à l'état neuf. Il n'y a pas de marché pour les filles d'occasion. Le règne de l'argent, inauguré dans la Renaissance par les conquistadores du Nouveau Monde, de la finance et de la raison, étend son empire. La langue anglaise exprime clairement la chose : une fille déflorée est *ruined*. C'est la banqueroute bourgeoise — celle qui obsédait les *patres* romains, celle des premiers propriétaires de la terre. N'est-ce pas curieux, de découvrir dans un libertin du siècle des Lumières une sensibilité de paysan néolithique ?

La souveraine libertine

Et pourtant, la lucidité est à l'ordre du siècle. Chacun se doit de soumettre les idées reçues à l'examen d'un regard froid. Il s'agit d'aller « au vrai des choses », et singulièrement au vrai du sexe. Qu'est-ce que l'amour ? « Un grand vide dans les mots et une grande niaiserie dans les sentiments ». Le vrai, c'est « le contact de deux épidermes et l'échange de deux fantaisies ». Les hommes connaissaient déjà cette vérité-là, et il se pourrait bien que des femmes l'aient connue depuis quelques millénaires : le nouveau est qu'elles osent en faire une profession de foi, ou plutôt d'« athéisme en amour ». Une Messaline de roman instruit une écolière en galanterie : « Persuade-toi... qu'il n'y a pas de plus grand plaisir dans le monde que celui de changer... Pourquoi ne pas secouer le joug que l'opinion vulgaire nous impose ? Ne sommes-nous pas les dispensatrices du plaisir, et par cette qualité ne méritons-nous pas l'empire souverain [42] ? »

Avoir des « affaires » n'empêche pas d' « avoir des mœurs », bien au contraire : les « mœurs », c'est le tact, et il en faut, et du plus fin, pour ménager l'amour-propre des hommes que l'on utilise. Ils sont si ingénus, ces roués qui se croient tenus de vous jurer un amour éternel pendant qu'ils vous violent... Eh bien ! Feindre la tendresse pour « orner les passions », et la faiblesse pour flatter la virilité, suggérer à la perspicacité incertaine du séducteur le moment de l'attaque (qui peut être fulgurante, car sous les robes à paniers un homme ne rencontre nulle défense en profondeur, ces dames ne portant point de « caleçon »), se laisser arracher les « dernières faveurs », enfin, mettre des guirlandes au sexe mais en jouir tout de bon l'espace d'une nuit et au matin congédier l'amant sous prétexte de religion ou, mieux encore, se faire quitter, c'est « avoir des mœurs ». Mais tant user de son amant que de le conduire au tombeau, comme le fait la comtesse von G. dans *Godwi*, c'est manquer de tact.

L'homme (du moins, celui qui s'exprime au XVIIIᵉ) semble apprécier que la femme soit comme une patiente qui subirait son pouvoir. C'est presque un lieu commun de dire qu'elle ignore le plaisir. Diderot l'en plaint sincèrement. « Plusieurs femmes mourront sans avoir éprouvé l'extrême de la volupté. Cette sensation, que je regarderai volontiers comme une épilepsie passagère, est rare pour elles, et ne manque jamais d'arriver quand nous l'appelons. Le souverain bonheur les fuit entre les bras de l'homme qu'elles adorent... Cent fois leur attente est trompée. Organisées tout au contraire de nous, le mobile qui sollicite en elles la volupté est si délicat, et la source en est si éloignée, qu'il n'est pas extraordinaire qu'elle ne vienne point ou qu'elle s'égare [43]. » La « source » de ce « mobile » est-elle vraiment si éloignée ? On se désole à constater que le plus intelligent des philosophes du siècle ignorait le bon usage du clitoris. Cependant il n'est pas invraisemblable que des esprits moins philosophiques aient su s'attarder aux politesses de la porte que Crébillon appelle des « minuties », quoique la littérature, même pornographique, répugne à des précisions si triviales, et aujourd'hui si banales *. Ce qui enchante l'homme, le fascine et l'épouvante délicieusement, c'est l'irruption brutale de la volupté dans la « belle âme », le rapt de la personne claire par la puissance virile, les « genoux tremblants » de la Présidente de Tourvel submergée par son désir de Valmont, pantelante, la crucifixion de la vierge. Sade n'est pas loin... Seulement, plus d'une femme n'a que faire de ces fantasmes, et s'arrange très bien, sans Diderot, pour trouver voluptueux le contact des épidermes et l'échange des fantaisies. Les témoignages ne manqueraient pas, s'il en fallait, de ces femmes de tête et de sens qui dégustent le sexe et qui mériteraient cette épitaphe de la marquise de Boufflers :

Ci-gît dans une paix profonde
Cette dame de volupté
Qui pour plus grande sûreté
Fit son paradis en ce monde.

L'homme pensait adorer un gracieux bibelot d'inanité sonore, et il rencontre une personne à qui parler. Par l'échange librement consenti, l'objet s'est changé en sujet. Parfois même il advient que ce sujet rêve — c'est bien son tour — qu'il dispose à sa guise d'objets masculins. Ainsi, dans les *Mille et une nuits,* traduit au début du siècle, le héros possède un harem de quarante belles femmes qu'il reçoit dans son lit l'une après l'autre — mais ce sont elles qui décident de leur tour d'utilisation, de sorte que le prince n'est que l'objet de ses quarante sujettes. Un seul objet, c'est peu. *L'Histoire d'Ibrahim* est plus satisfaisante, où la sultane rêve à un paradis peuplé de houris mâles qui serviront d'abondance les « femmes vertueuses ». Ou encore, l'utopie de cette tribu canadienne de *Beauchêne,* dont les filles

* Il serait intéressant d'étudier l'histoire des mœurs à travers la littérature pornographique.

« avaient avec nous des manières si peu mesurées, dit le narrateur, qu'elles semblaient nous faire l'amour ». Utopie ? Voici du vécu, dans ce billet adressé au duc de Richelieu : « Votre réputation me donne envie de vous connaître. Vous avez tourné la tête à tant de femmes qu'il faut bien que vous soyez aimable. De plus, j'aimerais assez à avoir la tête tournée bien fort pour quelqu'un... Soyez donc je vous prie lundi prochain au bal de l'Opéra... Si vous me plaisez, nous aurons bientôt conclu nos affaires. Je vous dirai qui je suis. » Julie Talma, à la fin du siècle, attaquera plus subtilement Benjamin Constant, lui écrivant : « Ecrivez-moi donc. Vous sentez bien que je ne puis vous écrire la première. Je meurs d'envie de vous répondre. »

La libertine serait vite empêtrée dans ses amants si elle n'avait la rupture aussi vive que l'attaque. « Lorsque j'ai aimé, dit Sylvie de la *Double inconstance*, c'était un amour qui m'était venu ; à cette heure que je ne l'aime plus, c'est un amour qui s'en est allé. » *La Femme infidèle* de Restif tranche tout aussi net : « Vous m'avez plu, je vous le laissai voir... Je n'ai plus de goût pour vous. » On songe à la fameuse lettre de rupture que Valmont envoie à la Présidente de Tourvel : « On s'ennuie de tout, mon ange, c'est une loi de la Nature ; ce n'est pas ma faute... Je t'ai prise avec plaisir, je te quitte sans regret : je te revoudrai peut-être. Ainsi va le monde. Ce n'est pas ma faute. » Le ton est cruel, et blessera à mort : c'est une femme qui a dicté cette lettre contre sa rivale.

Voilà donc la marquise de Merteuil, la souveraine libertine, qui aime à la folie les voluptés charnelles, et n'en perd jamais la tête. L'homme est sa proie, mais l'abattre n'est qu'une formalité pour ce tireur d'élite ; sa joie profonde, vraie chasseresse, est de traquer le gibier, et elle ne se délecte pas moins à jeter une femme dans les bras de Valmont, son compagnon de chasse. C'est peu dire que les deux libertins accouplés sont égaux dans le cynisme, la fourberie et le génie tactique : pour être son égale, il fallait qu'elle lui fût très supérieure. « Croyez-moi, Vicomte, on acquiert rarement les qualités dont on peut se passer. Combattant sans risque, vous devez agir sans précaution. Pour vous autres, hommes, les défaites ne sont que des succès de moins. Dans cette partie si inégale, notre fortune est de ne pas perdre, et votre malheur de ne pas gagner... Si cependant vous m'avez vue, disposant des événements et des opinions, faire de ces hommes si redoutables le jouet de mes caprices ou de mes fantaisies, si j'ai su tour à tour, et suivant mes goûts mobiles, attacher à ma suite ou rejeter loin de moi

ces tyrans détrônés devenus mes esclaves ;

si, au milieu de ces révolutions fréquentes, ma réputation s'est pourtant conservée pure ; n'avez-vous pas dû en conclure que, née pour venger mon sexe et maîtriser le vôtre, j'avais su me créer des moyens inconnus jusqu'à moi [44] ? » De la publicité de ses conquêtes, l'homme tire vanité ; la femme, qui doit se garder du scandale, connaît seule ses triomphes, et l'orgueil secret est une des qualités dont elle ne peut se passer. Aussi bien ne raconte-t-elle à Valmont ses succès que comme des leçons de choses pour son instruction ; et Valmont, en lui rapportant les siens, est un écolier qui quémande l'approbation, espère sa récompense, et pour la mériter sacrifie sur ordre Mme de Tourvel, que ce libertin a le ridicule d'aimer.

«*Le règne du cotillon*»

Les femmes régnaient sur des salons, sur des « bureaux d'esprit » où philosophes et gens du monde lançaient des idées comme des flèches, où la faveur d'être reçu était pour un noble un brevet de civilisation. « La société est un tribunal plus redouté que l'autorité du prince », dit Necker, et ce tribunal était présidé, inspiré par des femmes. Elles inspiraient aussi la politique, depuis Mme de Maintenon jusqu'à Mme de Pompadour, dont Frédéric II disait qu'avec elle c'était « le règne du cotillon ». Mais chaque femme régnait sur sa petite alcôve royale, et l'étendue de ce pouvoir ébahissait le Persan de Montesquieu. « Il n'y a personne qui ait quelque emploi dans Paris ou dans les provinces qui n'ait une femme par les mains de laquelle passent toutes les grâces et parfois les injustices qu'il peut faire... Les femmes forment une espèce de république... C'est comme un nouvel Etat dans l'Etat ; et celui qui est à la Cour, à Paris, dans les provinces, qui voit agir des ministres, des magistrats, des prélats, s'il ne connaît les femmes qui les gouvernent, est comme un homme qui voit une machine qui joue, mais qui n'en connaît point les ressorts. »

Les femmes, elles, connaissent les ressorts de la machine masculine. La lecture des romans est instructive[45]. « Les hommes sont tous faux[46]. » « La moindre louange les séduit ; à peine soufferts, ils se croient aimés[47]. » Des tyrans : « Pères et maris, tous les mêmes[48] ! » « Nous devrions être le sexe faible ? Eux le sexe fort ? Quels êtres ridicules[49] ! » « Ce sont vos corps, non vos cerveaux, qui sont plus forts que les nôtres[50]. » Même dans les vertus que l'on dit viriles, les femmes ne sont pas inférieures : « Qui de nous, dit un héros masculin, peut se flatter de les égaler aux qualités qui doivent nous caractériser, le courage et la grandeur d'âme[51] ? » « Ce courage guerrier, dont vous autres hommes vous montrez si fiers, est de tous les courages le plus facile, comme le plus commun[52]. » Les hommes sont puérils, ils gardent « une espèce d'enfance[53] » qui les met à la merci d'une femme. Esclaves de leurs désirs, ils sont « impuissants en amour[54] ». Le véritable amour est altruiste, et seule la femme en est capable : « L'homme jouit du bonheur qu'il ressent, et la femme de celui qu'elle procure[55]. » Et Amélia, amoureuse mais clairvoyante, se désole : « Suis-je donc à ce point sa supérieure en amour[56] ? »

Ces femmes conscientes de leur valeur veulent être pour l'homme une fin, non un moyen. Comme certaines contestataires d'aujourd'hui, elles en viennent à récuser leur beauté qui les fait traiter en objet : « beau sexe » est une « dénomination avilissante[57] ». « L'âme n'a point de sexe[58]. » Mais alors, pourquoi rêvent-elles de se démettre de leur pouvoir entre les mains de quelque inférieur viril ? « Est-il donc impossible à une femme de se suffire à elle-même[59] ? » C'est peut-être que leur sexe a une âme ?

Le goût du servage

Les mêmes femmes qui célèbrent la supériorité de leur sexe l'accablent. Veulent-elles exprimer l'inconstance, l'infirmité, la mauvaise foi, elles les qualifient de « féminines ». Une Madame Riccoboni, romancière très sourcilleuse sur l'honneur des femmes, reproche à Diderot de la « traiter comme une femme, une sotte femme ». Il y a donc les femmes, qui sont sottes, et puis il y a les valeureuses qui ont réussi à isoler leur « partie raffinée » si bien qu'elles forment « pour ainsi dire un autre sexe ». Lequel ? Le sexe masculin ? Ou le sexe des anges ? Voilà une opération chirurgicale qui ressemble beaucoup à une castration. On peut douter qu'elles en recouvrent la santé. Mais on comprend que leurs sœurs inspirent à ces femmes de tête quelque mépris.

Car il faut bien l'avouer, il y a beaucoup de traînardes sur le chemin de la liberté. J'ai déjà signalé le tabou de la virginité. Ajoutons une révérence sacrée devant l'autorité paternelle, si indigne qu'elle soit ; l'opinion admise par les mères — dont Mme Riccoboni s'indigne — que « c'est un malheur de mettre une fille au monde » ; la peur d'avoir à traduire en actes cette égalité que certaines revendiquent ; enfin, une docilité à se soumettre au regard d'autrui, à ne se sentir existante que par son conformisme aux devoirs et aux interdits, que par la négation de ses désirs — fructueuse négation, d'ailleurs, sur le plan de la réussite sociale, puisqu'elle vaut à Pamela, archétype de la fille « aliénée », ce que l'on est convenu d'appeler un beau mariage qui justifie le sous-titre du roman : *Pamela ou la vertu récompensée*.

Laissent-elles libre cours à leurs rêveries plus vastes que leurs connaissances et que le champ de leurs actions possibles, elles ne voient en elles qu'une vacuité qui attend d'être comblée. Par quoi ? « Que les hommes sont heureux d'aller à la guerre ! soupire Corinne. Mais il n'y a rien au-dehors qui soulage les femmes. » Comment se tirer de cet ennui qui semble être l'inséparable compagnon de la lucidité ? On se réfugie dans le babillage, le jeu, la maladie, l'indolence, la mélancolie. On a des vapeurs : « les vapeurs, c'est l'ennui », dit Mme d'Epinay. Les plaisirs du libertinage ? Il faut être doué. Il faut avoir la fermeté d'une Merteuil qui sait que le libertinage est un état tragique et, tel le héros sur le théâtre grec face aux dieux aveugles, relève le défi parce qu'elle aime d'une fureur froide le « vrai des choses ». La vacuité de la femme la précipite dans le mensonge sublime de la passion, dans cet héroïsme du cœur où celle qui se perd sera sauvée.

Elles avaient bien raison de dire que la sensibilité des femmes est très supérieure à celle des hommes : voici que les deux plus éminentes intellectuelles du siècle culbutent dans l'amour. Mme du Châtelet, très officielle « géomètre et amie de Voltaire », fonde sa philosophie sur une explication mathématique de l'univers (celle de Newton) et apprend, en dix années de vie commune avec Voltaire, le « sens du possible et de l'impossible ». Un sentiment de tendre amitié « joint à la passion de l'étude me rendait assez heureuse », dit-elle. Elle avait écrit un *Discours sur le bonheur* passablement épicurien : « Il faut, pour être heureux, s'être défait des préjugés, être vertueux, se bien porter, avoir des goûts et des passions, être susceptible d'illusions... » Des passions judicieusement consenties, des illusions qui ne fussent pas des chimères. Mais elle avait aussi laissé voir le bout de l'oreille, insérant tout à trac une apologie de l'amour-miracle : « Quand il existe, tout est dit. » Tout fut dit le jour où, à quarante-deux ans, elle rencontra un bellâtre nommé Saint-Lambert. Et la « docte Emilie » qui avait observé dans son *Discours* que « rien ne dégrade comme les démarches qu'on fait pour regagner un cœur froid ou inconstant », supplia, pleura, ordonna à Saint-Lambert de l'aimer. Qu'espérait-elle donc ? « Passer ma vie avec vous. Tout le reste deviendra ce qu'il pourra. » Le Ciel eut la clémence d'abréger le spectacle : elle mourut en accouchant de son infidélité à ses idées.

Mlle de Lespinasse tenait un salon qui était un « laboratoire d'idées ». La vivacité de son esprit enchantait des hommes comme d'Alembert, Grimm, Diderot, La Harpe, Marmontel, Chamfort, Bernardin de Saint-Pierre, Turgot... Elle avait quarante ans lorsque survint le comte de

Guibert, joli fat de vingt-huit ans. Elle le jugea avec sa lucidité coutumière : « Vous n'êtes pas mon ami, vous ne pouvez pas le devenir : je n'ai aucune sorte de confiance en vous. » Mais cela n'empêchait pas le sentiment, au contraire : dans cet homme superficiel (et désirable) l'indifférence, forme permanente et terrible de la cruauté, dit Proust, servait sur mesure la passion de Julie de Lespinasse, qui était, au sens propre, de souffrir. « Aimer et souffrir, le ciel et l'enfer, voilà à quoi je me dévouerais... » Elle aimait « le tourment qui consumait sa vie », et la gloire de s'humilier — non sans ostentation, puisque rien, en ce siècle entre tous sociable, n'échappe à la « représentation ». Enfin elle était emportée hors d'elle-même, *ravie*. Et elle exhalait des cris admirablement désespérés : « Oui, mon ami, je vis toute en vous... Je vous aime comme on doit aimer : dans le désespoir... De tous les instants de ma vie, mon ami, je souffre, je vous aime, et je vous attends. »

La prosternation de ces intellectuelles, comme la souveraineté de Mme de Merteuil, est « exemplaire », mais elle n'a rien d'exceptionnel. Les exemples ne foisonneraient pas tant dans les romans si les lectrices ne s'y étaient reconnues. C'est Julie qui écrit « à genoux » à Saint-Preux en « élevant » jusqu'à lui ses « timides supplications [60] ». Victorine qui livre son cœur à Saint-Alban : « Je veux qu'il pénètre dans ses plus petits replis, et que dans tous les instants de ma vie il lise toujours la plus secrète de mes pensées [61]. » Atala amoureuse de Chactas lui déclare son ambition : « Passer ma vie à tes pieds, te servir comme esclave [62]. » Et la fière Corinne de Mme de Staël supplie : « Fais ce que tu voudras de moi, enchaîne-moi comme une esclave à ta destinée [63]. »

L'égalité libertine est battue par le goût du malheur, comme jadis le philtre d'Iseut avait eu raison — ou déraison — de l'égalité courtoise. Les hommes seraient peut-être moins despotes si les femmes ne trouvaient pas tant de charme dans le servage.

La révolution de la vertu ?

Evidemment, la vie serait beaucoup plus agréable si l'on pouvait avoir à la fois le sublime et la tranquillité, le jeu et la sécurité, bref, si l'on flambait au foyer dans les bras d'un Tristan conjugal, ou d'un Roméo, ou d'un Saint-Preux. « J'ai souvent pensé que si l'on pouvait prolonger le bonheur de l'amour dans le mariage, on aurait le paradis sur la terre, dit Jean-Jacques Rousseau. Cela ne s'est jamais vu jusqu'ici. » Eh bien ! Cela se pourrait voir, si les avis que Rousseau donne sur l'éducation d'Emile et de Sophie étaient entendus. Or, ils font un bruit énorme, comme aussi la *Nouvelle Héloïse*. « Rousseau me montra le bonheur domestique auquel je pouvais prétendre et les ineffables délices que j'étais capable de goûter », écrit Mme Roland qui, d'ailleurs, en mourra sur l'échafaud, nous le verrons tout à l'heure. Vive donc l'égalité et la fraternité bourgeoises, « où l'on vit pour se plaire et se donner réciproquement de la joie [64] ».

Pourquoi pas ? Mais regardons d'un peu plus près les avis de Rousseau. L'égalité, pour commencer.

« En tout ce qui ne tient pas au sexe, la femme est homme... En tout ce qui tient au sexe, la femme et l'homme ont partout des rapports et partout des différences... C'est peut-être une des merveilles de la nature d'avoir pu faire deux êtres si semblables en les constituant si différemment. » Ou, vice versa, des êtres si différents en les constituant si semblablement... « Ces rapports et ces différences doivent influer sur le moral ; cette conséquence est sensible, conforme à l'expérience, et montre la vanité des disputes sur la préférence ou l'égalité des sexes : comme si chacun des deux, allant aux fins de la nature selon sa destination particulière, n'était pas plus parfait en cela que s'il ressemblait davantage à l'autre ! En ce qu'ils ont de commun ils sont égaux ; en ce qu'ils ont de différent ils ne sont pas comparables. » Il en résulte (selon Rousseau) que « l'un doit être actif et fort, l'autre passif et faible ». Et « il s'ensuit que la femme est faite spécialement pour plaire à l'homme... et pour être subjugée [65] ». D'autre part, la nature l'a dotée de ce pouvoir qui met Hercule aux pieds d'Omphale et expose Samson aux ciseaux de Dalila. Les femelles animales sont moins redoutables : elles n'appellent le mâle que lorsque les besoins de l'espèce l'exigent. Mais les femmes ! Imaginez qu'elles soient libres d'aller solliciter l'homme ! (Rousseau ne semble pas très au courant des mœurs de son siècle ; à moins qu'il ne fasse l'innocent ?) « S'il était quelque malheureux climat sur la terre où la philosophie eût introduit cet usage, surtout dans les pays chauds, où il naît plus de femmes que d'hommes (*sic*)... ils se verraient traîner à la mort sans qu'ils pussent jamais s'en défendre [66]. » C'est à frémir. Mais, Dieu soit loué, la nature a mis dans leur sexe la pudeur, que Rousseau appelle un « instinct négatif ». Considérant, enfin, qu' « en donnant à l'homme des enfants qui ne sont pas à lui... elle joint la perfidie à l'infidélité... soutenir vaguement que les deux sexes sont égaux, et que leurs devoirs sont les mêmes, c'est se perdre en déclamations vaines [67] ».

Voilà pour l'égalité. Et cette prétention d'exercer un métier, de pourvoir elle-même à ses besoins ? Rousseau s'élève contre l'utopie de Platon, contre « cette promiscuité civile qui confond partout les deux sexes dans les mêmes emplois, dans les mêmes travaux, et ne peut manquer d'engendrer les plus intolérables abus [68] »... Qu'elles prennent garde de ne pas singer les hommes ! « Plus elles voudront leur ressembler, moins elles les gouverneront, et c'est alors qu'ils seront vraiment les maîtres [69]. »

L'éducation des filles (qui était déjà à l'ordre du jour du XVIIe et qui est, comme bien on pense, un des grands sujets du siècle des Lumières) ne doit donc pas être la même que celle des garçons. Etant donné qu'elles sont bien empêchées (par Rousseau lui-même) de pourvoir à leurs besoins, et qu'elles dépendent « du prix que nous mettons à leurs mérites, du cas que nous faisons de leurs charmes et de leurs vertus... toute l'éducation des femmes doit être relative aux hommes. Leur plaire, leur être utiles, se faire aimer et honorer d'eux, les élever jeunes, les soigner grands, les conseiller, les consoler, leur rendre la vie agréable et douce : voilà les devoirs des femmes dans tous les temps, et ce qu'on doit leur apprendre dès leur enfance [70] »... « On ne leur apprendra pas les sciences ni la philosophie. La recherche des vérités abstraites et spéculatives... n'est point du ressort des femmes ;... quant aux ouvrages de génie, ils passent leur portée ; elles n'ont pas non plus assez de justesse et d'attention pour réussir aux sciences exactes [71]. » La littérature peut-être ? « Toute fille lettrée restera fille toute sa vie quand il n'y aura que des hommes sensés sur la terre [72]. » En matière de religion, « hors d'état d'être juges elles-mêmes, elles doivent recevoir la décision des pères et des maris comme celle de l'Eglise [73] ». Enfin, avec la docilité, la plus éminente qualité de la femme est la douceur puisque, « faite pour obéir à un être aussi imparfait que l'homme, souvent si plein de vices, et toujours si plein de défauts, elle doit apprendre de bonne heure à souffrir même l'injustice et à supporter les torts d'un mari sans se plaindre [74] ». Ainsi, en épargnant de « s'arroger le droit de commander » elle aura mérité le bonheur de « gouverner celui qui commande ».

Il y avait là de quoi indigner les féministes d'aujourd'hui. Celles du XVIIIe aussi. La plus vigoureuse de ce temps, Mary Wollstonecraft, publia en 1792 une *Revendication des Droits de la Femme* où elle administrait à Rousseau une volée de bois vert. Une autre, en Suède, Hedvig Charlotta Nordenflycht, prit le contre-pied dans une *Défense de la femme contre Jean-Jacques-Rousseau*. Et pourtant, voici qui est étrange. Les prudes conservatrices éprouvèrent une indignation égale bien que contraire, égale, en tout cas, à celle de la Sorbonne et du Parlement de Paris qui ordonnèrent que l'*Emile* fût lacéré (et son auteur incarcéré, mais il avait quitté le pays). Elles rejetèrent Rousseau en bloc, comme cette Mrs. Carter qui écrivait en 1782 : « J'ai de bonne heure trouvé ses écrits si nuisibles qu'après quelques essais j'avais pris la résolution de n'ouvrir aucun livre qu'il pût publier par la suite. Il m'a toujours paru un homme pervers. » Mais, plus étrangement encore, la majorité des femmes qui le lurent en eurent le cœur serré d'attendrissement et l'on peut dire que, pour elles, il changea la vie.

Parce que Rousseau en appelait au cœur, justement, à

l'amour, aux joies de l'âme et du corps, à la bonté, à la vertu, au respect de l'autre, à la liberté — cette liberté que l'on ne trouve qu'à l'intérieur des contraintes consenties, d'un rôle assumé, d'un serment tenu — enfin à la fusion sentimentale des différences dans quelque unité principielle. Et tout cela, disait-il, était dans la nature. Rousseau était sans doute, à nos yeux, un fieffé réactionnaire. Mais sa réaction attaquait l' « athéisme en amour », elle révélait le paradis perdu, qui n'avait peut-être jamais existé (il le dit lui-même ailleurs), mais dont une part de la femme rêve, et il lui donnait ses lettres de patente bourgeoises.

Les délices de la vertu garantie naturelle furent à la mode. On vit des femmes du monde donner le sein à leur bébé dans les loges de l'Opéra, se nourrir de « gâteaux de miel, de châtaignes, de raves grillées », des vaches dans les couloirs du château de Versailles venues livrer directement leur lait à leurs consommatrices princières, Marie-Antoinette jouer à la bergère au hameau de Trianon. Adieu corsets, adieu paniers, les corps se libérèrent dans des robes d'indienne, « à la créole », et les vapeurs se dissipèrent à l'air pur des plaisirs rustiques. *La Bienveillance française* (c'est le titre d'un ouvrage en deux volumes) publia un impressionnant palmarès des œuvres de bienfaisance. Il y eut dans les villages des fêtes du bon père, de la bonne mère, des bons enfants, et des couronnements de rosières. Des Parisiens et des Parisiennes fuyaient une société affreusement polie pour s'en aller, hippies de la révolution de la vertu, héberger leur cœur dans une chaumière, au bord d'un ruisseau.

Les bourgeois qui devaient faire la Révolution trouvaient eux aussi dans Rousseau leur inspiration. (Dieu sait s'ils parleront du gouvernement de la Terreur par la vertu !) On sait que l'*Emile* et le *Contrat social* furent écrits en même temps. « Ceux qui voudront traiter séparément la politique et la morale n'entendront jamais rien à aucune des deux », a dit Rousseau. En effet, tout se tient. C'est pourquoi les femmes ne prendront pas la Bastille, c'est pourquoi il n'y aura pas de Déclaration des Droits de la Femme, c'est pourquoi, enfin, quand la bourgeoisie aura triomphé, la révolution de la vertu servira de fondement au paternalisme le plus despotique que l'on ait vu depuis Abraham.

Le saccage de la femme

Le secret du prodigieux succès de Rousseau auprès des femmes — et, pour les prudes, du scandale — tenait, me semble-t-il, à ceci : il avait osé refuser d'identifier la Femme avec le Mal. Sade poussa l'identification jusqu'à l'hyperbole. Il dénonça l'hypocrisie sous la vertu, l'égoïsme sous la bienfaisance, l'indifférence sous la bienveillance de la nature, la cruauté sous la tendre élégie. Sade ne fit rien de plus que d'arracher le masque : le sadisme était sous-jacent dans toutes les figures du siècle.

On en a aperçu quelques-unes en passant. Si on les reprend à la lumière sulfureuse de Sade, que voit-on ? Un père qui livre la virginité de sa fille à un homme de son choix, et le viol de la nuit de noces. Des biches aux abois qui vous tirent des larmes dans une compassion suspecte. La pudeur d'une Clarisse forcée par un Lovelace. La femme possédée par son père, par son mari, par son amant, « possédée », enfin, du démon qui l'habite : la « chute » de la Présidente de Tourvel est la chute de l'ange submergé par l'animalité, la fin d'une imposture, le sacrifice rituel par l'ange exterminateur nommé Valmont ; pour que le sacrifice soit total, il convient qu'elle soit rejetée, sa profanation publiée ; et la marquise de Merteuil, « née pour venger son sexe », est l'ordinatrice du saccage de la féminité. Les victimes, nous l'avons vu, se jettent aux pieds de leur bourreau. Mme du Châtelet, Mlle de Lespinasse, et tant d'héroïnes romanesques, toutes se délectent dans un masochisme qui appelle le sadisme, comme la Religieuse portugaise : « Je vous rends grâce du fond de mon cœur pour la désespérance où vous m'avez jetée... Adieu ! Aimez-moi donc toujours, faites-moi souffrir de pires douleurs encore ! » Libertines, « sensibles », « vertueuses », toutes méprisent la femme, chez les autres ou en elles-mêmes. *Justine ou les malheurs de la vertu* est la figure retournée de *Pamela ou la vertu récompensée.*

Le sacrifice sadien n'est que l'éclatement des « conquêtes » galantes et des viols nuptiaux. La flagellation des corps répond à la flagellation de l'âme chez les masochistes de la passion, et à la vertu, l'insulte. Les « grâces » sont culbutées dans le sang, les larmes, le foutre. D'ailleurs, de l'iniquité de la femme, Sade fournit une preuve décisive : les anthropophages, dit-il, trouvent la chair féminine moins bonne à consommer. Cependant, il s'apparente moins aux anthropophages qu'aux ascètes furieux. Il rêve d'une femme qui serait un ange, et il ne la voit pas, il voit partout le vice originel d'Eve, et une épouvante monacale le saisit, vertige de l'esprit du pénis devant le gouffre de l'animalité. Il convient qu'elle en soit châtiée. Ecrasons l'infâme, écrasons la femme ! La « bête sauvage » de Jean Chrysostome sera dressée à prendre les postures les plus humiliantes. La « porte du diable » sera forcée, défoncée. Le bon Diderot déplorait que la femme fût un vase qui a reçu de la nature une « fêlure » irréparable ; un fils Harlowe se servait « d'une femme par nécessité, comme on se sert d'un vase pour un besoin différent » ; le héros sadien déversant dans la femme souillée sa propre souillure espère une pureté céleste. Et parfois il y atteint. Tertullien ne disait-il pas que « le royaume des cieux est grand ouvert aux eunuques » ? Bourreau de lui-même autant que de ses victimes, il exténue en lui le désir jusqu'à l'impuissance.

Et tout le reste est silence

Les Lumières à leur déclin ont nommé la femme administrateur de la nuit. Est-ce le dernier mot de la philosophie ? La Révolution est en marche ; elle ne va tout de même pas enlever au despotisme d'un monarque le pouvoir de faire les lois et permettre que le despotisme masculin continue de faire la loi à la moitié féminine du genre humain ? « N'est-ce pas en qualité d'êtres sensibles, capables de raison, ayant des idées morales, que les hommes ont des droits ? Les femmes doivent donc avoir absolument les mêmes... » C'est Condorcet, révolutionnaire humaniste et féministe, qui parle ainsi. Depuis Aristote (au moins) ces choses-là ont été dites et redites, de siècle en siècle, sans aucun effet. Et elles sont dites encore, au même moment, par Mary Wolstonecraft en Angleterre, par Theodor von Hippel en Allemagne. Mais Condorcet se croit fondé à espérer que de grands changements dans la structure politique et sociale vont changer les mœurs. Laclos, autre preneur de la Bastille, le croit aussi, et il invite les femmes à l'action : « N'attendez point le secours des hommes, auteurs de vos maux. On ne sort de l'esclavage que par une grande révolution. »

Olympe de Gouges, semble-t-il, a entendu l'appel, qui lance en 1791 sa *Déclaration des Droits de la femme et de la citoyenne,* où on lit un article 10 vigoureusement frappé : « La femme ayant le droit de monter sur l'échafaud doit également avoir le droit de monter à la tribune. » Elle n'aura que le premier droit.

Car Robespierre et les Montagnards, en bons fils de Rousseau, savent utiliser la guillotine pour rappeler les femmes à la douceur de leur sexe. Lorsque Claire-Rose Lacombe, en tête des Républicaines révolutionnaires, fait irruption dans les délibérations de la Commune de Paris, le procureur-syndic Chaumette la tance dans le style de l'*Emile.* « Depuis quand est-il permis à des femmes d'abjurer leur sexe, de se faire hommes ? Depuis quand est-il d'usage de voir les femmes abandonner les soins pieux du ménage, le berceau de leurs enfants, pour venir sur la place publique, dans la tribune aux harangues, dans les rangs de nos armées, remplir des devoirs que la nature a reportés à l'homme seul ? »

Mme Roland qui était, selon Lemontey cité par Michelet, l'incarnation même de la Julie de J.-J. Rousseau, et non seulement « le caractère le plus fort mais encore le plus vrai de notre révolution » ; qui était républicaine avant les Jacobins ; dont « l'âme, dit Michelet, se tournait tout entière vers un noble but, grand, vertueux, glorieux, et, n'y sentant que l'honneur, se lançait à pleines voiles sur ce nouvel océan de la révolution et de la patrie », fut guillotinée. Et la feuille *Le Salut Public* salua son exécution en des termes qui étaient un avertissement aux femmes assez naïves pour croire que l'on sort de l'esclavage par une grande révolution : « La femme Roland, bel esprit à grands projets, philosophe à petits billets... fut un monstre sous tous les rapports... Cependant elle était mère, mais elle avait sacrifié la nature... Le désir d'être savante la conduisit à l'oubli de son sexe et cet oubli, toujours dangereux, finit par la faire périr sur l'échafaud. »

« C'est un sujet merveilleusement vain, divers et ondoyant que l'homme », disait Montaigne. Surtout quand il est femme. De l'amour courtois aux liaisons dangereuses, la femme européenne, et singulièrement celle du XVIIIe siècle, a tourné et retourné la question : « Comment faire vivre ensemble deux personnes de sexe opposé ? » et elle a essayé toutes les réponses, avec des fortunes diverses. Il n'est guère qu'un problème qui n'ait pas été posé, celui du travail féminin, parce qu'il ne pouvait l'être : dans les classes aisées il n'était pas concevable, dans le peuple il n'était pas une question de liberté mais d'élémentaire subsistance.

La révolution industrielle va poser ce problème. En multipliant les biens, la machine va soulever le couvercle qui pesait sur la plèbe anonyme et silencieuse. Par un de ces retournements ironiques dont l'histoire est friande, c'est la très vertueuse bourgeoisie elle-même qui, en exploitant plus que jamais la femme — l'épouse et l'ouvrière — va lui donner les moyens de se libérer. Les « retombées », comme on dit, de la technologie retomberont sur le nez de ses auteurs sous la forme d'une révolution féminine.

TROISIÈME PARTIE

LA RÉVOLUTION FÉMININE

CHAPITRE PREMIER

LA BOURGEOISE CASTRÉE

« Les meilleures mères, épouses, maîtresses de maison, connaissent peu ou point les plaisirs des sens. L'amour du foyer, des enfants et les devoirs domestiques sont leurs seules passions. » L'auteur de cette fière déclaration, le Docteur Acton, médecin anglais de l'époque victorienne et parfait logicien, était aussi l'auteur d'un ouvrage sur la prostitution, tout-à-l'égout des mariages vertueux.

L'idéal bourgeois est que les épouses conçoivent les enfants par l'oreille. On ne pratique pas, comme certains peuples barbares, l'excision du clitoris : l'idéal est si fort qu'une excision morale suffit, et suffira longtemps. Un certain Docteur Grémillon, Français du XXe siècle, a écrit dans un ouvrage intitulé *La vérité sur l'orgasme vénérien de la femme* : « La femme normale, la bonne pondeuse, n'a pas d'orgasme vénérien. Nombreuses sont les mères (et les meilleures) qui n'ont jamais éprouvé le spasme mirifique... Les zones érogènes le plus souvent latentes ne sont pas naturelles mais artificielles. On s'enorgueillit de leur acquisition, mais ce sont des stigmates de déchéance. » Econome et avisé, il ajoutait : « Le créateur des zones érogènes travaille contre lui-même : il crée des insatiables. La gouge peut sans fatigue épuiser d'innombrables maris [1]. » Mais n'est-ce pas un idéal très ancien ? J'ai déjà dit l'effarement de Montaigne devant les exigences sexuelles de la femme *. Nous pouvons

* Voir pp. 299 et 300.

même, avec lui, remonter jusqu'au lit de Mme Aristote : « Aussi est-ce une espèce d'inceste d'aller employer à ce parentage vénérable et sacré les efforts et les extravagances de la licence amoureuse ; il faut, dit Aristote, « toucher sa femme prudemment et sévèrement, de peur qu'en la chatouillant trop lascivement le plaisir ne la fasse sortir hors des gonds de la raison »... Et Montaigne concluait, comme le Docteur Grémillon, mais avec plus de verdeur, que révéler à sa femme les chemins de l'extase, c'est « chier dans le panier pour après se le mettre sur la tête ». On ne saurait donc affirmer sans injustice que la frustration des épouses est une exclusivité bourgeoise. Mais la bourgeoisie absolue a porté à sa perfection la ceinture de chasteté conjugale.

C'est peu dire que le tabou de la virginité est respecté : la virginité est la valeur la plus cotée à la Bourse des mariages. Les autres valeurs étant la pudeur et l'ignorance, une jeune fille « comme il faut » doit ignorer qu'elle a un corps. Dans les pensionnats de jeunes filles comme, en France, le Sacré-Cœur, il lui est prescrit, quand elle prend un bain, de garder sa chemise ; des éducatrices progressistes consentent parfois qu'elle l'enlève : elle doit alors tendre un drap sur la baignoire. Mais une éducation à la maison peut suffire à lui enseigner ce qu'elle doit savoir : toucher du clavecin, pousser une romance, décalquer des patrons de broderie sur mousseline, bref, les « arts d'agrément » qu'un mari est en droit d'attendre de sa « féminité ». « On peut dire, écrit Ruskin, qu'un homme doit maîtriser parfaitement toute langue ou toute science qu'il apprend, tandis qu'une femme ne doit connaître cette même langue ou cette même science que dans la mesure où cela lui permet de prendre part aux plaisirs de son mari et à ceux des meilleurs amis de ce dernier. » Rousseau aurait applaudi Ruskin ; ses idées conviennent aussi bien aux Anglais de Victoria qu'aux Français qui, rien qu'entre 1817 et 1824, ont acheté 240 000 volumes de ses œuvres.

Trouver un mari est la grande affaire, l'affaire qui décidera de la vie de la demoiselle. Mais le moyen de chasser le mari sans sortir de la « réserve virginale » ? La jeune fille européenne ne peut pas se permettre, sous peine de se dévaloriser, les initiatives de la jeune fille américaine, les regards à la dérobée, les sourires d'une langueur opportune, les ruses d'une *gold-digger* sur le sentier du *shot-gun wedding*. Dans le *London Journal*, la rubrique *Conseils aux jeunes filles* est formelle : « Dès l'instant où elles commencent à vouloir attirer l'attention sur elles, elles baissent dans l'estime de tout homme digne de considération. » Un homme ne la demandera en mariage que lorsqu'il sera convaincu qu'elle est « une vraie jeune fille craintive et timide ». Aussi voit-on dans Thackeray et dans Dickens que l'acteur essentiel est la mère entremetteuse. « La tâche de la chasse au mari, écrit Thackeray, est avec une seyante pudeur confiée par les jeunes personnes à leur maman. »

Enfin le jeune homme est venu faire sa demande, en gants blancs. Les voilà fiancés. Ils ont le droit de se voir, de se parler, en présence d'un chaperon, certes, mais enfin, n'est-ce pas beaucoup plus libéral que la coutume musulmane ? Puis, tout ce que l'on peut avoir de belles relations sera convié en grande cérémonie à célébrer la livraison de la vierge au monsieur. On voit que les précautions ont été prises pour que la nuit de noces ne révèle pas à la jeune fille les voluptés qu'une épouse « comme il faut » doit ignorer. Une bonne plaisanterie de ce temps résume la situation. Le mari trouve l'épousée endormie au chloroforme, et un billet sur l'oreiller : « Maman a dit que vous fassiez ce que vous voulez. » Quant à l'amour... « Demander à une fille que l'on a vue quatorze fois en quinze jours de l'amour de par la loi, le roi et la justice, est une absurdité digne de la plupart des prédestinés ! » dit Balzac dans la *Physiologie du mariage*. Et tout son livre n'est guère qu'un badinage de pachyderme sur le danger d'être cocu. Cependant, il semble qu'il y ait une grâce d'état : « Dans la bonne société, écrit Bulwer-Lytton, le cœur est remarquablement prudent et tombe rarement amoureux en l'absence d'une fortune suffisante : là où est le cœur, c'est *là* aussi que se trouve le trésor ! »

La femme parfaite est celle des *Proverbes* que cite le *Manuel d'économie domestique* de Mrs Isabelle Beeton, best-seller de 11 172 pages paru à Londres en 1861 :

« Force et dignité la revêtent. Elle rit aux jours à venir ; avec sagesse elle ouvre la bouche ; sur sa langue : une doctrine de piété. De sa maison elle surveille le va-et-vient, elle ne mange pas le pain de l'oisiveté. Ses fils se lèvent pour la proclamer bienheureuse, son mari pour faire son éloge. » Pieux mensonge, car justement elle mange le pain de l'oisiveté, elle n'a rien de la besogneuse que vantent les autres versets des *Proverbes* * : l'industrie qui enrichit les uns et appauvrit les autres permet à la bourgeoise des classes moyennes de commander à une nombreuse domesticité. Elle ignore les soins du ménage tout autant que les arts, les lettres et les sciences, tout ce que son mari lui demande, c'est qu'elle soit la vitrine ambulante de sa prospérité, et impotente autant qu'il se pourra.

Le *Keepsake,* le plus luxueux des *annuals,* des albums publiés chaque année en Angleterre, et qu'il est distingué de laisser traîner sur un guéridon du salon, impose l'image idéale de la bourgeoise, que Thackeray décrit ainsi : « Des yeux immenses, une larme sur chaque joue, elle caresse un lévrier, pleure au-dessus d'un vase à fleurs ou remet une missive à un page. Une immense traîne de satin blanc remplit un coin de la gravure ; une urne, une balustrade de pierre, une fontaine et un bouquet de roses trémières décorent l'autre. » Balzac, lui aussi, ironise : « Une femme est une variété rare dans le genre humain... Cette espèce est due aux soins particuliers que les hommes ont pu donner à sa culture grâce à la puissance de l'or et à la chaleur morale de la civilisation. Elle se reconnaît généralement à la blancheur, à la finesse, à la douceur de sa peau. Son penchant la porte à une exquise propreté. Ses doigts ont horreur de rencontrer autre chose que des objets doux, moelleux, parfumés. Comme l'hermine, elle meurt quelquefois de douleur de voir souiller sa blanche tunique... Sa voix est d'une douceur pénétrante, ses mouvements sont gracieux. Elle parle avec une merveilleuse facilité. Elle ne s'adonne à aucun travail pénible... Elle fuit l'éclat du soleil et s'en

* Voir page 168.

préserve par d'ingénieux moyens. Pour elle, marcher est une fatigue ; mange-t-elle ? c'est un mystère ; partage-t-elle les besoins des autres espèces ? c'est un problème... Si elle fait des enfants, c'est par un pur hasard, et quand ils sont grands, elle les cache [2]. » Une dame qui a envie de prendre l'air sort dans une voiture fermée ; chez Jane Austen, on appelle cela prendre de l' « exercice ». De toute façon le corset étrangle la taille, les falbalas entravent les jambes : si la vertu conjugale selon Rousseau est à la mode, son naturisme serait du dernier vulgaire. Après tout, les Chinois mutilaient bien les pieds de leurs épouses...

La femme incapable

Castrée, ignorante et impotente, la femme mariée est juridiquement incapable.

En France, ce n'était pas elle qui avait pris la Bastille et nous savons assez qu'il n'y avait pas eu de Déclaration des Droits de la Femme. Bonaparte avait sur la question une idée farouchement corse ; la femme au foyer. Il le fit bien voir à Mme de Staël quand celle-ci espérait encore lui en imposer avec son abattage de femme de tête. « Général, quelle est la femme que vous aimeriez le plus ? — La mienne. — C'est tout simple, mais quelle est celle que vous estimeriez le plus ? — Celle qui sait le mieux s'occuper de son ménage. — Je le conçois encore. Mais enfin, quelle serait pour vous la première des femmes ? — Celle qui fait le plus d'enfants, Madame. » Le Code Napoléon imposa ces vues aux Françaises, sauf à Joséphine toutefois, volage et bréhaigne. L'article 1124 stipula que les personnes « incapables de contracter » étaient : les mineurs, les femmes mariées et les interdits, c'est-à-dire les fous, les imbéciles ou les criminels. Le jour de son mariage, elle jurait « obéissance à son mari ». Selon l'article 213, elle ne pouvait « ester en jugement sans l'autorisation de son mari » ni « aliéner, donner, hypothéquer, acquérir à titre onéreux ou gratuit sans le concours de son mari », alors qu'il pouvait tout faire sans le concours de sa femme, notamment la tromper, sauf toutefois si la concubine était « tenue dans la maison commune ». Et si elle s'avisait de quitter le domicile conjugal, le mari pouvait l'y faire ramener entre deux gendarmes.

Mais, dans le Code Napoléon, la tradition corse n'était que le piment du despotisme bourgeois : dans l'Angleterre, que Napoléon n'avait point conquise, la femme n'était pas mieux lotie. Si la célibataire pouvait disposer de ses biens aussi librement qu'un homme, l'épouse abdiquait tous ses droits. Avec, en prime, une déclaration d'humour conjugal. Dans le mariage de l'Eglise anglicane, le mari disait : *With all my worldly goods I Thee endow* », c'est-à-dire : « Je vous dote de tous mes biens terrestres », formule qui, selon Mrs Hugo Reid, devait s'entendre : « Ce qui est à toi est à moi et ce qui est à moi *n'est qu'à moi.* » Il en sera ainsi jusqu'au *Married Women's Property Act* de 1884. De même pour le droit du mari de faire ramener de force sa femme au domicile conjugal. De même pour l'incapacité d'une femme à poursuivre en justice un calomniateur ; Mrs Caroline Norton, qui prétendait contester la toute-puissance de son époux, en fit l'amère expérience. Voulait-elle engager une procédure de divorce, elle devait prouver, en plus de l'adultère, la cruauté, l'inceste, le viol, la sodomie ou la bestialité. Sur la garde des enfants, la loi de 1839 accorda à la mère un droit de requête au tribunal pour que les enfants de moins de sept ans lui soient confiés et qu'elle ait un droit de visite aux aînés ; sinon, la loi et la morale s'accordaient pour trouver juste qu'un père pût enlever ses enfants à leur mère et les confier à sa maîtresse. Mais quoi ! là aussi le bourgeois rejoignait le Chinois qui considérait qu'une femme n'était la mère de son fils que par délégation. Dois-je rappeler la fière déclaration du petit-fils de Confucius ? « En cessant d'être ma femme, elle a cessé d'être la mère de mon fils. »

Aux Etats-Unis, la rareté des femmes dans les premiers temps de la colonisation leur avait valu un statut enviable. Le divorce y était moins difficile, elles possédaient la moitié de la fortune de leur mari et elles en héritaient. En fait, tant qu'il n'était pas mort, le mari était le maître. La loi aussi bien que la religion l'autorisait à battre son épouse « avec un instrument raisonnable », précisait un juge du Massachusetts. Et dans le Nouveau Monde comme dans la vieille Europe, la situation pouvait se résumer dans cette formule : « *Husband and wife are one, and that one is the husband.* »

L'angélisme romantique

Nous avons déjà eu plus d'une occasion de le vérifier : quand l'homme chante que la femme est un ange, c'est qu'il l'a asservie. Du castrat à l'ange, d'ailleurs, la distance n'est pas grande. L'admirable est que les poètes romantiques, qui font profession de mépriser les bourgeois, soient ici leurs complices. Pour Balzac, Mme de Mortsauf est un lys qui s'étiole d'amour dans la vallée. Devant l'Eva de Vigny, « le vent du soir balance les beaux lys comme des encensoirs, pour elle le saule a suspendu ses chastes reposoirs ». Marguerite, dame aux Camélias et au cœur immense, double fleur passablement butinée, rend à Dieu une âme chaste et pure, désincarnée par l'amour et la tuberculose. Et Agnès, que David Copperfield épouse, est-elle une Madone ou bien une sœur de charité ? « Jusqu'à ma mort, très chère Sœur, je vous verrai toujours devant moi, le doigt levé vers le ciel ! » Enfin les hommes aiment tellement ça que si les femmes ne sont pas des anges elles s'en donneront l'apparence, comme Mme de Maufrigneuse qui, dit Balzac, « avait inventé de se faire immaculée. Elle paraissait à peine tenir à la terre, elle agitait ses grandes manches comme si c'eût été des ailes. Son regard prenait la fuite au ciel à propos d'un mot, d'une idée, d'un regard un peu trop vif ». Et l'on se demandait comment elle avait résolu le problème « de si bien montrer une gorge plus blanche que son âme en la cachant sous une gaze, comment elle pouvait être si immatérielle en coulant son regard d'une façon si assassine ». L'air sylphide étant à la mode, les femmes boivent du vinaigre, mais tout de même mangent en cachette avant de se rendre à un dîner où elles refuseront tous les plats.

L'ange peut éprouver l'amour, et même c'est un *must*,

mais l'amour rédempteur exclusivement, l'amour pétrarquisant qui verse des pleurs dans le *Lac* de Lamartine, l'amour qui « vient de Dieu et y retourne », selon George Sand qui, toutefois, ne lui interdisait pas de consommer au passage quelque nourriture terrestre pourvu qu'il ne perdît pas de vue le Ciel, la Fatalité, la Mort, bref le bric-à-brac gothique hérité de Tristan.

Malheureusement, la vie n'offre pas tous les jours des envolées aussi exaltantes que celles de la littérature. Même — ou surtout — quand on est l'épouse d'un écrivain. Sophie Tolstoï se lamente : « Comment une femme pourrait-elle se contenter d'être assise toute la journée, une aiguille à la main, de jouer du piano, d'être seule, absolument seule, si elle pense que son mari ne l'aime pas et l'a pour toujours réduite à l'esclavage ? » Oui, comment s'en contenter ? se demandent toutes les angéliques Bovary du siècle. Et Rodolphe, séducteur médiocre, n'a qu'à dire le mot de passe à Emma Bovary pour la mener jusqu'à l'adultère minable, en mémoire d'un ange.

La prostitution

Les putains sont le cortège ordinaire des anges. Le bourgeois qui prétend que son épouse n'a pas de sexe, dont la défiance du Malin va jusqu'à séparer sur les rayons de sa bibliothèque les auteurs masculins des auteurs féminins, et qui habille les jambes du piano à queue pour ménager la pudeur de sa femme, ne s'ennuie pas moins qu'elle dans le désert qu'il a créé et va s'amuser ailleurs. Chef-d'œuvre du manichéisme, la femme, comme la société, est coupée en deux. D'un côté les Riches, les Vertueux, et la partie supérieure de la femme avec un cœur immense (et pas de cerveau). De l'autre, les Pauvres, la Canaille, la goule, le vide-ordures.

Bien sûr, la prostitution est le plus vieux métier du monde. Mais elle atteint des sommets. La morale officielle n'en est pas la seule cause : l'industrie jette sur le pavé des villes des troupeaux de femmes misérables. Non seulement les ouvrières des usines et des mines mais aussi des couturières, des modistes, des blanchisseuses, sans parler des domestiques toujours en surnombre logées dans d'affreux galetas et à la merci du maître de la maison. Toutes sont sous-payées : en 1847, à Paris, quand le salaire moyen de l'homme est de 2 francs par jour, celui de la femme est de 1,63 franc. Elles ont beau travailler plus de douze heures par jour, les plus favorisées gagnent juste assez pour ne pas mourir de faim, et les autres en meurent. A Londres, lors d'une réunion qui rassemble un millier d'ouvrières de la confection, un témoin dit que « 508 ont dû emprunter des vêtements pour venir ; 151 n'ont jamais couché dans un lit,... 232 sont sans logis, ne pouvant acquitter le loyer ». Je voudrais citer ici une fois encore ce passage du discours de Victor Hugo à l'Assemblée Législative, en 1850, sur les taudis de Lille : « Figurez-vous ces maisons, ces masures habitées du haut en bas, jusque sous terre, les eaux croupissantes filtrant entre les pavés dans ces tanières où il y a des créatures humaines. Quelquefois jusqu'à dix familles dans une masure, jusqu'à dix personnes dans une chambre, jusqu'à cinq ou six dans un lit, les âges et les sexes mêlés, les greniers aussi hideux que les caves, des galetas où il entre assez de froid pour grelotter et pas assez d'air pour respirer ! » En Angleterre, 3 300 femmes et jeunes filles travaillent au fond des mines de charbon, 5 000 dans les mines de cuivre. Les femmes, qui coûtent moins cher que les chevaux, sont attelées aux wagonnets d'évacuation. Même des petites filles. L'une d'elles, heureusement prénommée Patience, déclare à un enquêteur : « Je n'ai pas d'autres vêtements que ceux dans lesquels je travaille, des pantalons et une veste déchirés... Je tire les wagonnets sous terre sur une distance d'une demi-lieue aller et retour. Je les tire pendant onze heures par jour à l'aide d'une chaîne attachée à ma ceinture. Les blessures que j'ai à la tête, je me les suis faites en déchargeant les wagonnets. Les hommes de l'équipe à laquelle je suis attachée travaillent nus, sauf une casquette sur la tête. Quelquefois, quand je ne vais pas assez vite, ils me battent. »

Ces filles, ces femmes, sont soumises au bon plaisir des

contremaîtres et des maîtres. Une jeune ouvrière ne peut prendre le risque de perdre son salaire. A un visiteur, le patron d'une manufacture textile du Lancashire demande tout uniment : « Avec laquelle de mes ouvrières désirez-vous passer la nuit ? » La prostitution apparaît comme une aubaine ; en France, on appelle cela « faire le cinquième quart[3] ». Quand, en 1842, Lord Shaftesbury présente un projet de loi interdisant de faire travailler au fond des mines les garçons de moins de dix ans ainsi que les femmes et les filles (projet qui sera tout de même voté), un opposant s'indigne à l'idée que « l'Etat s'interpose entre la mère et l'enfant... ce qui entraînerait la dissolution de la confiance au foyer, le viol de l'intimité familiale, une offensive contre la responsabilité maternelle ». Le viol, les bons bourgeois s'en chargent. Il n'est plus puni de mort ; le séducteur d'une fille âgée de plus de quinze ans est assuré de l'impunité ; la recherche de la paternité est interdite. Les filles « déchues » ont à choisir entre l'avortement, l'infanticide et la prostitution, ou plus souvent le tout en un.

D'après Henry Mayhew, qui fit une enquête en se fondant sur les prostituées arrêtées à Londres entre 1850 et 1860, les modistes venaient en tête, puis les blanchisseuses et les domestiques, suivies des confectionneuses de chaussures et des couturières. Estimer leur nombre est particulièrement risqué. Mayhew parle de 80 000 à Londres en 1861, Engels de 40 000 en 1845. Les maisons closes permettent plus de certitudes : 5 000 à Londres en 1835. Ces maisons, insolence bien déplorable, prospéraient dans les beaux quartiers. Pis encore, des travailleuses du trottoir provoquaient des encombrements dans Regent Street, qui empêchaient le passage et offensaient la pudeur des « honnêtes femmes » et des « rougissantes jeunes personnes ». Le Docteur Acton, que nous connaissons déjà, et qui relatait ces faits, demandait que la police organisât un système de circulation.

Par quelle conjuration du servage et des beaux sentiments les femmes avaient été réduites à cette condition, la bourgeoisie absolue ne voulait pas le savoir. Cependant quelques hommes et quelques femmes s'acharnaient à déchirer le voile, parmi lesquels Joséphine Butler qui mena une « grande croisade » contre des lois qui, en 1864, 1866 et 1869, avaient soumis à un contrôle médical périodique, sous peine de prison, toute personne soupçonnée de se livrer à la prostitution ; elle finit par avoir gain de cause en 1883. Deux ans plus tard, un journaliste, W.S. Stead, machina un scandale avec l'accord de Joséphine Butler et la bénédiction de l'archevêque de Canterbury. Juridiquement, une fille de treize ans était réputée capable d'un libre consentement. Si, à treize ans, elle franchissait « de son propre gré » le seuil d'une « maison », il n'y avait rien à redire, l'autruche législative se cachait la tête dans le sable ; et les proxénètes faisaient leurs affaires le plus honnêtement du monde. Stead acheta pour 5 livres une fille de treize ans à sa mère. Après quoi une série d'articles, *Viols de Vierges, Confessions d'une patronne de bordel*, etc, révélèrent au public que la traite des blanches était à la portée du premier venu. Les Anglais furent indignés, les uns d'un tel état de choses, les autres de l'indécence de les écrire. Le Parlement éleva à seize ans l'âge du consentement.

Il était donc difficile de prétendre ignorer l'autre visage du puritanisme. Mais quand il faut s'acheter une conscience, les hommes ont des ressources infinies. Les prostituées ne protégeaient-elles pas la chasteté des épouses ? Le Vice soutenait la Vertu, et si la Vertu soutenait le Vice, elles auraient eu bien de l'audace de s'en plaindre, les filles de rien qui devaient à cette heureuse combinaison de coucher dans des draps avec des Messieurs. Les voies de la Providence sont impénétrables.

L'absolutisme bourgeois

Les deux nations qui mènent le train de la révolution industrielle n'ont pas toujours été si « respectables ». La France du siècle des Lumières cultivait assez joliment la dépravation et l'Angleterre de *Tom Jones* n'était pas moins joyeuse que la *merry England* des *Joyeuses commères de Windsor*. Mais Lord Melbourne, Premier ministre, fils de la vicomtesse de Melbourne qui disait que, de ses cinq fils, seul celui-ci était légitime, et citait gaiement les pères des quatre autres, Lord Melbourne, donc, avait beau déclarer « qu'il est vraiment insupportable que l'on permette à la religion de se mêler de la vie privée » et vitupérer « cette damnée moralité », il était convenable de s'ennuyer du lundi au samedi, et inconvenant de s'amuser le dimanche. La reine Victoria, qui n'avait pourtant rien d'une joyeuse commère, ayant autorisé un concert à Windsor, un dimanche, fut comparée par un journal à Néron jouant de la lyre pendant que Rome brûlait. Les prostituées elles-mêmes étaient plus rigoristes que la reine sur la musique dominicale, à en juger par cette histoire que rapporte Lord Amberley dans ses *Papiers,* d'une fille d'Edimbourg qui, un dimanche, amène chez elle un gentleman. Tandis qu'elle commence à se déshabiller, il se met à siffler un air de chasse. La fille s'arrête, horrifiée : « Tu siffles ! — Oui, et après ? — Et après !... Il a l'air de penser que ce n'est rien !... Veux-tu foutre le camp ! Je ne vais tout de même pas forniquer avec un homme qui se permet de siffler le jour du Seigneur ! »

D'où vient-elle donc, cette « damnée moralité » ? Sans doute, la *middle-class* montante a une confiance solide et très peu aristocratique dans les Eglises évangéliques et méthodistes. Mais la classe moyenne française, qui elle aussi s'enrichit, est, en dépit de la réaction du « parti noir » sous la Restauration, voltairienne dans ses croyances et rousseauiste dans sa morale ; certes, beaucoup de bourgeois ont encore une foi sincère, mais plus nombreux sont ceux pour qui le plus clair mérite de la religion tient dans cette déclaration de Thiers : « Je demande que l'action du curé soit forte, beaucoup plus forte que ce qu'elle est, parce que je compte beaucoup sur lui pour propager cette bonne philosophie qui apprend à l'homme qu'il est ici pour souffrir. »

La religion n'est ici qu'un moyen, le moyen de justifier le profit et de faire tenir tranquilles les pauvres. En ce sens, catholiques ou protestants, ils sont tous calvinistes : la prospérité est le signe de la prédestination divine. Avant l'âge industriel l'argent n'était certainement pas une notion indifférente, mais il ne donnait pas le ton, il ne suffisait pas à classer un homme, il fallait qu'un financier épousât, avec la fille d'un duc, ses manières désinvoltes, cyniques, détachées. Le bourgeois livré à lui-même est désormais pesant, hypocrite, attaché, terriblement attaché aux signes extérieurs de sa réussite — sinon comment saurait-il qu'il a réussi ? Il n'a plus d'autre étalon de mesure que le poids de son argenterie.

Que le meilleur gagne ? Mais il convient de faire savoir qu'on est bien le meilleur. Il n'est pas de jungle sans loi. D'où la nécessité d'afficher une moralité exemplaire, de s'y conformer et d'y conformer impérieusement toute la société ; et les actes qui bafouent les principes, on les nie ou, mieux, on les justifie. Le bourgeois s'est enfermé dans un Surmoi plus exigeant que le plus despotique des monarques puisque ce despote est intériorisé ; il le transportera donc partout avec lui, au foyer conjugal, à l'usine et au lupanar, il ne pourrait s'en défaire sans se défaire.

Cependant, l'industriel, en créant des biens et des profits, change le monde. Exploitant l'homme, il en enrichit quelques-uns ; proposant la possibilité de satisfaire des besoins, il crée des besoins ; malgré lui, mais il n'en est pas à une contradiction près. Quand, en 1831, à Lyon, les ouvriers du textile qui gagnent dix-huit sous par jour demandent une augmentation de salaire, cent quatre fabricants se concertent pour déclarer qu'il n'en est pas question « parce qu'ils se sont créé des besoins factices » ; et, à la même époque, lorsqu'un esprit progressiste affirme que la misère des ouvriers n'est pas inéluctable et qu'il n'y a pas de raison pour qu'un jour « dans tout ménage ouvrier il n'y ait pas un piano », il ne suscite que des ricanements, mais enfin, il ne se trompe qu'en ceci que le piano sera un électrophone, un poste de radio, un poste de télévision. Quoi qu'en pense le bourgeois, sa machine ne tourne pas que pour lui.

Vers 1860, de nouvelles couches sociales accèdent à un peu de mieux-être. Elles sont encore numériquement faibles, mais elles commencent à se manifester, et, parmi elles, des femmes. Les bourgeois en place se cramponnent. Mais ils se battent contre leurs propres principes, la valeur morale de l'argent, de la connaissance, de la science, de la liberté d'entreprise, de la compétition. C'est justement le temps où explose la bombe de l'évolutionnisme qui démontre la survie des plus aptes et la « justifie ». Darwin remplace Calvin très opportunément, la statique de la prédestination cède à la dynamique de l'évolution. Au nom de quoi la dynamique industrielle s'opposerait-elle à son propre mouvement quand il éveille chez les femmes le désir de l'action, de la connaissance, de la liberté, et leur en donne les moyens ? La morale bourgeoise marche à la défaite pour cause d'incohérence.

CHAPITRE II

SUR LE CHEMIN DE L'ÉMANCIPATION

Les premières contestations de « l'ordre bourgeois » ne viennent pas des usines mais des salons : on ne pense pas au-dessous d'un certain minimum de calories, et parmi les bourgeoises asservies il se trouve des femmes qui sont encore capables de réfléchir. George Sand perturbe les foyers quand elle ose écrire : « Toute votre morale, tous vos principes, ce sont les intérêts de votre société. » Cependant, quand elle ne fait que demander la liberté sexuelle et sentimentale, c'est une énorme prétention dans cette société-là mais on ne peut pas dire que ce soit une nouveauté. Et lorsqu'elle se récrie : « Quel est donc ce crime contre nature de tenir une moitié du genre humain dans une éternelle enfance ? » et soutient que l'intelligence des femmes n'est pas inférieure à celle des hommes, une Catherine de Pisan, ou Mlle de Gournay ou tant de beaux esprits de la Renaissance seraient en droit de rappeler qu'ils ont déjà dit ça. Des femmes prennent la liberté de vivre publiquement avec un homme hors des liens du mariage, telle Mme d'Agoult qui quitte son mari pour vivre avec Liszt, dont elle a trois enfants, ou George Sand encore avec Musset, Chopin et quelques autres ; ou, en Angleterre, George Eliot qui vit avec un écrivain père de trois enfants, G. H. Lewes, qu'un plumitif traite de « putain » et qui finit quand même par recevoir à ses « dimanches après-midi » ce que Londres compte de plus distingué. Mais ces audaces et ces réussites font petite figure à côté de celles d'une Ninon de Lenclos.

Je ne citerai pas ici les Allemandes, ces *Machtfrauen*, ces « femmes fortes » qui promènent tranquillement d'amant en amant une sensualité épanouie et divorcent avec une facilité qui stupéfiait Mme de Staël : « On y change aussi paisiblement d'époux que s'il s'agissait d'arranger les incidents d'un drame », écrivait-elle. Si je ne les cite pas ici, ce n'est point parce que les Romaines en faisaient autant mais parce que ces Allemandes vivaient dans le milieu des petites cours princières et des universités, dans un pays que n'avait pas encore atteint le moralisme de la bourgeoisie industrielle. Partagerons-nous enfin l'étonnement de Marie d'Agoult ? « Il s'était produit après 1830 parmi les jeunes femmes, écrit-elle, un dédain des bienséances de leur sexe, une recherche de l'excentricité tapageuse..., qui avait créé un type nouveau : la lionne... La lionne affecta de dédaigner les grâces féminines. Elle ne voulut ni plaire par sa beauté ni charmer par son esprit, mais surprendre, étonner par ses audaces. Cavalière et chasseresse, cravache levée, bottes éperonnées, fusil à l'épaule, cigare à la bouche, verre en main, toute impudence et vacarme, la lionne prenait plaisir à défier, à déconcerter... » Si l'on songe à nos lionnes du *Women's Lib.*, en voilà qui apparaîtront comme des précurseurs ; mais si l'on songe aux Amazones, ou aux Dianes romaines qui chassaient à l'épieu le sanglier d'Etrurie, ou aux guerrières celtiques, ou aux Jeanne de notre Moyen Age, ou aux cavalières du Grand Siècle qui offusquaient le Prince de Ligne en sautant les barrières, ce n'est pas de ce côté-là que l'on attendra la révolution féminine.

Voici qui est peut-être plus nouveau. Marie d'Agoult méprise la pondeuse chère à Jean-Jacques Rousseau et l'appelle à de plus hautes tâches : « Laissons croire aux femmes qu'elles sont sublimes parce qu'elles allaitent leurs enfants comme la chienne allaite les chiens... Laissons-leur dire et répéter que l'amour maternel surpasse tous les autres tandis qu'elles s'y cramponnent comme un pis-aller... » Sa disciple, Juliette Lamber, explicite l'idée : « Il n'est pas vrai que la vie de famille suffise à l'activité physique, morale et intellectuelle de la femme. Le rôle de la poule couveuse est très respectable, sans doute, mais il ne convient pas à toutes et n'est pas aussi absorbant qu'on veut bien le dire. » Ici est posée, me semble-t-il, la question de notre temps.

Des amis du genre féminin

Quelques hommes se jettent dans le camp des femmes. Là encore, nous en avons déjà vu plus d'un au fil des siècles. Mais à travers leurs bons sentiments et leurs utopies, ils esquissent une approche du réel.

Le comte de Saint-Simon peut passer pour un précurseur du féminisme, qui, dès 1803, imaginait la constitution de conseils politiques auxquels participeraient les femmes. (Faut-il rappeler qu'il est aussi l'auteur de la formule fameuse : « l'exploitation de l'homme par l'homme » ?) Mais ce sont ses disciples qui, après sa mort, survenue en 1825, mettent l'accent sur le rôle de la femme dans la société future. Ils se groupent en une sorte d'Eglise, dont le pape est Prosper Enfantin, fondée sur une mystique du couple. Ils ont le Père : c'est Enfantin. Quant à la Mère, la « Femme libre », qui « ayant médité sur le sort de ses sœurs ferait confession de son sexe sans restrictions, sans réserves, de manière à fournir les éléments indispensables, à formuler la déclaration des droits et des devoirs de la femme », on la cherche. « Je crois à une prochaine régénération du genre humain par l'égalité de l'homme et de la femme, écrit Enfantin, et je crois qu'une Femme va venir qui opérera cette régénération, à laquelle le Père l'a appelée. » George Sand, pressentie, déclina l'offre. Pas de femme libre en Occident. Peut-être vivait-elle cachée en Orient dans quelque harem ? Une « mission » des « Compagnons de la Femme » partit en croisade « pour délivrer la femme du sépulcre où elle est enclose ». La mission revint bredouille. Mais de nombreuses femmes entendirent cet appel et suivirent assidûment les séances où les « Compagnons » annonçaient la Bonne Nouvelle.

Fourier voit plus loin. C'est un visionnaire, mais d'une précision méticuleuse. Il construit son utopie sur la libre association, « forme terrestre de l'attraction universelle ».

Selon lui, « les passions ne tendent qu'à la concorde, qu'à l'unité sociale... mais elles ne peuvent s'harmoniser qu'autant qu'elles s'entrechoquent régulièrement dans les séries de groupes ». La société fouriériste orchestrera mathématiquement les passions (il en compte 810) dans la cellule de base, le phalanstère. Un petit groupe de 425 familles s'isolera volontairement du genre humain pour démontrer la possibilité d'instituer une vie harmonieuse. L'éducation y sera mixte. Les tâches du ménage seront réduites des 7/8 : « Une femme civilisée n'étant destinée qu'à soigner le pot-au-feu et à ressarcir les culottes d'un époux, il est bien forcé que l'éducation lui rapetisse l'esprit et la dispose au subalterne emploi d'écumer le pot et de ressarcir les culottes. » Le mariage bourgeois sera aboli et la jeune fille cessera d'être « une marchandise exposée en vente à qui veut en négocier l'acquisition et la propriété exclusive ». De la sorte libérées, « les femmes en association reprendront bien vite le rôle que la nature leur assigne, rôle de rivales et non de sujettes du sexe masculin ». Rivales, est-ce assez dire ? « Je suis fondé à dire que la femme en état de liberté surpassera l'homme en toutes ses fonctions d'esprit ou de corps qui ne sont pas l'attribut de la force physique. » Et les hommes n'auront qu'à s'en louer, car « les progrès sociaux et changements de période s'opèrent en raison du progrès des femmes vers la liberté, et les décadences d'ordre social s'opèrent en raison du décroissement de la liberté des femmes... L'extension des privilèges des femmes est le principe de tous progrès sociaux ». Karl Marx sur ce point ne fera que répéter Fourier lorsqu'il écrira : « On juge du progrès d'un pays par la condition qui y est faite à la femme. »

Lutte des femmes et lutte des classes

Peut-être un jour l'utopie de Fourier sera-t-elle une réalité vécue. En tout cas, parmi ses intuitions, il en est une d'un intérêt immédiat : le combat contre l'exploitation de la femme par l'homme est lié au combat contre l'exploitation de l'homme par l'homme, la libération des femmes est liée à la libération des hommes, le féminisme au socialisme. Si les bourgeoises révoltées dont je parlais tout à l'heure ne faisaient que ressasser des plaintes millénaires et toujours individualistes, voilà enfin qui est neuf. En 1832, deux jeunes femmes d'origine ouvrière ont fondé la première revue rédigée par des femmes, *La Femme libre*, qui s'appellera ensuite *La Femme de l'avenir* puis *La Femme nouvelle* et enfin *La Tribune des femmes*, marquant toujours plus nettement son orientation politique : « Le moment est proche où la femme et le peuple se donnant la main franchiront la barrière qui les sépare de la sainte égalité. » Flora Tristan, elle, va au peuple, la condition de la femme suivra nécessairement. « Cette société, écrit-elle, est mauvaise. Je veux la changer, la régénérer, je veux sauver le monde qui périt. » Elle publie, en 1843, un livre, *L'Union ouvrière*, dont elle résume ainsi le propos, cinq ans avant le Manifeste communiste : « Constituer la classe ouvrière au moyen d'une union compacte, solide et indissoluble. » Je ne dirai rien des féministes qui crurent leur heure venue avec la révolution de 1848 : la répression de juin les renvoya à leurs fourneaux. Mais les ouvriers, eux non plus, ne voyaient pas d'un bon œil cette intrusion des femmes dans le social et le politique.

Le grand inspirateur de l'action socialiste en ce milieu du siècle n'était pas Marx, ni Engels, mais Proudhon. Et la pensée de Proudhon sur la question féminine était aussi rousseauiste que bourgeoise. Dans *Amour et Mariage*, il démontrait « mathématiquement » l'infériorité de la femme. La force physique de l'homme, déclarait-il, est au coefficient trois, celle de la femme au coefficient deux. L'intelligence étant fonction de la force, « la tension cérébrale » de la femme est inférieure à celle de l'homme en qualité, en durée et en intensité dans les mêmes proportions : trois pour l'homme, deux pour la femme. De même sur le plan moral : elle est sensible à la charité, mais c'est la force spirituelle qui permet d'accéder à la notion de justice — dont, selon Proudhon, la chasteté est le corollaire, et voilà pourquoi les femmes sont impudiques : 2 de morale, et 3 pour l'homme. Multiplions. La femme = 2 × 2 × 2 = 8, l'homme =

3 × 3 × 3 = 27. C. Q. F. D. Il résulte de cette démonstration scientifique que « les femmes ne doivent pas faire parler d'elles » — comme disait le Père Bauez, qui avait pourtant ordonné à Thérèse d'Avila d'écrire mais lui interdisait de publier le *Livre de ma vie* parce qu'il était « inconvenant que les écrits d'une femme circulent dans le public ». Proudhon, lui, estimait qu'un homme qui avait commis l'imprudence d'épouser une femme auteur devait lui tenir ce discours : « Madame, vous avez paru à la séance de l'Académie contre ma volonté. La vanité vous étouffe et fera notre malheur à tous deux. Mais je ne boirai pas le calice jusqu'à la lie. A la première désobéissance, quelque part que vous vous réfugiiez, je vous réduirai à l'impuissance de vous remontrer et de faire parler de vous. » Car « le caractère de ce sexe est d'obtenir parmi les hommes le moins de célébrité possible, en bien comme en mal », — comme disait Périclès. Bref, pour Proudhon, il faut que la femme soit « ménagère ou courtisane ». Et c'est en vain que Juliette Lamber contre-attaque et pose clairement le problème de ce temps-là : « Ouvrir aux femmes les carrières d'un travail libre et convenablement rétribué, c'est fermer la porte du lupanar. Hommes, le voudrez-vous ? » Ils ne le veulent pas. Le premier Congrès de l'Association Internationale des Travailleurs, en 1866, vote ce texte proposé par la délégation française : « Au point de vue physique, moral et social, le travail des femmes doit être énergiquement condamné comme principe de dégénérescence pour la race et un des agents de démoralisation de la classe capitaliste (c'est-à-dire : employé par la classe capitaliste pour démoraliser le peuple). La femme a reçu de la nature des fonctions déterminées ; sa place est dans la famille. »

Les ouvriers français entendaient d'autant mieux Proudhon qu'il n'était, en ce domaine, qu'un écho sonore de la vieille défiance virile. Les ouvriers anglais, qui n'étaient pas proudhoniens, se comportaient de la même façon. Leurs syndicats refusaient les femmes. Ce ne fut qu'en 1876 que des déléguées syndicales furent admises au Congrès annuel des Trade Unions ; en 1885 que des syndicats acceptèrent les femmes, et pour des motifs qui n'étaient point désintéressés : leur but pas toujours avoué était de les cantonner dans des secteurs non spécialisés, de contrôler dans les grèves ces « jaunes » qu'elles étaient souvent, de préserver la hiérarchie des salaires (ceux des femmes se situant entre le tiers et la moitié de ceux des hommes), tout en évitant que le travail « noir » des femmes leur fît concurrence. Bref, ils se comportaient avec les femmes comme d'autres le feront avec les travailleurs immigrés. En 1889, la Ligue pour le syndicalisme des femmes reçut d'un responsable du Syndicat des textiles ce message impératif : « Prière d'envoyer immédiatement un organisateur, car notre association a décidé que si les femmes de la ville ne peuvent être organisées, elles doivent être exterminées. » L'idée de solidarité faisait quand même son chemin. En 1909, au Congrès des Trade Unions, la présidente de la Fédération Nationale des Travailleuses parvint à faire voter le principe du salaire égal à travail égal et de l'unité d'action des hommes et des femmes. Ce n'était qu'un principe...

La femme et l'ouvrier avaient en commun d'être des opprimés, comme le dit Bebel, mais peu d'ouvriers se trouvaient en état de le comprendre. Les bas salaires ne permettent pas de voir plus loin que la fin de semaine, et il aurait fallu un énorme effort de réflexion aux victimes de l'injustice pour prendre conscience de leur propre injustice et dépouiller les préjugés ancestraux. Des ouvrières ont su s'élever jusqu'à cette conscience ? Il leur suffisait de regarder en elles-mêmes. La situation les opprimait, mais en même temps elle les portait. Encore fallait-il avoir franchi le seuil de la réflexion, et entrevoir quelques moyens d'action. Tel est bien, en dépit des résistances, le décollage qui s'amorce à partir de 1860. Quelques hommes et quelques femmes, intellectuels et d'origine bourgeoise, les soutiennent, singulièrement en Angleterre et en Allemagne.

C'est en 1861, deux ans après *L'Origine des espèces* de Darwin, que Bachofen publie son essai, *Du règne de la mère au patriarcat*, où il soutient la thèse d'une primauté de la femme dans la préhistoire ; thèse que Morgan reprendra en la fondant sur des observations ethnographiques. Le point de départ me paraît juste, mais les développements en sont aujourd'hui fortement contestés. Engels [4] et Bebel [5], intégrant ces vues dans leur perspective socialiste, leur donnent la caution du « sens de l'histoire ». Plus efficace, parce qu'orienté vers une pratique immédiate, est le livre retentissant de J. Stuart Mill, *La sujétion des femmes*, publié en 1869, qui polémique avec talent pour l'émancipation de la femme et l'égalité des droits. J.B. Shaw, H.G. Wells, W. Morris, ne voient pas d'autre voie que le socialisme pour la libération de la femme. Tous estiment — comme naguère Flora Tristan — qu'il faut en finir avec cette société oppressive, et la même conviction qui inspire *Jude l'Obscur* de Thomas Hardy se retrouve dans la *Maison de poupée* d'Ibsen où la touchante Nora fuit cette nursery où, réduite à la condition d'une poupée, elle ne peut ni se connaître ni comprendre le monde autour d'elle. Morris, comme Fourier, y va de son utopie, peignant une société socialiste où seront abolis l'argent, la propriété, la laideur, où l'homme et la femme s'aimeront dans un mariage librement consenti (et rompu), où la société prendra en charge, au moins partiellement, l'éducation des enfants (ce qui l'autorisera à exercer un certain contrôle de la natalité). La femme ne sera plus « empaquetée dans des fanfreluches », son costume aura la simplicité et la souplesse du costume antique, elle sera sportive, saine, joyeuse, enfin, elle sera *naturelle*. C'est-à-dire pleinement humaine. « Le rapport de l'homme à la femme, dit Marx, est le rapport le plus naturel de l'être humain à l'être humain. »

La bataille pour le vote des femmes

D'un côté quelques milliers d'intellectuels des deux sexes dans leurs cénacles ou leurs phalanstères, de l'autre quelques centaines de milliers d'ouvrières dans leurs ghettos : la société pouvait encore se croire protégée derrière une sorte de cordon sanitaire. Les suffragettes entreprirent de battre le tambour.

Dans tous les pays industrialisés, qu'ils fussent monarchiques ou républicains, les hommes élisaient des députés.

Ici au suffrage universel, là au suffrage censitaire, il est vrai ; mais la discrimination selon le revenu ne voilait pas la ségrégation sexiste, bien au contraire : les femmes se trouvaient assimilées aux incapables économiques. En Angleterre, par exemple, le système aboutissait à ceci qu'une riche bourgeoise célibataire n'avait pas le droit de voter, alors que l'employé à qui elle donnait ses ordres de Bourse l'avait ; mieux encore : si elle était actionnaire de la Compagnie des Indes, elle en élisait le Conseil qui, jusqu'en 1858, gouverna les Indes. Et, sans doute, Victoria n'était pas la grande Elizabeth, mais tout de même la reine n'avait pas le droit de voter. Elle ne s'en plaignait point, d'ailleurs ; c'était de régner que Victoria, en bonne bourgeoise victorienne, se désolait : « Nous, les femmes, si nous voulons être vertueuses, aimables, femmes d'intérieur, nous ne sommes pas faites pour régner. » Lorsque, en 1870, Lady Amberley donna une conférence sur le vote des femmes devant un public ouvrier, Victoria fit connaître sa position : « La Reine est très désireuse de recruter tous ceux qui, par leurs paroles, leurs écrits, leurs actions, veulent arrêter cette folie insensée et néfaste des « Droits de la Femme » et son cortège d'horreurs... Lady Amberley mérite une *bonne correction.* »

C'est en Angleterre que le mouvement pour le vote des femmes fit le plus de bruit. En Allemagne, les associations à des fins politiques étaient interdites et le demeurèrent jusqu'en 1908. *L'Union des sociétés féminines progressistes* était cependant fondée en 1899 et, en 1902, la *Société pour le suffrage des femmes*. Mais l'action féministe portait beaucoup plus sur le travail et l'éducation. Des socialistes comme Rosa Luxembourg et Clara Zetkin s'attachaient à une action en profondeur et tenaient les suffragettes pour des complices objectives de la société bourgeoise. En France, les féministes combattaient « coup par coup » et l'on assistait à d'étranges alliances : Louise Michel, la « vierge rouge » de la Commune, militait avec la duchesse d'Uzès, première vice-présidente de *l'Union française pour le suffrage des femmes* ; mais la « république des professeurs » n'en était guère troublée.

Aux Etats-Unis, le mouvement suffragiste était essentiellement bourgeois, et il ne se heurtait pas à des résistances aussi fortes qu'en Europe. Certes, il y avait des Américains qui tenaient ferme sur les principes de la tradition. « Parle-t-on des droits civiques ou du vote des femmes ? écrit Veblen [6]. Notre bon sens — c'est-à-dire la logique de notre mode de vie car c'est lui qui prononce sur la question débattue — déclare que dans le corps politique et devant la loi la femme doit être représentée, non pas immédiatement et en personne, mais par l'intermédiaire du chef de la maison. Il n'est guère féminin de sa part d'aspirer à une vie qu'elle dirigerait elle-même et centrerait sur elle-même ; et notre bon sens nous dit que sa participation directe aux affaires de la société civile ou industrielle est une menace pour l'ordre social, cet ordre qui traduit nos façons de penser telles que les formèrent les traditions de la culture pécuniaire. » Sur quoi Veblen, qui ne pense pas un mot de ce qu'il vient d'écrire, résume en ces termes la pensée d'un champion de la tradition contre Elizabeth Cady Stanton, qui luttait pour le droit de vote des femmes : « Toute cette fumée et cette mousse que l'on fait en parlant *d'émanciper la femme de l'esclavage de l'homme*, etc, c'est... *de la pure foutaise*. La nature a fixé les rapports sociaux des deux sexes. Toute notre civilisation — je veux dire tout ce qu'il peut y avoir en elle de bon — est fondée sur le foyer. » Mais Veblen constate que « les femmes qui revendiquent sont celles à qui le code de l'honorabilité interdit toute besogne efficace, et que l'on met en réserve de rigueur pour une vie de loisir et de consommation ostensible ». En fait, la première victoire du suffragisme féminin fut acquise avant même que le combat eût été engagé. La chose se passa dans l'Ouest où survivait encore l'esprit égalitaire des pionniers. En 1869, le Wyoming voulut devenir membre de la Confédération. Mais il n'avait pas le nombre requis de 5 000 habitants majeurs de sexe masculin, c'est-à-dire de 5 000 citoyens. Une femme, Mrs Morris, eut alors une idée géniale : il suffisait que l'assemblée législative de l'Etat du Wyoming doublât le nombre des citoyens en accordant le droit de vote aux femmes. Ce qui fut fait, et le monde apprit avec stupeur qu'il y avait un Etat où les femmes votaient. Il ne demeura pas longtemps seul : l'Utah suivit en 1870, le Colorado en 1893, l'Idaho en 1896... Enfin, à la veille de la première guerre mondiale, tous les Etats de l'Ouest, sauf le Nouveau Mexique, avaient accordé le droit de vote aux femmes. Mais l'Est résistait. Des manifestations dans les rues de Chicago, de Saint-Louis, de New York, et même des émeutes à Washington demeuraient sans effet. La guerre emporta tout. En 1918, Wilson proposa au Congrès un amendement constitutionnel accordant le droit de vote à toutes les femmes américaines ; il fut ratifié en 1920.

C'est donc en Angleterre que la bataille fut la plus vive, et elle y atteignit parfois à des sommets épiques, ou comiques. Le grand moment se situe entre 1900 et 1910. Mais la question avait été portée devant le Parlement dès 1866 lors des débats sur la réforme électorale. Stuart Mill, élu l'année précédente, n'avait étonné personne en soutenant le droit de vote des femmes ; mais Disraeli, leader des Tories, avait profondément choqué les membres de son parti en défendant les mêmes idées. Cette année-là s'était formée, à Manchester, la première association pour le vote des femmes. Elles se multiplièrent, elles tenaient des meetings devant des bourgeoises et des ouvrières, le *Woman's Suffrage Journal* assurait la propagande, Lydia Becker faisait déposer chaque année un projet de loi ouvrant le droit de vote aux femmes, et rien ne bougeait. Les Tories y étaient hostiles par principe, les Libéraux estimaient que les veuves et les célibataires voteraient à droite, et d'autant plus que le système électoral était encore censitaire. Plus à gauche, les différents groupes socialistes étaient pour le vote des femmes. Mais lorsqu'ils se furent réunis en un parti travailliste, une autre division surgit : la majorité jugeait que l'objectif devait être le suffrage universel pour les deux sexes ; la minorité plaçait en premier le droit de vote des femmes, au risque de perpétuer, pour quelque temps encore, le système censitaire. Exaspérée, Mrs Pankhurst, qui menait les femmes à la bataille, créa en 1903 la *Woman's Social and Political Union.* Laquelle s'opposa immédiatement à la *National Union of Woman's Suffrage Societies*, présidée par Mrs Fawcett : celle-ci était pour l'action légaliste, celle-là, pour la violence. Et ce fut la belle époque des suffragettes. Mrs Pankhurst, « Générale des Suffragettes », menait ses « Camarades Soldats » tambour battant. Il y avait aussi des francs-tireurs, et tous les moyens étaient bons. Tantôt elles pénétraient dans le vestibule de la Chambre des Communes et grimpaient sur les statues des honorables parlementaires ; un autre jour, elles s'y enchaînaient ; et un autre, elles cassaient les vitres du 10 Downing Street avec des marteaux dissimulés dans leurs manchons. Emprisonnées, elles menaient un tapage infernal dans leurs cellules, chantaient la Marseillaise, faisaient la grève de la faim ; l'une d'elles, Lady Constance Lytton, parvint à en mourir *.

---

* Une suffragette, Ida Alexa Ross Wylie, raconte :

« A ma stupéfaction, je m'aperçus que les femmes, en dépit de leurs entraves et du fait que pendant des siècles il n'avait pas été de mise de parler de la jambe d'une femme respectable, en dépit de tout cela les femmes pouvaient subitement courir beaucoup plus vite qu'un flic anglais. Avec un peu de pratique, elles devinrent suffisamment adroites pour envoyer du premier coup une tomate bien mûre dans l'œil d'un ministre, elles acquirent assez d'esprit pour tourner en ridicule et faire tourner en rond tout Scotland Yard. Leur sens de l'organisation impromptue, de la discrétion et de la loyauté, leur indifférence iconoclaste à l'égard des classes sociales et de l'ordre établi furent autant de révélations pour tous mais d'abord pour elles-mêmes...

Le jour où j'envoyai d'un gauche à la mâchoire un officier C. I. D. (Criminal Investigation Department, Police judiciaire) de belle taille dans la fosse d'orchestre du théâtre où nous tenions une de nos réunions, fut pour moi un jour de gloire qui me révéla à moi-même... Comme je n'étais pas un génie, cet épisode ne put m'en donner l'auréole mais il marqua l'apogée de mon destin...

Pendant deux années, je vécus intensément cette exaltante et quelquefois dangereuse aventure, je militai et me battis aux côtés de femmes bien équilibrées, vigoureuses et joyeuses qui riaient au lieu de ricaner, qui marchaient librement au lieu de se dandiner, qui pouvaient jeûner aussi bien que Gandhi et supporter leurs épreuves en souriant et plaisantant. J'ai dormi sur le sol nu avec des duchesses qui n'étaient plus très jeunes, des cuisinières corpulentes et de jeunes vendeuses. Nous nous sommes souvent senties fatiguées, nous avons eu peur, nous avons été maltraitées mais nous n'avons jamais été aussi satisfaites de nous-mêmes. Nous connaissions ensemble une joie de vivre que nous n'avions jamais connue. La plupart de mes amies avaient des maris et des enfants, et de curieuses choses survenaient dans leurs vies. Le soir, les maris rentraient pleins d'une curiosité nouvelle... Quant aux enfants, leur attitude changeait

Les non-violentes s'exprimaient par des slogans écrits à la craie sur les trottoirs ou sur des panneaux que transportaient des « femmes-sandwichs », ou encore en haranguant les passants. Mais quand la « Générale des Suffragettes » consentait à organiser pacifiquement une manifestation de masse, elle était impressionnante : le 13 juin 1908, 130 000 suffragettes de toutes les nuances défilèrent dans Londres, portant en effigie sur des bannières *brodées* Elizabeth et... Jeanne d'Arc. Huit jours plus tard, autre manifestation à Hyde Park : elles étaient 500 000. Bon an mal an, le Parlement avait son amendement à discuter. Tantôt c'était pour le vote des femmes dans le système censitaire, tantôt pour le suffrage universel (Mrs Pankhurst criait alors à la trahison), et le résultat était toujours nul. En Angleterre comme aux Etats-Unis, la guerre devait régler la question : en 1918 une nouvelle loi électorale donna le droit de vote à tous les hommes âgés de 21 ans et, sous certaines conditions, aux femmes de plus de 30 ans. En 1928, tous les citoyens de Sa Majesté eurent le droit de voter à 21 ans, quel que fût leur sexe.

Quant à la France, elle avait besoin d'une seconde guerre mondiale pour sauter le pas : on sait que les femmes n'y eurent le droit de vote qu'en 1944.

Ces campagnes menées par des bourgeoises étaient devenues nécessaires et possibles parce qu'une certaine masse de femmes s'était éveillée aux problèmes de leur rôle dans la vie publique. Le travail des ouvrières en avait été le premier moteur. L'autre, qui n'eût jamais été sans leur travail, sans

---

rapidement, et d'une affection apitoyée pour leurs pauvres mères chéries, ils passaient à une admiration qui leur faisait ouvrir de grands yeux émerveillés. Ils n'étaient pas étouffés par un amour maternel excessif, car les mères étaient trop prises pour s'occuper d'eux autrement que d'une manière sommaire, quoique suffisante. Ils découvrirent qu'ils les aimaient ainsi. Elles avaient un côté sportif, elles avaient du cran... Celles qui restèrent à l'écart de la bataille, et il faut bien dire malheureusement qu'elles formaient la majorité — et qui étaient plus que jamais de petites femmes fragiles — haïssaient ces combattantes d'une haine venimeuse et les enviaient avec rage. » (Cité par Betty Friedan dans *La femme mystifiée*, Paris 1964, p. 107.)

la production industrielle, sans la diffusion des biens, sans la philosophie de la libre entreprise, avait été le besoin de s'instruire ressenti par un nombre croissant de femmes ; et non plus dans les « arts d'agrément » mais dans des connaissances pratiques, utilisables, productives, génératrices de liberté. La cause et la conséquence tenaient en trois mots : l'éducation des femmes.

Le combat pour l'éducation des femmes

Les jeunes filles de la bourgeoisie recevaient donc dans des couvents, dans des pensionnats de jeunes filles ou à la maison une éducation dont le seul objectif était d'en faire des épouses soumises, vertueuses, ornées et inutiles. Quant aux filles du peuple, elles faisaient leur éducation dès l'âge le plus tendre dans les « places » bourgeoises, les ateliers, les fabriques, les mines ou les bordels. Vers 1860, les effets de la révolution industrielle commencèrent à se faire sentir et le mouvement s'amorça péniblement pour une véritable éducation des filles.

Des trois grands pays occidentaux, c'est en France que les progrès sont les plus lents. La Révolution avait bien décidé, en 1791, la création d'une école primaire de filles par mille habitants : la loi, jamais appliquée, avait été abrogée en 1802. L'idée fut reprise en 1850. Mais l'essentiel de l'éducation était donné aux jeunes bourgeoises dans 10 489 pensionnats, sans aucun diplôme (ni pour les élèves ni pour les maîtresses). En 1861, Julie Daubié eut l'idée saugrenue de passer son baccalauréat. L'université de Paris refusa son inscription ; celle de Lyon l'accepta. Voilà la première bachelière. Cette hirondelle, âgée de 37 ans, annonçait le printemps, mais un printemps difficile. En 1867, Victor Duruy créa des « cours secondaires de jeunes filles » ; c'est-à-dire qu'elles étaient autorisées à pénétrer, accompagnées d'un chaperon, dans certains lycées de garçons pour y écouter des cours à leur intention. Comme les professeurs étaient évidemment du sexe masculin, elles ne leur remettaient pas de devoirs afin d'éviter « toute intimité indécente ». Mgr Dupanloup poussa « des cris d'aigle », Pie IX le félicita « de s'être opposé à des projets qui feraient de la femme, au lieu de la pure lumière de la maison, une pierre de scandale ». En 1880, une loi dont Camille Sée était l'auteur créa des collèges et des lycées de jeunes filles, l'Ecole Normale Supérieure de Sèvres et une agrégation féminine. Deux ans plus tard, Jules Ferry fit décider que l'enseignement primaire serait gratuit, laïque et obligatoire pour les enfants des deux sexes de six à treize ans. Mais la plupart des jeunes filles n'allaient pas jusqu'au baccalauréat, se contentant d'un « diplôme de fins d'études ». C'en était assez pour consterner les bien-pensants. Un journaliste du *Gaulois* écrivait : « La jeune fille française, élevée dans la protection vigilante de la famille, avait été avec soin préservée de l'éducation garçonnière et des brutalités de la science... Elle grandissait dans une poétique ignorance des mystères des choses... Tout va disparaître, on va supprimer la jeune fille. » Un mari obtint le divorce sur le motif que son épouse suivait sans son autorisation des cours du Collège de France.

Dans l'Allemagne non centralisée, la décision appartenait à chaque Etat, à chaque université. L'enseignement primaire était, en principe, ouvert aux filles ; mais fort peu allaient à l'école. Les institutrices étaient rares, et sans diplôme. L'une d'elles, Hélène Lange, avec son amie Gertrud Bäumer, mena une campagne obstinée. Un brevet pour les institutrices fut créé en 1874 ; leur nombre se multiplia par six entre 1861 et 1891. Pendant ce temps des initiatives privées créaient çà et là des établissements d'enseignement secondaire pour jeunes filles. Mais ce ne fut qu'en 1893 qu'elles furent autorisées à passer l'examen qui ouvrait l'accès aux universités. L'année suivante fut créé pour les femmes un brevet de professeur de lycée. Cependant les universitaires veillaient jalousement à rester « entre hommes ». Apparemment, ils avaient oublié qu'au début du siècle certaines *Machtfrauen* s'étaient distinguées parmi eux : l'esprit bourgeois était passé par là. Berlin et Göttingen acceptèrent en 1895 des auditrices libres ; puis, en 1900, des étudiantes purent s'inscrire régulièrement à Fribourg et à Heidelberg.

Dans les neuf années qui suivirent, toutes les universités leur furent ouvertes. Encore chaque professeur avait-il toujours le droit d'interdire l'entrée de son cours aux jeunes filles. En 1908 elles étaient, selon Bebel, 1 077 inscrites dans l'ensemble des universités allemandes — chiffre inférieur à celui de la France : 1 922 en 1905.

Et après ? Qu'allaient-elles faire de leurs diplômes ? La carrière enseignante ne posait pas de problèmes, dès l'instant qu'elles n'étaient destinées à enseigner que des filles. Mais la médecine en posait d'énormes, et c'était justement le métier que beaucoup avaient la prétention d'exercer. En 1902, dit Bebel, les internes de la Faculté de Médecine de Halle envoyèrent cette circulaire à tous les internes d'Allemagne : « La Faculté de Médecine de l'université de Halle a été une des premières en Allemagne à tenter d'admettre des femmes aux études médicales et il faut qualifier cette tentative *d'échec total. Dans des lieux où régnait une honnête émulation, le cynisme s'est introduit avec les femmes* et il s'est produit quotidiennement des scènes également scandaleuses vis-à-vis des professeurs, des étudiants et des malades. *En ce domaine l'émancipation de la femme devient une calamité, en ce domaine elle entre en conflit avec les bonnes mœurs* et c'est pourquoi il faut y mettre arrêt. Confrères ! Qui, en présence de ces faits, pourrait encore s'opposer à nos exigences justifiées ! Nous exigeons *que les femmes soient exclues de l'enseignement de la médecine* parce que l'expérience nous a appris qu'un enseignement clinique commun des femmes et des hommes ne s'accorde pas plus avec l'intérêt des études médicales sérieuses qu'*avec les principes de la décence et de la morale*[7]. » Mais les infirmières ? Elles pouvaient donc torcher les hommes, vider les pots de chambre, entendre les plaisanteries des carabins sans que la décence en fût offusquée ? Peut-être n'étaient-elles pas des femmes, n'étant pas des bourgeoises. La vérité n'était-elle pas plutôt que la pudeur et l'amour-propre masculins se hérissaient à la perspective d'un homme livrant son corps à l'auscultation, à la palpation, au diagnostic d'une femme ? Un congrès médical décrétait en 1898 qu'une femme médecin déconsidérerait la profession et serait incapable de faire avancer la science — cela, dans le temps où Marie Curie faisait ses découvertes dans le domaine de la radioactivité... Bebel citait la faculté de Médecine de Zurich où des étudiantes étrangères pouvaient suivre les cours et dont les professeurs témoignaient qu'elles étaient devenues d'excellents médecins. Il citait les Etats-Unis où, en 1900, il y avait 7 399 femmes médecins et chirurgiens. Mais il ne disait pas ce qui se passait en Angleterre...

En Angleterre, la seule profession qui fût ouverte aux filles de la bourgeoisie était celle de gouvernante. La civilisation britannique donnant le ton au siècle, elles étaient aussi demandées que les « demoiselles » françaises l'avaient été au XVIIIe siècle, et l'on en exportait beaucoup. Elles ne savaient rien enseigner, que les bonnes manières. C'est à leur intention qu'en 1848 des dames d'honneur de la Reine avaient fondé le *Queen's College for Women.* Une de ces élèves-gouvernantes, Frances Buss, ouvrit deux ans plus tard le premier établissement secondaire, le *North London Collegiate School for Ladies.* D'autres suivirent. En compagnie d'Emily Davies, infatigable féministe, elle faisait tant de bruit sur la misère de l'éducation des filles qu'une commission d'enquête les appela à témoigner, en 1865. Elles exposèrent des faits si accablants, et avec une modestie si féminine, que les enquêteurs en furent émus et se prononcèrent pour l'ouverture de l'enseignement supérieur aux filles. Mais, si les écoles secondaires avaient suivi le mouvement sans trop de difficultés, les universités renâclaient, soutenues par l'opinion des gens en place pour qui l'irruption des femmes dans les carrières libérales représentait une concurrence contraire à la morale. Oxford refusait les filles purement et simplement. Cambridge accepta en 1869 qu'Emily Davies ouvrît le premier collège de filles, Girton College. Dix ans plus tard, Oxford se résigna à accepter l'ouverture de deux collèges féminins ; puis il y en eut un autre à Cambridge ; d'autres universités les imitèrent, en province et à Londres. Mais toutes ne consentaient pas à sanctionner par un diplôme la fin des études. A trois reprises des filles obtinrent la première place aux examens terminaux de Cambridge, en 1880, 1887 et 1890 : elles n'eurent droit qu'à l'inscription de leur succès sur une liste spéciale et il faudra attendre 1921 pour que la vieille université consente à décerner aux filles leurs titres. Londres le faisait depuis 1878 — sauf en médecine.

Qu'une femme fût employée des Postes, professeur, écrivain, philosophe ou danseuse, cela pouvait passer. Mais la connaissance du corps humain ! Mais le pouvoir de vie ou de mort sur un homme ! Sous la pudeur du mâle, je crois bien qu'il y avait la vieille peur de la femme. L'idée d'une femme médecin saisissait les Anglais, comme les Allemands, d'une panique viscérale. Elizabeth Blackwell avait obtenu son doctorat aux Etats-Unis et s'était fait inscrire en 1859 à l'Ordre des médecins : l'Ordre colmata immédiatement la brèche en exigeant un diplôme britannique. En passant l'examen de pharmacie une femme pouvait obtenir l'inscription à l'Ordre des médecins ; ce que fit Elizabeth Garrett, qui ouvrit un dispensaire à Londres : aussitôt l'Ordre verrouilla cette porte dérobée. Deux femmes s'étaient glissées dans la place, il n'y en aurait pas d'autres. Alors, Sophia Jex-Blake partit en guerre. Elle obtint de quelques médecins de la Faculté de Médecine d'Edimbourg qu'ils invitent des étudiantes dans leurs services hospitaliers, à des heures où les étudiants n'y étaient pas. Car les étudiants, là aussi, étaient encore plus conservateurs que les maîtres. Quand ils apprirent que cinq jeunes filles allaient assister au cours d'anatomie, ils se massèrent devant l'amphithéâtre pour barrer l'entrée du sanctuaire à ces monstres femelles ; elles entrèrent par une autre porte et se trouvèrent entourées d'une horde hurlante ; enfin les manifestants purent être expulsés ; mais ils poussèrent un mouton dans l'amphithéâtre. « Qu'il reste, dit le professeur, il est plus raisonnable que ceux qui l'ont fait entrer. » Toutefois, il n'y avait pas plus de diplôme pour les filles que pour le mouton. L'émeute du Surgeon's Hall n'avait quand même pas été inutile : six ans plus tard, en 1876, le Parlement vota une loi autorisant les filles à fréquenter les écoles de médecine et à passer leur doctorat. L'université de Dublin fut la première à obtempérer, et c'est là que Sophia put enfin devenir docteur en médecine.

En somme, les universitaires anglais, allemands ou français ne pensaient pas autrement que le collège des professeurs de l'université de Bologne qui avait pris le décret que voici : « Et puisque la femme est la raison première du péché, l'arme du démon, la cause de l'expulsion de l'homme du Paradis et de la destruction de l'ancienne Loi, et puisqu'en conséquence il faut éviter soigneusement tout commerce avec elle, nous défendons et interdisons expressément que quiconque se permette d'introduire quelque femme que ce soit, fût-ce la plus honnête, dans la dite université. » Ce décret avait été pris en 1377... Olympe Audouard n'avait pas tort d'écrire, en 1866, dans son livre *Guerre aux hommes* : « Pour qu'une femme réussisse dans quelque carrière que ce soit il faut qu'elle ait dix fois plus de talent qu'un homme car, lui, retrouve une camaraderie prête à l'aider, à le soutenir ; et la femme a à lutter contre un parti pris de malveillance. » Elle n'avait pas tort, non, et elle aurait encore raison aujourd'hui.

Vers la résurrection des corps

A la veille de la première guerre mondiale, cela fait un demi-siècle que des femmes luttent pour leurs droits, et qu'est-ce qu'elles ont gagné ?

Les droits politiques ne sont pas encore acquis dans la plupart des pays, mais l'opinion a été alertée et cela ne tardera plus longtemps.

Le droit au travail ? Il faut bien voir de quel travail il s'agit. Celui des ouvrières ou des employées sous-payées, la bourgeoisie n'y était point opposée, pour la raison qu'elle l'exploitait ; et le seul droit en question pour ces femmes n'a jamais été que celui d'être un peu moins exploitées : leurs victoires se sont limitées à quelques lois réglementant la durée et les conditions du travail, à la reconnaissance de leur existence par les syndicalistes. Le progrès le plus marquant a sans doute été, en France, la loi de 1907 accordant à la femme mariée la libre disposition de son salaire. Loi qui s'imposait tout de même quand on sait qu'un travailleur sur trois était une femme (la proportion était à peu près la même dans les autres pays industrialisés, sauf aux Etats-Unis où les femmes ne représentaient que 14 % de la population active). Ce tiers, en France, en 1906, signifiait 7 628 000 femmes au travail dont 3 329 00 dans l'agriculture, 2 019 000 dans l'industrie, 2 079 000 dans le tertiaire.

Mais le travail de femmes éduquées dans des postes de responsabilité, j'ai assez dit quel scandale c'était. En France, vingt-cinq ans après la création des lycées de jeunes filles, la proportion des baccalauréats féminins était de... 0,40 %. Mais ces bacs-là étaient obtenus « à l'arraché » par des pionnières qui voulaient en faire quelque chose. On saluera donc très bas, pour ce qui concerne la France, 573 femmes médecins, 326 femmes dentistes, 58 pharmaciennes et 37 avocates.

Quant aux droits civils, le plus gros restait à faire. Si l'on excepte la loi de 1907 sur la libre disposition du salaire, celle de 1884 autorisant le divorce et celle de 1912 autorisant la recherche en paternité, la Française était toujours la mineure incapable du Code Napoléon, et la situation des femmes dans les autres pays « avancés » n'était guère plus enviable.

L'essentiel n'était pas encore inscrit dans les lois, mais il était en route. Des femmes avaient pris conscience de l'injustice qui leur était faite. Ce n'était pas nouveau ? La grande nouveauté était que de telles femmes se situaient dans toutes les classes de la société ; qu'elles avaient enfin quelques moyens de se faire entendre ; qu'elles disaient et prouvaient qu'elles étaient capables d'agir hors du gynécée. Et pour tout aggraver — ou améliorer — voilà que les hommes se prenaient à douter de leur droit divin.

A vrai dire, les femmes n'étaient pas les seules responsables de cette inquiétude masculine. Quelques hommes de science secouaient le pilier positiviste du premier âge industriel. Rutherford révélant la structure de l'atome, Planck affirmant que la nature ne procède pas du tout selon une continuité mais par des sauts d'énergie, les *quantas,* Niels Bohr démontrant cette agitation incessante au cœur de la matière, Einstein projetant l'univers dans la quatrième dimension du temps, Freud ouvrant les abysses de l'inconscient, les Impressionnistes brisant la lumière, Picasso les formes et Schönberg la mélodie, il y avait des lézardes dans le temple des certitudes.

Et l'esprit du pénis bourgeois en venait à douter même du dogme de la chasteté de ses vierges-mères, à redouter que la frigidité des épouses n'eût des retours de flamme. Telles les Romaines glissant hors du joug des *patres*, des femmes très peu féministes mais résolument féminines faisaient la vieille révolution silencieuse qui se moque des lois. Colette chantait la sensualité avec une impudeur tranquille et d'autant plus efficace ; mais aussi quantité de romancières, aujourd'hui oubliées, ne devaient leur succès qu'au défoulement qu'elles proposaient.

Le premier éclat s'était produit en Angleterre sur la question du contrôle des naissances. Il était bien évident que ce siècle vertueux s'entendait beaucoup mieux que les autres à tromper la nature : la progression démographique l'établit clairement, qui fléchit en dépit de la baisse de la mortalité infantile. Cela allait sans dire, mais beaucoup moins bien en le disant. Un libraire de Bristol ayant été condamné en 1876 pour avoir publié un ouvrage américain sur les méthodes contraceptives, deux militants de la liberté des femmes, Charles Bradlaugh et Annie Besant, louèrent une librairie dans le quartier de la presse, prévinrent la police et mirent le livre en vente : 125 000 exemplaires furent enlevés en trois mois. Le procès de « la vilaine affaire » eut lieu en 1877. Le livre fut condamné, mais non les prévenus. Un grand courant de sympathie les soutenait ; une collecte pour assurer leur défense avait rapporté 1 000 livres (l'équivalent de 4 000 livres actuelles).

Ne faire des enfants qu'à bon escient était une chose, bien faire l'amour en était une autre. C'est alors que la conjugaison de l'esprit puritain et de l'esprit scientifique aboutit à la découverte d'un champ d'études que les humains n'avaient jamais soupçonné : la sexologie. Havelock Ellis en fut le plus fameux explorateur, qui publia en 1897 ses *Etudes de psychologie sexuelle*. Une demi-douzaine d'ouvrages suivirent : il n'en fallait pas moins pour convaincre les maris que leurs épouses n'étaient pas aussi chastes ni aussi frigides qu'ils prétendaient qu'elles le fussent. Les besoins sexuels, disait Ellis, ne sont pas moins exigeants chez la femme que chez l'homme ; à lui de les découvrir et d'apprendre l'art de les satisfaire. Et si quelque propriétaire conjugal s'était avisé d'objecter, citant Montaigne, que révéler le plaisir à son épouse c'était « chier dans le panier pour après se le mettre sur la tête », Ellis avait sa réponse prête : la femme, comme l'homme, est monogame, mais, comme l'homme, polyérotique, l'un et l'autre ont également besoin de la stabilité conjugale et de la diversité sexuelle. Puis-je rappeler que les Albatros nous avaient déjà suggéré les avantages de l'indépendance dans l'interdépendance * ?

Les Français tardaient un peu à s'intéresser à la sexologie. Peut-être se croyaient-ils en ce domaine des artistes qui n'avaient pas besoin de leçons. Les Allemands, eux, se mettaient à l'école avec bonne volonté et découvraient le secret de leurs instincts dans de doctes ouvrages intitulés *Ethique sexuelle, Justice sexuelle, Morale et hygiène sexuelles, Le problème sexuel, La crise sexuelle,* etc... On doit toutefois signaler une robuste contestation de la contestation intitulée *De l'imbécillité physiologique de la femme.*

Cependant, s'il est vrai, comme le dit Havelock Ellis, que l'on doit considérer « la sexualité comme le problème qui est au centre de la vie », elle n'occupe pas tout le cercle, et cette phrase que la *Saturday Review* osa publier en 1895 me paraît définir assez bien l'objectif de l'avant-garde féminine de ce temps : « Les seules femmes qui à l'heure actuelle consentent à être considérées comme de simples machines à procréer sont celles qui n'ont pas l'intelligence de jouer *un autre rôle.* »

Le pénis humilié

C'était la Belle Epoque, les hommes avaient encore de fières moustaches. Alors, ils partirent pour la guerre, l'air martial,

* Voir p 49.

la fleur au fusil, la guerre fraîche, joyeuse où depuis tant de millénaires leur virilité avait assuré sa gloire, et pendant quatre années ils pataugèrent dans la gadoue. Quant ils en revinrent — ceux qui n'étaient pas morts — les femmes avaient prouvé sans y avoir songé qu'elles n'étaient pas plus maladroites qu'eux à gérer une entreprise, régler la circulation, faire rouler des tramways et des trains, tourner des obus, administrer une commune... On vit même une Miss Stevenson sous-secrétaire d'Etat en Grande-Bretagne, où les femmes n'étaient pas encore électrices. Et les jeunes filles de la bourgeoisie qui, la veille, ne pouvaient pas sortir seules, évoluaient avec la plus grande aisance parmi des milliers de soldats dans les gares de triage, les centres de repos, les hôpitaux. La Première Guerre mondiale tua, outre neuf millions d'hommes, les chaperons.

Les héros étaient fatigués. Et tout le respect que l'on devait à leurs épreuves ne pouvait pas masquer l'évidence que l'esprit du pénis venait de commettre, comme l'avait prédit Lyautey, « la plus monumentale ânerie que le monde ait jamais faite ». Les femmes pouvaient tout se permettre. Et que firent-elles ? Les droits civils et politiques qui leur échurent, ici et là, n'étaient que le fruit mûr des luttes antérieures. Elles étaient en surnombre (deux millions de femmes en excédent pour la France, plus encore en Allemagne) et pourtant elles ne se cramponnèrent pas aux positions qu'elles avaient occupées pendant l'absence des mâles *. Partout, même dans l'Allemagne vaincue où le mark sombrait, les survivants de l'hécatombe avaient soif de jouir. Jazz-band, fox-trot, charleston, on dansait sur les ruines, qui n'étaient pas seulement celles des champs de bataille, mais de la morale positive et bourgeoise.

La foi en la raison, déjà fortement contestée, s'est effon-

* En France, les femmes ayant un emploi étaient, en 1906 : 7 628 000 ; en 1926 : 7 763 000. Du fait de la mort de 1 500 000 hommes en âge d'activité, le rapport du travail féminin à l'ensemble de la population active atteignait 39,6 %. Pour la même année 1926, en Allemagne : 35,8 % ; Grande-Bretagne : 29,4 % ; Italie : 28,6 %. Quant aux États-Unis, le chiffre y était toujours, et de beaucoup, le plus bas des pays industrialisés : 20,5 %.

drée dans la boucherie. Einstein formule la relativité généralisée, Heisenberg introduit dans le calcul le principe d'incertitude, l'abbé Lemaître décrit un univers en expansion et Rutherford désintègre l'atome. Ces choses-là ne font pas (pas encore) grand bruit dans le public, mais Valéry déjà est plus facilement compris quand il écrit dans *La crise de l'esprit* : « Il y a l'illusion perdue d'une culture européenne et la démonstration de l'impuissance de la connaissance à sauver quoi que ce soit ; il y a la science, atteinte mortellement dans ses ambitions morales, et comme déshonorée par la cruauté de ses applications ; il y a l'idéalisme difficilement vainqueur, profondément meurtri, responsable de ses rêves ; le réalisme déçu, battu, accablé de crimes et de fautes... L'oscillation du navire a été si forte que les lampes les mieux suspendues se sont à la fin renversées. » Et Dada, la même année, proclame la « révolte permanente de l'individu contre l'art, la morale et la société », dada que les surréalistes enfourchent avec une allégresse dévastatrice. Quant au tout-venant des survivants, les nouveaux riches éclaboussent l'argent laborieusement gagné, l'inflation ronge les économies et les trésors de vertu des classes moyennes, et les épouses se sont affranchies de l'autorité conjugale pendant que leurs Hector s'attardaient à Troie ou, quel symbole ! sur le Chemin des Dames. Cheveux courts, poitrines plates, hanches étroites, jambes à l'air, bas de soie, cigarettes, cocktails, dancings, *Ouvert la nuit, Fermé la nuit, l'Europe galante, La Madone des Sleepings,* bref, la *Garçonne* a pris congé des Dames. On vit, on aime au jour la nuit, sans autres valeurs que celles que l'on s'invente, sans autre but que le néant, on vit la philosophie existentielle de Heidegger (elle renaîtra avec Sartre après l'autre guerre) qui, dit-il, « n'est que la culture de l'angoisse et du désespoir », mais on ne veut pas le savoir, on préfère l'autre face de cette philosophie, telle que la chante Maurice Chevalier : « Dans la vie, faut pas s'en faire, moi je n' m'en fais pas. »

La radio, qui vient d'être inventée, diffuse avec les chansons et les nouvelles le sentiment de l'instantané, du temps fugitif disloqué. Des journaux à grand tirage, beaucoup plus grand qu'aujourd'hui (en 1930, à Londres 3 750 000 pour

News of the World, 3 000 000 pour *The People,* journaux du dimanche) sont aux mains des puissances d'argent et pratiquent le bourrage de crâne. Des magazines répandent les modes et les mœurs nouvelles. Mais c'est le cinéma qui est l'agent inégalable du conformisme, le plus grand commun dénominateur. Aujourd'hui, nous sommes blasés, la télévision le concurrence ; entre les deux guerres, il a une aura fabuleuse. Il est le miroir magique qui offre aux hommes et aux femmes une image d'eux-mêmes transfigurée. Les stars vendent l'assortiment complet des rêves, Mary Pickford, la « petite fiancée du monde », Heddy Lamar, nue, la promesse de l'extase, Marlène Dietrich, la vamp, la dévoreuse, *l'Ange bleu,* Greta Garbo, l'inaccessible, l'étrangère, le super-rêve dans la nuit étoilée... Du côté des hommes l'achalandage n'est pas moins varié, mais aucun, me semble-t-il, n'est aussi typique des « années folles » que Rudolph Valentino, « l'amant du monde » calamistré, pomponné, fardé comme une garçonne. Pendant ce temps-là, il est vrai, D. H. Lawrence écrit son hymme à la gloire de la virilité, Lady Chatterley à genoux orne de guirlandes de fleurs le phallus de son garde-chasse ; mais c'est devant l'androgyne que les femmes se prosternent, devant la faiblesse parfumée, livrée, non devant l'homme des bois. Le bel Italien n'incarne-t-il pas à leurs yeux l'émouvante démission du mâle ? Quand, en 1926, une péritonite l'enlève à leur affection, des millions de femmes se tordent les mains de douleur, fabuleux cortège de pleureuses antiques.

Ambiguïté et licence des sexes, impuissance de la cité, il y a bien, dans les démocraties occidentales, quelque chose de l'hellénisme décadent. L'Allemagne nazie, elle, prétend restaurer la robustesse spartiate. Les filles courent dans les forêts avec les garçons, chantent autour d'un feu de camp et répondent à l'appel de régénérer la race. C'est, d'ailleurs, tout ce qu'on leur demande. Le programme traditionnel est plus que jamais à l'ordre du jour : *Kinder, Küche, Kirche* — les enfants, la cuisine, l'église. Mais les enfants d'abord : la « science raciste » en viendra, quand les mâles seront à la guerre, à faire féconder certaines génisses par des étalons sélectionnés.

Il ne faut pas trop s'étonner que les féministes se soient effacées dans l'entre-deux-guerres. Pour elles comme pour les autres, c'était le temps de la débandade. Que faire quand chacun ne songe qu'à jouir ? Et que faire quand le krach de 1929 répand chômage et misère, quand la dépression n'en finit pas, quand on assiste, angoissé, paralysé, à la montée des périls ? Dix années d'insouciance et dix années d'anxiété ont relégué au second plan le problème de la condition féminine dans la société. Le seul changement possible touchait aux mœurs, et ce n'est pas parce qu'il ne fut balisé ni par des émeutes ni par des textes de lois qu'il fut moins considérable. Le mari était toujours le souverain officiel du foyer, mais les épouses bravaient la loi quand il leur plaisait de le faire. L'Eglise interdisait la contraception, la pilule n'était pas inventée, et jamais le taux de natalité n'avait été si bas (la France réussit même à avoir un taux dégressif de - 1 %). Les femmes ne revendiquaient pas leur place dans la vie active, mais leurs filles étaient aussi nombreuses que les garçons dans l'enseignement secondaire. D'autres fruits mûrissaient.

La deuxième guerre mondiale secoua l'arbre encore un coup. De nouveau les femmes se trouvèrent appelées à remplacer les hommes — au maximum en Grande-Bretagne, au minimum en Allemagne où Hitler tenait ferme sur la génitrice au foyer. Mais le plus déterminant, je crois, fut que ce monopole masculin, la Raison, acheva de se déconsidérer dans les camps d'extermination nazis, dans les bombardements massacrant indistinctement les femmes et les enfants, enfin dans l'apothéose atomique de Hiroshima. La révélation des camps soviétiques au pays de la libération des hommes apporta la touche d'ironie qui manquait au tableau des prouesses viriles.

La mutation féminine

Dans les années qui suivirent ce second désastre mondial, les pays qui ne l'avaient pas encore fait donnèrent aux femmes l'essentiel des droits civils et politiques. J'ai dit que l'évolution des mœurs avait préparé cette égalité juridique. Cela sigifie aussi qu'elle ne fut pas arrachée de haute lutte, à la manière des militantes du XIXe siècle : elle tomba toute seule dans les bras des femmes. C'est peut-être une des raisons pour lesquelles les femmes n'allaient pas en tirer tout le profit escompté : comme si l'abdication du despote les avaient prises de court.

Et pourtant, c'étaient bien elles qui étaient les auteurs de cette révolution. Elles : non plus quelques visionnaires mais des millions de femmes dont la masse exerçait une poussée irrésistible parce qu'elle avait une certaine conscience de son identité. Pendant des millénaires, les hommes et les femmes courbés sur la terre n'avaient pas constitué une masse (sinon en quelques jacqueries éphémères) mais des couples qui répétaient les mêmes gestes au rythme des saisons, procréaient, peinaient, dansaient et chantaient aussi, parfois, et puis ils mouraient, et leurs fils et leurs filles prenaient la suite dans le sillon des parents. Seuls les privilégiés de la fortune avaient le loisir d'imaginer de nouvelles couleurs de l'amour, d'agencer de nouvelles relations entre les sexes ; de temps en temps, une révoltée se levait et criait dans les salons, sans inquiéter personne : le numéro sur l'égalité des sexes était une sorte de rituel. Et puis, la machine s'était mise en route, arrachant la femme à l'ancestrale activité auprès de l'homme pour l'enchaîner à sa roue, la réduisant à n'être qu'un rouage parmi d'autres. La bourgeoisie fondait sa morale sur la famille dans le temps où elle broyait la famille populaire. Elle multipliait les biens par le travail des ouvrières, mais elle leur interdisait de les consommer. Elle célébrait les vertus de l'argent, de la science, de la liberté, dont elle s'était ouvert le chemin, et elle invitait les plus méritants à s'y engager. Ce qu'ils firent, hommes et femmes. Et un jour — une centaine d'années plus tard — ils étaient un nombre incroyable. Et la machine distribuait de plus en plus vite des biens et des connaissances, qui donnaient aux hommes — et aux femmes — le désir d'en avoir et d'en savoir encore plus. Les petites-filles des misérables ouvrières étaient à l'Université. Les *mass-media* dilataient la Cour et la ville aux dimensions des nations, parfois de la planète. La question féminine, comme les autres, était passée du microcosme au macrocosme, et sa nature s'en trouvait révolutionnée.

Les problèmes du sexe, du cœur, de l'âme n'étaient pas résolus pour cela, et ils se compliquaient de problèmes sociaux, économiques, politiques. Du moins pouvait-on espérer en avoir terminé avec deux ou trois préjugés masculins qui depuis si longtemps fermaient l'horizon des femmes. Peut-être la vie allait-elle changer.

Oui, les femmes vont-elles changer la vie ? Avant de rêver là-dessus, regardons ce qu'elles font aux Etats-Unis et en Union soviétique. Ces deux nations, outre l'avantage de leur puissance, en ont un très précieux pour nous : elles sont les figures de proue, ou les cobayes, de deux conceptions de la femme dans la société aussi nettement opposées que celles des Arapesh et des Mundugumor. Leurs réussites pourraient éclairer le chemin, et leurs échecs nous éviter de nous fourvoyer.

CHAPITRE III

L'AMÉRICAINE ET LA SOVIÉTIQUE

Je n'ai pas l'intention ni la prétention de tracer un tableau complet de la situation de la femme aux Etats-Unis et en U. R. S. S. : je voudrais essayer de dégager une figure typique qui nous révèle les tendances particulières et essentielles de chacune. Cette figure, c'est encore dans la classe éclairée que je la chercherai, comme je l'ai fait tout au long de l'histoire. Mais nous savons que cette classe-là, par sa masse, n'a plus aucune mesure avec les précédentes. Et elle a une signification toute différente : alors que les privilégiées ne servaient de modèle qu'à un petit nombre de femmes un peu moins privilégiées, aujourd'hui, à tous les niveaux sociaux, les femmes savent (si ça les intéresse) comment vivent les autres, elles rêvent de les imiter, beaucoup peuvent le faire, et si elles ne le font pas, leurs filles le feront. La figure en question n'est plus l'archétype d'un milieu fermé, elle est le prototype d'une fabrication de grande série.

1. L'AMÉRICAINE, OU LE PIÈGE DE LA FÉMINITÉ

Partons d'une évidence : la morale américaine est fondée sur l'individu. La morale européenne occidentale aussi, mais l'américaine, par le défi qu'elle devait relever, a exalté le pionnier, l'aventurier, le libre entrepreneur de soi. « *Urge and urge and urge — Always the procreant urge of the world !* » chantait Whitman : « L'élan, l'élan, l'élan — Toujours l'élan créateur de l'univers ! » Or, le créateur américain était un puritain. Il l'était à son départ d'Angleterre, mais la libération de l'énergie et la répression de la sensibilité s'accordaient à merveille, c'est une loi des cultures en gestation que nous avons déjà vue aux origines de l'Egypte, de la Chine, de la Grèce classique, de la République romaine et, bien sûr, dans le premier âge de la société industrielle. L'entreprise mobilisait entièrement l'homme, mais non l'homme entier : la concupiscence — la libido, dirait Freud — ne fonctionnait qu'au-dessus de la ceinture, tout dans les bras et le cerveau, rien dans la culotte ou sous les jupes, sinon quelque chose qu'il eût été indécent de mentionner. Les défricheuses du Far West étaient d'autant plus « égales » qu'elles étaient des femmes-troncs.

L'industrialisation de la côte Est libéra la femme de ces rudes travaux, mais non du puritanisme. Les immigrants fournissaient une main-d'œuvre bon marché, la machine produisait assez de dollars pour que la femme pût réintégrer le rôle traditionnel de l'épouse entretenue : on n'a pas oublié qu'à la fin du XIXᵉ siècle, quand, dans les grandes nations d'Europe occidentale, un tiers des salariés étaient des femmes, les Etats-Unis n'en comptaient que 14 %, et qu'en 1925 ils n'en étaient encore qu'à 20 %. L'Américain n'exploitait pas la femme. Et il ne s'opposait pas aussi farouchement que l'Européen à sa promotion professionnelle : vers 1900, il y avait aux Etats-Unis douze fois plus de femmes médecins qu'en France. Des pionnières, elles aussi. Elles semblaient bien parties vers un accomplissement de la femme moderne. En 1920, 47 % des étudiants inscrits dans les universités étaient des filles. Or, en 1960, elles n'étaient plus que 35 %. Les travailleuses, il est vrai, approchaient du tiers européen ; mais dans des emplois subalternes. Quelque chose s'était brisé en route. Quoi ? Pourquoi ?

La conquérante du Nouveau Monde

L'Américaine de l'entre-deux-guerres se sentait la conquérante d'un Nouveau Monde féminin. Betty Friedan a recensé les héroïnes que les grands magazines féminins proposaient à leurs lectrices, et qui étaient évidemment le reflet de leurs aspirations : « des femmes qui exerçaient une profession, heureuses, fières, aventureuses, séduisantes, à leur manière ; des femmes qui aimaient et étaient aimées ; et leur esprit, leur courage, leur indépendance, leur détermination, la force de caractère qu'elles montraient dans leurs activités d'infirmières, de professeurs, d'artistes, de journalistes, de vendeuses, d'actrices, faisaient partie de leur charme. Elles avaient véritablement le sentiment que leur personnalité était digne d'admiration, qu'ainsi elles ne déplaisaient pas aux hommes ; qu'elles attiraient autant par leur esprit et leur personnalité que par leur beauté ». La romance avait pris une couleur nouvelle. Deux jeunes gens qui travaillaient ensemble dans une agence de publicité tombaient amoureux, et le héros disait : « Je ne veux pas t'enfermer dans un jardin cerné de murs, je veux que nous marchions côte à côte, la main dans la main, et qu'ensemble nous réussissions tout ce que nous entreprendrons [8]. » Ces héroïnes mariées devaient bien être aussi des maîtresses de maison, mais cela ne valait pas la peine d'en parler. Quant à la sexualité, elle n'était plus un tabou, mais elle n'était pas non plus une obsession. Le professeur Maslow fit une enquête parmi cent trente citadines, âgées de vingt à vingt-huit ans, la plupart mariées, issues de la classe moyenne protestante et ayant fait des études supérieures. Elles avaient ce qu'il appelle le « sentiment de domination » — entendons une domination non de l'homme mais de leur destin. Il découvrit que les plus « dominatrices » étaient aussi les plus capables de « se soumettre » dans l'acte sexuel. Maîtresses de leur existence, elles pouvaient s'abandonner sans complexes à la « possession » virile. Et parce qu'elles s'étaient trouvées, elles pouvaient « se perdre » dans l'amour, c'est-à-dire y trouver une autre dimension, un supplément d'être [9].

Je dois dire toutefois que Maslow, semble-t-il, était tombé sur un lot de femmes particulièrement réussies, à moins qu'il n'idéalisât un peu le portrait. Hélène Deutsch[10] déplore une « exaspération des forces agressives », un « intolérable esprit de compétition ». Elle observe que les jeunes hommes, sous les apparences d'une hyperactivité, tendaient vers la pauvreté émotionnelle et la passivité. « Tandis que l'hyperactivité des garçons trahissait, par son caractère de surcompensation, la passivité et le vide affectif qui se cachaient derrière elle, la masculinisation des filles manifestait malheureusement non seulement leur émancipation sociale, mais aussi l'appauvrissement de leur vie affective, résultat de leur travail intellectuel excessif. » Betty Friedan elle-même reconnaît que l'on vit alors parmi ces « dominatrices » des femmes qui « n'osèrent pas prendre le risque de se montrer douces et aimables ; elles avaient peur d'aimer, d'avoir des enfants » ; elles « s'acharnaient furieusement à copier les hommes[11] ». Certes, elles avaient des excuses : elles luttaient contre la sujétion traditionnelle, les hommes regardaient les « carriéristes » comme des monstres. Mais celles-ci se conformèrent si bien au regard hostile qu'elles devinrent en effet des mantes religieuses. Cette image-là ne déplaisait pas moins aux femmes qu'aux hommes ; il était fatal qu'elle amenât une réaction et un reflux.

Le retour au foyer

Le reflux s'amorça avec l'entrée des Etats-Unis dans la guerre : l'agressivité des femmes devait se résorber dans l'agressivité nationale. Puis il fallut que les soldats démobilisés retrouvent un emploi par priorité : les femmes furent invitées à rester chez elles. La guerre avait exigé un énorme accroissement de la production industrielle, qui n'avait plus de débouchés, il s'agissait de convertir l'industrie de guerre en industrie de consommation : la femme au foyer apparut comme la parfaite consommatrice, et la publicité s'employa à en tirer le meilleur rendement ; s'adressant à des petites-filles de pionnières, et qui avaient fait des études, elle se garda de leur vendre l'oisiveté que leur vaudrait la petite usine ménagère : elle les persuada d'acheter le mixer dont la pâte à tarte ouvrait un champ immense à l'invention créatrice dans le domaine des tartes.

Des universités créaient des cours de diététique, de puériculture ou de cuisine. Un pédagogue soucieux d'introduire la science dans les casseroles, Lynn White, écrivait : « Serait-il impossible de présenter les cours de diététique de manière à les rendre aussi exaltants et complexes dans leur application qu'un cours de philosophie post-kantienne ? Ne parlons plus de protéines, de carbohydrates ou autres composants chimiques, sinon pour montrer par exemple... que les choux de Bruxelles très cuits à l'anglaise ne sont pas seulement inférieurs en saveur et consistance mais aussi en teneur vitaminée. Pourquoi ne pas étudier la théorie et la préparation de la paella ou du chichkebab bien mariné, du bon curry, de l'utilisation des herbes, ou même de préparations aussi simples que celle des artichauts froids au lait cru[12] ? »

Le nombre des femmes travaillant ne diminua pas, bien au contraire : vingt-quatre millions en 1964, représentant 30 % des emplois. Mais leurs qualifications et leurs motifs avaient changé.

On comptait 3 600 000 ouvrières, 1 700 000 vendeuses, 3 700 000 employées dans les « services », 7 450 000 employées de bureau et 3 110 000 *professional*. Dans cette catégorie se trouvaient classées les enseignantes, les techniciennes, les artistes, les médecins, les juristes, les infirmières, les comptables, enfin, généralement, les femmes qui avaient un diplôme.

Ces 3 millions de « professionnelles » représentaient donc le 1/8 des travailleuses, proportion équivalente à celle que l'on trouvait chez les hommes. A première vue, elles étaient à égalité. Mais si l'on regardait de plus près, on constatait que le nombre des femmes *executive*, des « cadres », était infime ; que les enseignantes étaient 85 % dans le primaire, 47 % dans le secondaire, 20 % dans le supérieur ; que les avocates étaient 3 % ; que sur 422 juges fédéraux, 3 étaient des femmes ; que la proportion des femmes médecins, relativement si importante au début du siècle, n'avait pas bougé : 6 % [13].

Non seulement les femmes étaient cantonnées dans des tâches subalternes, mais à travail égal leur salaire était inférieur. Le tiers féminin du monde du travail ne « faisait » qu'un cinquième des dollars.

Qui étaient ces femmes ? De moins en moins des jeunes filles ou des célibataires de vocation, de plus en plus des mères qui avaient fini d'élever leurs enfants. En 1950, la moyenne d'âge était de trente-sept ans ; en 1962, de quarante et un ans. La mystique de la famille et des enfants n'en était pas la seule cause : au pays de l'individu-roi, il n'y a pas de crèches, pas de garderie, sinon à la porte des *shopping centers*. La famille est limitée au couple et aux enfants, et c'est une famille mobile aux hasards des emplois ; la dynamique de l'économie moderne fait des romanichels. Donc, pas de grand-mères ou de tantes dans les parages pour garder les enfants.

Ainsi la jeune mère est obligée de ne pas travailler, et quand elle n'est plus jeune, elle est obligée de travailler, soit qu'elle se retrouve sans mari, soit qu'elle en ait un qui ne gagne pas assez d'argent. Les conclusions d'une enquête ordonnée par le président Kennedy en 1961 sont formelles : les femmes travaillent par nécessité. Et celles dont le mari a de bons revenus ne travaillent pas. Or, beaucoup d'entre elles sortent d'une université.

Mais alors, ces idées sur le travail qui devait libérer la femme, cet idéal de se « réaliser », d'accomplir sa personnalité, n'étaient que fariboles ?

Je veux bien que la publicité ait persuadé les intellectuelles d'être des ménagères ; que les théories freudiennes vulgarisées à grande échelle les aient ancrées dans « l'envie du pénis » et le respect de sa supériorité inébranlable ; que les *managers* se soient cramponnés à leurs *jobs* et qu'ils aient tout fait pour décourager la concurrence féminine. Mais pourquoi ces femmes se sont-elles laissé faire ? Parce qu'elles n'y croyaient plus. Et elles avaient raison.

Je ne dis pas qu'elles avaient raison de renoncer à accomplir leur personnalité dans l'action. Je dis qu'elles avaient raison de refuser de jouer à ce jeu-là. Parce que les dés étaient pipés, bien sûr. Et, plus profondément, parce qu'elles sentaient que la nouvelle société industrielle exigeait des serviteurs dépersonnalisés. Pour s'en convaincre, elles n'avaient qu'à regarder leur père et leur mari. Où étaient-ils, ces hommes — et ces femmes aussi — qu'avait chantés le cher professeur Maslow, « préoccupés par de grandes questions... confrontés en permanence avec les plus vastes dimensions de la vie... (œuvrant) dans un cadre de valeurs universelles et non mesquines, en terme de longue durée, non d'instants » ? *Always the procreant urge of the world !...* Fini. Les femmes ne voyaient autour d'elles d'autres vastes desseins que ceux de la plus grande production pour la plus grande consommation. C'était utile, sans doute, parfois inutile, et rarement exaltant. Puisque les hommes y tenaient tant, à eux la production, elles consommeraient.

Les femmes fortunées qui avaient échappé au piège d'un travail aliénant se trouvèrent prises à un autre piège.

Le piège de la féminité

Les filles continuent d'aller à l'Université (un peu plus d'une sur trois), mais pour quoi faire ? Les plus sérieuses se le demandent, et ne trouvent pas de réponse. Les autres ne se le demandent pas : c'est pour trouver un mari tout en s'offrant un peu de bon temps. Dans une grande université du Midwest, plus des deux tiers des étudiantes interrogées sur ce qu'elles comptaient faire plus tard ont répondu : « Rencontrer l'homme qui me convient. » L'une d'elles a ajouté : « Celle qui ne brûle pas d'être pincée pour quelqu'un ou de se marier est une excentrique. » Les étudiants de Princeton ont à leur disposition un guide, rédigé par eux-mêmes, *Où vont les filles,* qui les met en garde contre les entreprises des étudiantes de Smith College : « N'oubliez jamais qu'une fille du Smith vous considère non seulement comme son flirt, mais aussi comme celui qui pourrait un jour payer les factures pour envoyer à Smith votre fille à tous deux [14]. » Ils n'ont pas tort. Une fille de Smith College déclare : « Je suppose que tout le monde veut passer ses examens la bague au doigt. C'est ça qui compte. » La chasse au mari est si bonne que deux filles sur trois sont mariées avant vingt et un ans. Et, la bague au doigt, elles ne passent plus leurs examens. Ce n'est plus la peine, et même, ce serait un manque de tact : une épouse trop instruite donnerait des complexes à son mari.

Les filles sont dressées à cette chasse dans un âge encore tendre. A onze ou douze ans, alors qu'elles n'ont encore rien à craindre ni à espérer, des cours d'éducation sexuelle les avisent de porter un slip afin que les garçons ne puissent pas voir sous leurs jupes la précieuse chose, et de meubler leur pull-over d'un soutien-gorge en mousse. Avec une féminité si bien conditionnée, la foire aux maris ne devrait-elle pas être tout simplement « la foire » ? Admirons la réserve des étudiantes. Leur vie sexuelle a passionné d'innombrables sociologues, depuis Kinsey ; les chiffres des affranchies varient beaucoup en fonction des enquêteurs et des universités (ils sont plus bas dans le Midwest conservateur, encore plus bas dans les universités catholiques) mais enfin, on peut retenir une moyenne de trois vierges sur quatre à vingt ans ; d'une sur deux chez celles qui arrivent à la fin de leurs études sans avoir trouvé un mari. Et à peu près la moitié de celles qui ont fait l'amour l'ont fait avec leur fiancé. Il est vrai que souvent une grossesse a précipité la conclusion souhaitée : ce n'est pas un des moindres avantages de la pilule que de permettre à la fille de faire un enfant au garçon de son choix.

Qui veut la fin veut les moyens. Et il n'est pas de plus belle fin qu'un mariage d'amour en robe blanche, avec des demoiselles d'honneur, des poignées de riz jetées à la volée pour la prospérité et la fécondité, un énorme gâteau qu'on mangera ensemble toute la vie. Presque. Sur quatre couples, il n'y en a jamais qu'un qui divorce, un qui se sépare et deux qui marchent mal. Pourquoi marcheraient-ils bien ? C'est déjà une entreprise hasardeuse que de faire vivre ensemble, et heureux, pendant un demi-siècle, deux personnes de sexe différent. Seuls des choucas en sont capables *. Mais pour compliquer le problème, ce sont deux infantilismes qui se sont épousés, l'un cherchant sa mère, l'autre son père, et tous deux un refuge. La mystique de la romance mariée, de l'amour domestique et des amours d'enfants en liberté — du Jean-Jacques Rousseau au goût du jour — ressemble beaucoup à un alibi, ou à un pari stupide.

La voilà donc casée avec un jeune homme d'avenir, dans une merveilleuse maison de banlieue entourée d'un merveilleux gazon avec une merveilleuse cuisine. Elle a une voiture pour conduire son mari à la gare, puis les enfants à l'école, pour faire son marché, aller boire un martini chez une amie, assister à une réunion de son club, retourner à l'école cherchez ses enfants, retourner à la gare attendre son mari. Et les jours se suivent et se ressemblent, sans rien altérer de sa beauté, de sa séduction, de sa jeunesse. Dès lors qu'elle a enfanté, elle est l'héroïne de la maternité, la mère éternellement jeune que son mari honorera inlassablement, insatiablement, et conformément à la technologie avancée du sexe.

Que les temps sont changés ! Le Docteur Acton pourrait avoir des surprises dans sa tombe, lui qui jugeait offensant de soupçonner unc femme d'éprouver un plaisir charnel : le Docteur Kinsey a mis l'orgasme en statistiques, les Docteurs Masters et Johnson en font des électrogrammes. Sur ces rayonnages où les auteurs mâles et femelles devaient être placés à honnête distance, le livre des recettes de cuisine et celui des recettes d'érotisme font bon ménage. Mais un bon ménage, c'est une autre histoire. Quand un manuel établit un programme « 546 aspects de l'amour physique » auprès duquel les 36 positions du *Kâmasûtra* apparaissent d'une indigence extrême, une femme au foyer a de quoi occuper sa journée,

---

* Voir p. 49.

en attendant le retour du mari. Et lui, il sait ce qui l'attend. Jadis, une épouse était réputée se prêter avec abnégation au « devoir conjugal » ; aujourd'hui, c'est au mari de faire son devoir conjugal. Les auteurs ne badinent pas là-dessus. Un best-seller intitulé *Le mariage idéal ; physiologie et technique* est formel : « Je voudrais bien faire comprendre à tous les hommes mariés que toute stimulation érotique de la femme qui ne s'achève pas par un orgasme est nuisible. » (A propos, les hommes célibataires ont donc le droit d'y aller à la va-comme-je-te-pousse ?) Et s'ils n'ont pas compris, leur épouse leur expliquera, c'est le conseil impératif d'un autre traité, *La responsabilité sexuelle des femmes* : « La femme doit faire comprendre à son mari... qu'il doit la satisfaire... et la satisfaire pleinement. » Il y a mille manières de s'y prendre (pardon : 546). Mais qu'il soit bien entendu que si la femme ne s'envole pas jusqu'aux sept couleurs de l'arc-en-ciel, son mari a besoin d'aller se faire recycler chez un psychanalyste ou dans un institut d'érotisme. (Cela coûte très cher ; les pauvres n'ont d'autre ressource que leurs facultés d'improvisation, ce qui pourrait bien être une chance pour eux.) Il faut aussi tenir compte des cadences. Les statistiques donnent les chiffres de coïts hebdomadaires en fonction de l'âge, du niveau intellectuel, du revenu, de la situation sociale. Avec les manipulations et la gymnastique appropriées, on doit atteindre le score, et même le dépasser. C'est une question de standing. Il n'y a pas de raison. Le croirait-on ? Il paraît que des maris deviennent impuissants, et vont se rassurer ailleurs. Sur dix couples qui divorcent, quatre le font pendant les cinq premières années du mariage. Les statistiques révèlent aussi que les adultères du mari décroissent avec l'âge et que ceux de la femme croissent, le sommet féminin se situant vers la quarantaine : tandis que l'homme trouvait d'autres intérêts dans son métier, la femme a consciencieusement rodé sa sexualité et, les enfants élevés, il ne lui reste rien d'autre que l'érotisme pour meubler le vide. Mais une succession d'instants, fussent-ils éblouissants, ne fait pas une durée. Hier la femme était frustrée par la pudibonderie ; elle l'est aujourd'hui par l'érotomanie *. Même si son mari était la *love machine* dont elle rêve, à quoi bon ? L'obsession érotique court après des vagues qui se perdent dans les sables. Quelques prouesses qu'accomplisse le pauvre mari, il est définitivement coiffé du panier merdeux de Montaigne.

Naturellement — si l'on peut dire, car rien n'est plus « culturel », plus conditionné par la littérature, le cinéma, la publicité, le qu'en-dira-t-on, rien n'est plus conformiste que cet érotisme — les frustrations se reportent sur les enfants, excroissances du piteux pénis paternel et de la séduction maternelle en faillite. La mère se prosterne devant l'agressivité de son petit garçon. S'il lui plaît de mettre la maison à sac et d'assommer un petit camarade d'un coup de batte de base-ball, très bien, il ne faut surtout pas qu'il ait des complexes. Elle exalte la féminité de sa petite fille et attend anxieusement qu'elle ait un *boy friend* plus satisfaisant que son *boy friend* conjugal. Elle vit par procuration. Comment pourrait-elle s'opposer à leurs désirs, leur imposer une règle, donc une souffrance qu'elle refuse pour elle-même ? Identifiée à ses enfants, elle se réfugie dans une seconde enfance, et leur insuffle un refus névrotique de grandir ; et c'est le refuge de la drogue, l'esquive silencieuse dans le hippisme, ou les explosions des bandes de « blousons dorés », ou les adolescentes de Long Island qui créent un véritable réseau de *call girls*, c'est l'ennui, l'atonie, l'incapacité de se projeter, le dégoût de la vie avant d'y avoir goûté.

Tout se passe comme si cette Américaine était constituée de deux moitiés qui ne peuvent pas cohabiter. L'une croit à l'amour, aux bons sentiments, aux joies de la chair, aux vertus de la liberté, bref à l'harmonie préétablie de la nature ; elle est, en quelque sorte, une hippy de luxe. L'autre recourt à toute la panoplie de la technologie psychanalytique, culinaire ou érotique. Le seul point commun de ces

* Selon Kinsey, 42 % des femmes nées entre 1900 et 1919 connaissaient l'orgasme, mais pour celles nées entre 1920 et 1929, le chiffre descendait à 36 %. On admettra toutefois que l'appréciation personnelle introduit en ce domaine une marge d'incertitude. La machine à enregistrer la volupté n'était pas inventée en 1950, nous en étions toujours à l'impressionnisme.

deux moitiés est d'être en réaction contre le puritanisme, c'est-à-dire de n'être rien de plus qu'un puritanisme à l'envers. Et comme il ne peut y avoir d'être sans unité, et qu'il faut bien que l'instinct vital se raccroche à quelque chose, la femme coupée en morceaux compense l'être par l'avoir. Il faut qu'elle possède son mari, ses enfants. Ils lui échappent ? Elle possédera donc des objets, les choses seront les bouées de son naufrage sexuel. Les publicitaires ne s'y trompent pas, qui vendent une promesse d'orgasme avec une paire de souliers.

Victime de la crise de civilisation

Ce portrait robot de l'Américaine supérieurement moyenne, dont j'ai emprunté les lignes directives aux observateurs américains, ne serait que partiellement valable, hors de la classe en question. Mais cette classe représente ce que les autres aspirent à devenir — et ce que nous risquons de voir en Europe dans dix ou vingt ans. Son signe particulier me paraît tenir en ceci : une femme « à l'aise » et qui est mal à l'aise. Pourquoi ?

Si l'on s'en tient à sa situation personnelle, il me semble que le mal est dans le déséquilibre entre ce qu'elle fait et ce qu'elle pourrait faire. Elle est née parmi un peuple qui ne met rien plus haut que l'action, l'efficacité, la maîtrise de la matière, et qui a montré avec assez d'éclat ce dont il est capable pour le meilleur et pour le pire. Elle a reçu une certaine instruction à l'Université, et elle a entrevu une possibilité de participer à la grande œuvre commune. Et puis, elle s'est repliée dans le confort du foyer, renonçant à tout ce qui était hors de son rôle d'épouse-amante-mère. Je ne suis certes pas de ceux qui pensent que ce rôle est secondaire. Je le tiens, au contraire, pour primordial. Mais je ne pense pas que la femme se résume à cela. Les virtualités d'action qui sont en elle, aussitôt éveillées, ont été étouffées. Imagine-t-on un athlète heureux avec un bras atrophié ? C'est à peu près ce qui arrive à l'intellectuelle mariée. Fallait-il étudier Freud, Marx ou Shakespeare pour conduire une machine à laver et torcher des enfants ? Pourquoi tout ce qu'elle a appris demeure-t-il sans emploi ?

A cette question, Betty Friedan répond : parce qu'elle a succombé à la mystique de la féminité. Je veux bien, mais l'explication me paraît un peu courte. A supposer qu'un complot ait jamais été consciemment ourdi par quelque *lobby* des mâles — dont je doute — il n'aurait guère été efficace s'il n'avait exploité un terrain préparé. D'ailleurs, Betty Friedan, qui situe les premières manifestations du complot en 1942, porte elle-même un coup sérieux à sa thèse en dénonçant le rôle néfaste de la *mom*, reine du foyer d'avant-guerre, que le Docteur Strecker, appelé en consultation par le Major Général de l'Armée et de la Marine, déclara responsable de la plupart des trois millions de jeunes gens (sur quinze millions d'appelés) qui se réfugièrent dans des maladies nerveuses au moment de la conscription *. C'est en 1942, justement, que Philip Wylie publia *Génération de vipères*, la vipère étant la *mom*, « la femelle totalement inoccupée aux abords de la cinquantaine » ; « déguisée en « chère vieille mère », en « petite mère chérie », en « maman adorée », en « maman qui t'adore », etc., elle est l'épousée de tous les enterrements et le cadavre de tous les mariages. Les hommes ne vivent que pour elle, ils meurent pour elle, deviennent fous d'elle et murmurent son nom en exhalant leur dernier soupir... » La mystique de la féminité faisait donc ses ravages avant d'avoir été nommée.

Peut-être, cependant, l'opinion ne désapprouvait-elle pas aussi vigoureusement celles qui se mêlaient de faire carrière ? Mais l'opinion, qui est-ce ? Les femmes en sont-elles plus que les hommes esclaves ? Est-ce qu'elles ne la font pas, elles aussi, l'opinion ? Bien sûr, il y a beaucoup plus d'hommes que de femmes dans les journaux, dans les chaînes de radio et de télévision, à la Chambre des Représentants et au Gouvernement. Mais pourquoi ? Qu'est-ce qui les retient d'y aller ? Pourquoi la très grande majorité

* 1 825 000 cas d'inaptitude au service en campagne pour troubles psychiatriques, 600 000 cas de réforme pour névroses, 500 000 tentatives d'échapper à l'appel.

des femmes qui travaillent se trouve-t-elle parmi les petits revenus familiaux ? Pourquoi les femmes fortunées et instruites, celles-là mêmes qui pourraient « affirmer leur personnalité » dans un métier intéressant, celles qui ont le choix, pourquoi choisissent-elles de ne rien faire ? Parce que la fiscalité ne laisserait pas grand-chose de ce revenu supplémentaire ? Et qu'une femme de ménage prendrait le reste ? Parce que le barrage masculin rend l'entreprise trop difficile ? Sans doute. Mais elles seraient bien capables de forcer le barrage si elles le voulaient vraiment — la preuve, c'est que quelques-unes l'ont forcé. Alors ? Elles trouvent plus agréable d'être entretenues, et après elles se plaignent ? Je ne jurerais pas que cette promotion facile n'a jamais été un rêve de jeune fille. Mais supposons que tous ces problèmes soient résolus. On bute de nouveau sur la question fondamentale de morale, et de moral. Les idées reçues, les idéaux, les croyances sont morts de soif sous le regard froid de la science. L'art, la sensibilité, le cœur, la philosophie, l'innocence, rien n'a été épargné. Et la technologie, fille de la science, a déshumanisé l'action. Où est le grand ouvrage exaltant — ou simplement le métier dans lequel l'être puisse se trouver engagé avec joie ? Le travail est parcellisé, sa finalité paraît douteuse. Le repli des femmes qui ont le choix, ou une certaine marge de choix, ne signifie-t-il pas une mise en accusation de la connaissance et de la création ?

L'individu se sentait vivre quand il allait de l'avant avec sa foi, son espérance, très peu de charité et beaucoup d'illusions. Il a tant créé de choses qu'il a confondu sa vertu avec les produits de sa vertu, le créateur ébloui s'est identifié à sa création, et la quantité est apparue comme la mesure de la qualité. On ne sait qui est le plus passif, de l'homme qui travaille ou de la femme qui consomme. Et la femme, comme l'homme, n'est qu'une addition d'objets, d'instants, de fragments d'existence, dont la mort dira le total : 3 maris, 11 aspirateurs, 6 machines à laver, 7 téléviseurs, 4 enfants, 9 moulins à café, 8 réfrigérateurs, 14 amants 1/2, 13 mixers, 17 automobiles, 18 976 orgasmes, et un raton laveur.

2. LA SOVIÉTIQUE OU LE PIÈGE DE LA SOCIÉTÉ

Passons aux antipodes. La civilisation américaine est fondée sur l'individu, la civilisation soviétique sur la société. L'une croit à la vertu de l'action dans une harmonie naturelle, l'autre, à une harmonie acquise par l'application correcte de principes scientifiques. L'une et l'autre se sont fixé comme objectif la liberté, mais ce n'est pas la même.

Puisque les principes marxistes-léninistes sont au commencement, il faut donc commencer par dire, en ce qui concerne la femme, quels sont ces principes et quel est l'objectif.

Le communisme « transformera les rapports entre les sexes en rapports purement privés, ne concernant que les personnes qui y participent, et où la société n'a pas à intervenir. Cette transformation sera possible, du moment qu'il supprimera la propriété privée, qu'il élèvera les enfants en commun et détruira ainsi les deux bases principales du mariage actuel, à savoir la dépendance de la femme vis-à-vis de l'homme et celle des enfants vis-à-vis des parents [15] ». « *On ne peut pas* assurer de liberté véritable, *on ne peut pas* bâtir de démocratie — sans parler de socialisme — si l'on n'appelle pas les femmes au service civique, au service dans la milice, à la vie politique, si l'on ne les arrache pas à l'atmosphère abrutissante du ménage et de la cuisine [16]. » « L'affranchissement de la femme a pour condition première la rentrée de tout le sexe féminin dans l'industrie publique, et à son tour cette condition exige la suppression de la famille individuelle comme unité économique de la société [17]. »

Dès que les bolcheviks eurent pris le pouvoir, ils donnèrent force de loi à leurs principes. Comme leur universalité s'appliquait dans la chair vive d'un peuple à un certain moment de son histoire, un rapide coup d'œil sur la situation du peuple russe avant 1917 ne sera pas superflu.

En attendant la révolution

Quarante millions de *moujiks* attendaient le partage des terres *. L'abolition du servage en 1861 n'avait pas résolu la question agraire, elle l'avait déplacée : sur les vingt millions d'hectares qui étaient entre les mains de 700 familles nobles, la moitié avait été vendue, mais à de riches marchands beaucoup plus exigeants sur le rendement. La petite noblesse, elle aussi, avait vendu ses terres, mais encore aux marchands, ou aux paysans aisés, les *koulaks*. Après la révolution avortée de 1905, le gouvernement Stolypine offrit aux *moujiks* la possibilité d'acheter des terres à crédit. Trop cher, et trop tard : les pauvres avaient entrevu l'espérance d'un « partage noir », et ils avaient foi que cela ne tarderait plus longtemps. Ils végétaient, entassés avec la famille dans l'isba en bois, dormant tout habillés sur l'énorme poêle en attendant le printemps. Une vingtaine de millions s'en allaient errer autour des chantiers, dans les faubourgs des villes, sur des marchés d'ouvriers, foires humaines où se recrutait la main-d'œuvre. Des cités ouvrières hâtivement construites mettaient à la disposition du personnel des logements où souvent les hommes dormaient à même le sol ; ainsi se recréait, dans les banlieues industrielles, la vie communautaire et la promiscuité rurales. De petits nobles, dont les liens ancestraux avec la paysannerie venaient d'être coupés, se sentaient eux aussi des enfants perdus. Rassemblés dans les grandes villes, ils constituaient une *intelligentsia* cérébralisée à l'extrême, mais sensible, torturée, prête à tout pour se racheter, fût-ce à l'anarchie. Les universités devenaient des foyers révolutionnaires. Les jeunes intellectuels se liaient dans des sociétés secrètes terroristes. Ils rêvaient « d'aller au peuple » pour l'éduquer. Vaste programme : en

* Selon le recensement de 1897, la Russie comptait 105 millions d'habitants dont 3 millions de petits propriétaires aisés, 36 millions de petits propriétaires pauvres, 41 millions de paysans prolétarisés et 22 millions de prolétaires de l'industrie qui, en fait, étaient aussi des paysans prolétarisés : les véritables ouvriers n'atteignaient pas 3 millions. Enfin, 700 personnes détenaient plus de 20 millions d'hectares.

1897, trois hommes sur quatre étaient analphabètes, et sept femmes sur huit. Cependant le gouvernement tzariste se préoccupait lui aussi de l'éducation : en 1914, sept enfants sur dix fréquentaient les écoles primaires, et il y avait 913 établissements scolaires pour jeunes filles. Dans cette *intelligentsia* les femmes n'étaient pas moins actives que les hommes, au contraire : qui a lu Tolstoï, Tourguéniev ou Dostoievski sait que si les hommes y apparaissent souvent rêveurs, idéalistes, impressionnables, instables, les femmes y manifestent la force de caractère, l'esprit de décision, l'énergie, l'endurance que l'on dit être l'apanage du sexe masculin — cette *muliebris audacia* que nous avons vue chez les Etrusques. De cet échange consenti des rôles traditionnels, il résulte que le Russe est le moins misogyne des hommes.

Ces femmes avaient aussi leurs objectifs propres. En 1905 avait été fondée l' « Union pour l'égalité des droits des femmes » qui provoqua en 1908 la réunion du premier congrès des femmes panrusses. Chez les bolcheviks, des militantes comme Iñès Armand, Alexandra Kollontaï ou Nadejda Kroupskaïa, épouse de Lénine, posaient les problèmes de la libération de leur sexe. Mais le marxisme professait qu'ils ne pouvaient pas être dissociés de la libération de l'être humain. La lutte des sexes devait être transcendée par la lutte des classes.

La révolution sexuelle

Les décrets sur la condition de la femme qui se succédèrent dans les trois premières années de la révolution avaient donc pour objectif de la libérer de l'esclavage domestique, certes, mais pour l'intégrer dans la vie publique. Alexandra Kollontaï, inspiratrice du Code de la Famille promulgué en 1918, publia l'année suivante un pamphlet, *Le Communisme et la Famille*, directement issu des idées d'Engels : « Sur les ruines de l'ancienne famille nous verrons bientôt s'en élever une nouvelle, qui développera des rapports entièrement différents entre l'homme et la femme, et qui sera une union d'affection et de camaraderie, l'union de deux individus égaux de la société communiste, tous deux libres, tous deux indépendants, tous deux travailleurs.

« L'Etat ouvrier a besoin d'une nouvelle forme de relation entre les sexes. L'affection étroite et exclusive de la mère pour ses propres enfants doit s'étendre jusqu'à ce qu'elle s'applique à tous les enfants de la grande famille prolétarienne. A la place de l'indissoluble mariage basé sur la servitude de la femme, nous verrons s'élever l'union libre, fortifiée par l'amour et le respect mutuel de deux membres de l'Etat ouvrier, égaux dans leurs droits et leurs devoirs. A la place de la famille individualiste et égoïste s'élèvera une grande famille universelle de travailleurs, au sein de laquelle tous les travailleurs, hommes et femmes, seront par-dessus tout des travailleurs, des camarades. Tels seront les rapports entre hommes et femmes dans la société communiste de demain. »

Après tout, les Polynésiens avaient déjà pratiqué avec bonheur l'union libre et la communauté des enfants ; il leur manquait, il est vrai, le travail et l'idéologie, mais ils avaient des loisirs, une abondance relative à leurs besoins, une nonchalance, qui ne sont peut-être pas moins nécessaires à la culture des sentiments.

Des loisirs, la mère allait en avoir. Au Congrès de l'Instruction publique, en 1918, Z. Lilina, épouse de Zinoviev, déclara : « Nous devons soustraire les enfants à l'influence néfaste de la famille. Nous devons les prendre en compte, disons le mot, les nationaliser. Dès les premiers jours de leur existence, ils se trouveront sous l'influence bienfaisante des jardins d'enfants et des écoles communistes. Ils y apprendront l'A. B. C. du communisme et deviendront plus tard de vrais communistes. Obliger la mère à nous donner ses enfants à nous, Etat soviétique, telle est notre tâche pratique. »

Le mariage religieux, cela va sans dire, était supprimé. Ceux qui désiraient se marier n'avaient qu'à aller le déclarer à un guichet de l'état civil ; et une autre déclaration suffisait pour divorcer. A Moscou, dans les sept premiers mois de 1918 qui suivirent le décret, on compta 991 mariages et 4 913 divorces. La femme conservait son nom de jeune fille.

Les enfants légitimes et illégitimes avaient les mêmes droits. En 1920, l'avortement fut autorisé. Garçons et filles devaient être éduqués dans des écoles mixtes, les salaires des hommes et des femmes devaient être égaux, les femmes étaient électrices et éligibles. Enfin, quelques semaines après le décret autorisant l'avortement — il est permis de voir ici un lien — un autre décret tendit à l'insertion des femmes dans la vie économique. La révolution avait besoin de tous les cerveaux et de tous les bras.

Seulement, il se trouvait des hommes et des femmes qui voyaient surtout la permission enfin donnée de faire l'amour sans souci. Dans les campagnes, où beaucoup résistaient à la propagande antireligieuse (on estime qu'en 1927 de 60 à 70 millions de personnes fréquentaient encore les églises), où des femmes s'entêtaient étrangement à demeurer dans l'esclavage conjugal, la crise sexuelle, dit Kollontaï, n'épargnait pas les paysans et provoquait des drames. Dans les villes, c'était la fête sexuelle, avec le parfait alibi de l'idéologie. Parfois, des militants particulièrement pointilleux prétendaient codifier la fête. Ce décret du soviet de Vladimir est resté fameux :

« Toute jeune fille de 18 ans est déclarée propriété de l'Etat.

« Toute jeune fille de 18 ans est obligée, sous peine d'une amende sévère, de se faire inscrire au bureau de l'Amour libre.

« Une femme inscrite à ce bureau a le droit de choisir un homme âgé de 19 à 50 ans comme concubin. Les hommes ont aussi le droit de choisir une femme qui a atteint 18 ans.

« Les personnes intéressées peuvent choisir un mari ou une femme une fois par mois.

« Le bureau de l'Amour libre est autonome.

« Dans les intérêts de l'Etat, les hommes âgés de 19 à 50 ans ont le droit de choisir une femme inscrite au bureau, sans son consentement.

« Les fruits d'une telle cohabitation deviennent la propriété de la République. »

Le pédantisme sied aux révolutionnaires, nos Jacobins n'y

avaient pas échappé. Il exprimait aussi une touchante bonne volonté de créer des relations nouvelles entre les sexes. Ainsi la commune de jeunes, née à Moscou en 1924, et qui eut de nombreux émules. L'idée était de remplacer la famille bourgeoise par la famille des camarades. La commune édicta son règlement : « Nous sommes d'avis de laisser les relations sexuelles entièrement libres. Elles se passeront ouvertement. Seuls des rapports contraires à la camaraderie aspirent aux recoins obscurs. » Il apparut très vite que des garçons et des filles, par on ne sait quel atavisme petit-bourgeois, répugnaient à faire l'amour publiquement ; c'était d'autant plus fâcheux que leur logement surpeuplé n'offrait pas le moindre recoin obscur. Il y en avait même qui tombaient amoureux ! Un temps d'éducation fut jugé nécessaire, et un amendement fut apporté aux statuts : « Des rapports sexuels entre les habitants de la commune sont jugés indésirables pendant les cinq premières années. » Hélas ! Le cœur avait décidément ses raisons que la raison ne connaissait pas, et il fallut encore modifier le règlement : « Le mariage au sein de la commune est possible et licite. Cependant il devra, eu égard à la gravité de la crise du logement, demeurer sans suites. L'avortement ne devra pas être pratiqué. » Des suites en résultèrent, qui aboutirent un an plus tard à un autre amendement : « La commune autorise les naissances. » Toutefois, cette concession ne devait pas porter atteinte au principe de la propriété collective : les enfants seraient les enfants de la commune et élevés à ses frais [13].

Tous les amants de la révolution n'avaient pas une exigence aussi haute. Considérant que « les sentiments bourgeois tel que l'amour entre les gens de sexe opposé ou entre parents et enfants » étaient contre-révolutionnaires, les hommes ne se faisaient pas scrupule de planter là les femmes après usage ; comme les hôpitaux n'avaient pas les moyens de répondre à la demande d'avortements, elles abandonnaient leurs enfants. Des couples trouvaient très opportun de « soustraire les enfants à l'influence néfaste de la famille », comme disait Z. Linina, et des bandes de jeunes loups affamés erraient dans les villes et dans les campagnes ; ils étaient 7 millions en 1923, 9 millions en 1928. Chez les filles, la prostitution faisait des ravages ; en 1928, dans un asile de nuit de Léningrad, parmi des femmes dont la plupart avaient de 15 à 24 ans, on trouvait 37 % de syphilitiques. Bagatelles qui ne retiendront pas Wilhelm Reich d'écrire que « cette révolution sexuelle était l'expression objective d'une révolution culturelle [19] ». Les crèches promises manquaient cruellement. Et les décrets de scolarisation obligatoire et gratuite pour tous donnaient 38 % d'enfants à l'école en 1922, alors qu'il y en avait 70 % en 1914.

Les Soviets avaient à faire face à une situation dramatique, c'est bien évident. La guerre, puis la révolution et le bouleversement des structures, la guerre civile enfin, avaient plongé le pays dans un chaos inimaginable. Des millions d'hommes moururent de faim pendant ces années-là. Comment le régime aurait-il trouvé les moyens de créer les équipements sociaux qui devaient accompagner la destruction de la famille ? Mais c'étaient bel et bien les principes marxistes qui avaient exigé cette destruction, et tout d'un coup.

D'une monogamie à l'autre

Lénine était mort en 1924 mais il avait assez vécu pour se récrier d'horreur devant la sexualité déchaînée. Il n'avait pas voulu cela. Ce qu'il avait voulu, c'était « abolir d'abord toutes les restrictions des droits de la femme » afin que « la femme puisse accomplir en toute indépendance sa tâche prolétarienne et socialiste [20] ». Quant à cette révolution sexuelle, il s'en était longuement expliqué en 1920 au cours d'un entretien célèbre avec Clara Zetkin. Deux ou trois fragments de cet entretien sont toujours cités. Je crois utile de rétablir le contexte du passage en question.

« Dans sa nouvelle attitude à l'égard des questions concernant la vie sexuelle, la jeunesse n'est point sans se référer en principe à la théorie. Beaucoup qualifient leur position de « révolutionnaire » ou de « communiste ». Ils croient sincèrement qu'il en est ainsi. Je suis trop vieux pour qu'ils m'en imposent. Bien que je ne sois rien moins qu'un morne ascète, cette nouvelle vie sexuelle de la jeunesse, et souvent même des adultes, m'apparaît assez souvent comme tout à fait bourgeoise, comme un des multiples aspects d'un lupanar bourgeois. Tout cela n'a rien à voir avec « la liberté de l'amour » telle que nous, communistes, nous la concevons. Vous connaissez sans doute la fameuse théorie d'après laquelle, dans la société communiste, satisfaire ses instincts sexuels et son besoin d'amour est aussi simple et aussi insignifiant que d'avaler un verre d'eau. Cette théorie du « verre d'eau » a fait que notre jeunesse est enragée, littéralement enragée *.

« Elle est devenue fatale à beaucoup de jeunes gens et de jeunes filles. Ses partisans affirment que c'est une théorie marxiste. Merci pour ce marxisme pour lequel tous les phénomènes et toutes les modifications qui interviennent dans la superstructure idéologique de la société se déduisent immédiatement, en ligne droite et sans réserve aucune, uniquement de la base économique. La chose n'est pas aussi simple qu'elle en a l'air. Un certain Friedrich Engels a, depuis longtemps déjà, établi cette vérité du matérialisme historique.

« Je considère la fameuse théorie du « verre d'eau » comme non marxiste et antisociale par-dessus le marché. Dans la vie sexuelle se manifeste non seulement ce que nous tenons de la nature mais aussi ce que nous apporte la culture, qu'il s'agisse de choses élevées ou inférieures.

« Engels, dans son *Origine de la famille,* montre l'importance qu'il y a à ce que l'amour sexuel se développe et s'affine. Les rapports entre les sexes ne sont pas simplement l'expression du jeu de l'économie sociale et du besoin physique, dissocié en pensée par une analyse physiologique.

« La tendance à ramener directement à la base économique de la société la modification de ces rapports en dehors de leur relation avec toute l'idéologie serait non du marxisme, mais du rationalisme. Certes la soif doit être

* Kollontaï était l'auteur de la théorie du « verre d'eau ».

assouvie. Mais un homme normal, dans des conditions normales également, se mettra-t-il à plat ventre dans la rue pour boire dans une flaque d'eau sale ? Ou même dans un verre dont les bords auront été souillés par des dizaines d'autres lèvres ? Mais le plus important, c'est le côté social. En effet, boire de l'eau est une affaire personnelle. Mais en amour, il y a deux intéressés et il en vient un troisième, un être nouveau. C'est ici que se cache l'intérêt social, que naît le devoir envers la collectivité. Etant communiste, je ne ressens aucune sympathie pour la théorie du « verre d'eau », encore qu'elle porte l'étiquette de « l'amour affranchi ». Au surplus, elle n'est pas neuve, cette théorie communiste. Vous vous rappelez, je suppose, qu'elle avait été « prêchée » en littérature au milieu du siècle passé comme l' « émancipation du cœur ». Pour la pratique bourgeoise, elle s'est changée en émancipation de la chair. On prêchait alors avec plus de talent qu'aujourd'hui. Quant à la pratique, je n'en puis juger.

« Je ne veux point par ma critique prêcher l'ascétisme. Loin de là. Le communisme doit apporter, non l'ascétisme, mais la joie de vivre et le réconfort, dus également à la plénitude de l'amour. A mon sens, l'excès qu'on observe aujourd'hui dans la vie sexuelle n'apporte ni la joie de vivre ni le réconfort ; bien au contraire, il les diminue. Or, pendant la révolution, cela ne vaut rien du tout. »

Et plus loin :

« La révolution exige la concentration, la tension des forces. De la part des masses et des individus isolés. Elle ne tolère pas les états orgiastiques dans le genre de ceux qui sont propres aux héroïnes et aux héros décadents de d'Annunzio. Les excès dans la vie sexuelle sont un signe de dégénérescence bourgeoise... Savoir se maîtriser, discipliner ses actes, ce n'est point de l'esclavage. Cela est également nécessaire en amour. »

Il me semble qu'il y avait deux hommes dans Lénine. L'un, le révolutionnaire, exigeait « la concentration, la tension des forces » au service de la nouvelle société à construire. L'autre, le moraliste, avait un idéal fondé sur la discipline des sens, sur l'amour, sur la monogamie. Le second accompagne nécessairement le premier. C'est la loi déjà signalée des civilisations en gésine. C'était la loi des bourgeois du premier âge industriel. De sorte que, par une de ces ironies de l'histoire qui m'enchantent, Lénine s'appuyait, pour détruire la bourgeoisie, sur des valeurs bourgeoises. Mais il y avait quelques différences non négligeables. Les bourgeois faisaient effectivement entrer « le sexe féminin dans l'industrie publique [21] », comme Engels l'escomptait de la société socialiste, comme Lénine s'y efforçait, mais ils n'y faisaient entrer que les femmes du peuple, et pas précisément pour leur bien ; Lénine plaçait là leur libération. Ils professaient la chasteté, mais ils trompaient leurs épouses ; Lénine vivait authentiquement sa morale monogamique avec Kroupskaïa. Ceux-ci était hypocrites et incohérents, Lénine était sincère et logique. Le succès n'était pas pour autant garanti : il arrive quelquefois que la nature humaine refuse la logique.

Pour lors, la nature humaine de la femme refusait la discipline des sens, et ce n'était pas l'*Origine de la famille*, bible marxiste en la matière, qui pouvait éclairer Lénine sur les raisons de cette stupéfiante liberté. Car, cette origine, comment Engels la voyait-il ? Il disait : « La monogamie est née de la concentration de grandes richesses dans la même main — celle d'un homme — et du désir de transmettre ces richesses par héritage aux enfants de cet homme-là et d'aucun autre. » Je le pense aussi et, d'ailleurs, je l'ai dit : avec l'invention de l'agriculture le paysan instaura la propriété privée des moyens de production — la terre, et la propriété privée des moyens de reproduction — la femme [22]. Mais il disait aussi, et là j'ai de sérieux doutes : la femme accepta la sujétion, et même la désira, parce que le fardeau de la lubricité des hommes lui faisait « souhaiter toujours plus ardemment, comme une délivrance, le droit à la chasteté ». Voilà une vue bien victorienne de la féminité, à quoi la révolution sexuelle infligeait un démenti violent.

Ceci est plus grave. La méconnaissance marxiste de l'érotisme n'était, après tout, que circonstancielle. La méconnaissance de l'instinct maternel et des besoins de l'enfant était fondamentalement liée à la doctrine. Ecoutons Engels. « La monogamie étant née de causes économiques, disparaîtra-t-elle si ces causes disparaissent ? On pourrait répondre, non sans raison : elle disparaîtra si peu que c'est bien plutôt à partir de ce moment qu'elle sera pleinement réalisée. Car, avec la transformation des moyens de production en propriété sociale, disparaissent aussi le salariat, le prolétariat, et, par suite, la nécessité obligeant un certain nombre — calculable par la statistique — de femmes à se prostituer pour de l'argent. La prostitution disparaît, la monogamie, au lieu de péricliter, devient enfin une réalité — même pour les hommes [23]. » On n'aura pas la cruauté d'opposer ici la prostitution si florissante dans les premières années de la révolution : elle n'était, elle aussi, que circonstancielle. Mais sur quoi repose donc cette belle confiance dans l'avenir de la monogamie ? « Que disparaissent les considérations économiques en vertu desquelles les femmes ont accepté cette infidélité habituelle des hommes — le souci de leur propre existence, et plus encore celui de l'avenir des enfants — et l'égalité de la femme qui en résultera aura pour effet, selon toutes les expériences antérieures, que les hommes deviendront monogames dans une proportion infiniment plus large que les femmes ne deviendront polyandres. » Où Engels a-t-il vu ces « expériences antérieures » ? Je crains qu'il n'y ait là rien de plus qu'une vue de l'esprit. Je crains aussi qu'il ne soit tombé dans ce simplisme dont, selon Lénine, il avait fait justice, et qui consiste à croire que toutes les modifications de la superstructure idéologique se déduisent de la base économique.

Qu'adviendra-t-il de la monogamie enfin délivrée de la propriété ? « Si le mariage fondé sur l'amour est seul moral, celui-là seul peut l'être où l'amour persiste. Mais la durée de l'accès de l'amour sexuel est fort variable suivant les individus, notamment chez les hommes, et une disparition de l'inclination ou son éviction par un amour passionnel nouveau fait de la séparation un bienfait pour les deux parties comme pour la société [24]. » Passons sur ce « notamment chez les hommes », qui fait bon marché des sentiments de la femme et en promet plus d'une à l'abandon. Ce qui me paraît à retenir dans cette théorie de la monogamie future, c'est qu'à aucun moment Engels ne met en doute que la joie d'une mère avec son enfant, ce besoin qu'a cet enfant de la tendresse maternelle, le bienfait que peut lui apporter, sorti du premier âge, la présence d'un père et d'une mère, ne soient des valeurs factices destinées à être balayées par l'abolition de la propriété privée. Pourquoi s'y arrêterait-il ? Dans la page précédemment citée, il a réglé la question en une phrase : « Les soins et l'éducation à donner à l'enfant deviennent une affaire publique. »

La répression sexuelle

La théorie est une chose, les faits en sont une autre. Et, comme disait Lénine, ils sont têtus. Il apparut à son épouse que les sentiments sont, eux aussi, têtus, et elle le dit : « Le sentiment paternel ne se laisse pas supprimer, bien qu'il adopte d'autres formes dont se féliciteront enfants et parents. Les ouvriers et ouvrières qui se refusent à livrer leurs enfants aux cités d'enfants ont raison. L'éducation de l'enfant dans la communauté socialiste devra être organisée de telle sorte que les parents collaborent avec les pédagogues. » Les unions libres étaient aussi nombreuses que les unions enregistrées. En 1926, un second Code de la Famille entérina la situation en les assimilant et mit l'accent sur le rôle des parents. Mais sans grand effet. La *Pradva* du 4 avril 1935 publia qu'il y avait eu à Moscou, l'année précédente, 57 000 naissances et 54 000 avortements. Pour toute l'U. R. S. S. les avortements dépassaient le million ; sans compter les innombrables avortements non officiels. Mais il fallait désormais en chercher la cause beaucoup plus dans la crise du logement, dont j'aurai à reparler, que dans la licence des mœurs, qui commençait à céder aux sermons du Parti.

Le commissaire à la Santé Publique écrivait dans une lettre à la jeunesse étudiante : « Camarades, vous êtes venus dans les universités et les instituts techniques pour vos études. C'est là le but principal de votre vie. Mais comme toutes vos impulsions et vos actes sont subordonnés à ce but principal, vous devez vous refuser de nombreux plaisirs... L'Etat est encore trop pauvre pour prendre en charge votre entretien et l'éducation des enfants. Notre conseil est donc : *Abstinence !* » Les communes de jeunes continuaient, il y en avait des milliers ; et la *Komsomolskaïa Pravda* publiait à leur intention ce modèle de Constitution : « La commune tient pour absolument inadmissibles les liaisons sexuelles provisoires et une vie sexuelle déréglée. Elle n'accepte, comme forme de vie sexuelle, que le mariage ferme et durable, fondé sur l'amour. Un tel mariage ne peut être que le résultat d'une amitié réciproque, d'un rapprochement spirituel et de la communauté d'intérêts des jeunes filles et des jeunes gens. La commune combat avec une extrême vigueur le mariage sans amour, fondé sur « des convenances réciproques », les liaisons sexuelles légères et hasardeuses et les diverses laideurs qui en résultent. » En 1932, Fanina Halle constatait : « La vague d'intérêt pour les problèmes sexuels a définitivement reflué, et la jeunesse soviétique, l'avant-garde de la révolution, se trouve en face de tâches si sérieuses que les problèmes sexuels deviennent *sans importance*. Aussi, les relations entre les sexes en Union soviétique ont à nouveau atteint un stade de *désexualisation* peut-être plus profond que jamais... C'est le plan quinquennal qui est à l'origine de ce changement [25]. » Quelle belle chose qu'un plan ! Staline était au pouvoir, et il régnait dans les sexes comme dans les cœurs. Les Athéniens ne disaient-ils pas de Solon qu'homme au lit ni chien à la niche n'échappaient à son autorité légiférante ? Staline promulgua en 1936 un troisième Code de la Famille. Pour divorcer il fallait désormais plaider et payer, comme dans les pays capitalistes ; en plus, un impôt spécial frappait les époux divorcés. L'avortement était interdit, sous peine de prison, sauf pour des raisons médicales. Cette interdiction fut « justifiée » par « l'élévation continue du niveau de vie, le bien-être croissant des travailleurs, la multiplication des maternités », (nous verrons tout à l'heure ce qu'il en était) enfin, « par la gigantesque élévation du niveau culturel et politique des travailleurs ». Les peines prévues étaient une forte amende et jusqu'à deux ans de prison. Et le décret glorifiait la maternité : « Nulle part au monde la femme mère et citoyenne, sur laquelle reposent la grande responsabilité et le grand devoir de mettre au monde et d'élever des citoyens, ne jouit davantage de respect et de la protection de la loi qu'en U. R. S. S. »

Dans la terrible guerre contre l'Allemagne nazie, Staline fit flèche de tout bois, même de la religion et, bien sûr, de la famille. Dès 1941, un décret imposa les célibataires hommes entre vingt et cinquante ans et les femmes entre vingt et quarante-cinq ans. En 1944, l'imposition fut aggravée, et étendue aux familles de moins de trois enfants. Cette année-là, un tour de vis supplémentaire consolida la famille. La distinction entre enfants légitimes et enfants naturels était rétablie ; une mère célibataire se vit retirer le droit d'introduire une action en reconnaissance de paternité et de demander au père une pension alimentaire. Le divorce était encore plus difficile et encore plus coûteux (cinq mois d'un salaire moyen). Les juges étaient avisés de ne l'accorder qu'avec parcimonie. Les autorités s'efforcèrent de rendre à l'engagement du mariage la solennité d'autrefois, pope en moins. On construisit des « palais des mariages ». Des allocations familiales encouragèrent la fécondité. Et des médailles. Non sans succès : en 1949, deux millions de mères de plus de cinq enfants étaient titulaires de la médaille de la maternité ; sept cent mille mères de plus de sept enfants, titulaires de la médaille « Gloire de la maternité », trente mille mères de plus de dix enfants, titulaires de la médaille « Mère héroïne ».

Ce n'est pas tout. En 1943, dans le temps où les femmes soviétiques participaient durement à l'effort de guerre, un décret avait rétabli un enseignement séparé pour les garçons et pour les filles, celles-ci devant être préparées à devenir « des mères consciencieuses, éducatrices d'une génération nouvelle ».

Et puis, Staline mourut (1953). Il mourut au bon moment : le pays avait relevé ses ruines, l'effort se détendait, le peuple aspirait à un peu de bonheur. On ne peut pas dire que le « libéralisme » post-stalinien se soucia d'alléger le « joug du mariage ». S'il autorisa de nouveau l'avortement, ce ne fut que la reconnaissance d'un fait : les avortements clandestins faisaient des dégâts, ceux-ci demeurèrent des crimes — et continuèrent, parce qu'il fallait faire queue dans les hôpitaux et, pour beaucoup, parce que l'avortement était mal vu. Des brochures sur les moyens anticonceptionnels furent éditées — et aussitôt enlevées par les gens bien informés ; tant pis pour la masse : ces moyens n'étaient pas interdits, mais ils n'étaient pas encouragés. La mixité dans l'enseignement fut rétablie : parce que les mères trouvaient plus pratique de conduire leurs enfants à la même école.

Mais les mœurs n'obéissent pas éternellement aux lois, il y a un canton de l'homme — et de la femme — qui finit toujours, à la longue, par se soustraire au régime le plus totalitaire. L'évolution commune à toutes les sociétés industrielles gagnait insidieusement. Des films révélèrent aux Soviétiques stupéfaits et ravis qu'il y avait chez les capitalistes des garçons et des filles qui s'embrassaient dans la rue, des femmes élégantes, bien coiffées, maquillées... Les touristes occidentaux qui avaient eu la bonne idée d'emporter des bas de nylon ou des bâtons de rouge à lèvres furent très recherchés (on ne trouvait alors, avec de la chance, qu'un bâton d'une seule couleur, rouge vif). On vit des filles, dans les classes terminales, refuser de porter plus longtemps l'uniforme des écolières — robe brune à manches longues et tablier blanc à volants. Le mariage était toujours la norme officielle, mais les obstacles mis au divorce incitaient à vivre en union libre. Le taux des divorces était tombé à 1 pour 9 mariages, moitié moins qu'aux Etats-Unis, mais le taux des naissances, lui, était tombé à 18,5 pour mille en 1965. On n'en comptait pas moins 8 millions d'enfants illégitimes. Bafouant tous les décrets, les jeunes gens s'aimaient pour s'aimer, et non pour donner des enfants à la patrie des travailleurs.

Et le travail, justement ? La femme soviétique avait-elle gagné quelque chose de ce côté-là ? La révolution, en lui ouvrant « l'industrie publique », l'avait-elle « arrachée à l'esclavage domestique » et promue à la plénitude de l'être ?

« *Du royaume de la nécessité au royaume de la liberté*[26] »*?*

La révolution avait décrété l'égalité des salaires masculins et féminins. Dans la pagaille des premières années, le Parti fit ce qu'il put, c'est-à-dire pas grand-chose. Puis Staline imposa son pouvoir ; et dans le même temps qu'il réprimait la sexualité et fortifiait le mariage, il jeta hommes et femmes dans l'industrie. Son plan quinquennal exigeait de la vertu, des enfants et des bras. En 1929, les femmes ne représentaient que 27 % des salariés, chiffre inférieur à ceux des sociétés capitalistes, Etats-Unis exceptés. En 1940, elles en étaient à 38 %. Le principe de l'égalité des salaires était appliqué. Victoire féminine ? Si l'on veut, mais amère victoire. Le premier effet de l'égalité fut d'astreindre les femmes aux travaux durs et dangereux qui étaient le « privilège » des hommes : 27,9 % de femmes dans les mines (1935), 23 % de maçons féminins et 25,2 % d'ouvrières dans l'industrie lourde (1940). Cette promotion-là ressemblait plutôt à l'exploitation d'un nouveau sous-prolétariat.

Les paysannes avaient été hostiles aux premiers actes de la révolution. La déchristianisation en libérait certaines, mais la plupart chérissaient les icônes et le pope. L'atroce famine de 1922-1923 n'avait pas été pour les séduire. Ni la hausse et la rareté des produits industriels (en 1924, le savon, le sel, le sucre, le pétrole coûtaient 2 fois et demi plus de blé qu'en 1913 — quand on en trouvait, car il y en avait six fois moins). Ni les réquisitions des céréales et du bétail. Ni les créations autoritaires de kolkhozes. Staline brisa les résistances en déportant massivement les *koulaks* (propriétaires exploitants), en écrasant d'impôts les agriculteurs qui s'obstinaient dans l'exploitation individuelle ; l'industrialisation accéléra l'exode vers les villes ; des femmes se trouvèrent contraintes de sortir de l'isba pour labourer, moissonner, coltiner bottes de paille et bottes de foin, traire, le tout sans moyens mécaniques. La promotion n'était pas évidente. Même aujourd'hui, la mécanisation n'est pas encore très répandue ; et 58 % des travailleurs agricoles sont des femmes.

Dans la guerre, les femmes soviétiques accomplirent un effort prodigieux. Il y eut les héroïnes célébrées, bien sûr, mais il y eut aussi des millions d'héroïnes obscures qui remplacèrent les hommes dans tous les secteurs de l'économie. Elles se firent débardeurs, ouvrières à la forge (40 % et 50 % en 1942) ; globalement, les effectifs féminins atteignirent 55 % en 1945. Vingt millions d'hommes étaient morts, le pays avait encore besoin du travail des femmes ; leur participation redescendit lentement : 48 % en 1955.

Il y avait, et il y a toujours, une autre raison à ce travail féminin : c'est qu'un seul salaire suffit rarement à faire vivre une famille. Les salaires se situent entre 50 et 120 roubles pour les trois quarts des citadins (le pouvoir d'achat d'un rouble est d'environ 5 francs). Or, si le logement est bon marché — et pour cause ! — la viande, le sucre, les fruits ne le sont pas, et les vêtements sont hors de prix : une paire de chaussures, 70 roubles, un costume d'homme, de 80 à 170 roubles [27], soit de 1 à 2 mois de salaire. Le principe marxiste « Qui ne travaille pas ne mange pas » est ici d'une brûlante vérité.

Mais le travail des femmes a aussi un côté positif : elles sont de plus en plus nombreuses dans des emplois qualifiés. On trouve, parmi les chercheurs scientifiques, une femme sur deux. Parmi les enseignants du primaire et du secondaire, sept femmes sur dix ; parmi les médecins, huit femmes sur dix. Leur situation matérielle n'en est pas plus brillante : une institutrice gagne 80 roubles par mois, un médecin entre 70 et 120 roubles, le salaire d'un ouvrier qualifié. Une question se pose : pourquoi dans une société où « l'homme est le capital le plus précieux » (c'est de Staline, qui l'eût cru ?) les éducateurs et les médecins sont-ils payés comme un conducteur de machines ? Y aurait-il là une façon sournoise de tourner le principe de l'égalité des salaires masculins et féminins ? La question alors se poserait ainsi : ces professions sont-elles féminines parce que les salaires médiocres n'y attirent pas les hommes, ou sont-elles mal payées parce qu'elles sont féminines ? Il faut dire aussi que l'ascension professionnelle des femmes est freinée. Si elles arrivent assez souvent à être médecin-chef d'un hôpital (6 sur 10), elles ne sont que 16 % parmi les chefs de centre de recherche scientifique, 10 % parmi les directeurs, sous-directeurs et ingénieurs principaux dans l'industrie, alors qu'elles représentent 37 % des ingénieurs, 2 % parmi les présidents de kolkhoz, 1 % parmi les directeurs de sovkhoz (exploitation agricole d'Etat) [28]. Mais il demeure que le nombre de femmes diplômées exerçant un métier est beaucoup plus élevé qu'en Occident. Cela est dû bien évidemment au principe ancré dans les esprits que le travail selon ses capacités est un devoir socialiste, et que la paresse est déshonorante ; une femme sans profession a mauvaise conscience. Et cela n'a été rendu possible que par un énorme effort dans l'éducation.

J'ai dit que la scolarisation était tombée de 70 % en 1914 à 38 % en 1922. Je dois dire maintenant qu'en 1927 elle était remontée à 60 %. En 1940, selon la *Pravda*, le nombre des illettrés parmi les plus de 9 ans, n'était plus que — ou était encore, selon le point de vue où l'on se place — de 23 % à la campagne et 19 % en ville. Et dans l'enseignement supérieur, il y avait 43,1 % de jeunes filles en 1940 ; la proportion doit atteindre aujourd'hui 50 %. Je rappelle qu'aux Etats-Unis, elles étaient 47 % en 1920 et 35 % en 1960. Mais la grande différence, c'est que la femme soviétique utilise ses capacités.

Les utilise-t-elle aussi dans la vie politique ? On sait que Lénine voulait que chaque cuisinière apprît à diriger l'Etat. En 1919, dans un discours aux ouvrières de Moscou, il disait : « Du moment où la propriété privée de la terre et des usines est abolie et que le pouvoir des propriétaires fonciers et des capitalistes est renversé, les tâches politiques des masses laborieuses et des femmes travailleuses deviennent simples, claires et complètement accessibles pour tous... Le pouvoir soviétique a ouvert un vaste champ d'action aux femmes. » Et l'année suivante, dans un article de la *Pravda* intitulé « Aux ouvrières » : « Il faut... que les ouvrières prennent une part de plus en plus grande à la gestion des entreprises publiques et à l'administration de l'Etat... Elisez donc plus d'ouvrières communistes ou sans parti au Soviet !... Qu'il y ait plus d'ouvrières au Soviet de Moscou !... Le prolétariat ne parviendra pas à s'émanciper complètement s'il ne conquiert pas pour les femmes une liberté complète. » Maintenant, des chiffres. En 1923 les femmes dans le Parti représentaient moins de 8 %. Ce n'était qu'un début ? En effet, elles ont progressé : 13 % en 1927, 15 % en 1941, 20 % en 1959... Et dans les instances supérieures ? En 1966, au Comité Central, sur 95 membres, 5 femmes ; au Politburo, qui détient le pouvoir suprême, sur 25 membres, pas une femme. Dans le gouvernement formé cette année-là, on ne manquera pas de remarquer la présence de Mme Fourtseva, ministre de la Culture : elle est seule. Voilà de quoi troubler les mânes de Lénine qui écrivait en 1917, dans *Les tâches du prolétariat dans notre Révolution* : « Tant que les femmes ne seront pas appelées à participer librement à la vie politique en général, mais aussi à s'acquitter d'un service civique permanent et universel, il ne peut être question de socialisme, ni même d'une démocratie intégrale et durable. »

J'avoue que j'en suis aussi troublé que les mânes de Lénine. Nous savons que les Russes de l'*intelligentsia* étaient les moins misogynes des hommes, et il n'y a aucune raison de croire que les dirigeants soviétiques le seraient devenus. Je pense, au contraire, qu'un socialiste a là-dessus beaucoup moins de préjugés qu'un bourgeois, et qu'il fait de louables efforts pour soumettre à la doctrine ceux qui lui restent. Alors ? La femme, à l'Est comme à l'Ouest, garderait-elle, imprégnée au fond de son inconscient, cette habitude millénaire de considérer que la fin de la politique étant la paix et la guerre, celui qui porte la parole doit être celui qui porte l'épée ? La question est considérable, mais je me bornerai à considérer que la femme soviétique n'a tout simplement pas le temps.

Car, enfin, j'en suis encore fâché pour Lénine, la révolution, tout en faisant « participer la femme au travail productif social », ne l'a pas arrachée à « l'esclavage domestique », ne l'a pas libérée du « joug abrutissant et humiliant... de la cuisine et de la chambre des enfants » : elle l'y a enfoncée jusqu'au cou, et dans des conditions qu'aucune femme d'Occident ne supporterait.

Parlons d'abord des crèches, puisqu'un objectif essentiel était de transférer à la société la charge des enfants : en 1956, elles offraient 965 000 places. Il y avait alors (statistiques de 1959) 14 600 000 enfants de moins de 3 ans. En 1966, selon la *Pravda* du 17 août, 19 % des enfants en âge d'être admis dans une crèche pouvaient en profiter. Cinquante années de socialisme n'avaient donc pas suffi pour atteindre cet objectif essentiel ? Pour tout arranger, la bureaucratie interdit à une mère d'inscrire son enfant dans une crèche de son quartier : elle doit le transporter, dans la cohue du métro ou de l'autobus, jusqu'à la crèche de son lieu de travail.

Quant à la « chambre des enfants »... Si seulement il y en avait une ! L'Union soviétique a toujours souffert d'une effroyable crise du logement. L'industrialisation a concentré des masses humaines dans les villes, cependant que les autorités construisaient peu ou pas du tout. Si bien que l'habitat « normal » d'une famille citadine consistait en une seule pièce dans un appartement « communautaire » où 4 ou 5 familles, parfois plus, se partageaient la cuisine et l'installation sanitaire. Les destructions de la guerre aggravèrent évidemment la situation. Il fallut attendre 1957 pour que Khrouchtchev lançât un plan de construction d'habitations. Le bond en avant fut spectaculaire. On vit partout s'élever des immeubles. Mais il faut croire que les planificateurs avaient pris goût aux beautés de la cohabitation : 75 à 80 % des appartements de 50-55 m² étaient encore collectifs. Toutefois, les appartements de 25-30 m² étaient quand même pour une seule famille. Car, le croirait-on ? « il faut aussi compter avec la popularité grandissante des logements individuels [29] ». La surface allouée par personne a été portée à 6,8m².

La promiscuité jour et nuit des parents et des enfants dans une seule pièce, et de plusieurs familles dans un appartement, l'attente devant le fourneau commun, et devant l'évier pour laver la vaisselle ; les queues perpétuelles dans les magasins — une queue pour choisir le produit, une autre pour payer à la caisse, une troisième pour prendre le paquet ; la répugnance des ouvrières à manger à la cantine de l'entreprise : 63 % des ouvrières d'une usine de textiles de Léningrad ont répondu à une enquête qu'elles rentraient déjeuner chez elles ou emportaient des sandwiches parce qu'elles trouvaient la cantine trop chère et mauvaise ; le goût, envers et contre tout, de la femme russe pour les bons petits plats et pour un intérieur *ouioutny,* c'est-à-dire intime, où l'on se sent en harmonie ; un mari qui ne lève pas le petit doigt pour aider sa camarade-épouse... « La femme continue à demeurer l'esclave domestique, malgré toutes les lois libératrices, car la petite économie domestique l'oppresse, l'étouffe, l'abêtit, l'humilie, en l'attachant à la cuisine, à la chambre des enfants, en l'obligeant à dépenser ses forces dans des tâches terriblement improductives, mesquines, énervantes, hébétantes, déprimantes. » Ce n'est pas moi qui le dis : c'était Lénine en 1919 [30], et il pourrait le redire. Des sociologues soviétiques estiment que « la petite économie domestique » coûte aux femmes 100 milliards d'heures par an.

Hélène Zamoyska rapporte [31] qu'en 1965 le n° 9 de la revue *Jeunesse* publia une lettre qui ouvrit un débat très révélateur de la condition féminine en U. R. S. S. A Akademgorod, la ville des savants, une jeune femme, Inna X, se lamentait d'avoir dû abandonner son travail de recherche scientifique pour s'occuper de son bébé parce qu'il n'y avait pas de place dans une crèche. Sa mère, qui faisait tout à la maison, lui avait épargné les tâches ennuyeuses du foyer, et ses études l'avaient préparée à un destin plus haut. Elle devenait incapable d'échanger des idées avec son mari, elle étouffait, elle se sentait frustrée, enfin, elle tremblait que leur amour ne sombrât dans l'eau de la vaisselle. Ne croirait-on pas entendre une Américaine ? *Jeunesse,* dans son n° 2 de 1966, publia des réactions de ses lectrices. Elles étaient vives. Les unes faisaient chorus contre l'esclavage domestique. D'autres s'indignaient. Un jeune ménage d'instituteurs qui enseignait dans un village kalmouk jugeait cette lettre « révoltante ». Faute de logement, ils étaient obligés de vivre séparément, bien qu'un bébé fût en route. « Moi aussi, écrivait l'institutrice, je fais la lessive, je fais la cuisine trois fois par jour, et je travaille comme institutrice, mais notre amour n'est pas terni. Même dans des conditions pareilles, nous n'avons nullement peur pour le romantisme de nos sentiments, bien que notre vie soit vraiment plus difficile que la vôtre. » Mais c'est cette lettre qu'Hélène Zamoyska trouve la plus émouvante, et moi aussi :

« Je vis avec ma mère dans une seule petite pièce d'un appartement communautaire. Le malheur est que ma mère est périodiquement malade. Elle reste couchée et ne peut même pas prendre soin d'elle-même. Dans la journée, je travaille, le soir j'étudie. Avec la maigre pension de ma mère et mon salaire, on peut vivre en étant économe. Mais je dois tout faire : le ménage, la lessive (seulement le jour qui m'est fixé à la cuisine et dans les pièces communes), la cuisine pour ma mère et moi, je dois faire les courses dans les magasins et m'occuper entièrement de ma mère. Le soir, je dois aller suivre mes cours, faire des devoirs, préparer mes examens. Et j'ai envie d'être propre, bien habillée, bien coiffée. J'ai envie d'avoir des mains soignées. » De plus, elle aime un jeune homme avec qui elle veut sortir de temps à autre ; elle veut aussi lire, être au courant de ce qui se passe : « Je fais tout cela avec joie et je m'efforce de trouver du temps pour tout, bien que ce soit difficile. » Mais elle ne peut épouser le garçon qu'elle aime, faute d'appartement : « J'aime beaucoup ma mère et je ne l'abandonnerai jamais. Il le sait et lui aussi veut que Maman soit toujours avec nous. Mais vivre tous dans une seule pièce est impossible. » Elle sait bien qu'un jour viendra sans doute où les femmes n'auront plus à s'exténuer en menant de front leur travail et leur vie familiale, mais, ajoute-t-elle avec mélancolie : « Notre vie à nous s'en va. Et on a tellement envie de bonheur ! De bonheur général, mais aussi de son propre bonheur. » Et elle termine en souhaitant à la jeune Inna de bien garder le sien : « J'aurais tant voulu avoir vos difficultés et votre bonheur ! »

Que conclure ?

L'AMÉRICAINE ET LA SOVIÉTIQUE

Pour la libération de la femme, le marxisme avait posé quatre principes directeurs.

Premier principe : lui ouvrir « l'industrie publique ». Bien que le travail féminin soit encore une dure nécessité plus souvent qu'une liberté, il est certain qu'un travail qualifié a apporté à beaucoup, outre une relative indépendance économique, la gratification d'un accomplissement.

Deuxième principe : la faire participer à la vie politique à égalité avec les hommes. Il n'en est rien.

Troisième principe : délivrer la monogamie de toute contrainte, sinon celle d'un amour librement consenti, le temps que dure l'amour. Les contraintes de l'Etat socialiste se sont efficacement substituées à celles de la société bourgeoise.

Quatrième principe : en finir avec l'esclavage domestique et maternel. Il est bien pire que dans les sociétés capitalistes.

Au total : un succès partiel, trois échecs retentissants. Pour les mêmes raisons que l'échec de la bourgeoisie absolue : par incohérence. On ne peut pas brandir des principes et s'asseoir dessus.

Mais laissons là les principes. La femme soviétique, comme celle de toutes les républiques socialistes d'Europe, est écartelée entre son métier, les travaux du ménage et l'éducation des enfants. C'est aussi, à des degrés différents, le problème de la femme « capitaliste ». Alors, ne vaudrait-il pas mieux reconnaître que, par-delà le « Bien » socialiste et le « Mal » capitaliste, ou vice versa, c'est le problème de la femme dans la société industrielle d'aujourd'hui ? Il ressemble un peu trop au problème de la quadrature du cercle. Il faudra bien, cependant, que la femme le résolve pour que change la vie.

CHAPITRE IV

CHANGER LA VIE ?

Quand je décrivais la situation de la femme dans les grandes civilisations de l'histoire, je m'interrogeais un peu comme faisaient les Français devant le Persan de Montesquieu. Comment peut-on être persan ? Comment pouvait-on être une Indienne, une Chinoise, une Egyptienne, une Babylonienne, une Israëlite, une chrétienne, une musulmane, une païenne grecque ou romaine, une Européenne ? Comment peut-on être une Américaine ou une Soviétique ? Et comment pourrait être la femme de demain ?

La vie déborde largement les idées. C'est pourquoi il m'a paru utile de remonter aux sources et de regarder. C'est pourquoi nous sommes allés jusqu'aux peuples primitifs, et même jusqu'à la vie sexuelle des animaux. J'y cherchais, à travers les images, l'imagination du sexe dans le champ du vivable, en tel lieu, à tel moment. Sans doute, d'autres inventions auraient pu être. Seulement, voilà : elles n'ont pas été. Je n'en conclus pas qu'elles sont impensables, mais que les hommes et les femmes ne font pas n'importe quoi n'importe quand. En revanche, j'ai déjà dit, et je crois bon de le répéter, que les trouvailles et aussi les refus, les inventions et aussi les conformismes, les variantes et aussi les constantes chez des peuples si divers nous aideront à comprendre ce qui doit être conservé, ce qui peut être inventé, et nous encourageront à changer la vie, puisqu'ils l'ont fait avant nous. Je veux dire : à la changer pour notre bien ; car de toute façon, elle change.

A tout cela, il y a évidemment une objection de principe :

l'homme est-il qualifié pour parler de la femme ? Il est trop tard pour y songer : puisque vous avez accepté jusqu'ici que je me demande « d'où vient la femme ? » je ne pouvais pas m'empêcher de me demander maintenant « où va la femme ? » D'ailleurs, Virgina Woolf m'a donné à l'avance sa bénédiction lorsqu'elle a écrit que ce qui qualifie l'homme à parler de la femme, c'est qu'il n'en est pas une.

Le risque n'en est pas moins grand que je vous prête un programme qui serait la projection de la femme que je souhaite que vous soyez. Le seul moyen de limiter le risque est de regarder, avec beaucoup de respect et un peu de bon sens, les questions qui se posent à la femme dans la société industrielle d'aujourd'hui, aux différents niveaux de son existence : la sexualité, l'amour, le mariage, la maternité, le travail et l'action politique.

La sexualité

Le sexe est dans la rue au ras des minijupes, sur les affiches des cinémas, aux devantures des sex-shops, dans les pages publicitaires des magazines ; le nu se vend et fait vendre ; le coït se pratique sur l'écran et sur la scène pour l'édification du bon peuple ; des couples recrutent des partenaires par les petites annonces, on s'inscrit dans des « clubs » en vue de pratiquer l'échange des épouses ; une femme d'affaires allemande amasse une fortune en vendant par correspondance la panoplie du parfait bricoleur érotique ; le Danemark organise la foire de la pornographie ; en Suède, une « Centrale des contacts » a des milliers d'âmes-sœurs en fiche — je ne dis pas « en carte », puisqu'elles sont amateurs — qui sont fournies par distributeurs automatiques. Un peu partout se créent des communautés sexuelles. Et quoi encore ? N'importe quoi pourvu que cela démolisse les tabous. Nous sommes lancés dans la plus vaste entreprise iconoclaste de tous les temps. Mais je crains que les tabous et les icônes ne soient pas les seuls ennemis à abattre.

Je comprends très bien les raisons d'une rébellion contre

la pudibonderie de la bourgeoisie absolue, contre la valeur marchande de la virginité, contre la chasteté imposée aux épouses et contre cette prostitution qu'était « le devoir conjugal » avec, en corollaire, la prostitution officialisée. J'ai assez montré les méfaits de cette « vertu », et je me réjouis de la voir balayée. Mais si la « révolution sexuelle » devait s'en tenir là, elle ne serait qu'un puritanisme à l'envers. Toutes ces exhibitions me paraissent plutôt minables et pour moi elles ne font pas scandale : elles font pitié. Elles ne sont rien de plus qu'une agression infantile contre la morale de papa. On purge bébé. Mais bébé ne sait donc pas que la morale de papa est morte ? Que la liberté sexuelle n'est plus un problème que pour ceux « qui ont des problèmes » ? La contestation pornographique de ces combattants ingénus apparaîtra un jour aussi démodée que les combats de Don Quichotte contre les moulins à vent.

Il est vrai qu'au-delà de cette rébellion contre un moment de l'histoire, il y a une contestation radicale. « Faire l'amour, c'est faire la révolution », écrivaient sur les murs de Paris, au mois de mai 1968, des jeunes gens qui avaient lu Reich et Marcuse. Quelle révolution ? Sociale ? Il en est une autre plus profonde, à laquelle je crois que ces jeunes ne songeaient pas, qui est le contraire de ce qu'ils veulent, la révolution humaine, je veux dire a-humaine, celle qui veut en finir — voyez la peinture abstraite, la musique concrète, le structuralisme — avec la sensibilité, qui proclame la mort de l'homme, n'en veut plus connaître que les structures, et se délecte à la contemplation funèbre de son squelette. Les femmes de la sorte « libérées » ont tort de se réjouir : ce terrorisme de la raison formelle est une des plus fortes agressions qui furent jamais commises par l'esprit du pénis contre le ventre de la femme. Mais laissons là nos cérébraux décervelés, et regardons un peu du côté de la sexologie.

A-t-on assez écrit que l'homme avait réduit la femme à l'état d'objet ! Il a fait de son mieux — et la femme a su trouver quelques parades. La technologie sexuelle s'offre à elle comme le moyen de la libération attendu depuis des millénaires. Mais prenez garde ! Elle pourrait être aussi l'attaque imparable.

Quand le sexe cesse d'être quelque chose de honteux, d'interdit, on ne peut que s'en féliciter — sans oublier, tout de même, que ce n'est pas absolument nouveau : une Chinoise, une Egyptienne, une Indienne, une Grecque, une Européenne de la Renaissance, du Grand Siècle ou du siècle des Lumières, souriraient de nos émerveillements. Quand des ouvrages nous expliquent comment nous sommes fabriqués et comment nous devons nous y prendre pour jouir, on a envie de sourire ; et puis, réflexion faite, on s'avise qu'ils font œuvre utile puisqu'il apparaît qu'un nombre considérable d'hommes — et de femmes ! — ignorent, non seulement le bon usage du clitoris (par exemple) mais jusqu'à son existence ; quant au fameux orgasme, combien de femmes en rêvent et passent à côté toute leur vie ! C'est au point que je serais tenté d'y aller, moi aussi, d'un petit cours d'érotisme. Mais il y en a assez en librairie. Cela dit, il ne faudrait pas prendre le moyen pour la fin, ni pour le fin du fin ; si la jouissance se réduit à une décharge physiologique obtenue avec l'assistance d'un manipulateur expérimenté et consciencieux, la femme se réduit elle-même à l'état d'objet. Sans doute, elle peut se glorifier, c'est bien son tour, de traiter l'homme comme un objet. La belle affaire que de descendre ensemble au plus élémentaire ! La véritable libération ne serait-elle pas que l'homme et la femme s'élèvent ensemble à la dignité de sujets ? La promiscuité de sexes interchangeables, pourvu qu'ils soient passablement habiles, qu'est-ce que cela signifie, sinon encore cette volonté d'abstraction, d'autonomie, cette souveraineté du désert qui a toujours été la nostalgie du mâle — « le grand désir abstrait » dont parle Aragon dans *Le paysan de Paris*, que les hommes satisfaisaient au bordel ou, quand ils avaient l'esprit religieux, dans les hiérogamies ?

Ces femmes-là croient qu'elles s'affranchissent de l'antique domination masculine, alors qu'elles se font les complices inconscientes de l'agression du pénis contre leur sexe. Nous l'avons pourtant assez vue à l'œuvre, cette agression ! Souvenons-nous des Chinois dressant contre le *yin* féminin la barrière des rites, mutilant les pieds des femmes et allant jusqu'à leur dénier les droits de la maternité ; des Indiens tantristes « utilisant » la femme et retenant leur semence pour s'envoler dans l'extase spirituelle ; des musulmans exténuant leur sensualité pour contempler Allah ; des Prophètes d'Israël et des Pères de l'Eglise jetant l'anathème contre la « porte du diable », et de Tristan plaçant son épée entre la tendre Iseut et sa virile pureté... C'est le contraire de la sexualité objective ? Oui, et c'est la même chose : s'épouvanter devant le sexe de la femme, s'en évader, ou le manipuler comme une machine à orgasmes, l'exalter dans l'horreur ou le réduire à l'insignifiance, c'est toujours séparer l'esprit de la chair.

Cependant, je doute que le sexe se laisse si aisément réduire. Paradoxalement, c'est la femme qui est la plus tentée de consentir à cette réification qui l'appauvrit plus que l'homme : son sexe ne lui fait pas peur. Elle n'a rien à perdre, que l'amour. Mais l'homme ne saurait se débarrasser en un tournemain des fantasmes de la nuit utérine. L'insignifiance n'est pas à la portée de tout le monde. Et j'admire que Sartre trouve des accents de Père de l'Eglise pour exprimer son dégoût du cloaque infâme, obscène, visqueux, glaireux, ce piège à philosophes. Il l'a dit lui-même : « Fuir un objet magique, c'est lui donner une réalité magique plus forte. » La nouveauté est que l'homme ne fuit plus le sexe dans le sacré ; il le fuit dans le rationalisme ; et c'est encore plus déraisonnable.

La psychanalyse nous a pourtant assez décrit le grouillement d'irrationalité d'où émergent nos pulsions sexuelles. L'inconscient est dans le domaine public. N'importe qui peut, en lisant Freud, Karl Abraham, Jung, Mélanie Klein, Hélène Deutsch, Karen Horney, et tant d'autres, en apprendre de belles sur son propre compte. Il est vrai que ce n'est pas indispensable, et qu'on peut très bien faire l'amour en les ignorant. Cependant, si l'on a le courage de regarder en face ses démons, les connaître peut aider à les exorciser, ou à vivre avec eux — et avec l'autre, qui a les siens. Cela peut apporter plus d'intelligence, de tolérance, de *sympathie* dans les relations sexuelles.

Les coups de projecteurs sur le « continent noir » — c'est

la sexualité féminine que Freud nommait ainsi — révèlent des choses fort affligeantes pour nos belles âmes ; mais le continent masculin n'est guère plus radieux : le « complexe d'Œdipe » est bien le drame d'un homme. Garçons ou filles, notre enfance est une histoire aussi pleine de bruit, de fureur, d'incestes, de viols et de meurtres que celle de la famille des Atrides. Et les monstres qui grouillent dans les chères petites têtes blondes nous marquent pour la vie.

Cette adorable enfant qui joue à la poupée rêve qu'elle couche avec son papa et elle déteste sa maman qui l'a castrée. Sinon, elle aurait, comme les garçons, un tuyau pour faire pipi debout. Mais sa mère n'en a pas ? Elle croit qu'elle en a un. Comment ne le croirait-elle pas ? Sa mère est toute-puissante, elle lui a donné la vie et le lait, elle était la douce chaleur qui apaisait la nostalgie de l'utérus, elle était la plénitude sans problèmes de l'amour, donc sa mère doit avoir un pénis. Mais quelle affreuse méchanceté de lui avoir coupé le sien ! Et la petite fille se détourne de sa mère vers son père dont elle envie et désire ce pénis qui lui a été refusé. Même si elle ne l'a jamais vu ? Peu importe, ce sont là des choses qui vous viennent spontanément. Et avec ça, la terreur d'être transpercée par un dard gigantesque ; d'où des fantasmes de viol désiré et redouté, une vocation à la douleur et au masochisme ; et haine encore contre sa mère, qui n'a pas l'air si malheureuse. Honte de la haïr et de vouloir lui voler ce pénis, honte de désirer son père — elle y renonce : frustration, masochisme encore, refus d'assumer sa féminité. Elle pourrait trouver des plaisirs compensatoires dans la masturbation de son clitoris, mais qu'il est dérisoire, en comparaison du pénis d'un petit garçon ! Et puis, le résultat n'est pas aussi évident. A cela aussi, elle renonce : complexe d'infériorité. J'en passe beaucoup, mais n'en voilà t-il pas assez pour que la femme garde une nostalgie de la simplicité homosexuelle qu'elle savourait dans le premier âge avec sa mère, un complexe de castration, un ressentiment diffus, un sentiment de culpabilité, une impuissance à accepter sa féminité, bref, la honte indélébile d'être un homme manqué ? Platon, Sartre et le paysan du Danube se retrouvent avec Freud sur ce lieu commun.

Mais Freud lui apportait des fondements scientifiques. Il soutenait que, au stade primaire, les pulsions sexuelles sont les mêmes chez le petit garçon et chez la petite fille. Mieux, ou pis : que « la sexualité des petites filles a un caractère foncièrement mâle [32] » ; que « la masturbation du clitoris est une activité masculine et que l'élimination de la sexualité clitoridienne est une condition du développement de la féminité [33] ». En conséquence, « une vague de refoulement est nécessaire dans les années de la puberté pour laisser apparaître la femme en évacuant cette sexualité masculine [34] ». Et si, après ça, elle est frigide, ce ne sera pas la faute de Freud... « L'anatomie est le destin », le vagin n'est qu'un centre d'accueil, et la sexualité féminine ne peut être que passive. Celles qui refusent ce destin sont condamnées au combat sans espoir du complexe de virilité et au mépris de la féminité. Marie Bonaparte pensait que les peuplades qui pratiquent l'excision du clitoris ont trouvé un bon moyen de persuader les femmes de se convertir à leur sexe. Malheureusement pour les exciseurs, l'opération laisse subsister les terminaisons nerveuses, et le mont de Vénus reste érogène ; les femmes « primitives » qui, subissant cette mutilation illusoire, laissent les hommes dormir sur leurs deux oreilles et gardent le secret de génération en génération, me paraissent un des plus admirables exemples de la ruse féminine se jouant du despotisme masculin.

Avec tout le respect qui est dû au père de la psychanalyse, je dirai qu'il ressemblait à ces exciseurs barbares et ingénus. Il était un bourgeois de la Vienne des Habsbourg, il vivait dans le premier âge industriel, et il était fils d'Abraham qui avait institué la barbe dans sa toute-puissance patriarcale. Quel que fût son anticonformisme de chercheur, ses relations avec son épouse ne laissent aucun doute : il lui donnait la tendresse quelque peu distante qu'un homme de cœur doit à une mutilée.

Ce phallocentrisme a la vie dure. Même des femmes analystes fort éminentes y ont souscrit, comme Jeanne Lampl de Groot, selon qui « l'amour féminin est passif, c'est un processus narcissique » ; « la femme féminine n'aime pas, elle se laisse aimer » ; elle ne retrouve une activité que dans la fonction maternelle, mais par-delà la sexualité : « les bonnes mères sont des mères frigides » (est-ce que cela ne vous rappelle pas quelques perles de la bourgeoisie absolue ?). Pour Hélène Deutsch également, le clitoris est un organe superfétatoire, aussi inutile que l'appendice, et nuisible, puisque ce petit prétentieux, envieux du pénis, empêche la femme de le désirer dans son vagin ; alors que ce n'est que par sa vacuité offerte et comblée qu'elle peut s'identifier enfin au pénis, guérir la blessure du sevrage et de la castration, incorporer son père sous la forme d'un enfant dans son ventre. Et Hélène Deutsch n'hésite pas à dire que l'accouchement d'une femme accomplie est « une orgie de plaisir masochique ».

Découvrir le contraire des apparences est une des joies de la psychanalyse. Mais, tout de même, cette vision distordue par l'infatuation masculine la conforte dangereusement. Le supermâle, ou qui se croit tel, le *macho,* avait-il besoin d'être ainsi encouragé ? On comprend qu'il y ait des femmes qui voient rouge. C'est une Anne Koedt, fondatrice du Mouvement féministe à New York, affirmant, en toute bonne foi, la pauvre, que le vagin n'éprouve aucun plaisir, et publiant une déclaration d'indépendance du clitoris ; ce sont les « lesbiennes radicales » ; c'est une Valérie Solanas et son SCUM — Society for Cutting Up Men, Société pour les couper aux hommes. A femme châtrée, homme châtré... J'ai beau les comprendre, j'objecte. Caroline Hennessey conclut un ouvrage, d'ailleurs sans intérêt, par cette déclaration de guerre : « Ecoutez, petits garçons, vous, bichonneurs de pénis, salauds solipsistes *, nous sommes des millions, des *millions* de femmes qui refusons d'être humiliées plus longtemps devant vos phallus surestimés... Moi, castratrice, je me consacre à émasculer et à humilier les hommes totalement. *BITCH ! bitch, sisters, bitch !* » Dans cet aimable contexte, *bitch,* qui signifie « chienne », doit être pris au

* Cette personne a de l'instruction. Le dictionnaire nous apprend qu'un solipsiste nie toute autre réalité que la sienne et qu'autrui n'est qu'un rêve. Pour Kant, c'était tout simplement un égoïste. Mais il faut reconnaître que « solipsiste » vous a une allure autrement distinguée.

sens imagé de « briseuse de couilles ». Mon Dieu, pardonnez-leur, car elles ne savent pas ce qu'elles font.

Je voudrais essayer de leur expliquer leur erreur (je ne crois pas, toutefois, que j'aille jusqu'à la leur démontrer). Mais, en bonne logique, il convient d'abord de rappeler — ou de révéler — que si la femme a envie du pénis, l'homme a envie de l'utérus.

Partons encore de ce préjugé incroyable, mais tenace, que le sexe féminin n'a pas de pulsion génitale. Et si cette sacrée envie du pénis était aussi un désir du pénis ? Et si le désir précédait l'envie ? Car, enfin, rien, sinon des observations de femmes névrosées, ne permet aux freudiens d'affirmer que la petite fille se sent originellement castrée, qu'elle met son clitoris en compétition avec le pénis des petits garçons, qu'elle y renonce, qu'elle abdique son agressivité dans le masochisme, et qu'elle ignore son vagin. Les pédiatres savent que les petites filles éprouvent des excitations spontanées du vagin, et qu'elles le caressent. Comment, demande Karen Horney, ceux qui ont observé les fantasmes de viol, « la phobie du pénis géant qui peut les transpercer », « la fureur jalouse démesurée contre la mère », peuvent-ils conclure que la petite fille ignore son vagin ? La petite fille ne se croit pas du tout un garçon manqué ; elle a une connaissance instinctive de son rôle sexuel. Mais, ensuite, elle éprouve que son vagin ne lui procure pas les évidences rassurantes d'un pénis ; elle se sent à la fois incertaine et vulnérable, angoissée par le fantasme de pénétration et coupable de désirer son père ; et elle sort de cet inconfort en fuyant sa féminité, en niant son vagin — ce qui n'est pas du tout la même chose que de l'ignorer. On voit des femmes s'obstiner toute leur vie dans cette négation... Le clitoris n'est donc pas l'organe dérisoire d'une sexualité originelle commune aux deux sexes, et où la fille partirait perdante, il n'est qu'un substitut infantile à la sexualité vaginale, et l'envie du pénis passera quand la féminité resurgira de la nuit où elle fut refoulée ; alors, cette envie sera réorientée dans le désir d'un homme et d'un enfant.

Ce n'est pas l'envie du pénis qui fonde la prééminence masculine dans la société, c'est cette prééminence qui a privilégié l'envie du pénis : voilà une des prouesses de l'impérialisme masculin. Nous avons vu cette volonté de domination à l'œuvre dans l'histoire. Elle est constante dans l'éducation, avec la complicité des mères : « Un garçon ne pleure pas... Tu n'es qu'une femmelette... Un vrai petit mâle... » Père et mère mettent tout en œuvre pour exalter la supériorité « objective » du garçon et persuader la fille de son indignité. Indignité plus profonde que jamais, parce que jamais les valeurs spécifiquement féminines ne furent autant dépréciées par le rationalisme phallique — et parce que les femmes s'en sont laissé convaincre. Le paradoxe est tout de même énorme que, dans le temps même où la morale en cours proclame le droit de la femme au plaisir, et où une technologie lui en enseigne la méthode, la science des ténèbres sournoisement alliée aux vieux préjugés masculins prétende la persuader qu'elle n'a aucune pulsion fondamentale au coït ; qu'elle doit, pour s'y soumettre, changer de sexe ; et qu'aucun plaisir ne l'y attend, sinon celui que son masochisme saura trouver dans la souffrance. Paradoxe ? Eh non ! Encore une fois, les idées de nos ingénieurs de l'âme et celles de nos ingénieurs de la consommation coïncident en parfaite logique virile avec celles des bourgeois victoriens pour nier la femme et la nature. C'est le visage « moderne » de l'ancestrale agression de l'homme contre le premier sexe.

Là-dessus, Karen Horney s'insurge. « Arrivée là, écrit-elle, moi-même, en tant que femme, je demande avec stupeur : et la maternité ? Et la conscience psychologique bienheureuse de porter en soi une nouvelle vie ? Et le bonheur ineffable de l'espoir de la naissance du nouvel être ? Et la joie quand il naît et qu'on le tient pour la première fois dans les bras ? Et les profonds sentiments de plaisir et de satisfaction de le nourrir, et le bonheur de toute la période durant laquelle le bébé a besoin de soins [85] ? » Plénitude si évidente de « l'espace intérieur », comme dit Erikson, si gratifiante que l'homme la minimise, la déprécie. Même dans la fonction de reproduction, il ne peut consentir que la femme lui soit supérieure : enfanter n'est qu'un fardeau dont il est heureusement exempt. Oh, je sais qu'il n'en a pas toujours été ainsi, que l'homme a, au contraire, vénéré dans la femme la pondeuse, et que cette vénération a été le plus sûr instrument de son asservissement. Mais les féministes qui reprennent cet argument retardent d'un siècle, ou de quelques millénaires. Seules les femmes sous-développées subissent encore contre leur gré des grossesses à répétition — et, chez nous, celles qui n'utilisent pas encore des contraceptifs, pour diverses raisons dont je parlerai plus loin. Pour les femmes évoluées, dont le nombre croît rapidement, faire un enfant est le libre choix d'un bonheur. Il est vrai, pourtant, que c'est un handicap ; mais dans la compétition de la société de consommation. Et qu'elles l'acceptent, qu'elles le choisissent, me paraît être la plus formidable contestation de notre « morale » industrielle et masculine — et la meilleure réponse aux nonnes de la libération de la chair. A lire sous la plume de Simone de Beauvoir que la gestation est une aliénation, quand elle est littéralement plénitude ; qu'aucun projet n'est engagé dans l'enfantement, alors que c'est le projet par excellence ; que la femme est asservie au mystère de la vie, quand elle y est initiée — j'admire qu'une femme puisse s'aliéner si docilement dans le rationalisme phallique.

Les femmes se sont toujours adaptées aux désirs des hommes. Inconsciemment, elles se sont soumises à la sujétion de la pensée virile. Elles furent libertines avec les libertins, bourgeoises vertueuses avec les vertueux bourgeois, et quand des philosophes mirent en accusation la nature, elles votèrent sa mort. Mais cela est dépassé. La nature remonte dans l'estime des hommes : voilà l'occasion à saisir d'être femme sans déchoir. Cette obscure envie de l'utérus que les hommes n'avouent pas devrait être un encouragement.

Ils ne l'avouent pas, mais l'analyse la révèle. « La jalousie des hommes à l'égard des femmes, écrit Joan Rivière, n'est ni plus rare ni moins profonde que celle des femmes à l'égard des hommes, mais elle est moins bien reconnue et comprise. Je pense que cela n'est pas seulement dû aux préjugés des hommes dans ce domaine épineux, mais aussi à la nature des choses. En ce qui concerne le petit garçon, jaloux des seins et du lait de sa mère, il a un organe particulier à leur opposer, son pénis. Mais ses petites sœurs n'ont ni pénis ni seins, si bien que la satisfaction et la supériorité qu'il retire du fait de posséder un pénis peuvent être utilisées pour cacher et compenser son désir d'un corps qui pourrait fabriquer et nourrir des bébés. Tout au cours de la vie, les hommes ne cesseront d'utiliser cette compensation comme une arme contre leur jalousie à l'égard des femmes et on peut y trouver un élément important de la signification psychologique énorme du pénis. La raison principale pour laquelle la jalousie des hommes à l'égard des femmes reste si cachée, c'est qu'elle se rapporte précisément à l'intérieur des corps féminins, aux fonctions et aux processus mystérieux qui s'élaborent, d'une façon magique, semble-t-il, à l'intérieur des femmes (leur mère) pour faire des bébés et du lait... Les hommes ne peuvent pas devenir facilement conscients de ce qu'ils jalousent parce qu'ils ne savent pas très bien ce qui est réellement en cause. On a toujours dit de la femme qu'elle était une énigme pour l'homme, et beaucoup d'hommes éprouvent un sentiment de crainte un peu superstitieuse à l'égard d'une femme enceinte. Ce qu'ils supposent ou ce qu'ils imaginent quant aux expériences féminines fait naturellement partie de leur vie fantasmatique qui est habituellement très séparée de leur vie quotidienne consciente [36]. » Et elle évoque le rite de la « *couvade* » chez les primitifs qui se couchent quand leur femme accouche. Vous souvenez-vous des Arapesh ayant un enfant et le nourrissant * ?

L'homme jalouse la femme, et il en a peur. Cela non plus, il n'est pas près de l'avouer. Pourtant, que d'efforts pour se mettre à l'abri tout au long de l'histoire des civilisations ! Et les primitifs ? Et nos mythes et nos légendes ? Est-il encore besoin d'évoquer Charybde, fille de la Terre-Mère, qui attirait les marins dans ses tourbillons, et ceux qui lui échappaient tombaient dans le gouffre de Scylla, autre femelle gloutonne qui leur broyait les os avant de les avaler ? Le

---

* Voir p. 93.

chant des sirènes irrésistible et non moins funeste que la séduction de Circé qui changeait les hommes en pourceaux ? Omphale, personnification de la déesse primordiale Gea, qui tuait ses amants, et si elle se contentait de mettre Hercule à ses pieds, c'est bien parce que c'était lui ? Les ciseaux (symbole féminin) de Dalila coupant la chevelure et la puissance de Samson ? Holopherne couchant avec Judith et en perdant très littéralement la tête ? Ou les femmes des tribus Aruntas, capables de faire perdre à un homme ses organes génitaux en sifflant sur un brin d'herbe, et les vamps dévorantes de notre cinéma ?

Quand la fille devient femme, une terreur sacrée étreint l'homme primitif devant cette puissance magique qui s'écoule hors du gouffre ; ici, elle empoisonne les aliments, là, elle stérilise les champs. Et pour nous, qui sommes hautement civilisés, elle fait tourner la mayonnaise. Les peuples particulièrement anxieux de protéger les mâles étendent la malédiction à toutes les périodes menstruelles ; on ne s'étonnera donc pas que le Lévitique condamne la femme à rester isolée « sept jours dans son impureté ». Et Vigny ne pouvait que plaindre du haut de sa grandeur d'âme « la femme, enfant malade et douze fois impure ». L'horreur devant les règles est un bon instrument de mesure du complexe de virilité. Chez les peuples primitifs, le tabou est en relation directe avec l'agressivité, ceux qui acceptent et aiment la féminité n'en font pas tant d'histoires. De même, les filles d'aujourd'hui, selon qu'elles sont restées enfermées dans l'envie infantile du pénis ou qu'elles rejoignent leur féminité, les premières règles leur sont un traumatisme ou une fierté — pour celles-ci un embarras aussi, bien sûr, mais c'est tout ; quand les Anglaises disent : *the curse !* il ne faut pas entendre « malédiction ! » mais plutôt : « la barbe ! ».

La virginité, elle aussi, cause — ou a causé — bien des soucis aux hommes. D'une part, l'acquéreur voulait une fille neuve, et non point de seconde main ; comme une automobile, avec, en plus, la charge du sacré et de l'amour-propre viril. D'autre part, il y avait le tabou de l'effraction, l'interdit du sang répandu, le risque énorme de violer le mystère.

D'où les ruses des Grecs, le charivari de nos noces villageoises, tam-tam pour éloigner les démons ou, chez les Aruntas, la défloration confiée à un sorcier spécialiste ; le « droit de cuissage » du seigneur médiéval était peut-être une survivance d'un devoir du protecteur. Chez les Karo-Battaks de Sumatra, seul le père peut déflorer la fille : ce sont des freudiens orthodoxes. Il ne semble pas que les garçons et les filles d'aujourd'hui fassent si grand cas de la virginité, et c'est un grand progrès : que la phobie du vagin s'apaise pourrait favoriser l'intelligence des sexes, si le cœur ne se perd pas en route.

Cependant, ne nous y fions pas. La volonté rationaliste de dévaloriser la virginité (et en même temps le vagin et la maternité) pourrait aussi n'être qu'une défense contre la peur toujours présente. Elle est toujours là dans les rêves des hommes en analyse — et pas seulement chez les homosexuels. Une petite histoire suffira, que raconte Karen Horney. Un médecin de Dresde, Mme Baumeyer, jouait à la balle avec des enfants d'une clinique. Elle leur montra que la balle avait une fente, en écarta les bords et y mit le doigt, de sorte qu'il était retenu par la balle. Elle leur proposa de faire la même chose. Sur 28 garçons, il ne s'en trouva que 6 pour le faire sans peur, 14 n'y consentirent qu'avec crainte, 8 s'y refusèrent farouchement. Sur 19 filles, 9 y mirent le doigt tout simplement, les 10 autres le firent avec une certaine gêne mais sans peur [37]. C'est la phobie du « vagin denté » bien connue des ethnologues. Aurions-nous gardé l'empreinte des dangers courus par les mâles dans les premiers pas de l'évolution sexuelle ? Redoutons-nous d'être absorbés par la femelle du poisson Ceratias, castrés par la reine des Abeilles, décapités par la Mante religieuse ? Hélas ! pauvres mâles de l'espèce humaine ! Comme nous serions plus tranquilles si nous pouvions, tel le Poulpe Nautile, nous amputer de notre pénis et le téléguider vers la mort délicieuse ! Il est vrai que la nature, plus parcimonieuse avec nous qu'avec le Poulpe Nautile, ne nous a pas dotés de pénis de rechange *. Cette angoisse naîtrait avec les pulsions géni-

* Voir p. 27 à 31.

tales du bébé, avec l'instinct de pénétrer, avant toute conscience. Plus tard, dans le temps où la petite fille redoute d'être transpercée par un pénis paternel qu'elle n'a jamais vu, le petit garçon est paniqué à l'idée que son pénis est ridiculement impuissant à pénétrer le vagin maternel dont il n'a pas non plus la moindre connaissance expérimentale. Personne ne se souvient de ces choses, mais elles font surface dans les rêves des analysés. Acceptons donc nos démons, et la logique de l'inconscient qui jette le petit garçon humilié dans une fureur sadique dont il lui restera quelque chose. Le voilà à point pour désirer s'approprier le pénis de papa et en féconder maman, tel Œdipe, comme chacun sait, et Cronos coupant les génitoires de son père Ouranos *. Pénible situation dont il s'évade dans le culte narcissique de son petit pénis ; et il retrouve dans la masturbation un peu de dignité. Quand le temps vient de passer à l'acte, l'angoisse de son insuffisance se ravive dans l'adolescent. Naguère, la bonne société bourgeoise lui fournissait une amie de sa mère qui l'aidait à sauter le pas ; ou une putain. Aujourd'hui, les garçons et les filles doivent se débrouiller entre eux ; si la promiscuité tend à désamorcer l'angoisse, deux maladresses ne font pas un chef-d'œuvre ; de plus, si notre société n'oppose à la sexualité des jeunes qu'une défense conventionnelle et élastique, elle ne se soucie pas du tout de l'équipement matériel. A part des pays scandinaves où les parents hébergent à domicile les amours de leurs enfants, il faut reconnaître que les « maisons de célibataires » des îles Trobriand font cruellement défaut **. Il est vrai que les cités universitaires sont des cités du libre échange. Mais les lycéens ? Franchement, je m'étonne qu'ils n'aient pas encore manifesté devant le ministère des Affaires culturelles en réclamant des « Maisons de la culture et de l'amour ». On peut douter, toutefois, que le bâtiment suffise à leur bonheur. La société industrielle cultive la frénésie masculine, et il y a loin de la promiscuité à la sexualité

---

* Voir p. 214.
** Voir p. 70.

décontractée de Samoa ou de Tahiti. C'est pourquoi les femmes n'en ont pas fini avec ces pénis inquiets qui croient prendre une assurance en méprisant les « bonnes femmes » ou, comme grand-père, en vénérant la chaste épouse ; elles n'en ont pas fini non plus avec les Don Juan, « séducteurs » d'hier, « dragueurs » d'aujourd'hui, qui ont toujours besoin de se prouver leur virilité et, abandonnant leurs « conquêtes », se croient des bourreaux des cœurs alors qu'ils ne sont que des Gribouilles plongeant de vagin en vagin de peur d'être mouillés. Les homosexuels sont plus logiques ; à voir leurs effectifs, on doute que la libération sexuelle nous ait délivrés de la phobie du vagin.

« Il faut cent fois plus d'esprit pour faire l'amour que pour commander des armées », disait Ninon. Elle le disait au nom des femmes, qui le savaient, à des hommes qui ne s'en doutaient pas. Sont-ils aujourd'hui beaucoup plus nombreux, les amants savants ? Si j'en juge par les enquêtes de Kinsey et consorts, par les déclarations des médecins, et par les confidences dont les femmes veulent bien m'honorer, j'inclinerais à noter sur les copies de ces copulateurs : « Pourrait mieux faire. Manque d'attention. » Pour plus de détails, prière de vous reporter à votre manuel habituel. Quant à moi, je ne peux qu'espérer que mon petit résumé de psychanalyse aidera l'un et l'autre sexe à s'accepter tels qu'ils sont, la femme avec ses envies masculines, l'homme avec ses envies féminines, pour les dépasser dans la fusion — clitoris *et* vagin, que diable ! — dans l'effusion sexuelle qui est tout de même une des plus belles inventions de la nature et dont tant de couples font un gâchis parce qu'ils ont l'esprit mal tourné. Cet esprit, qui vient du pénis dans la nuit de l'évolution des espèces, et dans la nuit éternellement recommencée de notre enfance, a trouvé mille manières de mal tourner. Aujourd'hui, il tourne à vide dans l'intellectualisme pur. La vraie révolution des femmes se fera contre cet impérialisme du cerveau, pour la plus grande gloire de leur ventre, et pour notre joie commune. Et quiconque proteste que c'est vouloir ramener la femme à l'esclavage par l'animalité ne fait que confesser le péché capital de notre temps, sa maladie plutôt, cette abstractionnite aiguë qui confine à l'imbécillité plénière. Quelle Ninon saura faire comprendre aux hommes qu'il faut cent fois plus d'esprit pour faire l'amour que pour construire des systèmes ?

L'amour et le mariage

Et pour aimer, et s'aimer toute la vie, il faut tant d'esprit que les bons mariages sont rares.

Amour passion, amour fou, amour sublime, on s'envole vers le grand « ailleurs » où le temps s'abolit, où les deux moitiés de l'espèce humaine se fondent dans l'unité originelle et fabuleuse,

> *Quand la machine a démarré*
> *Quand on n'sait plus bien où l'on est*
> *Et qu'on attend c'qui va s'passer*
> *... JE T'AIME*[38].

Tout est dit. Il n'y a plus qu'à le redire. Toute la vie. Et c'est pour ça qu'on se marie.

Assurément, voilà une idée neuve. Les inventeurs de l'amour courtois n'imaginaient rien de plus absurde, et nous avons su pendant huit cents ans qu'il ne fallait pas confondre amour et mariage. En bonne équité, la femme devait donc être aussi libre que l'homme d'aimer hors du mariage — avant ou pendant. Et telle était bien la morale de l'amour courtois. On sait comment l'homme dénia à la femme le droit qu'il s'accordait — je veux dire : à *sa* femme, cependant qu'il vantait les charmes de la liberté aux aimables épouses des autres. Il fallut attendre le XVIIIe siècle pour que la contradiction se résolût en une mutuelle tolérance ; mais ce fut aussi le temps où les amants ne s'envolaient pas si haut qu'ils perdissent de vue les rivages tempérés. Il se trouva des femmes pour se plaindre d'une liberté trop pauvre. Et Jean-Jacques Rousseau leur chanta la chanson qu'elles attendaient : non la passion, ni l'extase charnelle, mais la tendre inclination chaque jour enrichie des tendresses de la veille, un bonheur assuré, marié. Hélas ! Il suffisait de substituer à l'inclination la loi, de mettre la tendresse en forme d'articles du Code civil, pour que la femme se trouvât dans une sujétion plus rigoureuse que jamais. Comme quoi il faut se méfier des bons sentiments. Ce que nous faisons : la vertu désormais est suspecte. Mais la passion ? C'est à croire que l'homme ne respire que dans la contradiction : nous traitons cyniquement le sexe, et nous mettons au plus haut le mariage d'amour.

D'une association dont la seule justification objective est le service de l'espèce, nous voulons faire le lieu privilégié où s'accomplisse notre personne. Cela pose quelques problèmes. Et d'autant plus difficiles à résoudre que nous ne savons pas, au fond, ce que nous cherchons dans l'autre. Pis encore : nous ne voulons pas le savoir.

Si l'on se borne à une vue matérialiste, nous cherchons à satisfaire une pulsion ; l'instinct sexuel nous pousse vers une personne du sexe opposé, et voilà tout. Si nous avons très faim, n'importe qui fera l'affaire ; et, comme le pigeon frustré, nous verrons Hélène dans un torchon *. Aussi n'est-il pas nécessaire de parcourir le monde en quête de l'être idéal, ni de confier nos désirs à un ordinateur : des jeunes gens trouvent l'âme-sœur là où ils sont, à l'université, au travail, au bal du samedi soir ; et les statistiques nous disent que la passion se marie le plus communément avec une passion de la même classe sociale. Platon disait plus noblement que l'amour est une forme vide qui attend l'objet qui la remplira. C'est que nous avons un esprit qui nous met très au-dessus du pigeon.

Une copulation saisonnière ne saurait nous suffire. Nous voulons que cela dure du printemps à l'automne et de l'automne au printemps. L'homme est un amoureux tout temps. Pour que cela dure, le plus sûr moyen, apparemment, est de posséder l'autre. L'amour, qui commence par l'agression (l'homme fait le siège de l'aimée, la femme prend l'amant dans ses filets...), se développe dans le rapt et croit parvenir à ses fins dans la séquestration mutuelle. Certains

* Voir p. 35.

ne vont pas plus loin. Mais, chez les amants d'élite, l'agression se sublimise en offrande. Chacun découvre, ô ravissement ! que l'autre lui est plus cher que lui-même. On se lasse de conquérir, on ne se lasse pas d'être conquis. Ainsi Dante *ravi* par Béatrice : *Ecce Deus fortior me qui veniens dominabitur mihi.* Voici un dieu plus fort que moi qui s'approche pour me dominer. Je ne m'appartiens plus, je suis hors de moi... Que le charme vienne à se rompre, on en veut moins à l'autre de vous échapper que de vous restituer à vous-même.

N'est-il pas bien étrange, ce besoin que nous avons de nous mettre dans la dépendance d'un ou d'une autre ? Est-ce là le comportement d'un adulte raisonnable ? Ou de grands enfants ? Allons, vous seriez déçu si je ne vous disais pas que l'homme cherche sa mère, et la femme son père. Avec toute la charge d'amour et de haine, de défiance et d'abandon, que nous avons accumulée et refoulée dans la nuit de l'inconscient. Parfois, c'est évident : on voit un garçon épouser une femme plus mûre (il n'est pas nécessaire pour cela qu'elle soit plus âgée) qui est pour lui le guide et le havre du bon secours ; ou une fille incompréhensiblement amoureuse d'un homme beaucoup plus vieux qu'elle. Ordinairement, personnne n'y comprend rien, et en tout cas, pas les intéressés. Parce que nous avons beau vouloir nous faire accroire que nous sommes tout d'une pièce, ce n'est pas vrai, nous sommes doubles (au minimum) et écartelés par des désirs contraires. Et l'histoire de notre vie, celle de nos cellules et celle de notre éducation, aura développé les uns, atrophié les autres ; et ceux-ci n'attendent que l'occasion de prendre leur revanche. Le petit garçon a toujours été à la fois comblé et frustré par sa mère, une petite fille a toujours désiré son père et il est rare que son désir ait été assouvi... Seulement, de cette base de départ les chemins divergent et s'embrouillent. L'un, qui adorait peut-être trop sa mère, épousera une femme-enfant qui lui paraît sans danger. L'autre, que son père a gravement déçue, ou qu'elle plaçait trop haut, épousera un galopin facile à manier. Celle-ci, qui n'a pas viré son complexe de virilité, épousera un homme efféminé, et rêvera d'un mâle velu qui la convertisse par la violence. Tel « fils de famille », mal guéri de sa phobie du vagin maternel, se vengera en épousant une putain de bas étage — à moins que l'autre versant de sa phobie, la foi en la virginité maternelle, ne le pousse vers une oie blanche et froide. Maintenant, prenez tout cela, et mettez-le à l'envers, ça marchera aussi bien, ou aussi mal. En vérité, une vache n'y reconnaîtrait pas son veau : comment le veau et la génisse pourraient-ils se reconnaître ? Ils s'accouplent au grand bonheur la chance, obéissant à la pulsion dominante du moment. Et nous voudrions qu'ils restent attelés toute la vie au charroi familial, sans le moindre coup de corne ?

Enumérer ainsi en vrac quelques espérances du mariage, c'était annoncer autant de déceptions. Il y a aussi des risques inhérents à tous les choix, quels qu'ils soient, du fait même qu'ils tendent à recréer une relation au père ou à la mère.

L'exigence de fidélité est la compagne nécessaire et logique du grand amour, personne ne le conteste. Et pourtant, si vraiment nous aimions l'autre plus que nous-même, ne devrions-nous pas nous réjouir de toutes les joies qu'il éprouve ? Ne compte pas là-dessus, mon amour : je t'aime comme j'aimais papa ou maman, avec la volonté de te monopoliser. Si l'enfant a été frustré, son exigence sera farouche. S'il a été comblé, elle sera féroce. Il en est même qui sont encore jaloux alors qu'ils n'aiment plus, et prétendent qu'ils aiment pour justifier leur jalousie. Soit dit en passant, si les hommes sont habituellement plus jaloux que les femmes, ce pourrait bien être parce que le petit garçon a eu avec sa mère des échanges autrement plus intimes, plus sensuels, que la petite fille avec son père. Surtout s'il a été nourri au sein. Une fille soucieuse de s'épargner l'embarras d'un jaloux devrait, avant d'épouser un garçon, lui demander s'il a tété sa mère. Ne voilà-t-il pas une explication autrement profonde que l'appropriation privée des moyens de production ? Nous savons maintenant pourquoi un communiste peut être aussi jaloux qu'un capitaliste.

L'amour, une fois engagé dans le conjugal, tend à être ressenti comme un devoir. Je ne songe pas ici à l'affreux « devoir conjugal » ; ni à l'anxiété du joueur qui a misé toute sa fortune sur un seul cheval, et qui *doit* gagner. Je pense que l'amour conjugal inconsciemment vécu comme l'amour filial se sent tenu d'obéir au même commandement : « Tes père et mère honoreras... » Pour un judéo-chrétien, la faillite de l'amour conjugal, le ressentiment, la haine recuite des conjoints, est un péché capital. Et l'on voit bien, faillite déclarée ou non, que les relations conjugales s'accommodent souvent d'un sentiment de culpabilité très voisin de celui de l'enfant à l'égard de ses parents. Combien de maris « coupables » se font les esclaves dociles d'une épouse mal aimée, et combien plus d'épouses se sacrifient à un mari qu'elles ne se pardonnent pas de ne pas admirer... On s'étonne qu'ils ne divorcent pas : c'est que leur union se nourrit de leur affliction.

Supposons que le choix, par un heureux hasard, fut judicieux ; c'est-à-dire que chacun a trouvé en l'autre son père ou sa mère convenablement transfigurés ; et que leurs désirs érotico-amoureux jouent à la perfection. Ils filent, comme on dit, le parfait amour. Les insensés ! Ils se sont embarqués pour Cythère, ils voguent vers Charybde, et ils ne comprendront qu'au bord du gouffre que leur parfait amour est un parfait inceste. Montaigne le savait déjà *, et Aristote, les Pères conscrits de Rome, les bourgeois de Victoria, les Mundugumor et généralement tous les peuples fortement travaillés par le complexe d'Œdipe.

Et enfin, si tous ces dangers du mariage vous paraissaient n'être que le produit de l'imagination délirante, il resterait cette profonde observation que me confia une jeune Anglaise perspicace : « Il y a des matins où l'on voudrait voir une autre tête de l'autre côté de la théière. »

Or, grâce aux progrès de la santé publique, nous avons une bonne chance de voir de l'autre côté de la théière la même tête — progressivement ridée — pendant vingt mille matins. Considérez bien ceci, je vous prie : jusqu'au XIXe siècle, la durée moyenne d'un mariage n'atteignait pas vingt années. Aujourd'hui, les mariés s'engagent pour cinquante-

---

* Voir p. 344.

cinq ans (du moins les femmes, dont l'espérance de vie, en Europe occidentale, est de soixante-quinze ans). Et si l'on y regarde de près, c'est encore plus grave. Au siècle dernier, l'âge moyen du mariage était de vingt-quatre ans chez la femme et de vingt-huit ans chez l'homme. Elle avait son premier enfant à vingt-cinq ans, quelques autres suivaient, et quand elle en avait fini avec les maternités... Balzac chantait dans la femme de trente ans la saveur du fruit mûr à consommer de suite. Sa vie sexuelle ne faisait pas long feu, un feu d'autant plus court qu'elle s'était mariée vierge. Ce n'est point toujours le cas des filles d'aujourd'hui, et elles se marient en moyenne à vingt et un ans. A l'âge où leurs grand-mères commençaient à faire des enfants, elles ont fini de faire les leurs. Et il leur reste un demi-siècle à vivre. Cinquante années d'amour, puisque les traités d'érotisme leur enseignent que la sexualité féminine (et masculine, d'ailleurs) reste active jusqu'au dernier souffle. Si l'on ajoute que les instituts de beauté conservent aux femmes toute leur séduction jusqu'à un âge que je ne saurais préciser, elles voient s'ouvrir une carrière telle qu'il n'en fut jamais ouï parler chez le commun des mortelles, et qui pourrait bien causer une révolution conjugale.

On en mesurera mieux l'ampleur après que l'on aura parlé de la maternité et du travail féminin. Pour lors, si l'on m'a suivi dans les méandres qui composent nos paysages conjugaux, on admettra qu'il ne peut y avoir d'union harmonieuse avant que les complexes infantiles aient été surmontés. Ce pourquoi j'estime que les mariages d'amour devraient être réservés aux vieillards.

La maternité

J'en suis pleinement conscient : un homme qui chante la maternité court le plus grand risque d'être disqualifié comme esclavagiste. Les louanges à la pondeuse ont trop longtemps dissimulé — fort mal, d'ailleurs — les noirs desseins de l'homme pour qu'il n'en reste pas une suspicion légitime. Sans doute rencontre-t-on quelques coqs attardés, mais les statistiques familiales nous prouvent qu'ils sont rares — ou que leurs épouses ne se laissent pas faire.

Bien entendu, je parle des sociétés industrialisées. La natalité démentielle des peuples sous-développés mène le monde à la catastrophe, personne ne peut plus l'ignorer. Il ne suffisait pas que l'esprit du pénis inventât la mort thermonucléaire : pour la première fois dans l'histoire de l'humanité, l'utérus a les moyens de l'apocalypse. Mais, sur ce chapitre, l'Occident est innocent (à moins qu'on ne le tienne pour coupable d'avoir inventé la vaccine) et le seul risque que nous courrions est la régression économique par la régression de la population. Ce qui n'empêche pas de bons esprits très mal informés de croire que l'Occident est menacé de surpopulation... Passons, cette question m'entraînerait trop loin de mon sujet. Et pourtant, elle n'y est pas étrangère : peut-être la prolifération des hommes sous-développés comme des cellules d'un cancer hante-t-elle l'inconscient de certaines femmes, ô combien évoluées ! qui refusent la maternité ? Il ne faudrait tout de même pas se tromper de continent, ni de siècle.

Parler de la maternité chez nous, c'est donc parler d'abord de son contrôle. Il n'y a que trois moyens : l'infanticide, l'avortement et la contraception. Je crois pouvoir affirmer que le progrès a consisté et consistera à passer du premier au troisième.

La plupart des peuples ont pratiqué l'infanticide, depuis les Chinois qui « hersaient la progéniture » jusqu'aux Grecs et aux Romains qui l' « exposaient » (à la mort). Les Egyptiens refusant cette facilité étaient pour leurs voisins un sujet d'étonnement ; cependant Moïse ne fut-il pas « sauvé des eaux » ? Et je ne jurerais pas que la grande mortalité infantile jusqu'au XIXe siècle ne fut pas un peu aidée par des mères excédées.

Si l'infanticide ne trouve plus de défenseurs, l'avortement a les siens, ou plutôt les siennes, et elles font du bruit. Lucinda Cisler, qui est « dans le mouvement féministe américain la spécialiste la mieux informée sur la question de l'avortement », dit la revue *Partisans*[39] en la présentant aux lecteurs français, écrit : « Un des points sur lesquels dans le mouvement des femmes tout le monde semble d'accord, c'est que nous devons nous débarrasser de la loi sur l'avortement et nous assurer que *toute femme qui désire se faire avorter puisse obtenir satisfaction.* Nous comprenons toutes que cette exigence est des plus fondamentales ; aussi claire et simple qu'elle paraisse, elle est pour l'instant difficile à satisfaire et cependant *n'est pas moins justifiée que l'exigence du droit à utiliser n'importe quelle autre méthode de contraception*[40]. » Ce ne sera, dit-elle, que « la justice à laquelle la femme a droit[41] ». Quant aux « réformes » (avortement autorisé en cas de viol, d'inceste ou d'anomalie du fœtus), elles sont, selon elle, « une insulte à notre dignité d'êtres humains actifs et capables de diriger leur destinée[42] ». Donc, liberté absolue de l'avortement, et à n'importe quel stade, car « il y a bien des raisons qui peuvent pousser une femme à rechercher un avortement presque au terme de sa grossesse, et elle devrait pouvoir obtenir satisfaction légalement[43] ». Presque au terme de sa grossesse... J'avais tort de dire que l'infanticide n'a plus de défenseurs.

A ce programme, le mouvement de libération des femmes, en France, ajoute la touche lyrique : « Lutter pour la légalisation de l'avortement, c'est lutter en même temps pour pouvoir vivre notre sexualité en dehors de la peur et de l'aliénation, pour pouvoir assumer notre corps, notre homosexualité... » En vérité, si ces lesbiennes sont capables de s'engrosser, qui aurait la cruauté de les contraindre à mettre au monde le fruit de leur union ? Mais on pense bien qu'il n'y a pas que ça : « C'est plus que la contraception, c'est le droit à la connaissance, à la reconnaissance, à la jouissance, à l'invention, c'est esquisser l'un des chemins de la révolution[44]. » Voilà, quand on a de l'esprit, les choses que l'on peut avoir dans un curetage.

Soyons sérieux. Les avortements clandestins sont une ignominie. La loi qui punit de six mois à deux ans de prison la femme qui se fait avorter est une absurdité — je n'en veux pour preuve que le fait qu'elle n'est appliquée qu'à deux cas sur mille. Cela dit, l'avortement libre est-il « la solution définitive », comme dirait Hitler ? Si l'on essayait de voir les chiffres, sans passion, et ce qu'ils sont devenus dans des pays qui ont légalisé l'avortement ?

En France, chacun va répétant qu'il y a un million d'avortements clandestins par an. Simone de Beauvoir donnait ce chiffre il y a un quart de siècle [45] et *Partisans* l'a repris en 1971, précisant en outre que, chaque année, 5 000 femmes en meurent, de 10 à 15 000 restent stériles à vie et 200 000 souffrent de maladies infectieuses [46]. L'I. N. E. D. (Institut National d'Etudes Démographiques) a étudié la question. Sa conclusion est loin du compte : « Le nombre des avortements provoqués ne paraît guère dépasser 250 000. » A quoi s'ajoutent 150 000 avortements spontanés, qui sont un tout autre problème. Quant aux 5 000 décès — certains vont jusqu'à 8 ou 10 000 — il suffit, pour en douter, de savoir qu'en 1968 « on a dénombré en France, *toutes causes de mortalité réunies,* 10 700 décès féminins entre quinze et quarante-quatre ans [47]. »

La France est un des pays les plus répressifs. La loi n'y autorise l'avortement que lorsque la vie de la mère est en danger. Si, par exemple, l'enfant risque d'être un petit monstre, tant pis, la mère aura son monstre. Le projet de loi Peyret propose d'étendre l'autorisation aux embryopathies incurables, aux menaces à la santé de la mère et au viol. La Grande-Bretagne, la Suède, le Danemark, prévoient, outre les cas du projet Peyret, la santé mentale de la mère et le fait qu'elle soit mineure ; la Grande-Bretagne a ajouté, en 1967, le cas très souple « où la naissance risquerait de porter préjudice aux enfants déjà nés ». Et que s'est-il passé ? En 1967, en Suède, les avortements légaux ont représenté 8,2 % des naissances vivantes ; au Danemark, 7,4 %. Transposons à la France : cela donnerait quelque 68 000 avortements légaux. En Angleterre et au Pays de Galles, en 1969, deuxième année du nouveau régime, le nombre a été de 6,8 % *. Donc, du même ordre. Si ces 7

* Mais, en 1971, les avortements légaux en Grande-Bretagne ont doublé, passant à 126 774 (contre 54 819 en 1969). Parce que la législation répressive des pays voisins — au premier rang, la France — a engendré un « trafic d'avortements » sur les étrangères, dit le Pr N. Morris.

ou 8 % d'avortements légaux permettaient d'en finir avec les angoisses des femmes enceintes contre leur gré et avec la boucherie des avortements clandestins, j'estime que ce ne serait pas trop cher payé. Mais ce n'est pas si simple.

L'étude à laquelle je me réfère [48] examine aussi les pays où existe une liberté totale ou quasi totale : le Japon, l'U. R. S. S., les démocraties populaires de l'Est européen.

J'ai déjà dit les fluctuations de l'U. R. S. S. sur cette question : avortement autorisé de 1917 à 1926, sous certaines réserves de 1926 à 1936, interdit de 1936 à 1954, et de nouveau autorisé en 1955. Dans les deux années qui suivirent, les démocraties populaires s'alignèrent sur leur suzeraine. Dans des pays comme la Pologne et la Tchécoslovaquie, où l'influence de l'église catholique demeure mais où, aussi, des contraceptifs sont à la disposition des femmes, le taux des avortements légaux ne dépassa pas le niveau des pays scandinaves et de la Grande-Bretagne (en 1967, Pologne : 4,9 %, Tchécoslovaquie : 6,8 %). Il en alla tout autrement en Bulgarie, en Hongrie, en Roumanie, où les contraceptifs étaient très peu répandus. En Hongrie, entre 1965 et 1969, la moyenne annuelle fut de 145 000 naissances pour 192 000 avortements, dont 17 % seulement pour des motifs de santé. Le cas de la Roumanie fut le plus instructif. En 1965, elle en était à 950 000 avortements provoqués ; la moitié des femmes étaient des abonnées, ayant subi quatre avortements ou davantage ; la natalité était tombée au-dessous de la mortalité. Devant cette situation, la Roumanie fit machine arrière ; en octobre 1966, une nouvelle loi limita les avortements à certains cas (notamment aux mères de quatre enfants et aux femmes âgées de plus de quarante-cinq ans). Les femmes se trouvèrent prises de court et la natalité, qui était alors de 12,8 ‰, bondit à 40 ‰ en septembre 1967. Puis, un an après, elle redescendit à 21,5. Les Roumaines, faute de pouvoir avorter à leur guise, se convertissaient à la contraception.

Au Japon, l'avortement était une antique tradition. Il fut légalisé en 1948 afin de limiter les naissances, qui atteignaient alors 33,5 ‰. L'année record fut 1945, avec

1 170 000 avortements, soit 67 % des naissances vivantes. En 1967, le nombre était redescendu à 748 000, soit 39 % des naissances vivantes. Les Japonaises ne faisaient pas plus d'enfants pour cela mais une campagne intensive leur avait enseigné l'usage des contraceptifs. On estime que ceux-ci n'évitaient que 30 % des naissances en 1955, et 70 % en 1967. Là encore, la conclusion est évidente : l'avortement libre n'est que le pis-aller de la contraception ; il est le fruit de l'ignorance ou de l'insouciance, et il les encourage.

S'il faut une autre démonstration, le Japon nous en offre une peu ordinaire. L'année 1966 était placée sous le signe astrologique « cheval et feu ». Cette conjonction, qui se présente tous les soixante ans, est néfaste : les filles nées sous ce signe sont destinées à détruire leur mari moralement et même physiquement. Selon une enquête par sondage, 98 % des couples japonais connaissaient cette croyance. Ils ne l'ont pas prise à la légère : en 1966, les naissances furent inférieures d'un quart à la moyenne. Comme quoi la superstition peut aider le progrès.

Donner la vie, attenter à la vie, il y a là une charge d'émotion, de passion, de métaphysique qui a vite fait de nous jeter hors du bon sens. Pour qui voudrait raison garder, il faut mettre les points sur les *i*, il faut dire clairement où l'on voit le progrès et où on ne le voit pas.

Je dirai donc tout net que je ne vois pas le progrès dans la position intransigeante de l'Eglise catholique. Quand j'apprends que les associations familiales catholiques en ont appelé au Président de la République « contre tout élargissement de la loi actuelle », j'admire qu'elles aient le cœur de condamner les femmes à enfanter des monstres. Et quand, dans le même temps, le pape interdit les contraceptifs, je me demande si ce respect de la loi de Dieu est rien de plus que la volonté trois fois millénaire de perpétuer la malédiction prononcée par Iahveh contre la femme. Le catholicisme ne sortira donc jamais de la contradiction où la misogynie d'Israël et des Pères de l'église l'a enfermé ? En sommes-nous encore à l'époque où saint Augustin affirmait que « toute femme qui fait en sorte qu'elle ne puisse engendrer autant d'enfants qu'elle pourrait se rend coupable d'autant d'homicides », cependant que saint Jérôme, invectivant « cette tuméfaction de l'utérus », ordonnait : « Mettons la main à la cognée et coupons aux racines l'arbre stérile du mariage ! » La contradiction actuelle n'est pas moins forte : comment peut-on interdire à la fois tout avortement et la contraception ? « On juge l'arbre à ses fruits », disait Jésus. Les fruits sont les enfants misérables de l'Amérique latine : peu importe qu'ils meurent de faim, pourvu qu'ils naissent ! Les fruits sont les abominables avortements clandestins que doivent subir les Italiennes, les Espagnoles, les Françaises — du moins celles qui sont pauvres et sans éducation, car les riches passent les frontières, et la majorité des catholiques évoluées s'accommodent avec le ciel et le pape. Il devait bien y en avoir quelques-unes parmi les Françaises qui, lors d'un sondage de novembre 1970, se sont déclarées à 85 % pour l'avortement quand il existe un danger pour la santé de la mère ou un risque que l'enfant soit anormal.

Si je refuse un sacro-saint principe dont les fondements me paraissent suspects, et qui contraint les croyants à choisir entre la culpabilité et le malheur, je refuse également la liberté de l'avortement parce qu'elle est nocive, régressive et immorale.

Elle est nocive parce que, l'expérience de l'avortement légal dans les démocraties populaires l'a établi, la moitié des cas de stérilité ou de fausses couches spontanées se présentent chez des femmes qui ont eu antérieurement des avortements provoqués. Elle est nocive parce qu'on ne joue pas impunément avec la vie ; s'il est des femmes qui peuvent se débarrasser d'un fœtus comme d'un embarras intestinal, il en est d'autres assez conscientes de ce qu'elles font pour en être profondément traumatisées. Inutile d'en dire davantage : pour les unes, toute explication serait vaine ; pour les autres, elle est superflue.

Que l'avortement libre, loin d'être la révolution que d'aucunes prétendent, soit une régression, cela n'exige pas non plus un long discours : nous avons vu qu'il nous ramène à la barbarie de l'infanticide. Mais, de plus, il s'oppose au progrès parce que, sous couvert de libérer la femme, il la maintient dans l'infantilisme.

Une femme qui s'en remet à l'avortement de réparer son « accident » s'en remet aux autres. Par ignorance, par insouciance ou par paresse, elle abdique sa liberté, elle se déclare irresponsable. Seule la contraception est intelligente : il faut prévoir. Seule, elle est morale : il y a un choix à faire, une décision à prendre, une volonté à affirmer. Ce n'est pas facile. D'obscurs tabous s'y opposent, cela se voit chez les femmes qui répugnent à utiliser la pilule ou qui se croient coupables de le faire. Cela se voit aussi chez les hommes qui entravent sournoisement l'information sur le contrôle des naissances. Mais il n'y a pas d'autre voie. Il faut informer sans cesse, éduquer les enfants à l'école et dans les familles, multiplier les centres de planning familial. Les hommes renâclent ? Eh bien ! N'y a-t-il pas assez de femmes instruites pour agir ? L'exemple de la Suède et du Danemark, sinon de la Grande-Bretagne, nous montre que la diffusion de la contraception et l'avortement limité aux cas dramatiques est le chemin de l'équilibre. Il ne mène ni à l'anarchie ni à la stérilité mais tout simplement à la maturité.

D'ailleurs, nous sommes moins loin du but que nous le croyons. On a vu qu'en France, pays qui se proclame terre de la liberté et qui est des plus répressifs en ce domaine, le nombre annuel des avortements clandestins n'est pas d'un million mais de 250 000 ; et qu'une législation modérément libérale, à la manière scandinave ou britannique, se traduirait par quelque 68 000 avortements légaux (soit la moitié des grossesses interrompues malgré le désir de maternité). Ce sont donc moins de 200 000 avortements clandestins qui devraient alors être transformés en autant de contraceptions. Voilà le problème numéro un. Il est moral. Et il n'est pas démographique. Ceux qui soutiennent l'argument insoutenable qu'il faut contraindre les femmes à faire des enfants afin que se maintienne la natalité, commettent, outre une erreur morale, trois erreurs de fait. La première : la baisse de la natalité dans les pays occidentaux que j'ai pris pour exemples n'est pas plus sensible que dans les autres. La seconde : ce qui retient les femmes de souhaiter un plus grand nombre d'enfants, ce sont les conditions de leur travail (j'y reviendrai plus loin). La troisième : les Françaises savent déjà à peu près limiter les naissances au nombre souhaité ; parmi celles qui se sont mariées avant 1964, le nombre idéal d'enfants oscillait entre 2,73 chez les plus âgées et 2,55 chez les plus jeunes ; le nombre effectif moyen était de 2,82 en 1965 [49]. Seulement, cet ajustement de la réalité à l'idéal se fait par les avortements clandestins, par des méthodes hasardeuses, par des actes interrompus qui mettent la femme à la merci de l'homme (90 % des Français pratiqueraient le *coïtus interruptus* ; je ne sais si l'Eglise catholique estime que c'est obéir à la loi de Dieu : Iahveh pour cela fit mourir Onan ; et je crains que la réputation des Français auprès des étrangères en soit ternie). Allons ! Il faut en finir avec cette hypocrisie qui n'engendre pas plus d'enfants, mais la culpabilité, l'angoisse, la frustration.

Pour conclure, le progrès ne sera pas de libérer l'avortement mais de libérer la maternité. Je crois qu'elle est assez belle pour que les femmes la désirent, et trop belle pour qu'elle soit imposée à celles qui ne la désirent pas.

Parti pour parler de la maternité, voilà que je me suis attardé à parler de l'avortement et de la contraception. C'est qu'il y a là un signe que le temps change. Dans les années 50, l'opinion n'eût pas supporté un débat public sur ce sujet. (Je suis bien placé pour le savoir. Depuis vingt et un ans que j'écris chaque semaine l'éditorial de *Elle*, deux articles seulement, sur plus de mille, furent refusés par la direction ; l'un traitait de la suppression de la peine de mort, l'autre, du contrôle des naissances. La direction était d'accord mais elle les jugeait prématurés. Vers 1960, les vannes s'ouvrirent.) C'est un signe, disais-je. C'est aussi une pierre de touche. Selon la réaction, vous savez si vous avez affaire à un champion de la raison ou à un champion de la nature. Pour ma part, je récuse l'un et l'autre. Prétendre que tout le progrès se ramène au combat de la raison contre la nature n'est qu'une idéologie dont se parent la défiance et la peur, avec les conséquences mortelles dont nous n'avons encore qu'un avant-goût. Mais la révérence sacrée devant la nature, quand nous avons le pouvoir de l'amender, relève de la pensée mythologique : montrez-moi un thuriféraire de la nature qui n'a jamais pris un cachet d'aspirine. La médecine, justement, nous enseigne que la raison ne peut maîtriser la nature qu'en lui obéissant.

Je ne fais pas confiance à l'homme pour comprendre ça. Depuis des millénaires, tous ses efforts ont tendu à escalader les cimes immaculées de la raison, et à cantonner la femme dans la sorcellerie de la gestation. C'est terminé. La raison n'est plus un monopole masculin. Mais l'enfantement demeure un monopole féminin. La femme désormais participe des deux ordres ; elle est le ventre et la tête, la nature et la raison. Elle seule a accès aux deux voies de la conscience. Si elle a le courage de s'y engager — il en faut, car ce privilège est aussi un handicap — je ne vois pas comment la vie pourrait n'en être pas changée. Le contrôle des naissances est un des lieux où se rencontrent les deux voies. Mais elles se rencontrent aussi bien dans la génétique, dans l'accouchement, dans l'éducation des enfants, dans l'organisation du travail, dans la politique et, bien sûr, dans la morale, dans la philosophie, dans la religion... Entre l'horreur sacrée et le positivisme matérialiste qui ne sont que deux formes contraires et étrangement fraternelles des prétentions de l'esprit du pénis, il y a toujours une réponse qui engage la totalité de l'être, et elle ne peut être donnée que par la femme entière.

Vous voyez, je viens de scier la branche sur laquelle je pérorais. Je n'ai plus qu'à me taire... Permettrez-vous quand même à l'incompétence de mon sexe de vous proposer quelques tests ?

S'il entend les mots « insémination artificielle », un homme se hérisse. Et vous ? Pensez-vous qu'elle est un attentat intolérable contre la nature ? Ainsi en jugent les religions catholique, orthodoxe, juive et musulmane. Pensez-vous qu'elle permettra enfin à la femme délivrée de l'homme d'aller choisir sa semence dans une banque de sperme ? Que « par l'insémination artificielle s'achève l'évolution qui permettra à l'humanité de maîtriser la fonction reproductrice », comme le dit Simone de Beauvoir [50] ? Ou bien pensez-vous que faire un enfant est une bonne chose qui se fera encore longtemps à deux, mais que l'insémination artificielle est tout simplement un moyen de remédier à la stérilité des couples, dont l'homme est responsable une fois sur trois[51] ? Dans ce cas, pensez-vous que ce n'est qu'un problème technique, ou bien mesurez-vous les réactions psychologiques qui peuvent surgir chez votre mari ou en vous-même, et êtes-vous prête à les surmonter ?

Et l'accouchement ? Etes-vous de celles qui croient qu'elles doivent se soumettre à la malédiction : « Tu enfanteras dans la douleur ? » Ou qui y trouvent, comme dit Hélène Deutsch, « une orgie de plaisir masochique » ? Pensez-vous, au contraire, que l'anesthésie est la solution moderne ? Ou enfin, pensez-vous que la mise au monde d'un enfant est l'acte le plus « gratifiant » qu'aucun être puisse accomplir, que vous laisser faire cela en votre « absence », c'est vous laisser traiter comme une machine à pondre ; et que l'accouchement contrôlé qui pourrait bientôt être vraiment « sans douleur » avec l'appoint d'une anesthésie locale, en permettant à une femme de vouloir ce qu'elle fait, de maîtriser l'enfantement en pleine conscience, et avec la participation de son mari, est le choix d'une femme libre ?

Nature *et* culture, la composante se retrouve dans l'éducation de l'enfant. Et d'abord dans l'élevage. Une femme, aujourd'hui, a le choix — théoriquement ! — entre allaiter au sein, donner le biberon, le faire donner par une mercenaire, ou confier le bébé à une crèche. Les unes disent : la mère doit subordonner sa vie à celle de son enfant, elle doit, s'il le faut, renoncer à tout pour lui. Jusqu'à quand ? Jusqu'au jour où il volera de ses propres ailes... si jamais ce jour arrive pour une telle mère et un tel enfant. D'autres : la mère ne sert à rien et elle a mieux à faire ; il ne faut pas confondre le travail et l'amour. Ecoutez Anne Kohen, du Mouvement de libération des femmes : « Lorsque l'infirmière change et donne à manger à un malade, elle travaille, lorsqu'elle va à un rendez-vous avec son fiancé, elle lui donne et reçoit des preuves d'amour qui n'ont rien à voir avec ses activités au travail. De même, l'amour de la mère pour son enfant n'est pas caractérisé par les bouillies qu'elle lui prépare et lui donne à manger ni par les couches qu'elle lui change : ceci est du travail de nurse. L'amour de la mère se manifeste dans les moments où elle souhaite réellement être avec cet enfant-là, où elle lui donne des preuves d'amour (bien différentes de lui nettoyer les fesses) et escompte en recevoir en retour [52]. » Ainsi l'amour maternel ne consisterait pas à prendre soin de la vie de son enfant, mais à lui faire guili-guili. Un guili-guili « culturel », j'espère. Cette femme-là me fait penser à la dinde sourde *. Et ces révolutionnaires qui veulent se payer (ou faire payer par l'Etat) le travail d'une nurse, comme autrefois d'une nourrice, ressemblent furieusement à des aristocrates. Après tout, il y a bien des femmes frigides, pourquoi n'y aurait-il pas aussi des mères impuissantes ? Ce sont souvent les mêmes, victimes d'une cancérisation de l'esprit. Mais les mères masochistes qui reportent sur l'enfant leur culpabilité et l'accablent de leur sacrifice ne sont pas moins néfastes.

Nous savons maintenant combien sont déterminantes les premières relations de l'enfant à sa mère. Elle est pour lui l'unique source des satisfactions. Mieux : il ne se distingue pas du sein qu'il tète, le sein et sa bouche constituent un seul univers de la satisfaction. Et puis il a faim, il crie, il suffoque, soudain tout l'univers est de souffrance et de colère... jusqu'au jour où il découvre que l'auteur de sa détresse est aussi celui de son bonheur. Du fond du sentiment de dépendance sourd l'agressivité... C'est ainsi, dans l'amour et la haine, que l'enfant commence son éducation.

Et elle sera longue. C'est le propre de l'homme. De tous les petits de mammifères, seul le petit de l'homme est aussi démuni, au point que l'on a pu dire qu'il naît dans l'état de fœtus. « Un orang-outang d'un mois, dit Briffault, est aussi avancé qu'un bébé humain d'un an ; un veau d'un jour est plus développé que les deux précédents. » Aucun animal ne se développe aussi lentement que l'homme ; sa sexualité, au contraire, est précoce, pour ne pas dire prématurée ; et il vieillit plus lentement que les autres mammifères. Tenons bien ces trois faits ensemble, ils commandent notre destin. Ils signifient que la sexualité et la conscience s'éveillent dans

---

* Voir p. 40.

le climat prolongé du ventre maternel, que l'esprit, en quelque sorte, naît dans l'utérus — et qu'il fonctionnera et s'exprimera pendant la durée de trois ou quatre générations. La vie sociale est fondée sur la dépendance de l'enfant et sur la pérennité des vieillards. Et la mère en est la grande créatrice.

Les peuples primitifs nous avaient déjà fait la démonstration de cette vérité-là. Ceux où la mère a avec son bébé un comportement tendre, sensuel, joueur, sont des peuples pacifiques et en équilibre. Ceux où la mère se comporte comme un appareil distributeur, insensible aux larmes et aux désirs du bébé, sont des peuples agressifs qui ne voient dans la vie qu'un rapport de volontés hostiles dans un perpétuel déséquilibre de triomphes et d'humiliations. Bien sûr, il y a des degrés. Il y a les peuples où les mères chouchoutent tellement les bébés qu'elles leur coupent toute énergie, sauf celle des caprices, et construisent une société à la fois désarmée et stérile ; car, au-dessous d'un certain seuil de tension, c'est triste à dire mais c'est ainsi, l'homme ne crée rien, ne résiste à rien, et surtout pas à ses pulsions primaires. Il y a les peuples où les mères vont beaucoup plus loin que la dureté éducative ; elles tiennent la vie pour le royaume du mal, les enfants pour une malédiction, et les rudoient de telle sorte que la vie sera, à coup sûr, le royaume du mal.

Devant une telle responsabilité, il y aurait de quoi s'affoler ; et je me demande si la peur ne motiverait pas secrètement l'une et l'autre des aberrations maternelles dont je parlais, chez les unes la peur d'être dévorées, chez les autres, la peur de ne jamais donner assez ? Si l'on ajoute qu'au stade suivant et jusqu'à la puberté, c'est encore la mère qui tient le premier rôle ; que les femmes sont de plus en plus nombreuses dans l'enseignement ; et que les hommes « coupés » par la culture technologique abdiquent leur rôle de père (alors que toutes les grandes civilisations ont toujours confié au père ou à l'oncle l'éducation des garçons), on admettra qu'il n'est rien de plus essentiel pour le monde de demain que d'avoir aujourd'hui des femmes instruites et sensibles, des femmes dont l'esprit et le ventre composent le seul ordinateur capable de résoudre l'équation d'un enfant : le cœur.

Mais la femme, du fait même qu'elle est un esprit non plus seulement « orné » pour l'agrément des messieurs mais capable d'agir sur le monde extérieur comme tout esprit humain, ne saurait désormais se laisser cantonner dans la maternité. Je sais, parce qu'elles me l'écrivent souvent, qu'il en est plus que l'on ne croit qui ne souhaitent rien au-delà et estiment qu'elles ont la meilleure part. Puisque tel est leur choix et qu'elles ont la bonne fortune de pouvoir le vivre, je ne vois pas de quel droit quiconque prétendrait les contraindre à un autre choix. Il en est aussi, et chaque année plus nombreuses, qui sentent le besoin d'exprimer une autre part d'elles-mêmes dans un métier ou dans une action publique. Elles ne sont pas pour autant de mauvaises mères. Bien au contraire : passé le premier âge où personne ne peut remplacer la mère, une activité extérieure peut les faire plus enrichissantes pour leur enfant parce qu'elles-mêmes plus riches. Sortir de l'Université avec un diplôme ne suffit pas et risque au contraire d'aggraver le déséquilibre, quand la femme, comme l'Américaine que nous avons vue, se trouve écartée de toute activité où utiliser ses capacités. Aucun être ne peut consentir à voir s'atrophier les qualités qu'il a acquises sans dommage pour soi — et pour les enfants. Craignons qu'à la femme matriarcale et narcissique qui se projette sur ses enfants, ne succède l'intellectuelle frustrée qui compense sur eux, les intoxique et fabrique des névrosés.

Le problème du travail est un des plus compliqués qui se posent à la femme d'aujourd'hui. C'est aussi un des plus passionnants, à mes yeux, et des plus lourds de conséquences, parce que je crois que la femme, en le résolvant, entraînera nécessairement un changement dans notre système de production, dans sa finalité, et dans la politique des sociétés industrielles.

Travail et politique

La révolution agraire avait asservi la femme, la révolution industrielle la libère. L'homme, en s'appropriant la terre, n'avait laissé à la femme d'autre valeur économique que son sexe. Produire du blé, édifier des cités, gouverner les peuples, dire la loi et la morale, découvrir les secrets de la matière et la maîtriser, établir dans le ciel un mâle Tout-Puissant et communiquer avec Lui — la main de l'ouvrier et la main de l'artiste, la pensée positiviste et la pensée mystique, tout fut œuvre virile, et dans beaucoup de langues un seul mot signifie « homme » et « être humain ». La femme n'avait qu'à applaudir. Elle était confondue d'admiration — ou faisait semblant de l'être. Elle l'est toujours : nombre de féministes sont incapables d'imaginer qu'il puisse exister des valeurs féminines et ne conçoivent pas d'autre promotion que par l'accès aux valeurs viriles *. Ce n'est point qu'elles veuillent être des hommes : c'est qu'elles acceptent l'identification être humain-homme, persuadées, dans leur ingénuité philosophique, que cet « homme » n'a pas de sexe.

On est fâché de le leur dire : il en a un. Et l'histoire, la culture, et la souplesse des femmes à s'en accommoder, ne sont pas la seule explication de l'énergie créatrice de l'homme : son pénis y est pour quelque chose. Non, je ne suis pas en train de chanter la gloire de celui qui a « des couilles au cul » : je chante sa triste complainte. La virilité est fondée sur le principe d'incertitude. « La paternité ne repose que sur la conviction », disait Goethe. S'il n'y avait que ça ! La femme peut être frigide et compter les mouches au plafond, elle n'en est pas moins capable de recevoir le pénis, de

* On trouve un « modernisme » du même niveau dans l'évangile apocryphe selon saint Thomas, au dernier des « Dits » attribués à Jésus. « Laissez Marie aller loin de nous, car les femmes ne sont pas dignes de la vie », dit Simon Pierre. Jésus répond : « Voyez, je la guiderai de manière à la rendre semblable à l'homme, pour qu'elle aussi devienne un esprit vivant, semblable à vous autres hommes. Car toute femme semblable à l'homme entrera au Royaume des Cieux. » Aujourd'hui, il faut dire : « Car toute femme semblable à l'homme entrera au Royaume de la Révolution. »

porter un enfant et de le mettre au monde. Son sexe peut se contenter — bien que ce ne soit pas très satisfaisant — de dire, comme Iahveh : « Je suis celui qui est. » L'homme doit prouver sa virilité. C'est toujours à recommencer, ça ne suffit jamais. Il doit faire quelque chose, des quantités de choses pour se prouver qu'il existe, pour en convaincre la femme, et par là au moins, la vaincre. L'esprit créateur prend sa source dans la phobie du vagin.

L'histoire confirme, je l'ai dit, cette découverte de la psychanalyse. Les premiers fondateurs de cités, rois de Sumer ou Pharaons d'avant les grandes Pyramides, tenaient les femmes en si grande défiance et servitude qu'elles ne devaient pas leur survivre et les suivaient au tombeau pour les servir dans l'éternité ; les Grecs en gésine du Parthénon, les Romains bâtisseurs de la Ville éternelle, les bourgeois créateurs de la société industrielle, s'ils ne couchaient pas sur leur testament des épouses à égorger, les enfermaient dans le gynécée.

Mais le pénis ne se maintient pas éternellement dans une si fière érection. Après le temps de la culture vient le temps des civilisations, au sens où l'entend Spengler, c'est-à-dire le temps de digérer et de jouir, ou, si l'on préfère, de respirer la rose que la culture a fait fleurir — jusqu'à ce qu'elle se fane et que tout soit à recommencer. Après les Pyramides, il y eut les Egyptiennes au sein fleuri, après Sumer, les jardins suspendus de Babylone, après Hésiode, le jardin d'Epicure, après les Pères conscrits les joyeuses matrones, et après la bourgeoisie absolue, vous.

Ces époques heureuses furent peu créatrices. Du moins, ce sont les hommes qui le disent, et l'histoire officielle écrite par eux. Elles ne le furent guère, en effet, si l'on ne considère que les traces laissées sur la terre par la sueur et le sang — batailles, empires, monuments impérissables de l'orgueil masculin. Mais à l'intérieur ? Mais l'art de vivre, et l'art d'aimer, est-ce que ce n'est pas une création humaine, et la plus difficile ? Et où l'homme se trouve bien sot, si la femme ne lui montre pas le chemin ? Cela ne se peut faire que par la rencontre de deux libertés. Rare rencontre ! Elle se produisit tant bien que mal en certains moments privilégiés que j'ai essayé de montrer en Egypte, en Chine, en Inde, en Grèce, chez des peuples primitifs aussi, et, pour nous, dans le siècle des Lumières, sans doute, mais surtout, avec une extraordinaire plénitude, au temps de l'invention de l'amour courtois, quand l'esprit était si charnel et la chair si spirituelle que l'art de vivre et d'aimer chanta dans les cathédrales de lumière, et, à titre exceptionnel, laissa sur la terre des traces de la joie.

J'ai confiance que la jeunesse d'aujourd'hui est en train d'inventer une nouvelle joie. Les garçons se détournent de la frénésie de production, les filles se tournent vers des activités extérieures. Alors que les filles peuvent enfin libérer la part d'extraversion qui est en elles, les garçons ne rougissent plus de reconnaître en eux la part d'introversion. Autrement dit, une femme peut *aussi* avoir un métier, un homme peut *aussi* langer son enfant — avec autant de plaisir qu'un Arapesh. Les peuples primitifs nous ont laissé voir tout ce qu'il y a de conventionnel dans la répartition des rôles masculin et féminin. Mais aussi ce qui est irréductible : nous n'avons trouvé que les Chambuli où l'extraversion de la femme soit plus puissante que son introversion, et c'est une société fragile. Tant que, pour la femme, la vie intérieure sera plus riche que la vie extérieure, son avantage au niveau de la sensibilité sera un handicap au niveau matériel. Les féministes l'ont parfaitement compris, du moins celles qui nient l'orgasme vaginal, proclament l'indépendance du clitoris et se récrient d'admiration devant Simone de Beauvoir disant : « J'ai eu beaucoup de chance. J'ai échappé à la plupart des servitudes de la femme : celles de la maternité, celles de la vie ménagère [53]. » Peut-être ces femmes-là ont-elles des « chances » égales à celles de l'homme, puisqu'il semble que leur sexe leur inspire autant d'horreur et de mépris qu'à un bien-pensant de la bourgeoisie absolue. Les autres n'en ont aucune d'égaler jamais la frénésie virile, Dieu soit loué ! Mais elles ont une possibilité de convertir cette frénésie en joie, et c'est, je crois, la vraie chance de notre temps.

Concrètement, au niveau du travail et de la vie publique, de quoi s'agit-il ? De créer des conditions telles que la femme puisse être mère et exercer un métier qui lui apporte la liberté économique et l'accomplissement de son être.

Sans me perdre dans les chiffres et la législation (les ouvrages abondent [54], les journaux en parlent tous les jours), je rappelle à grands traits quelques faits.

Cela commence par un paradoxe : depuis le début du siècle, le nombre des Françaises exerçant un métier a diminué : de sept millions et demi à sept millions. Mais leur qualification a changé. Les agricultrices ont diminué des deux tiers, les ouvrières d'un cinquième et les employées sont passées de deux millions à trois millions et demi. Le mouvement d' « intellectualisation » continue — parallèlement aux hommes mais deux fois plus vite que chez eux. Cette vitesse n'a rien d'étonnant : les femmes sont parties de zéro. Et elles sont encore très loin d'une activité comparable.

Le travail rémunéré des Français représente quarante-trois milliards d'heures par an, dont un petit tiers est féminin. Le travail non rémunéré représente quarante-cinq milliards d'heures, et il est presque entièrement féminin. La Française passe plus de temps en dépoussiérage, épluchage, nettoyage, lavage qu'en travail rémunéré producteur, observe Evelyne Sullerot. Et si l'on additionne, on trouve près de soixante milliards d'heures de travail fournies par les femmes, contre trente par les hommes. Est-ce cela qu'on appelle la libération de la femme ?

Une femme qui a un métier travaille : sans enfant, 77 heures par semaine, dont 50 pour son métier et les transports ; avec un enfant, 84 heures, dont 44 ; avec deux enfants, 84 dont 37 ; avec trois enfants et plus, 84 dont 34. Première observation : quel homme supporterait ce régime ? Deuxième observation : plus sa famille a besoin d'argent, moins elle peut en gagner.

« A travail égal, salaire égal. » Pour proclamer ce principe, les textes ne manquent pas. Voyez l'ONU, l'UNESCO, l'OIT, le traité de Rome, le préambule de notre Constitution. Ce sont les hommes qui manquent pour l'appliquer. En France, quand un homme est payé 100, une femme est payée 70 (ouvrières : 69, employées : 76, cadres moyens : 68, cadres supérieurs : 63 ; on voit que la discrimination la plus forte frappe les femmes les plus qualifiées). Aux Etats-Unis, c'est pire : une vendeuse est à 40 ou 45 [55]. La différence s'aggrave du fait que les femmes sont à leur métier six heures de moins que les hommes par semaine ; du fait que leur fonction est souvent qualifiée au-dessous de la fonction effectivement remplie ; du fait, enfin, que l'accès aux postes supérieurs leur est presque toujours interdit. En un mot, pour qu'une femme gagne autant qu'un homme, il faut qu'elle lui soit très supérieure.

La grande majorité des femmes qui ont un métier ne l'ont pris que par nécessité ; les deux tiers gagnent moins de mille francs par mois. Ne leur demandez pas si le travail c'est la liberté : elles vous répondront, comme elles me l'ont souvent écrit, que c'est plutôt le bagne.

D'autres travaillent parce que les circonstances les y ont conduites. C'est le cas de nombre des 800 000 femmes chefs de petites entreprises commerciales ou agricoles : elles sont veuves ou divorcées.

D'autres, enfin, portent l'avenir. Elles travaillent parce qu'elles ont des capacités, et qu'elles entendent ne pas les laisser en friche. Elles trouvent dans leur métier un accomplissement, elles se sentent utiles à la société et à leur famille, elles sont fières d'elles, et à juste titre car, avec leur double activité, ce sont des héroïnes.

Je ne mentionne que pour mémoire celles dont le revenu (ou, plus habituellement, celui du mari) leur permet d'avoir une domestique et de rentrer du bureau sans plus de soucis qu'un homme : leur libération fondée sur la servitude d'une autre femme n'est pas exemplaire, et elle ne durera pas longtemps.

Les barrières contre les femmes tiennent bon. Pour les renverser, il faut bien voir où elles sont.

Les peuples primitifs nous l'ont dit : les hommes éprouvent le besoin d'avoir une activité dont les femmes soient exclues. Ce peut être la communication avec les dieux, la construction des pirogues, la flûte sacrée ou le barbecue, l'important est que cette activité soit leur monopole, et que les femmes la trouvent ou feignent de la trouver admirable.

C'est toujours la défiance du sexe féminin, le besoin de se sécuriser dans un rôle d'emprunt. De même, l'initiation des garçons chez presque tous les primitifs — mais pas chez tous, ceci est à retenir — signifie un arrachement au monde féminin, une agression souvent cruelle que subit le jeune mâle mais qui vise les femmes *. Notre service militaire en est une pâle image. Et chacun sait que les hommes gardent des souvenirs attendris de la caserne et de la guerre, qui pourtant n'étaient pas tellement roses ; mais ils y étaient entre hommes, à l'abri des femmes. Il leur reste la belote, le bistrot, le sport quand ils en font. Et le métier. Du moins, ils voudraient bien en garder le monopole et le prestige. « Autrefois, dit Giraudoux, il y avait une convention tacite entre l'homme et la femme. Il était entendu entre eux que l'homme quittait chaque jour le foyer pour des affaires extrêmement importantes et au-dessus de la compréhension de la femme. En lui passant sa toge, son pardessus ou son chapeau melon, après le petit déjeuner ou le déjeuner, la femme jouait cette comédie à laquelle elle ne décidait pas si elle croyait ou si elle ne croyait pas sincèrement, qui consistait en tout cas à faire comme si le mari était lâché dans un monde épineux, dangereux, où il assurait à la fois la vie de sa famille, la vie de sa nation et la marche de l'univers. De l'épouse du général à l'épouse du petit comptable il y avait, dans ce bi-journalier départ du mari, une séparation qui rappelait chaque fois en pathétique — sans l'égaler, d'ailleurs — le départ d'Hector pour sauver Troie. » Il n'y a plus d'Hectors. Il n'y a plus de Troies à sauver. Ou plutôt si, Troie a grand besoin d'être sauvée, mais par les femmes.

Les hommes ne le savent pas, ils ne veulent pas le savoir. La plupart d'entre eux sont hostiles à l'idée que leur femme travaille hors du foyer. Les jeunes évoluent, mais lentement. Un sondage de 1969 fait dans tous les milieux a révélé qu'il n'y avait que 31 % de garçons pour souhaiter que leur femme ait un métier ; cependant que 78 % des filles vou-

---

* Voir p. 86.

laient en avoir un. Sauront-elles convertir leur mari ? La résistance des hommes se manifeste à tous les niveaux. On paie les femmes au-dessous de leur valeur, on entrave leur promotion, je l'ai dit. Et puis on les accuse de dérailler quand elles ont leurs règles — mais je serais curieux de savoir combien de patrons s'en aperçoivent. Et surtout, on ne peut pas compter sur elles, elles s'absentent pour un rien, pour soigner une rougeole... Mais à qui la faute ? Pourquoi n'existe-t-il pas des services municipaux de gardes-malades à domicile ? Et si les femmes avaient des postes de responsabilité, elles ne les abandonneraient pas plus souvent qu'un homme : chez les femmes-cadres l'absentéisme est presque nul. Il serait plus honnête de reconnaître que l'absentéisme n'est pas la cause mais la conséquence des conditions qui leur sont imposées. « On leur reproche ce dont elles sont victimes[56]. »

Les femmes ont aussi leur part de responsabilité. Pourquoi les mères se plient-elles aussi docilement au stéréotype : pour les fils un métier, pour les filles un mari ? Pourquoi ce préjugé que les filles sont inaptes aux sciences et à la technique ? Il y a pourtant 37 % d'ingénieurs-femmes en U. R. S. S. ! Résultat : le quart des filles qui suivent un enseignement professionnel font de la couture ; dans les C. E. S. et les lycées, les deux tiers des filles sont en A, et huit fois moins nombreuses que les garçons dans les sections C ou T, qui préparent à une formation professionnelle sérieuse ; à l'Université, elles sont presque toutes dans les « sciences humaines » — majoritaires dans les lettres, qui orneront leur esprit pour plaire à leur mari. Etonnez-vous après cela que la France compte 3,7 % d'ingénieurs-femmes ! Et encore est-elle largement en tête des pays occidentaux... Ce n'est pas ainsi que les femmes prendront la bastille masculine.

Que faire ? Tous ces comportements sont indissolublement liés au système capitaliste et patriarcal, disent les marxistes. Il faut et il suffit de faire la révolution. « Dites seulement un mot, et mon âme sera changée »... Nous avons vu qu'en U. R. S. S. les ingénieurs et les médecins n'ont pas suffi à faire le printemps des femmes, je n'y reviens pas. Et un gauchiste aura beau objecter que les démocraties populaires de l'Est européen ne sont pas socialistes : il demeure qu'elles ne sont pas non plus capitalistes. C'est la preuve irréfutable qu'au-delà du système économique il y a quelque chose dans le mâle qui résiste. Peut-être la révolution culturelle chinoise est-elle en train d'accomplir une réelle promotion de la femme — quoique la répression sexuelle qui règne là-bas évoque plutôt ces périodes « viriles » où il ne fait pas bon être femme. (J'aurais aimé consacrer un chapitre à la Chinoise d'aujourd'hui ; malheureusement, nos informations sont trop fragmentaires et incertaines.) Quant au castrisme... Che Guevara, le beau héros de la guérilla dont au Quartier Latin le portrait orne les chambres des étudiantes révolutionnaires, savent-elles pourquoi il pensait que les femmes avaient un grand rôle à jouer dans la révolution ? Il l'a dit : « Dans les circonstances actuelles, un guérillero sera infiniment reconnaissant d'avoir son repas préparé. Ce fut une des choses les plus insupportables pendant la guerre à Cuba d'être obligé de manger la nourriture « collante », coriace et sans saveur que nous cuisinions nous-mêmes... Une femme à la cuisine s'entend mieux le plus souvent à cette tâche, et de plus, il est plus facile de la maintenir dans de telles activités. Dans une guérilla, les travaux de caractère civil sont méprisés par ceux qui les font, et ceux-ci, lorsqu'ils en ont l'occasion, les abandonnent pour prendre une part active aux combats. C'est là un gros problème. » Oui, c'est un gros problème. Plus gros que toutes les révolutions.

Et si les révolutions ont échoué à libérer la femme, les révolutionnaires devraient tout de même se demander pourquoi. A mes yeux, la réponse est évidente. Ils professent que l'être humain est le produit de la société. Si les parents ne donnaient pas à leur petit garçon des mitraillettes, il ne jouerait pas à la guerre ; si les petites filles ne recevaient pas des poupées, elles ne rêveraient pas d'être des mamans. Si nous n'étions pas élevés dans une société fondée sur la propriété privée et l'exploitation des classes laborieuses, dont les femmes représentent historiquement la première classe, hommes et femmes seraient libres, égaux et fraternels. Ce culturalisme est partiellement vrai. Mais comme la vérité ne se divise pas, il est complètement faux, et partout et toujours démenti par les faits.

Si nous n'étions que des produits de la culture, qui ou quoi aurait fait la culture ? Les biologistes disent : les lois biologiques ; lesquelles engendrent nos complexes, qui sont universels, disent les psychanalystes. Ce n'est encore qu'une demi-vérité : l'éducation, la culture, l'histoire infléchissent considérablement ces données. Nous connaissons des sociétés où — pour rester dans notre sujet — les rôles masculin et féminin sont très diversement distribués.

Une fois encore, nous sommes à la rencontre des deux voies, raison et nature. On peut le dire autrement : c'est la querelle de la poule et de l'œuf. Qui a commencé ? N'en doutons pas : c'est l'œuf. Mais les poussins devenus poules et coqs ont adopté des comportements, et ils les ont répétés. Pourquoi, comment ces comportements-là se sont-ils institués dans la basse-cour des Chinois ou des Chambuli, et ceux-ci dans la basse-cour des Romains ou des Iatmul ? Le jour où nous le saurons, nous aurons fait un pas immense vers la bonne intelligence des sexes et des peuples.

En attendant, si nous voulons que la femme se libère, nous pouvons faire l'économie d'une révolution des structures. Un peu de modestie devant la complexité du problème, et la volonté de comprendre, d'accepter, d'aimer l'ambiguïté de l'un et de l'autre sexe, me paraissent être une méthode plus sûre pour accomplir la seule révolution créatrice en ce domaine, qui sera une révolution morale. avec de grandes conséquences économiques et sociales.

Elle ne se fera pas en un jour. Rien de bon ne se fait en un jour. Le glorieux esprit du pénis a tendance à le croire, mais la femme sait qu'il faut neuf mois, et de longues années encore. Elle ne se fera pas en un jour, mais elle se fait tous les jours : regardez donc en arrière, vous verrez le chemin parcouru par votre génération. Il s'agit d'accélérer le mouvement par d'inlassables actions, coup par coup.

Comme ce livre ne prétend pas être un manuel de conquête du pouvoir par les femmes, je ne ferai que signaler rapidement quelques positions à enlever.

Il y a d'abord la tutelle du mari, de droit et de fait. Depuis la loi du 13 juillet 1965, la femme n'est plus la mineure du Code Napoléon. Si elle se marie sans contrat — ce qui est le cas de 76 % des mariages — elle peut exercer une profession sans le consentement de son mari, percevoir ses gains et salaires et en disposer librement, ouvrir un compte en banque sans autorisation maritale et en disposer à son gré, passer seule les contrats nécessaires à l'entretien du ménage, à l'éducation des enfants, être autorisée par le Juge à avoir une résidence séparée, administrer la communauté à la place du mari. Il subsiste des inégalités. Néanmoins, la décolonisation est en route. A condition que la femme connaisse ses droits, et qu'elle en use. Il ne suffit pas qu'elle ait un bon métier pour qu'elle ait l'indépendance financière : 7 % seulement des femmes s'occupent du placement de l'argent. Si un jour elle doit divorcer, elle risque de s'apercevoir qu'elle a laissé filer l'indépendance chèrement gagnée.

Et puis, il faut parler du temps, ou plutôt des temps de la femme. Je crois que c'est le cœur du problème.

Il y a le temps dévoré par les besognes ménagères *. Les machines ne font pas tout, mais elles améliorent bien des choses. Les grands immeubles devraient fournir des services collectifs : nettoyage, armoires particulières dans des congélateurs, plats préparés... L'homme dont la femme a un métier pourrait l'aider sans déshonneur — quoiqu'il ne le fasse guère en Union soviétique, et beaucoup moins qu'on le croit en Suède.

Il y a le temps dévoré par les transports. Les hommes n'en souffrent pas moins, mais ils en sont responsables, en tant qu'urbanistes, promoteurs, politiciens. Le gigantisme absurde de nos villes, l'aménagement de l'espace, la circulation automobile et les transports en commun, voilà qui devrait être un objectif majeur pour une action politique des femmes.

---

* Voir p. 461.

Il y a le temps de la maternité. Si l'on est de ceux qui pensent que les soins du premier âge ne sont pas seulement un devoir pour la mère mais aussi un bonheur auquel elle a droit, il faut en tirer honnêtement les conséquences : un congé de maternité qui permette à la mère d'élever son bébé, et qu'ensuite elle puisse retrouver son emploi ou en trouver un autre. La France accorde un congé prénatal et postnatal de 14 semaines. La Suède autorise un congé allant jusqu'à six mois, et l'entreprise doit reprendre son employée si elle était embauchée depuis plus d'un an ; elle reçoit 30 % de son salaire ; les fonctionnaires le reçoivent presque intégralement. A mon sens, toutes les mères devraient avoir un congé d'un an pendant lequel elles recevraient une part de leur salaire, disons : les deux tiers. Elles produisent pour la société le bien le plus précieux : la société doit les payer. Cela ne me paraît pas moins justifié que l'abaissement de la retraite à 60 ans, probablement pas plus coûteux, et moins coûteux que des crèches. D'aucunes demanderont peut-être : pourquoi pas le salaire complet ? Parce que ce serait, me semble-t-il, une façon trop pressante d'inciter la mère à ne plus travailler et à reconstituer la pondeuse d'antan... Je ne cherche pas le chemin du retour à la féminitude mais celui qui mènera à la féminité totale. Et j'irais volontiers plus loin. Puisque les Françaises, comme toutes les Occidentales, ne font que deux ou trois enfants, et que la moitié d'entre elles les ont faits à vingt-six ans, je verrais très bien un temps de « service maternel », plus long que le service militaire — cinq ou six ans — mais nettement mieux payé que par le « prêt du soldat ».

Quand elle reprend son métier ou en prend un, il faut des jardins d'enfants. Autant la mère est nécessaire au bébé, autant la compagnie d'autres enfants sous la surveillance de « jardinières » compétentes lui est salutaire dès qu'il est en âge de communiquer. De plus, l'inégalité des chances entre enfants de milieux différents s'en trouve atténuée. Nous n'en avons pas assez. En Amérique, c'est pire, en Union soviétique, ce n'est guère mieux *. Là aussi, la Suède est en

---

* Voir p. 390 et 418.

avance. Mais sait-on que la première crèche y fut créée il y a un siècle ? Et peut-être pense-t-on que l'Etat en assume la charge ? Eh bien, non. Dans ce pays « socialiste » mais pragmatiste, le plus grand nombre des garderies sont familiales, d'initiative privée, parfois subventionnées par les municipalités et plus souvent non : des mères se groupent pour en rétribuer une qui garde tous les enfants [57]. Ne voilà-t-il pas de quoi arracher des cris d'horreur à nos planificateurs cartésiens ? Tant pis pour eux : qu'est-ce que les Françaises attendent pour en faire autant ? Des milliers de femmes — et parmi elles combien de veuves, combien de grand-mères encore jeunes et qui voudraient se sentir utiles ! — pourraient recevoir une formation de jardinières d'enfants et, du même coup, permettre aux autres d'exercer leur métier. Il ne s'agit, après tout, que de passer de l'individuel au collectif : elles ont déjà élevé des enfants, n'est-ce pas ? Bien entendu, les dépenses de garderie privée devraient être déduites des revenus au titre de frais professionnels. Puis vient l'âge de l'école maternelle. Là, nous ne sommes pas tellement à plaindre : la France et la Belgique ont le meilleur réseau d'écoles maternelles, ouvertes aux enfants de deux à six ans ; certes, il en faudrait encore plus ; mais enfin, elles accueillent près de 70 % des enfants de quatre à six ans.

Jardins d'enfants et écoles maternelles ne sauraient être le substitut de la mère. Ils en sont le complément. Sur le plan éducatif : ce ne sont pas des parkings d'enfants mais des lieux où l'enfant découvre d'autres horizons que ceux de la cellule familiale. Sur le plan économique : ils relaient la mère pendant qu'elle travaille. Et ici apparaît une autre question de temps.

Il est clair que la femme ne parviendra à l'égalité professionnelle avec les hommes que si, après ses années de « service maternel », elle exerce son métier à plein temps (ce qui suppose résolu — et il ne l'est pas ! — le problème de la formation professionnelle et, éventuellement, celui du recyclage). Mais il faut bien considérer ce que les femmes, dans les conditions actuelles, désirent : c'est, pour 85 % d'entre elles, le travail à temps partiel. Elles s'exposent ainsi à rester dans le sous-paiement et la sous-qualification, à constituer une armée de réserve qui pèsera sur les salaires des autres, et à n'acquérir jamais l'indépendance économique. Alors, pourquoi ce souhait ? Parce que, précisément, la garde de leurs enfants n'est pas organisée. Parce qu'elles veulent des enfants, et que le principal obstacle, à leurs yeux, ne tient pas au logement ni à une insuffisance des allocations familiales, mais à la nécessité de travailler à plein temps ou pas du tout. Elles sont dans un cercle vicieux.

Le temps partiel ne devrait être qu'une solution provisoire. Il ne devrait concerner — provisoirement — que les jeunes mères qui ont un métier, lesquelles sont particulièrement intéressantes parce qu'elles posent le cas-limite, mais elles ne représentent qu'environ 10 %. C'est un fait que le temps partiel est souhaité aussi par les femmes qui n'attendent d'une activité extérieure qu'un appoint ou qu'une occupation ; ce n'est pas elles qui changeront la vie. Mais il y a là une indication qui va plus loin : l'espoir que le travail ne dévore plus la vie. « Le travail est une chose élevée, digne, excellente et morale, mais assez fastidieuse à la longue », dit Léon-Paul Fargue. Ce temps partiel que les femmes désirent n'est-il pas aussi le désir des hommes ? Il paraît aujourd'hui utopique. La journée de huit heures le paraissait aussi au siècle dernier. Le sera-t-il encore à la fin de ce siècle ? Peut-être les femmes aideront-elles à faire de cette utopie une réalité.

Toute solution spécifiquement féminine restera limitée. La vraie solution doit être cherchée dans une meilleure organisation du temps de travail *des deux sexes*. Et l'imagination des femmes ici a un rôle à jouer parce que, beaucoup plus que les hommes, elles ont conscience de la valeur du temps.

Elles sont déjà, dans leur immense majorité (à 99 % parmi mes lectrices de *Elle*), pour la journée continue. Ce système s'est beaucoup répandu en France depuis une dizaine d'années, mais il se heurte aux mauvaises habitudes des patrons et des cadres, qui se répercutent sur les employés : ils ne veulent pas renoncer au sacré déjeuner (surtout quand il est « d'affaires »), et ils n'aiment pas l'idée de se trouver libres à 4 ou 5 heures de l'après-midi. Les Scandinaves, eux, savent très bien quoi faire de leur temps ; ils ne sont pas prisonniers de villes gigantesques, ils aiment mieux que nous leur corps, l'herbe, la mer, le jeu, les enfants et, je crois bien, la compagnie de leur femme (ou de leur mari).

Toutes les tâches dans toutes les entreprises n'exigent pas la présence de tous au même moment. Quelques patrons ont imaginé le temps flexible. Tout le personnel doit être là dans une certaine tranche temporelle, disons quatre heures par jour ; le reste, les employés le répartissent à leur gré ; ils peuvent ainsi, s'ils le désirent, libérer, par exemple, un jour par semaine, ou se trouver à la fin du mois avec un « crédit vacances ». Une telle organisation n'est certainement pas toujours possible ; elle pourrait l'être assez souvent, avec un peu d'imagination et quelque souci de la vie des autres.

Et les vacances ? La ruée générale du mois d'août est une absurdité, tout le monde en convient, et ça continue. Elle est liée aux vacances scolaires ? Mais justement, est-ce que nos vacances scolaires ne sont pas une absurdité ? Est-ce que les femmes, premières concernées, ne pourraient pas exiger un autre aménagement ? Ne pourraient-elles pas parler un peu plus fort dans les associations de parents d'élèves — ou manifester dans les rues, comme leurs enfants ?

Pour tous ces changements dans le temps du travail et le temps des loisirs, il faut que les femmes retrouvent l'esprit de combat des suffragettes. Et elles seront ainsi conduites à poser la question fondamentale : le travail, pour quoi faire ?

Peut-être, lisant cela, une femme qui a la dure expérience des conditions actuelles du travail féminin pensera-t-elle que je prends mes désirs pour des réalités. Quoi ! Les femmes au travail sont opprimées, elles sont minoritaires, et vous voudriez qu'elles révolutionnent le système ? La conscience d'une injustice me paraît être le moteur de l'action. Quant au fait minoritaire... Dans certaines industries (textile, habillement, industries alimentaires), les femmes sont en majorité. Dans d'autres, leur nombre croît rapidement (métallurgie, constructions électriques). Quant au tertiaire...

J'ai déjà signalé que les Françaises y étaient deux millions au début du siècle et qu'elles y sont trois millions et demi — c'est-à-dire la moitié de tous les emplois féminins. Le phénomène se retrouve dans tous les pays industrialisés. L'expansion crée des emplois, et elle les crée surtout dans le tertiaire, où la part des femmes ne cesse de croître : voyez l'Allemagne fédérale, voyez les Etats-Unis dont la prospérité fait envie à tous et où les emplois féminins ont doublé en quinze ans. Comme, enfin, le tertiaire recrute des femmes généralement instruites, et que ce genre d'activité développe l'esprit individualiste ; comme, dans le même temps, la radio, la télévision, la presse multiplient les informations sur le travail des femmes, il me semble que nous assistons à une prise de conscience collective qui pourrait déboucher dans l'action.

Quelle forme prendra cette action ? Des barricades dans les rues, modèle mai 68 ? La grève de l'amour, modèle Lysistrata ? Mon conseil serait plutôt : commencez par travailler les hommes au corps. Faites-leur comprendre que la guerre économique des sexes est dépassée par la mutation industrielle que nous vivons. Expliquez-leur que la crainte de votre concurrence relève d'une conception malthusienne périmée ; que la production n'est pas un gâteau donné dont il faut se réserver les parts mais que, au contraire, les parties prenantes multiplient les parts ; c'est, si vous voulez, le miracle permanent des noces de Cana, ou, si vous préférez : plus on est de fous au travail, plus on mange. Mais justement, s'il s'agit bien d'être plus nombreux au travail, il s'agit de ne pas devenir dingue.

Les hommes ne seront pas insensibles à cet argument. La nouveauté des dernières années, qui a beaucoup surpris les délégués syndicaux, n'a-t-elle pas été que les revendications glissent des salaires vers les conditions du travail ? Je crois que ce n'est qu'un début. Je crois qu'à mesure que les besoins seront satisfaits chez un plus grand nombre, la question essentielle surgira, celle de la finalité de la production.

Produire, oui, mais pour quoi ? Produire pour produire ? Voilà en effet toute la philosophie dont est capable la mécanique industrielle. C'est la fuite en avant de l'esprit du pénis. « A l'épée et au compas, plus et plus et plus et plus », disait un conquistador du Nouveau Monde. Allons-y donc ! Et au rythme de 7 % d'augmentation annuelle de la production industrielle, dans mille ans, dit Jean Fourastié, la France seule devra « manufacturer en une seule année la masse même de la Terre, de la Lune et de Vénus ». Il est vrai que par le « plus et plus » des naissances, 300 000 milliards d'hommes en l'an 2600 nous auront préalablement ramenés à l'âge de l'anthropophagie. Mais nous n'aurons pas si longtemps à attendre : le fanatisme de la production est en train de tuer la faune et la flore, d'empuantir l'air que nous respirons, de rendre invivable notre petit globe terrestre ; et nous n'avons pas de globe de rechange.

Produire pour consommer sonne un peu moins absurde. Pas beaucoup moins. Nos besoins ne sont pas extensibles à l'infini ; à force d'avoir les yeux plus grands que le ventre, on meurt d'indigestion. Certes, il y aurait la solution de nourrir gratuitement ces deux tiers de l'humanité que l'on nomme tiers monde, et de leur envoyer à tous une automobile en cadeau de Noël. Mais outre que nous n'avons pas l'habitude de travailler pour les autres, cela ne résoudrait pas leur problème, et nous serions capables de trouver que ce n'est pas moral. Non, je n'oublie pas nos smicards, nos O. S., nos « économiquement faibles » : j'observe le rythme de l'élévation du niveau de vie, que les bénéficiaires contestent par un mouvement bien naturel, mais enfin, les revenus ont quand même triplé en vingt ans, et il est clair que le temps approche où l'Occident n'aura plus assez d'appétit pour avaler tout ce qu'il produit. Alors ?

Alors, il n'y aura que deux solutions. Ou bien une dictature des nantis qui feront faire le travail par des esclaves importés. Ou bien une valorisation du travail telle que la production soit organisée non plus pour la production, ni pour la consommation, mais pour les producteurs, hommes et femmes ensemble. A moins qu'une synthèse des deux solutions ne soit déjà en route... Soyons francs : dans les pays riches d'Europe occidentale, 10 millions de travailleurs immigrés (dont près de 3 millions en France) exécutent les basses besognes ; on prévoit qu'ils seront plus de 20 millions en 1980. Grâce à eux, nous, les heureux autochtones, pouvons imaginer les conditions d'un travail plus aimable. Les tourments de notre conscience, si nous en avons, ne manqueront pas de s'apaiser en songeant que l'esclavage permit aux Athéniens d'inventer cet esprit de liberté qui nous anime. J'aimerais mieux qu'ils s'apaisent dans une répartition équitable de la prospérité.

L'humanité n'a jamais marché au même pas. Depuis la Renaissance, l'Europe n'a cessé d'accélérer. Au XIXe siècle, elle s'est attelée à une machine à vapeur. Aujourd'hui, une fusée propulse les pays avancés, et les autres vont toujours à pied. Le fossé est devenu un gouffre — où nous serons précipités avec les affamés si n'interviennent pas des décisions d'une portée planétaire. Rien d'efficace ne sera fait aussi longtemps que nous n'aurons pas pris conscience de la situation historique sans précédent dans laquelle nous nous trouvons. C'est pourquoi j'ai souligné un peu violemment la perspective. Et de notre prise de conscience résultera nécessairement une autre conception de la production : la primauté restituée à la qualité sur la quantité, à l'humain sur la matière, au sensible sur le rationnel. D'où une contrainte moins forte sur les travailleurs, les cadres moins dévorés et les manœuvres moins durement exploités... Si vous croyez que l'esprit du pénis est le souverain bien, laissez-le continuer sur sa lancée. Après tout, il a inventé Dieu le Père, les antibiotiques et les ponts et chaussées, dont quelques milliards de cadavres au fil des siècles ne furent peut-être que le juste prix, et il nous laisse encore le choix de notre apocalypse. Mais si vous pensez que l'esprit est ivre, ramenez-le à la maison...

... Et prenez sa place à la barre ? J'avoue que j'aimerais assez voir les femmes au pouvoir. Cela n'irait certainement pas plus mal. Mais le moins que l'on puisse dire est qu'elles ne s'en approchent pas. Partout, sauf en Suède et en Finlande, il y a aujourd'hui moins de femmes dans les Parlements qu'en 1946. Les chiffres sont si bas qu'il est inutile d'en donner le détail. Disons qu'en France les femmes députés étaient quarante en 1946 et qu'elles sont huit en 1972 ;

petite consolation, les femmes maires sont en léger progrès : 400 contre 260. Peut-être parce que les communes sont plus proches du concret et plus loin des partis... Ceux-ci estiment généralement que présenter une femme aux élections est une opération-suicide. Et il en sera ainsi tant que les électrices souscriront à l'idée que « la politique, c'est l'affaire des hommes ». Pour que le contraire fût démontré, ce n'est pas 2 ou 5 % de femmes qu'il faudrait dans les Parlements, mais 30 ou 50 %. J'en parlais un jour avec un sympathique sénateur, socialiste au demeurant. L'image de la moitié des fauteuils de son club occupés par des personnes « du sexe » l'égayait bonnement ; et son sourire manifestait un barrage plus infranchissable qu'une levée de boucliers.

Non, il ne faut pas espérer voir bientôt les femmes au gouvernement. Mais le pouvoir est-il encore aux gouvernements ? Il glisse vers l'économie, vers les conseils d'administration, les cadres et les syndicats ouvriers. L'audiovisuel, en apportant à domicile un scandale financier, un conflit social, une mutinerie dans une prison, une manifestation d'étudiants ou la marée noire du *Torrey-Canyon*, pose dans une « présence » formidable des questions que certains auraient préféré ignorer, et qui sont politiques. En regard de cela, les décisions gouvernementales ne sont pas senties, les combinaisons électorales font pitié, et les discours ministériels sont reçus comme les rites incantatoires d'un folklore. Il en va de la vie publique comme de la vie conjugale : « Sur toutes les questions secondaires, dit le mari, sur le nombre d'enfants, leur éducation, le choix d'une école ou d'un métier, les vacances, les dépenses de la maison, je laisse ma femme décider. Mais quand il s'agit d'aller dans la Lune, c'est moi qui décide. » Les femmes ont un vaste champ d'action au niveau de la famille, du métier, de la ville, de la région et de la planète, puisque le quotidien est désormais planétaire. C'est-à-dire : dans le vécu. Les questions vitales ne se posent plus et ne peuvent plus être résolues à l'intérieur des vieilles frontières nationales : elles sont à la fois locales et globales. Par l'effet des télécommunications, l'individu découvre son semblable aux antipodes, le particulier devient universel, une conscience commune parcourt la terre. Que la

Déesse de Vie se réveille, que les femmes remettent de l'ordre dans les valeurs, nous verrons du changement. Et cependant qu'elles participeront au véritable pouvoir et que la rhétorique politique restera pour les hommes une de ces exclusivités gratifiantes dont ils ont tant besoin, les femmes, comme les Chambuli, encourageront les joueurs de flûte.

Ainsi soit-elle

Où va la femme ? Au bout du compte, je n'en sais rien, et elle non plus, mais elle y va. Nous pouvons quand même nous faire une vague idée de la direction générale si nous n'oublions pas l'origine des sexes, leur évolution biologique et leur histoire.

Au commencement était l'unicellulaire se reproduisant par bipartition, l'ovule seul et toujours identique à lui-même, l'Œuf d'Or du Rig-Veda. Pourquoi, comment détacha-t-il de son être un autre être, minuscule et très entreprenant ? Si l'ovule voulait rompre la monotonie de son immortalité, c'était gagné : avec la sexualité étaient entrés dans le monde les jeux du hasard, de l'amour et de la mort. Mais le mâle est toujours à refaire, et il se différencie du sexe primordial sous l'action d'une hormone masculinisante dont la sécrétion est commandée par le cerveau *. Ce n'est pas Eve qui a été extraite d'Adam, c'est Adam qui a été extrait d'Eve, et il l'est tous les jours.

L'embryon humain porte l'ébauche des deux sexes ; il ne commence à se différencier qu'à partir de la septième semaine. Et l'ontogenèse répète la phylogenèse, la vie de l'individu recommence l'évolution de l'espèce : le mâle s'affirme par une agression constante de l'esprit du pénis contre l'utérus. « On ne naît pas femme, on le devient », disait Simone de Beauvoir. C'est tout le contraire : on ne naît pas homme, on le devient.

L'esprit du pénis dissimule sous des airs bravaches la peur de la femme et l'envie de son pouvoir. Tous ses efforts

---

* Voir p. 23 à 26.

historiques ont tendu à asservir l'utérus, à dévaloriser le dedans et à privilégier le dehors, à en faire un monopole masculin.

Cependant que l'homme interdisait à la femme de manifester sa part de virilité, il niait en lui sa part de féminité. Ce que l'on nomme culture, et qui ne l'est ici qu'au sens d'antinature, a abouti à une hypertrophie des différences et à une atrophie de ce qui est en commun. Sexe signifie « séparé » : c'est devenu dramatiquement vrai. Mais c'est naturellement faux. L'homme et la femme sont faits à partir de 23 chromosomes maternels et de 23 chromosomes paternels, qui constituent des paires, dont 22 sont identiques ; seule la 23e, qui détermine le sexe, est marquée XX pour le féminin et XY pour le masculin. Les milliards de cellules de notre corps portent cette ambivalence et cette différence. Nous sommes bisexués à des degrés variables, mais nous le sommes tous. Et les champions de la virilité « pure » et de la « pure » féminité feraient bien de s'aviser de ceci : un X supplémentaire donne des superfemelles, mais elles sont idiotes ; un Y supplémentaire donne des supermâles, mais ce sont des criminels, et pas plus intelligents pour cela.

Cependant la différence ne peut être impunément méconnue. Le rêve d'un être androgyne se nourrit d'une inversion du rapport normal de bisexualité ; il ne se rencontre que chez les femmes viriloïdes et chez les hommes efféminés. Quant à l'esprit pur, sans sexe, inutile de revenir là-dessus *. On peut y croire si l'on croit aux anges. Nous ne sommes pas des anges, Dieu merci ! Que notre monde serait donc ennuyeux si en était proscrite la dialectique des sexes avec ses querelles et ses fêtes !

Depuis le début de l'histoire, l'homme s'est évertué à enfermer la femme dans sa fonction de génitrice. Revanche des temps préhistoriques, où l'esprit du pénis encore en enfance tremblait devant la Déesse-Mère, il la saluait bien bas, là où il l'avait mise : au plus bas. Et puis il arriva que l'esprit, comme dans le récit de la Genèse sumérienne, se dégagea des eaux du ventre primordial, mais c'était l'esprit

---

* Voir p. 458.

de la femme. Autant de filles que de garçons dans les universités ; la maternité non plus subie mais librement choisie ; la mortalité en couches et la mortalité infantile quasiment abolies ; les enfantements terminés à 26 ans pour la moitié des femmes ; le temps de l'élevage contracté sur cinq ou six ans ; la durée moyenne de la vie allongée jusqu'à 75 ans, de sorte que le service maternel n'en prend pas le dizième et que, au moment où les enfants partent pour l'école, leur mère a encore près d'un demi-siècle à vivre ; la sexualité déliée de la procréation, l'esprit délivré de la prison animale, et un temps infiniment plus long ouvert sur le dehors, voilà les causes et l'avenir de la métamorphose de la femme.

Cette libération des servitudes millénaires en marquera-t-elle la fin ?

Ce pourra en être la fin pour les femmes qui le voudront. On parle beaucoup de l'insémination artificielle, mais je ne sais quel effroi nous retient de parler de la gestation artificielle ; non le bébé-éprouvette, qui n'est encore qu'un sujet de plaisanteries : la transplantation d'un fœtus dans un utérus de location, qui a déjà été pratiquée sur les vaches. C'est beaucoup plus coûteux que ne l'était la location d'une nourrice, mais les manteaux de vison, eux non plus, ne sont pas pour rien. Verrons-nous une forme nouvelle de la lutte des classes : l'exploitation de la femme par la femme ? Le coucou nous a montré le chemin *.

Il est une autre façon d'en finir avec la servitude de la maternité : c'est d'en faire un choix.

Liberté, choix, diversité, je crois que c'est vers cela que nous nous dirigeons. Si une femme préfère aux peines et aux joies de la maternité « la froide majesté de la femme stérile », je la plains, mais libre à elle. Si elle trouve son plein de satisfactions dans le rôle traditionnel de l'épouse-mère au foyer, c'est son droit. Et si elle veut accomplir son double destin conservateur et novateur, celui du dedans et celui du dehors, si elle choisit la voie la plus enrichissante

* Voir p. 42.

mais la plus difficile, je pense qu'il faut tout faire pour l'y aider. Comment ?

J'ai dit la nécessité des congés de maternité, des garderies, d'une nouvelle organisation du temps du travail. Des féministes, comme Eva Moberg en Suède, qui estiment à juste titre que les chances ne seront pas égales tant que la femme aura à assumer un double rôle et l'homme un seul, veulent que l'homme, lui aussi, assume le double rôle. Elles n'espèrent pas de lui qu'il fasse les enfants et leur donne le sein, mais qu'il donne les bouillies, lave les couches, enfin, qu'il se comporte comme un père Arapesh ; et, bien sûr, qu'il fasse le ménage et la cuisine. Dans l'état actuel des choses, quand l'homme et la femme ont un métier, on ne voit pas, en effet, pourquoi l'une devrait exécuter tous les travaux « ennuyeux et faciles », et l'autre, rien ; mais, à plus long terme, dans la perspective d'une société de plus en plus concentrationnaire et techniquement avancée, je crois qu'une organisation rationnelle libérera l'une et l'autre de la plus grande partie de ces besognes. Quant à l'élevage et à l'éducation... Il faut bien voir que le rôle de la mère est aujourd'hui démesuré, et celui du père, dangereusement effacé. Pendant des millénaires, l'homme s'est occupé de nourrir ses enfants, de jouer avec eux et de les éduquer ; et nous avons vu que des Chinois, des Grecs, des Romains, des musulmans, se réservaient d'élever les garçons, s'ils abandonnaient à la mère les filles, et que parfois ils lui déniaient tout droit maternel. Deux révolutions apparemment indépendantes se sont rejointes pour échanger les rôles : l'une fut la « maternisation » lancée par J.-J. Rousseau ; l'autre, la fuite du père dans le positivisme, qu'il fût scientiste ou industriel, bourgeois ou marxiste. Le résultat est là, désastreux : des mères débordées, des pères qui ne savent pas dire « non », des enfants perdus dans les terrains vagues cherchant vainement les barrières *qu'ils désirent*. « On ne s'appuie que sur ce qui résiste », disait Gide. Où est le père contre qui le garçon fera ses dents (ou son complexe d'Œdipe) ? Qui apprendra à sa fille ce que c'est que d'aimer un homme et d'être aimée de lui ? Quand une Rita Liljeström défend la mère célibataire, si elle demande la légalisation d'un état de fait, ce n'est que justice ; mais prôner la liquidation du père serait prendre pour un bien ce qui est un fâcheux accident. Les femmes des îles Trobriand, qui croient qu'elles conçoivent par l'opération d'un esprit, n'en veulent pas moins un père pour leurs enfants, et même la Vierge Marie ne tenait pas Joseph pour un bon à rien. Je ne vois pas, d'ailleurs, quel intérêt auraient les femmes à supporter seules la charge des enfants, et il me paraît plus urgent de craindre que les hommes la leur abandonnent tout à fait.

De là à affirmer que le mariage est une institution inébranlable, il y a un pas que je me garderai de sauter. Je crois, au contraire, que la séparation du génital et du génésique, l'avancement du temps de la maternité, son raccourcissement, et l'allongement de la durée de la vie, vont porter un sérieux coup au mariage. Cinquante années à vivre après que les enfants ont quitté le giron maternel, voilà une nouveauté que l'on peut qualifier de formidable. Il va falloir que les époux trouvent un second souffle, et un troisième dans le troisième âge. Faire vivre ensemble deux personnes de sexe différent était déjà une entreprise hasardeuse. Mais quand chacun a le loisir de poursuivre son évolution sur une pareille durée, il y faut tant d'ajustements successifs que cela ressemble à un pari stupide.

Et pourtant, je suis sûr qu'il y aura toujours des couples pour engager le pari qu'on s'aimera toute la vie. Mais pour le gagner ? L'amour, dit la chanson, ne connaît pas de lois. L'amour est un choix de chaque jour, et s'il n'évolue pas au fil des jours, il craque. La passion (ou le désir transfiguré) qui mène le garçon et la fille devant M. le Maire ou M. le Curé, devra accomplir de singulières métamorphoses pour survivre à travers les métamorphoses de l'un et de l'autre. Si elle n'y parvient pas, quelle loi — sinon celle édictée par l'Eglise catholique — pourra contraindre les époux à demeurer ensemble, une fois accompli le service de l'espèce ?

Parce que l'amour est un choix, et un choix qui est toujours à faire, il faut, pour gagner le pari, être capable de le perdre. Je veux dire : que la femme se soit dégagée par son travail de la dépendance financière qui l'a si longtemps contrainte, et la contraint souvent encore, à supporter un lien devenu odieux. Alors le mariage pourra tenir par la volonté de construire une œuvre commune, chez ceux qui connaissent les vertus de la persévérance. Les chances ne seront-elles pas meilleures si la femme, quand ses enfants n'ont plus le même besoin d'elle, a une activité dans laquelle accomplir son destin du dehors ? Cependant je crois que tout cela ne servira encore à rien si le couple ne se dégage pas des nostalgies infantiles sur lesquelles il s'est constitué, s'il ne devient pas assez adulte pour surmonter les angoisses de frustration, d'abandon, qui mêlent à l'amour la haine ; si l'expression la plus commune de ces angoisses, le fétichisme de la fidélité sexuelle, ne se transmue en une fidélité plus profonde et plus vraie, celle de deux êtres qui se connaissent et s'acceptent tels qu'ils sont, dans la dimension de leur vie entière et également partagée.

Dans le grand tournant de notre temps, la révolution féminine a à choisir entre deux chemins.

Sur l'un, il suffit de continuer le mouvement de cérébralisation que la Renaissance a lancé, que le premier âge industriel a prodigieusement accéléré, et dont le nôtre ne cesse d'accélérer l'accélération — jusqu'à la catastrophe, qui est d'autant plus probable qu'elle semble exercer sur certains esprits une sorte de fascination. Comme aux approches de l'An Mille, nous vivons dans une attente eschatologique. Quelques messies sont déjà venus enivrer de leurs mythologies contradictoires mais également millénaristes leur peuple élu, Lénine et Staline promettant aux prolétaires, et Hitler aux « Aryens », la victoire sur les armées du Mal bourgeois ou juif. Ce n'est pas fini. La prospective et la science-fiction vouent l'humanité à la dictature des robots, sujet privilégié de délectation masochique pour l'*intelligentsia* occidentale qui a proclamé la mort de l'homme. Et une jeunesse en révolte contre le gâchis des accomplissements virils rêve de détruire pour détruire et de tuer pour que l'homme revive.

En bonne logique, quand on conteste la valeur de ces prouesses viriles, il faut aussi contester le rationalisme qui nous a menés là. Non pour le refuser : c'est bien lui qui a fécondé la terre, percé les montagnes, enjambé les fleuves, construit des maisons, fabriqué des machines qui épargnent la peine des hommes, et retardé de façon appréciable l'instant fatal qui toujours viendra pour nous distraire. Le rationalisme a ses titres de gloire. Mais il ne faudrait pas qu'il s'en croie tant que d'usurper le pouvoir absolu. Refuser le rationalisme serait aussi absurde, et aussi castrateur, que de refuser la féminité, mais il est urgent de le remettre à sa place : au service de l'humain, c'est-à-dire, n'ayons pas peur des mots, au service de l'amour.

La femme, heureusement (à part nos radicales subjuguées par l'esprit du pénis), n'a pas perdu le sens. Le salut est possible si elle prend une conscience nouvelle de son sexe et de son exigence totale, qui est l'accomplissement de l'individu dans la lignée de l'espèce. L'individu : elle et lui. Je disais dans mon avant-propos que j'espérais le temps de la féminité créatrice. J'espère aussi que sur ce chemin les sexes réconciliés entendront le beau soupir de Louise Labé : « Contentons-nous l'un l'autre. »

NOTES BIBLIOGRAPHIQUES

Première Partie

LE SEXE PRIMORDIAL

1. La BRUYÈRE, *Les Caractères.*
2. Jean ROSTAND, *Bestiaire d'amour*, p. 27, Paris, 1958.
3. Jean ROSTAND, *op. cit.*, p. 41.
4. Hélène CHARNIAUX-COTTON, dans *Entretiens sur la sexualité*, p. 330, Paris, 1969.
5. Jean-Henri FABRE, *Souvenirs entomologiques*, Paris (édition définitive, 1919-1925).
6. Rémy CHAUVIN, *Entretiens sur la sexualité, op. cit.*, p. 203.
7. Jean ROSTAND, *op. cit.* p. 48.
8. Maurice MAETERLINCK, *La vie des abeilles*, Paris, 1901.
9. Jean ROSTAND, *op. cit.*, p. 79.
10. Rémy CHAUVIN, *Entretiens sur la sexualité, op. cit.*, p. 204.
11. Konrad LORENZ, *L'agression*, p. 62, Paris, 1969.
12. Jean ROSTAND, *op. cit.*, p. 96.
13. Konrad LORENZ, *Il parlait avec les mammifères, les oiseaux et les poissons*, p. 47, Paris, 1968.
14. Robert ARDREY. *Le territoire*, p. 52, Paris, 1967.
15. Konrad LORENZ, *op. cit.*, p. 131.
16. Rémy CHAUVIN, *op. cit.*, p. 232.
17. Rémy CHAUVIN, *op. cit.*, p. 211.
18. Konrad LORENZ, *L'agression, op. cit.*, p. 216 et 217.
19. Konrad LORENZ, *ibid*, p. 212.
20. Konrad LORENZ, *Il parlait avec les mammifères, les poissons et les oiseaux, op. cit.*, p. 88.
21. Konrad LORENZ. *L'agression, op. cit.*, p. 141.
22. Konrad LORENZ. *Il parlait avec les mammifères, les oiseaux et les poissons, op. cit.*, p. 81.
23. W. Graham SUMNER, *Folkways*, p. 13, Boston, 1913.
24. Ruth BENEDICT, *Echantillons de civilisations*, p. 15, Paris, 1950.
25. Claude LÉVI-STRAUSS, *Tristes tropiques*, p. 419 Paris, 1955.
26. Robert LOWIE, *Traité de sociologie primitive*, p. 22, Paris, 1936.
27. Margaret MEAD, *L'un et l'autre sexe*, p. 28 et 35, Paris, 1966.

28. Bronislaw MALINOWSKI, *La vie sexuelle des sauvages du nord-ouest de la Mélanésie*, Paris, 1930.
29. Ruth BENEDICT, *op. cit.*
30. Ruth BENEDICT, *op. cit.*
31. Margaret MEAD, *Sex and temperament in three primitive societies*, New York, 1935. Traduction française dans un recueil sous le titre : *Mœurs et sexualité en Océanie*, Paris, 1963.
32. Margaret MEAD, *L'un et l'autre sexe*, *op. cit.*
33. Margaret MEAD, *Sex and temperament in three primitive societies*, *op. cit.*
34. Margaret MEAD, *Sex and temperament in three primitive societies*, *op. cit.*
35. Margaret MEAD, *Coming of age in Samoa*, New York, 1928. En français dans : *Mœurs et sexualité en Océanie*, *op. cit.*
36. Margaret MEAD, *L'un et l'autre sexe*, Paris, 1966.

Deuxième Partie

LA FEMME DANS LES GRANDES CIVILISATIONS

1. *Amaru*, traduit du sanskrit par Louis RENOU.
2. RABINDRANATH TAGORE.
3. *Mâgha*, texte sanskrit, traduction H. FAUCHE.
4. Jeannine AUBOYER dans : *Histoire générale des civilisations*, tome I, Paris, 1953, et dans : *Histoire mondiale de la femme*, tome III, Paris, 1967, et J. EVOLA, *Métaphysique du sexe*, Paris, 1968.
5. Marcel GRANET, *La pensée chinoise*, Livre II, chap. 2. Paris, 1950.
6. Marcel GRANET, *La civilisation chinoise*, p. 205, Paris, 1929.
7. Robert VAN GULIK, pp. 33, 65, 70, 102, *La vie sexuelle dans la Chine ancienne*, Paris, 1971.
8. *Ibid.*, pp. 158-200.
9. Henri MASPERO, « Les procédés de nourrir l'esprit vital dans la religion taoïste ancienne » dans *Journal asiatique*, avril-juin et juillet-septembre 1937.
10. Robert VAN GULIK, p. 125, *op. cit.*
11. Marcel GRANET, *La civilisation chinoise*, p. 414, *op. cit.*
12. *Ibid*, p. 420.
13. Robert VAN GULIK, *La vie sexuelle dans la Chine ancienne*, pp. 135-139, *op. cit.*
14. Jean VERCOUTTER, « La femme en Égypte ancienne » dans *Histoire mondiale de la femme*, tome I, *op. cit.*
15. R. DE VAUX, O.P., *Les institutions de l'Ancien Testament*, chapitres III et IV, Paris, 1961.

16. MATTHIEU, XIX, 4-5.
17. Première épître aux Corinthiens, X, 8-9.
18. Première épître aux Corinthiens, VII, 1-2, 8-9.
19. Épître aux Romains, VIII, 6-8.
20. Première épître aux Corinthiens, XI, 3.
21. Claude LÉVI-STRAUSS, *Tristes tropiques*, p. 442, *op. cit.*
22. GHAZALI, *Le livre des bons usages en matière de mariage*, traduction L. BERCHER et G. H. BOUSQUET, Paris, 1953.
23. G. H. BOUSQUET, *L'éthique sexuelle de l'Islam*, Paris, 1966.
24. Georges MÉAUTIS, *Mythes inconnus de la Grèce antique*, pp. 70-71, Paris, 1944,
25. JEAN DUCHÉ, *Histoire du monde*, T. I, « L'animal vertical », p. 309, Paris, 1958.
26. *Ibid.*, p. 312.
27. Traduction de Georges DUCLOS.
28. Traduction de Henri BERGUIN.
29. Cité par Robert FLACELIÈRE dans *L'amour en Grèce*, p. 171, Paris, 1960.
30. Cité par Robert FLACELIÈRE, « Histoire de la femme antique en Crète et en Grèce » dans *Histoire mondiale de la femme*, T. I, p. 360, *op. cit.*
31. Jacques HEURGON, *La vie quotidienne chez les Étrusques*, pp. 110-111, Paris, 1961.
32. Jérôme CARCOPINO, *La vie quotidienne à Rome à l'apogée de l'Empire*, p. 111, Paris, 1939.
33. JUVÉNAL, *VIe satire.*
34. Denis de ROUGEMEONT, *L'amour et l'Occident*, pp. 75-76, édition 10/18, Paris, 1963.
35. *Ibid.*, p. 62.
36. Henri DAVENSON, *Les troubadours*, Paris, 1961.
37. Heinz et Marianne STALLMANN, *L'Allemande au temps de la Réforme*, et Richard MARIENSTRAS « L'Anglaise sous le règne d'Élizabeth » dans *Histoire mondiale de la femme*, T. II, pp. 361-363 et 430-431, *op. cit.*
38. Claude DULONG, *L'amour au XVIIe siècle*, Paris, 1969.
39. Jean DUCHÉ, *L'histoire de France racontée à Juliette*, pp. 333-336, Paris, édition de 1968.
40. LOUVET, *Faublas.*
41. DUCLOS, *Mémoires sur les mœurs.*
42. Cité par Pierre FAUCHERY, *La destinée féminine dans le roman européen du XVIIIe siècle*, p. 611, Paris, 1972.
43. DIDEROT, *Sur les femmes.* dans *Œuvres*, p. 980, édition de la Pléiade, Paris, 1951.
44. Choderlos de LACLOS, *Les liaisons dangereuses*, Lettre LXXXI.
45. Pierre FAUCHERY. Les citations de romans qui suivent sont prises dans sa thèse, *op. cit.*
46. *L'Émigré.*
47. *Cressy.*
48. *Pamela.*

49. *Aspasie.*
50. *Tom Jones.*
51. *Adèle et Théodore.*
52. *Faublas.*
53. *Juliette Catesby.*
54. *Aldwill.*
55. *Les Liaisons dangereuses.*
56. *Amélia.*
57. *Sophiens Reise.*
58. *La Nouvelle Héloïse.*
59. *Amanda et Edouard.*
60. *La Nouvelle Héloïse.*
61. *L'Émigré.*
62. *Atala.*
63. *Corinne.*
64. Diotima, dans *Hyperion.*
65. *Émile*, p. 466, édition Garnier-Flammarion, Paris, 1966.
66. *Ibid.*, p. 467.
67. *Ibid.*, pp. 470 et 471.
68. *Ibid.*, p. 473.
69. *Ibid.*, p. 474.
70. *Ibid.*, p. 475.
71. *Ibid.*, p. 507.
72. *Ibid.*, p. 537.
73. *Ibid.*, p. 492.
74. *Ibid.*, pp. 482-483.

Troisième Partie

LA RÉVOLUTION FÉMININE

1. Cité par Simone DE BEAUVOIR dans *Le deuxième sexe*, édition de poche, T. II, p. 28. Paris, 1949.
2. BALZAC, *Physiologie du mariage*, pp. 53-54, édition Garnier-Flammarion, Paris, 1968.
3. Jean DUCHÉ, *Histoire du Monde*, T. IV, p. 25, *op. cit.*
4. ENGELS, *L'origine de la famille, de la propriété privée et de l'État*, Paris, 1946.
5. BEBEL, *La femme et le socialisme*, Berlin, 1964.
6. VEBLEN, *Théorie de la classe de loisir*, Paris, 1970.

NOTES BIBLIOGRAPHIQUES

7. BEBEL, *La femme et le socialisme*, p. 291, *op. cit.*
8. Betty FRIEDAN, *La femme mystifiée*, p. 35, Paris, 1970.
9. Betty FRIEDAN, p. 361. *op. cit.*,
10. Hélène DEUTSCH, *La psychologie des femmes*, T. I, p. 318, Paris, 1949.
11. Betty FRIEDAN, *La femme mystifiée*, p. 109. *op. cit.*,
12. Lynn WHITE, *Educating our daughters*, cité par Betty FRIEDAN, *op. cit.* pp. 179-180,
13. Marianne DEBOUZY, « La femme américaine » in *Histoire mondiale de la femme*, T. IV, p. 376, *op. cit.*
14. Vance PACKARD, *Le sexe sauvage*, p. 149, Paris, 1969.
15. ENGELS, *Principes du communisme*, p. 29.
16. LÉNINE, *Lettres de loin*, 3e lettre. Souligné par l'auteur.
17. ENGELS, *L'origine de la famille...*, p. 79, *op. cit.*
18. Klaus MEHNERT, *La jeunesse en Russie soviétique*, Berlin, 1932.
19. Wilhelm REICH, *La révolution sexuelle*, p. 194, Paris, 1968.
20. Discours au premier congrès panrusse des ouvrières, 19 novembre 1918.
21. ENGELS, *L'origine de la famille...* p. 79, *op. cit.*
22. Voir p. 63, et Jean DUCHÉ, *Histoire du monde*, T. I, p. 48, *op. cit.*
23. ENGELS, *L'origine de la famille...*, p. 81. *op. cit.*,
24. *Ibid.*, p. 92.
25. Cité par Wilhelm REICH, *La révolution sexuelle*, p. 243, *op. cit.*
26. ENGELS.
27. Chiffres de 1964 cités par Hélène ZAMOYSKA dans l'*Histoire mondiale de la femme*, T. IV, pp. 422-423, *op. cit.*
28. *Ibid.*, p. 425,
29. D. L. BRONER, *La question du logement et la statistique*, 1966, cité par Hélène ZAMOYSKA, *ibid.*, p. 428.
30. LÉNINE « La grande initiative » dans *Œuvres choisies*, T. II, p. 516, éditions en langues étrangères, Moscou, 1947.
31. Hélène ZAMOYSKA, p. 445. *op. cit.*,
32. FREUD, *Trois essais sur la théorie de la sexualité*, Paris, 1962.
33. FREUD, *La vie sexuelle*, p. 129, Paris, 1969.
34. *Ibid.*, p. 20.
35. Karen HORNEY, *La psychologie de la femme*, p. 54, Paris, 1969.
36. Mélanie KLEIN et Joan RIVIÈRE, *L'amour et la haine*, pp. 48 et 49, Paris, 1968.
37. Karen HORNEY, *La psychologie de la femme*, p. 140, *op. cit.*
38. Léo FERRÉ, *L'amour.*
39. *Partisans*, n° juillet-octobre 1970, « Libération des femmes », p. 79.
40. *Ibid.*, p. 79. Souligné par moi.
41. *Ibid.*, p. 81.
42. *Ibid.*, p. 82.
43. *Ibid.*, p. 85.
44. *Actuel*, janvier 1971, « A bas la société mâle! » p. 8.

45. Simone de BEAUVOIR, *Le deuxième sexe,* édition de poche, T. II, p. 138, *op. cit.*
46. *Partisans,* pp. 111 et 112, *op. cit.*
47. P. LONGONE, *Population et Sociétés,* mars 1972.
48. *Ibid.,*
49. Revue *Population,* éditée par l'I. N. E. D., numéro spécial « Famille, Mariage, Divorce », juin 1971, p. 120.
50. Simone de BEAUVOIR, *Le deuxième sexe,* T. I, p. 155, *op. cit.*
51. Dr. Guy CHEVALIER, *Je veux un enfant,* p. 123, Paris, 1972.
52. *Partisans,* p. 100, *op. cit.*
53. Interview du *Nouvel Observateur,* 14 février 1972.
54. On peut lire, parmi beaucoup d'autres ouvrages : M.-J. et P.-H., CHOMBART de LAUWE *La femme dans la société,* Paris, 1963. France GOVAERTS *Loisirs des femmes et temps libre,* Bruxelles, 1969. Viola KLEIN, *Emploi des femmes, horaires et responsabilités,* OCDE, 1965. V. KLEIN et A. MYRDA, *Women's two roles,* Londres, 1956. Jean MAUDUIT, *La révolte des femmes* (synthèse des États généraux de la femme), Paris, 1971. Simone MESNIL-GRENTE, *La femme et son métier,* Paris, 1970. Evelyne SULLEROT, *Histoire et sociologie du travail féminin,* Paris, 1968. Evelyne SULLEROT, *La femme dans le monde moderne,* Paris, 1970.
55. Evelyne SULLEROT, *La femme dans le monde moderne,* pp. 123 et 126, *op. cit.*
56. Jean MAUDUIT, *La révolte des femmes* p. 146, *op. cit.*
57. Anna GRETA LEIJON et Marianne KARRE, *La condition familiale en mutation,* Paris, 1972.

ACHEVÉ D'IMPRIMER LE
20 OCTOBRE 1972 SUR LES
PRESSES DE L'IMPRIMERIE
BUSSIÈRE, SAINT-AMAND (CHER)
POUR
LES ÉDITIONS ROBERT LAFFONT

— N° d'édit. 4815. — N° d'imp. 1831. —
Dépôt légal : 4e trimestre 1972.